AF497727

Lehrbuch

der

ALTHOCHDEUTSCHEN SPRACHE

und

LITERATUR.

Für höhere Schulen und zum Selbstunterricht.

Von

Dr. LUDWIG FRAUER,

Professor am obern Gymnasium in Schaffhausen.

Nebst einem Anhang,

Stücke aus der älteren Edda und aus Hêliand enthaltend.

Oppenheim am Rhein.

Verlag und Eigenthum von Ernst Kern.

1860.

LIBRARY OF THE TAYLOR INSTITUTION
UNIVERSITY
16 OCT 1929
OF OXFORD

Vorwort.

Mehrjährige Erfahrungen, die ich an der Univerſität Tü-
bingen als Privatdozent und darauf am hiefigen Gymnaſium
machte, haben mich überzeugt, daß es recht wohl möglich ist,
mit 17—19jährigen Schülern in einem halben Jahre bei zwei
wöchentlichen Stunden einen Kurſus des Althochdeutſchen durchzumachen, und zwar so durchzumachen, daß eine gute Grundlage
in der gefchichtlichen Kenntnis der Sprache gelegt und eine
dauernde Liebe zu derſelben gepflanzt werden kann. Nur muß
dabei das zeitraubende Diktieren von einleitender Literaturgefchichte und Grammatik vermieden werden können; der
Schüler muß diefes alles mit dem Texte in Einem Buche vor
fich haben und der Text muß ihm eine größere Auswahl von
leichten Lefeftücken darbieten, als dieß in denjenigen deutſchen
Lefebüchern der Fall fein kann, welche die ganze Literaturgefchichte umfaſſen. Diefe Bedürfniſſe bewogen mich, meine
Hefte, die ich bis jetzt zu diktieren pflegte, für den Druck zu
bearbeiten, und fo ift das gegenwärtige Büchlein entftanden, dem
man feine Entftehung in der Schule und für diefelbe hoffentlich
anfehen wird. Es ift ein Verfuch, die Forschungen unferer
großen Germaniften, insbefondere Grimms, Lachmanns und
Wackernagels, dann aber auch die von Koberftein, Gervinus,
Vilmar u. aa. für den Zweck der nationalen Schulbildung möglichft
kurz und überficbtlich, dabei aber doch deutlich, anfchaulich und
in einladender Form zu bearbeiten und alles das zufammen-
zuftellen, was für den erften Unterricht im Althochdeutſchen
zufammen gehört: Literaturgefchichte, Grammatik, Text und
Wörterbuch.

Die Grammatik ist im Wesentlichen ein fiftematifcher und
überficbtlicher Auszug aus Grimm's Laut- und Formenlehre, in
welche letztere nur fo viele fyntaktifche Regeln eingeftreut find,
als der Schüler für die Lektüre nothwendig braucht. Auch der
Text der Denkmäler unterfcheidet fich von andern Lefebüchern

diefer Art durch die Rückficht auf den Schüler. Diefer lernt offenbar die Sprache weit fchneller an größeren Stücken weniger und hervorragender Schriftfteller, als an kleineren Bruchftücken vieler verfchiedener und unbedeutender Verfaffer. Demgemäß find in den Denkmälern am reichften durch Proben vertreten: Kero, Tatian, Otfried und Notker. Von den kleineren Sprachdenkmälern wurden alle diejenigen aufgenommen, welche innern poetifchen oder kulturhiftorifchen Wert haben. Ausgefchloffen dagegen wurden alle diejenigen kleineren Denkmäler, welche dem Inhalte nach unbedeutend und unintereffant find und nur dadurch Bedeutung haben, daß fie dem Manne vom Fach Stoff zu Lexikon und Grammatik bieten.

Obgleich mein Büchlein für die Schule beftimmt ift und einen Lehrer vorausfetzt, der den Stoff in feiner Gewalt hat, konnte ich mich doch nicht enthalten, auf dem Titel den Beifatz „zum Selbftunterricht" zu machen, in der Hoffnung, dadurch einen oder den anderen Erwachfenen zu bewegen, daß er eine Lücke in feinem Wiffen noch auszufüllen verfuche. Mancher Gebildete, insbefondere auch mancher Lehrer und Geiftliche von klaffifcher Bildung, empfindet fchmerzlich die Barbarei, daß er von Jugend auf in der Kenntnis der Mutterfprache gänzlich oder faft gänzlich vernachläßigt wurde, und doch kann er jetzt nicht mehr die großen Werke und die zerftreuten Abhandlungen durchftudieren, auf welche fich die neuere Germaniftik gründet. Möge folchen Männern mein Büchlein, foweit es möglich ift, den Lehrer erfetzen! Insbefondere im Wörterbuche habe ich auf fie Rückficht genommen, indem ich die dunkeln Stellen erklärte oder zu erklären verfuchte. Auch der Anhang aus der Edda und dem Heliand nebft Ueberfetzung ift vorzugsweife für fie beigegeben, damit fie fich auch auf diefem Felde der germanifchen Poefie nicht mehr mit bloßen Worten, Namen und Begriffen begnügen müffen, fondern endlich einmal ein Stück der Sache felbft fchauen können.

Schaffhaufen. den 14. September 1859.

Ludwig Frauer.

Inhaltsverzeichniss.

III. Althochdeutsche Sprachdenkmale.

Geſchichte der althochdeutſchen Literatur.

Ueberſicht.

Die deutſche Literatur hat ſeit ihrem Anfang bis zur
Gegenwart zwei Perioden dichteriſcher Blüte und Schöpfungs-
kraft gehabt, die erſte in der Hohenſtaufenzeit (mittelhochdeutſche
Periode), die zweite in der Zeit Leſſing's, Göthe's und Schiller's
(neuhochdeutſche Periode). Was zwiſchen dieſen beiden Perioden und vor denſelben liegt, iſt Vorbereitung und Uebergang.
So bildet alſo der althochdeutſche Zeitraum keine eigentlich
ſelbſtändige, ſchöpferiſche Periode unſerer Literatur; gleichwol iſt er für die Geſchichte der deutſchen Sprache und Literatur
ſo wichtig, als überhaupt der Anfang einer geſchichtlichen Entwicklung für deren Fortgang iſt. Ein Verſtändniß der deutſchen
Literatur- und Sprachgeſchichte iſt ohne Kenntniß der althochdeutſchen Zeit nicht denkbar.

Der althochdeutſche Zeitraum beginnt einige Zeit nach der
Völkerwanderung, und fällt im Allgemeinen mit dem weltge-
ſchichtlichen Beſtand des fränkiſchen Reichs unter dem Karolingern
zuſammen. Im weitern Sinn iſt es die Zeit von etwa 600 n. Chr.
bis um 1056, im engern Sinn erreicht die althochdeutſche Sprache
und Literatur ihren Höhepunkt unter Karl dem Großen und
ſeinen Nachfolgern, 800 — 900.

Ehe wir zur nähern Darſtellung dieſes Zeitraums übergehen,
werfen wir des wiſſenſchaftlichen Zuſammenhangs wegen einen
Blick auf den Zuſtand deutſcher Dichtung vor der Völkerwanderung und vor dem Beginne der althochdeutſchen Zeit.

Vorgeſchichte.

a) Die Zeit von circa 114 vor Chr. bis c. 200 nach Chr.

Die Germanen treten in die Geſchichte ein nicht als Ein Volk, nicht mit geſchloſſener politiſcher Einheit, ſondern als eine große Anzahl vereinzelter Völkerſchaften. Sie gehören zuſammen durch Herkunft und Sprache, durch die Natur, nicht durch den freien Willen und durch politiſche Einrichtungen. Einzelne Völkerſchaften ſtehen wohl in einem näheren Verhältniß zu einander, aber auch dieſes nur teilweiſe und gewöhnlich nicht dauernd; meiſt vereint ſie nur vorübergehend die gemeinſame Gefahr. Dieſer Zuſtand dauert während des ganzen erſten Abſchnittes der deutſchen Geſchichte vom Cimbern- und Teutonenkrieg (114 vor Chr.) bis zum erſten Hervortreten der Stammnamen und Genoſſenſchaften der Franken, Alemannen Sachſen u. ſ. w. (200 nach Chr.). Den Inhalt dieſes Abſchnittes bildet eben jenes zerſplitterte Naturdaſein der einzelnen Völkerſchaften, das ungebrochene heidniſche Leben und Streben, das kriegeriſche Sichgeltendmachen der einzelnen Völkerſchaften gegen einander und gegen das eroberungsſüchtige Römerreich.

Der Mittelpunkt des Lebens der heidniſchen Germanen, wie ſie uns Tacitus um das Jahr 100 nach Chr. beſchreibt, war der Krieg und die perſönliche kriegeriſche Tapferkeit. Es war dem Germanen ein Naturbedürfniß, ſich zu ſchlagen, einen Gegner zu haben, durch deſſen Bekämpfung er ſich gleichſam die Gewißheit ſeines eigenen Daſeins, ſeiner freien Perſönlichkeit und Selbſtändigkeit verſchaffte. Wir finden hier faſt keine der Blüten wieder, welche bei milderen Völkern dem Boden heidniſcher Weltanſchauung entſproßten; wir finden hier nicht die glühende Naturanſchauung der Indier, nicht die ſchöne Bildung griechiſcher Plaſtik. Nur Eine Kunſt erblühte auch in dem rauhen, in ſchroffen Gegenſätzen ſich bewegenden Leben der alten Germanen: die Kunſt der Rede, der Dichtung. — Unzweifelhafte Zeugniſſe beweiſen uns, daß die Deutſchen ſchon in dieſem erſten Abſchnitte ihrer Geſchichte Lieder gehabt haben, welche geſungen oder ſingend geſprochen wurden beim Anfang der Schlacht, bei religiöſen und volkstümlichen Feſten und Feierlichkeiten, bei fröhlichen Gelagen und ſelbſt bei Beſtattung der Leichen. Dieſe Lieder waren epiſch und hatten zum Inhalt das Leben, die Taten der Götter und Helden. Tacitus ſagt Germ. cap. 2: „ſie feiern in alten Geſängen und diefes ift bei ihnen die einzige Art gefchichtlicher Erinnerung und Ueberlieferung — den Gott Tuisko, den der Erde Entfproffenen, und feinen Sohn Mannus, die Stammväter und Gründer des Volks.“ Und cap. 3 fagt er: „fie befingen den Herkules (wahrfcheinlich einen Kriegs- und Siegesgott), wenn fie in die Schlacht gehen wollen, als den erften aller tapferen Männer. Sie befitzen auch folche Gefänge, durch deren Vortrag, den fie barditus (Schildgefang) nennen, fie die Geifter anfeuern; dabei ahnen fie das Schickfal der künftigen Schlacht aus dem Gefange felbft; denn fie fchrecken oder zagen, je nachdem der Schlachtgefang ertönt.“ Ann. II, 88 fagt Tacitus, daß das Andenken Armins in Liedern fortgelebt habe. Noch an manchen andern Stellen fpricht Tacitus gelegentlich von dem Gefange der germanifchen Barbaren vor, während und nach der Schlacht und bei feftlichem Mahle.

Diefe Gefänge waren offenbar Volksdichtungen im eigentlichen Sinne des Worts; es gab keine befondere Kafte, die das Dichten zu ihrem Gefchäfte machte; nicht einmal einzelne Perfönlichkeiten, die vorzugsweife als Dichter gelten konnten. Die Kunft des „Singens und Sagens“ hat Wodan allen freien Genoffen des Stamms verliehen, — die Gefammtheit diefer ift es, welche jene Lieder hervorgebracht hat. Der Stoff dazu war gegeben in den gemeinfamen Anfchauungen und Erlebniffen, in Religion und Gefchichte des Volks. Einzelne Männer mag es wohl gegeben haben, welche einen befondern Reichtum von Liedern und ausgezeichnete Gefchicklichkeit des Vortrags fich zu eigen gemacht hatten, und welche man daher Sänger, nordifch Skalden (keineswegs Barden!) nennen konnte. Aber diefe fangen nur, was jeder Zuhörer als fein Eigentum erkannte und mit freudiger Zuftimmung begleitete. Auch aus den Stellen des Tacitus geht hervor, daß die Gefänge nicht von Einzelnen, fondern *gemeinfam* gefungen wurden.

Es ift wahrfcheinlich, daß befonders zwei Sagenkreife fchon in diefer Zeit gelebt und den Inhalt vaterländifcher Lieder gebildet haben: die Sage von Siegfried, d. h. ihre mythologifche Grundlage, der ältefte Kern des Nibelungenliedes, und die Tierfage. Beide Sagenkreife wurzeln ihrem innerften Grunde nach im Heidentum und können daher kaum in fpäterer Zeit fich gebildet haben. Sie giengen fcheinbar wieder unter, um in der mittelhochdeutfchen Periode in neuer Geftalt zu erftehen und feftes Eigentum der deutfchen Literatur zu werden.

Leider hat sich kein Sprachdenkmal aus dieser Zeit erhalten. Die Lieder wurden nicht aufgeschrieben; sie lebten und veränderten sich im Munde des Volks. Wir können daher aus dem Obigen wohl schließen, daß die alten Deutschen eine Sprache gehabt haben, die künstlerischer Gestaltung fähig und teilhaftig war; auch ist wahrscheinlich, daß der Hauptwert ihrer Gesänge in den Worten, im Texte lag, nicht in der Musik; im Uebrigen aber können wir uns weder von der Sprache, noch von der Dichtung der eigentlich deutschen Stämme in der altheidnischen Zeit eine klare Vorstellung machen. Doch hat das Geschick für einigen Erfatz gesorgt. In Betreff der Sprache muß die gothische aushelfen, von der nachher die Rede fein wird. In Betreff des Inhalts und der dichterischen Darstellung geben uns Anhaltspunkte die deutsch-nationalen Gedichte der späteren Zeit (Nibelungen, Gudrun, die zwei Merseburger Zauberlieder, das Lied von Hildebrand und Hadubrand); am meisten aber die heidnischen Dichtungen der nordischen (skandinavischen) Germanen. Bei diesen hat sich in der sog. ältern Edda eine gute Anzahl alter Götter- und Heldenlieder erhalten, mit denen die verloren gegangenen deutschen große Aehnlichkeit gehabt haben mögen. Die eine Hälfte der Eddalieder erzählt das ereignißvolle, schicksalschwere Leben der Götter, die andere das Geschick der mythischen Heroen, namentlich Sigurds. Diese Dichtungen sind zum Teil wirklich anschaulich, klar, innerlich und äußerlich abgerundet; häufig aber ist ihre Darstellung großartig, schroff, kühn, abgerissen und geheimnißvoll andeutend, weit entfernt von jener klaren, lieblichen Behaglichkeit, mit der Homer von seinen Göttern und Helden erzählt. Doch ist anzunehmen, daß die deutschen Lieder einfacher, natürlicher, weniger künstlich gebildet und überbildet gewesen seien, als manche der skandinavischen, wogegen sie diesen in klarer Anschauung und plastischer Darstellung, sowie im Reichtum des Stoffes wahrscheinlich nachgestanden haben.

Die Buchstabenschrift war schon in dieser Zeit bekannt, aber nicht allgemein und nicht zum gewöhnlichen Gebrauch. Diese wunderbare Kunst, Worte mitzuteilen, ohne daß sie ausgesprochen wurden, gränzte an Wunder und Zauberei, und so wurden die geheimnißvollen Zeichen, mit denen man jenes bewerkstelligte, nicht nur zum Schreiben, sondern besonders auch zur Weissagung und Zauberei gebraucht, wie dieß Tacitus in Germ. 10 ausführlich beschreibt. Die Zeichen selbst heißen Runen, von rûna heimliche Rede, entweder weil sie heimlich Worte mitteilen oder weil sie zu geheimnißvoller Weissagung und Zauberei dienen. Sie

heißen auch goth. ftabs, altn. ftafr = Stab, Reis, oder hochdeutfch
buoh ft. n. = Buchreis, litera, Buchftabe, weil die Runenzeichen,
wenigftens bei der Weiffagung, auf die Stäbe (Reifer, Zweig-
ftücke) einer Buche (buoha, fchw. f.) gebildet wurden. Das alte
Runenalphabet beftand aus 16 Zeichen (Buchftaben) und war
gewiß allen höher ftehenden Männern, fowie den weiffagenden
Frauen bekannt.

b). Die Zeit vom J. 200 bis um 600.

Der zweite Abfchnitt der deutfchen Gefchichte beginnt mit
der Zeit, da die vielen vereinzelten deutfchen Völkerfchaften fich
nach und nach zu größeren Maffen fammeln, zu den bekannten
Stammgenoffenfchaften der Alemannen, Franken, Baiern, Thüringer,
Sachfen, feit dem 3. Jahrhundert. Die Kriege mit dem Römerreich haben zu diefem engern Zufammenfchließen der deutfchen
Stämme wefentlich beigetragen; durch fie find die Germanen aus
ihrem Naturzuftand aufgeweckt und zu zweckmäßiger Einrichtung
ihres öffentlichen Lebens getrieben worden; der Blick in die
Welt, in die Gefchichte wurde ihnen geöffnet. Statt der bürger-
lichen Obrigkeiten ftehen jetzt auch bei den weftlichen Stämmen
Könige da, welche die bürgerliche und kriegerifche Obergewalt
in fich vereinigen. Bisher verteidigten fich die Deutfchen gegen
die Angriffe des Römerreichs, jetzt find fie felbft die Angreifer
und Eroberer geworden. Eine unruhige Gährung ergreift faft
alle germanifchen Völker auf dem ungeheuren Schauplatz von
der untern Donau bis zur Oftfee und bis zum Rheine; von allen
Seiten drängen fie, dem alten Zuge der Cimbern und Teutonen
folgend, von Nordoft nach Südweft; die ganze germanifche Welt
fteht auf, um die romanifche zu erobern und neu zu geftalten.
Die Weftgothen find das erfte deutfche Volk, das jetzt die Völkerwanderung im großen Stil beginnt. Um das Jahr 400 nach Chr.
brach Alarich, der Weftgothe, nach Italien auf, und als man
500 n. Chr. fchrieb, ftand kein Stein mehr auf dem andern von
dem ftolzen Gebäude, das die Römer in Wefteuropa und Nord-
afrika errichtet hatten. Faft in allen Teilen des gewefenen weft-
römifchen Reiches waren die germanifchen Eroberer herrfchend,
in Afrika die Vandalen, in Spanien die Sueven, Alanen und Weftgothen, in Brittannien die Angelfachfen, in Gallien die Burgunden, Franken und Alemannen, in Italien die Oftgothen, im Gebiet der agri decumates, in Rhätien und Norikum die Alemannen,

Sueven und Baiern. Das fünfte Jahrhundert fchließt mit der folgenfchweren Gründung des fränkifch-merowingifchen Reichs. Während die meiften der auf fremdem Boden gegründeten germanifchen Reiche bald wieder zerfallen, erhält fich nur das fränkifche, ohne jedoch jetzt fchon feine Beftimmung zu erfüllen. Die vielen Teilungen des Reichs unter den Nachfolgern Chlodwigs, die Befehdungen derfelben unter einander und ihre immer fühlbarer werdende Schwäche hemmen noch auf längere Zeit die innere Erftarkung und höhere Entwicklung des Frankenreichs. Wir können diefen Abfchnitt der deutfchen Gefchichte — die Zeit der Stammgenoffenfchaften, der Königsherrfchaft, der Wanderung und Eroberung — bis um 613 rechnen, da das fränkifche Reich fich in fich felbft zu fammeln und durch das Majordomat feine entfchiedene Obmacht über Germanen und Romanen zu gründen begann.

Gewiß lieferte keine Zeit prächtigeren Stoff für Gefänge „von helden lobebæren, von grôzer kuonheit", als die große Kriegs- und Wanderzeit, das Heroenalter der deutfchen Nation. Auch ift kaum zweifelhaft, daß z. B. die Nibelungenfage einen Teil ihres Stoffes und ihre hiftorifche Färbung durch die fagenhaften Erinnerungen an die Völkerwanderung erhalten habe. Außer den Namen der burgundifchen Könige gehören vor Allem Dietrich von Bern (Theodorich der Oftgothe) und Etzel, der Hunnenkönig (Attila), ihr an und deutlich fcheint in dem Untergang der Burgunden eine Erinnerung an die gefchichtliche Vernichtung Günthers durch die Hunnen hindurch. Ebenfo ift das Hildebrandslied und fein Sagenkreis, fo wie wir ihn aus fpäteren Denkmalen kennen, ein Nachklang der Völkerwanderung. Aber die Zeit, in welcher diefe hiftorifchen Erinnerungen in den Volksgefang übergingen, oder fich an den bereits vorhandenen Gefang anfchloffen, läßt fich nicht genau beftimmen. Aus äußern und innern Gründen ift anzunehmen, daß es nicht unmittelbar während und nach den gefchichtlichen Ereigniffen gefchah, fondern erft als diefe bereits etwas ferner ftanden. Da aber auf der andern Seite der burgundifche Sagenkreis im 10. Jahrhundert fo bekannt und verbreitet war, daß man fich felbft damit abgab, ihn ins Lateinifche zu übertragen, da das Hildebrandslied fpäteftens dem 8. Jahrhundert angehören kann, fo bleiben etwa das 7. und 8. Jahrhundert übrig. In ihnen müffen die Erinnerungen der großen Wanderzeit vom deutfchen Volksgefang aufgenommen und poëtifch geftaltet worden fein.

Aber auch in den Zeiten der Wanderung felbft blühte Gefang und Dichtung bei den deutfchen Völkern. Kaifer Julian (um 360) fpricht vom Gefange der Barbaren am Rhein (der Alemannen). Der Oftgothe Jornandes fchrieb um 551 feine gothifche Gefchichte: Jordanis sive Jornandis historia de Getarum seu Gothorum origine et rebus gestis; was er über die ältefte Gefchichte der Gothen berichtet, ift teilweife aus alten Heldenliedern gefchöpft, die noch zu feiner Zeit im Volk umgiengen. Er fpricht von dem Klaggefang der Weftgothen um ihren König Theodorich, der bei Chalons fiel (451). Er fpricht von der Harfe (cithara, deutfch harpa), mit welcher der Gefang begleitet wurde. Daß die niederdeutfchen Völker Teil am poëtifchen Leben der Nation nahmen, beweift die Poëfie der Angelfachfen in England (Beowulf), deren Stoff bei der Auswanderung (449) aus der deutfchen Heimat mitgenommen wurde.

Wenn aber auch aus diefer Zeit keine Aufzeichnung deutfcher Volksdichtung auf uns gekommen ift, fo mag daran einerfeits der Sturm diefer Jahrhunderte fchuld fein, das bewegte, tatenvolle Leben, das eine friedlich literarifche Befchäftigung nicht aufkommen ließ; andererfeits die Vermifchung der bildfamften und gebildetften germanifchen Stämme mit fremden Völkern, durch welche fie der heimifchen Sitte, dem alten Glauben und bald felbft der väterlichen Sprache entriffen wurden. Insbefondere mußte der Uebergang der Germanen zum Chriftentum, der in diefem Abfchnitt beginnt, der heidnifch-nationalen Dichtung und ihrer literarifchen Aufzeichnung entgegenwirken.

Zugleich aber gab der Uebergang zum Chriftentum den Anlaß zur Schöpfung des älteften germanifchen Sprachdenkmals, das fich uns erhalten hat. Die Weftgothen, welche die Völkerwanderung beginnen, welche zuerft zum Chriftentum übertraten, eröffnen auch in der Literatur den Reigen. Der weftgothifche Bifchof Vulfila (= Wölflein, bei den Griechen meist Ουλφίλας genannt) überfetzte um 360 nach Chr. die Bibel oder einen Teil derfelben ins Gothifche. Wir befitzen noch: Das Meifte der 4 Evangelien, die paulinifchen Briefe, kleine Fragmente aus dem alten Teftament. Hauptausgabe: von Gabelentz und Löbe, 2 Theile, Leipzig 1843—46. Eine Auswahl von Hahn, Heidelberg 1849.

Der gothifche Dialekt beginnt würdig die Gefchichte der germanifchen Sprachentwicklung; wohltönend, fanft und doch ftolz und prächtig fließt diefer Sprachftrom daher; die fchönften und reichften Wortformen, Bildungen und Zufammenfetzungen wechfeln in ihm; daher ift das Lefen diefes Denkmals ein äfthetifcher Genaß, obgleich der Text nur profaifche Rede enthält. „Die gothifche Sprache, fagt Vilmar in feinen Vorlefungen über die Gefchichte der deutfchen Nationalliteratur, — fcheinbar rätfelhaft und doch alsbald überrafchend verftändlich, fremd und doch zugleich heimifch und vertraut, fcheinbar fchroff, ftreng und abftoßend und dennoch an das innerfte reinfte Gefühl fich anfchmiegend, hat etwas ungemein Anregendes und faft möchte man fagen Herzbewegendes, eine Wirkung, die fie wohl an keinem verfehlt hat, der fich mit nur einiger Hingebung ihr widmen wollte.“ In wiffenfchaftlicher Beziehung bildet das Gothifche den Anfangs- und Ausgangspunkt aller germanifchen Sprachforfchung und muß uns den Verluft aller andern, vor und während der Völkerwanderung lebenden deutfchen Dialekte erfetzen; wir werden befonders bei der Darftellung der althochdeutfchen Lautlehre ftets auf das göthifche Lautfiftem, als das urfprüngliche, zurückblicken müffen.

Außer Wulfilas Bibelüberfetzung haben wir aus diefem Abfchnitt der deutfchen Gefchichte kein deutfches Sprachdenkmal. Die ausgewanderten deutfchen Völker nahmen romanifche Sprachen an; die auf deutfchem Boden zurückgebliebenen begannen erft langfam den Uebergang zum Chriftentum und zu römifch-kirchlicher Kultur, und vollendeten ihn zum Teil erft im folgenden Abfchnitt der deutfchen Gefchichte durch die mächtige Vermittlung des fränkifchen Reichs.

c) Von circa 600 bis um 1050, althochdeutfche Zeit.

Der neue Auffchwung des fränkifchen Reichs unter dem Majordomat, feine Blüte unter Karl dem Großen und fein Verfall bilden den Inhalt des dritten Abfchnitts der deutfchen Gefchichte (von 613, wo Chlotar II. das fränkifche Reich wieder vereinigt, bis 911). Das fränkifche Reich kräftigt fich, feitdem die königliche Gewalt immer mehr in die Hand der Hausmeier übergeht. Karl Martell erweift fich als der Schutz des chriftlichen Mitteleuropa. Mit Pipin dem Kleinen kommt ein neuer Herrfcherftamm auf den fränkifchen Thron. Karl der Große vollendet, was feine Vorfahren begonnen haben. So werden in diefem Zeitabfchnitt die germanifchen Stämme des Feftlandes zum erftenmal zu einer Staatseinheit vereinigt, die auch bedeutende romanifche Elemente in fich fchloß; ftatt der Standesgenoffenfchaften haben wir jetzt ein Reich, ftatt der vielen Könige Einen König, der fich

die römifche Kaiferkrone aufs Haupt fetzt. Mit der politifchen
Einheit der deutfchen Stämme wird nun auch die kirchliche durchgeführt; die bisher noch heidnifch gebliebenen deutfchen Völker
und die nur halb übergetretenen werden vollends zum Chriftentum
gebracht, alle werden mit ftarken Banden an römifch-kirchliche
Ordnung und Gefittung geknüpft. — In diefes karolingifche Zeitalter fällt der Höhepunkt der althochdeutfchen Sprache und Literatur. Wir müffen aber unfere Ueberficht noch weiter ausdehnen.
Nach dem Abgang der deutfchen Karolinger bildet die Zeit der
fächfifchen und der zwei erften fränkifchen Kaifer einen eigenen
Abfchnitt der politifchen Gefchichte Deutfchlands, welcher mit
dem Tode Heinrichs III. (1056) gefchloffen werden kann, weil
fich an den Namen feines unglücklichen Sohnes Heinrichs IV.
(1056, mündig erklärt 1065, Buße zu Canoffa 1077, ftirbt 1106)
ein allgemeiner, tiefgreifender Umfchwung der politifchen und
kirchlichen Dinge in Deutfchland knüpft. Diefe für die politifche
Gefchichte Deutfchlands fehr bedeutfame und felbftändige Periode
von 911 — 1056 gilt uns für die Sprach- und Literaturgefchichte
nur als ein Anhang, als ein letzter und dritter Abfchnitt der althochdeutfchen Zeit. Die Gränze zwifchen diefer und dem mittelhochdeutfchen Zeitraum der Literatur kann natürlich nicht genau
gezogen werden; aber im Allgemeinen fällt fie mit jener politifchen
Gränze zufammen.

Althochdeutfch heißt die Sprache des karolingifchen Zeit-
alters 1) im Gegenfatz zur mittelhochdeutfchen, deren Blüte in
das Ende des zwölften und in den Anfang des dreizehnten Jahrhunderts fällt, 2) als Schriftfprache des fränkifchen Reichs, die
fich aus den Dialekten der obern und mittlern deutfchen Stämme
bis zu einem gewiffen Grad von Gleichmäßigkeit entwickelt hatte.
Durch die Völkerwanderung war ein Gegenfatz der obern und
niedern deutfchen Stämme (Süd- und Norddeutfchland) begründet
worden; zu den erftern gehörten entfchieden die Alemannen und
Baiern, zu den letztern die Sachfen und Friefen. In der Mitte
befanden fich (wie heute noch) vermifchende und vermittelnde
Uebergänge die Thüringer, Heffen und vor Allem die Franken,
das eigentliche Mittel- und Bindevolk Deutfchlands, das Nord- und
Süddeutfchland zum Reiche verband, das auch in feiner Sprache
die Eigenheiten beider vereinigte. Da nun die Franken mit den
obern und mittlern deutfchen Stämmen in einem näheren Verhältniffe — als Herren und Verbündete — ftanden, lange ehe die
niederdeutfchen Stämme beigezogen wurden, fo bildete fich im
Verlaufe unferer Periode eine bis auf einen gewiffen Grad ge-

meinfame Schriftfprache in Franken, Mittel- und Oberdeutfchland
aus, die wir die althochdeutfche nennen. Sie ift demnach entftanden aus einer Mifchung von oberdeutfchen, mitteldeutfchen
und rheinifchen Elementen. Auch ift innerhalb diefer Mifchung
die einheitliche Geftaltung und gleichmäßige Ausbildung nicht
durchgeführt; in dem einen Denkmal überwiegt der oberdeutfche
Charakter, in dem andern der mitteldeutfche; hie und da findet
felbft entfchiedene Annäherung an das Niederdeutfche ftatt. Daneben genoß das Niederdeutfche (Altfächfifche) felbftändiges Da-
fein und wurde auch für Schrift und Literatur gebraucht. — Wie
in Karls des Großen Reich die Befonderheit der deutfchen Stämme
zur Reichseinheit verbunden wird, ohne daß dadurch fchon die
Einheit für immer ficher geftellt ift, fo ift die Sprache feines
Jahrhunderts der erfte nicht ganz durchgeführte Schritt aus den
befondern deutfchen Dialekten zum *allgemeinen*, der unvollkommene
und dennoch welthiftorifche Anfang der deutfchen *Nationalfprache*.

Althochdeutfche Literatur.

Erfter Abfchnitt.

Von circa 613 — 800.

Gefchichtliches: Chlotar II. vereinigt 613 das fränkifche Reich.
Das Majordomat. Pipin von Landen 622. Der h. Gallus † vor
638. Pipin von Heriftal 687. Karl Martell, Sieg bei Poitiers
732. Bonifazius 718—55. Pipin der Kleine, König der Franken feit 752. Karl der Große feit 768.

In den erften Jahrhunderten nach der Völkerwanderung find
die Nachwehen diefer großen Erfchütterung noch zu ftark, die
Verhältniffe haben einen noch zu neuen und unausgebildeten
Charakter, als daß fogleich bedeutfame Blüten einer neuen Kultur
ans Tageslicht treten könnten. Ein großer Teil der auf deutfchem
Boden zurückgebliebenen deutfchen Völker war noch halb oder
ganz heidnifch und mußte erft durch begeifterte Apoftel des
chriftlichen Glaubens, wie Gallus und Bonifazius, oder durch das
fränkifche Schwert zum Chriftentum gebracht werden. Während
fo das alte Heidentum und das neue Chriftentum einander noch
kämpfend gegenüber ftanden, gedieh weder eine heidnifche noch
eine chriftliche Literatur.

Zwar im Herzen und im Munde des Volks lebte die alte epifche Dichtung fort und geftaltete fich neu. Wir haben oben ausgefprochen, daß vorzugsweife im 7. und 8. Jahrhundert die Erinnerungen der Völkerwanderung in die Volksdichtung übergegangen fein müffen. Neben und in den alten mythifchen Gefängen der Naturreligion bildeten fich jetzt die gefchichtlichen Sagenkreife von den burgundifchen Königen, von Dietrich von Bern, von Attila, von Walter und Hildgund; beide verfchmolzen mit einander; die erfteren bildeten fich um und erweiterten fich durch die letzteren; die Poëfie der Naturgötter wurde zur Poëfie der Heroen, der Mythus zur Heldenfage. Diefer Uebergang, in dem der alte heidnifche Schatz neu geftaltet wurde, muß ftill und unbemerkt in unferem Zeitabfchnitt vor fich gegangen fein. Wie wäre es möglich gewefen, im Anfang des neunten Jahrhunderts Sammlungen von deutfchen Heldenliedern anzulegen, im zehnten Jahrhundert fie fpielend in lateinifche Verfe zu überfetzen, wenn nicht die unmittelbar vorhergehenden Jahrhunderte einen großen Schatz folcher Poëfie entwickelt oder neu geftaltet hätten? Ein Zeugniß von diefem (epifchen) Reichtum ift auch die lombardifche Gefchichte des Paulus Diaconus, der feit 774 am Hofe Karls des Großen lebte und im Jahr 799 ftarb. Auch er fchöpfte einen Teil feiner Gefchichte aus der Heldendichtung, und von dem Langobardenkönig Alboin, der die Langobarden nach Italien führte und 563 ftarb, fagt er: „bis auf den heutigen Tag (Ende des 8. Jahrhunderts) fingen deutfche Völker von feiner Freigebigkeit, feinem Ruhm, von feiner Tapferkeit und feinem Glück." *)

Aber ein Zeitalter, wie das damalige, dachte nicht daran, diefe jungen, eben erft dem Herzen des Volks entfprießenden Blüten der Dichtung aufzuzeichnen und der Nachwelt zu überliefern. Die Geiftlichkeit allein wäre dazu gefchickt gewefen; aber fie bildete einen neuen, dem deutfchen Leben fremden Stand, der fich eifrig mit kirchlicher Bildung und lateinifcher Sprache befchäftigte. So vertaufchte diefer Stand die alte Runenfchrift mit dem lateinifchen Alphabet; fo führte er im erften Feuereifer der Bekehrung einen Vernichtungskrieg gegen die nationale Volksdichtung, die fo vielfach mit dem heidnifchen Glauben und Leben zufammenhieng. Die Volksdichtung wurde als irreligiös, als ungebildet und gefchmacklos dargeftellt und es wurden unzählige

---

*) S. Wackern. Gefchichte §. 26 am Schluß. Koberftein §. 32 und 33.

Verbote gegen fie erlaffen. Die Namen, die man ihr gab, waren psalmi plebeji, vulgares; cantica rustica et inepta; laicorum cantus obscoenus; carmina diabolica.

Die vielen Verbote gegen den Volksgefang beweifen uns, wie unverwüftlich er war und wie wenig er durch das Chriftentum ausgerottet wurde. Nicht nur außer der Kirche fang das Volk feine Lieder fort, fondern es feheint die alten heidnifchen Feftlieder an Sonn- und Fefttagen felbft in die neuen Kirchen übertragen zu haben; bei Leichenfeiern und auf den Gräbern der Todten fuchte man die alten Gräbgefänge nebft andern heidnifchen Gebräuchen, z. B. Trinkgelagen, fortzufetzen. Bonifacius gebietet: „non licet in ecclesia *choros saecularium* vel *puellarum cantica* exercere, nec convivia in ecclesia praeparare."

Wir können aus diefem und aus andern Verboten fchließen, daß neben den Liedern der Götter- und Heldenfage auch andere weltliche Gefänge vom Volke gefungen wurden. Unter diefen fcheinen eine befondere Gunft beim Volke genoffen zu haben die fogenannten winilëodes = Mädchenlieder, puellarum cantica, von winja = Freundin, Geliebte, und lëod (liud) = Lied. Uebrigens ift denkbar, daß das Wort winilëodes auch für Volksgefang überhaupt gebraucht wird. Selbft die Klofterfrauen konnten der weltlich-poëtifchen Luft nicht widerftehen; ein Capitulare von 789 verbietet ihnen ftreng, winilëodes abzufchreiben und einander zuzufchicken.

Andere Lieder der damaligen Zeit waren reine Gelegenheitsgedichte, Spottgefänge u. f. w. Den Geiftlichen wird um 744 geboten: „qui in *blasphemiam* alterius *cantica* composuerit vel qui eos cantaverit, extra ordinem judicetur." Alle diefe Lieder waren ohne Zweifel den Heldenliedern nachgebildet, alfo ebenfalls epifch.

Außer den Gefängen werden auch heidnifche Spiele, Tänze, Mummereien u. f. w. verboten; wenigftens follen fie nicht in der Kirche aufgeführt werden, „quia haec de paganorum consuetudine remanserunt." *)

Unter den angegebenen Verhältniffen ift es kein Wunder, daß fich uns nur wenige kleine Refte der reichen nationalen Volksdichtung erhalten haben: die zwei fog. Merfeburger Zauberlieder und das Lied von Hildebrand und Hadubrand. Alle drei

---

*) Näheres über diefe Verbote und die Belege f. bei Wackern. Gefchichte §. 22. Koberftein §. 37.

Lieder find wohl in diefem Zeitabfchnitt entftanden und wir eröffnen daher mit ihnen die Reibe der Literaturdenkmale.

Die zwei Merfeburger Zauberlieder find kleine, aber wichtige Denkmäler der altdeutfchen Götterfage. Sie wurden erft vor wenigen Jahren auf der Bibliothek in Merfeburg von Prof. Waitz aufgefunden. Ausgabe von Jakob Grimm, über zwei entdeckte Gedichte aus der Zeit des deutfchen Heidentums, Berlin 1842. Vergl. Jakob Grimm, Mythologie, 2. Aufl. S. 1180. — Wackernagel, altdeutfches Lefebuch, IX und X. — S. unfere Denkmäler I.

Das erfte diefer Gedichte ift ein Zauberlied zur Löfung der Feffeln eines Kriegsgefangenen: zuerft werden die halbgöttlichen Kriegsjungfrauen (Idifen, Walkyrien) in ihrer fich auf den Krieg beziehenden Tätigkeit gefchildert, daran wird unmittelbar ein kurzer Befreiungsfpruch geknüpft. Nach heidnifchem Glauben follte die Herfagung diefes Gedichts, vielleicht verbunden mit zauberifchen Ceremonien, die Feffeln eines Kriegsgefangenen löfen.

Das zweite Gedicht ift ein Lied von ähnlicher Form und Bedeutung: es dient dazu, den verrenkten Fuß eines Pferdes zu heilen. Auch hier zuerft eine Erzählung, in der die deutfchen Gottheiten Wodan, Frija, Balder, Sunna, Sindgund genannt werden; dann, hierauf fich gründend, der eigentliche Wunfch, Spruch.

Die Versform der beiden Gedichte ift alliterierend; am Schluffe des erften hat fich ein Endreim eingefchlichen. Die Sprache fcheint thüringifch; nach der Handfchrift zu fchließen wurden fie im 10. Jahrhundert aufgefchrieben. Da fie aber offenbar der Zeit des Heidentums angehören, fo müffen fie immerhin vor Bonifazius, alfo etwa im 7. Jahrhundert, entftanden fein.

Das Lied von Hildebrand und Hadubrand ift das ältefte Denkmal der deutfchen Heldenfage, das wir befitzen. Ausgaben: von Grimm, Kaffel 1812. Lachmann, in den Abbandlungen der Berliner Akademie der Wiffenfchaften, 1833. Feußner, die älteften alliterierenden Dichtungen in hochdeutfcher Sprache, Hanau 1845. Wackern., Altdeutfches Lefebuch, Spalte 63. Denkmäler II.

Die Mundart kann nach Grimm dem mittleren Deutfchland, vielleicht Heffen angehören; doch find auch ftarke niederdeutfche Elemente darin, z. B. t für z (in dat, luttila, hetti), her für er u. f. w. Die Zeit der Entftehung ift wahrfcheinlich das fiebente oder achte Jahrhundert. Die Aufzeichnung gefchah etwa im neunten Jahrhundert, wie es fcheint von zwei Mönchen des Klofters Fulda in Heffen; fie fcheinen das Lied entweder nach der Erinnerung früherer Jahre oder nach einer ältern mangelhaften Handſchrift niedergeſchrieben zu haben. Daher die Miſchung der Dialekte und die mancherlei Verſehen und Lücken des Textes. Der Schluß fehlt.

Das Lied ſchildert eine einzelne Begebenheit aus dem Sagenkreis, der ſich an den großen Oſtgothenkönig Theodorich, den Beſieger Odoakers und Eroberer Italiens, anlehnt. Nach der Geſchichte zog Theodorich mit ſeinen Oſtgothen aus Pannonien nach Italien, beliegte den König Odoaker und nahm Italien in Beſitz, um 493, alſo ungefähr 40 Jahre nach Attilas Tode (453). Die deutſche Heldenſage aber läßt Attila, den Hunnenkönig, und Theodorich gleichzeitig leben. Letzteren benennt ſie Theotrich, Deotrich, Dietrich von Bern, d. h. von Verona, ſeinem jeweiligen Regierungsſitze, und läßt ihn von ſeinem Gegner Odoaker oder wenigſtens auf deſſen Anſtiften aus Italien vertrieben werden. Dann flieht Dietrich nach der Sage oſtwärts zum Könige der Hunnen, Attila. Mit ihm ſein erſter Dienſtmann und Heerſcharenführer, einſt ſein Erzieher, der alte Hildebrand, der eine junge Gemahlin und einen kleinen Sohn in der Heimat zurückläßt. An Attilas Hofe verbringen die oſtgothiſchen Helden 30 Jahre und machen die großen Kämpfe des germaniſch-aſiatiſchen Hunnenreichs mit. Sie erſcheinen im zweiten Teil des Nibelungenliedes, bei der Vernichtung der Burgundenkönige. Nach dreißigjährigem Aufenthalt bei Attila kehren Dietrich und Hildebrand mit Heeresmacht nach Italien zurück, um Dietrichs Reich wieder zu erobern. Hildebrands Sohn, Hadubrand, iſt unterdeſſen zum ſtattlichen, ungeſtümen Recken herangewachſen. Er trifft zufällig auf den heimkehrenden Vater, den er nicht kennt und den er längſt todt wähnt, und ſtellt ſich ihm feindlich entgegen. Unſer Lied beginnt eben mit dem Augenblick, wo Vater und Sohn im Angeſicht ihrer zu beiden Seiten aufgeſtellten Gefolgsmannſchaften den Zweikampf (Einzelkampf) beginnen wollen. Der vorſichtige, vielerfahrene Hildebrand ſcheint zu ahnen, wen er ſich gegenüber habe; er fragt den Jungen nach Geſchlecht und Namen. Durch die umſtändliche Antwort Hadubrands wird dem Alten ſeine Ahnung zur Gewißheit; er giebt ſich zu erkennen und ſucht mit rührenden Worten den Sohn vom Kampfe abzuhalten. Aber dieſer glaubt ihm nicht: „todt iſt mein Vater; das haben mir Seefahrer geſagt, die über das Meer gekommen ſind.“ Hildebrand windet ſich die goldenen Ringe vom Arme und reicht ſie dem Sohne als Friedenspfand. Der junge Kämpe weiſt ſie trotzig zurück: „Du biſt ein ſchlauer Hüne, der mich beründen will.“ „Weh mir, ruft Hildebrand,

daß ich nach langem gefahrvollem Leben mein eigen Kind er-
morden foll! Aber es wäre feig, den Kampf zu vermeiden."
Da werfen Vater und Sohn mächtig die Lanzen gegen einander,
daß fie in den Schilden feftftehen. Dann fchwingen fie die Schwerter und hauen grimmig auf einander ein — hier bricht die Handfchrift ab, das Uebrige fehlt. Nach andern — freilich fpätern —
Darftellungen hat der Vater den Sohn befiegt, aber nicht getödtet, worauf Beide zu der verlaffenen Gattin und Mutter zurückkehren. Noch im 15. Jahrhundert hat Kaspar von der Rön diefen Stoff der Volksfage in feiner Manier bearbeitet unter dem
Titel: „der vater mit den fun." Wackern. Lefebuch 1031 ff.
Wackern. Gefchichte, §. 24, 8.

Der eigentliche Inhalt des Gedichts, fo weit wir es befitzen,
ift demnach das tragifche Gefchick des Vaters, der von feinem
Sohne zum Kampfe gezwungen wird und in deffen Seele die
väterliche Liebe fich ftreitet mit dem Gebot der kriegerifchen
Ehre, keinem Kampfe auszuweichen. Die Ausführung diefes
Grundgedankens in unferem Gedicht ift trotz der Lücken und
Unvollkommenheiten des Textes ein fchönes Zeugniß epifcher
Kunft. „Mit Ueberrafchung, fagt Feußner, begegnet man in einer
deutfchen Dichtung diefer Zeit einer ächt antiken Darftellungs-
kunft, bei der man fich auf griechifchen Boden verfetzt glaubt.
Plan und Anlage, foweit folche in dem Bruchftück vorliegen,
find fo künftlerifch-trefflich entworfen, daß Alles wie mit Notwendigkeit in einander greift. Die einzelnen Gedanken, an fich
kernhaft und treffend, find in fcharfem, ficherem Umriß hinge-
geftellt und fo ebenmäßig und logifch-bündig in ihren Beftand-
teilen gegliedert, daß jedes Wort wiegt und wie aus dem Geficht-s-
punkt des Ganzen berechnet erfcheint. — — — Zeigt fich in
dem eben Berührten die künftlerifche Größe des Dichters, fo ift
das Charakterbild, das er uns in dem alten Helden Hildebrand vor Augen ftellt, ein Beleg für die Höhe, worauf der Dichter als Menfch fteht. Die Züge, die er dem Charakter feines
Helden leiht, beweifen die Hochfchätzung deffen, was die geiftige
und fittliche Natur des Menfchen Großes und Edles hat. Gleich
von Anfang herein hebt er mit ausdrücklichen Worten an dem
Helden hervor die Ehrwürdigkeit, die das Alter giebt (her was
heroro man), die weife Befonnenheit (ferahes frôtôro), gewonnen
durch ein Leben reich an Taten und Erlebniffen. Die Tugend
der Tapferkeit ift natürlich die notwendige Grundlage des Helden-
charakters. Aber wie weiß der Dichter uns diefe Tugend in
feinem Helden durch den Verein, in dem fie mit andern fittlich-

großen Eigenschaften auftritt, zu adeln und zu heben — Er läßt
in Hildebrands Reden und Benehmen das sicherste Gefühl seiner
Heldenstärke hervorleuchten; aber nirgends legt er ein einseitiges
Gewicht darauf, nirgends läßt er dem Helden ein Wort ent-
schlüpfen, das wie etwas Prahlerisches aussähe, etwas von rohem
Trotz auf sein Heldentam verriete. Selbst den ehrenkränkendsten
Vorwürfen gegenüber bewahrt der Held das edle Maß in Wort
und Handlung, eine seelengroße, sichere Selbstbeherrschung. Ja
noch mehr, wo er den ungerechten Vorwürfen seines jugendlich-
übereilten Gegners die verdiente Zurechtweisung zu Teil werden
läßt, sie als die Uebereilungen eines jungen Menschen ohne
Lebenserfahrung und Weltkenntniß bezeichnet, — welche Schonung, welche großmütige Milde legt er in den Tadel! Er
selbst schickt ihm die Entschuldigung voraus: das Glück in
der Heimat (dat du habês hême hêrron gôtan) hat die Versäum-
niß veranlaßt. Endlich zeigt der Dichter an seinem Helden
durchgängig ein wahrhaft menschlich-fühlendes, von seiner schreck-
lichen Lage schmerzlich zerrissenes Vaterherz, aber ein großes,
in ruhiger Fassung über das Schicksal erhabenes, das keinen
Augenblick vergißt, was die in ihm angetastete Heldenehre gebietet. So hat uns der Dichter in Hildebrand einen ebenso
großen als edlen Heldencharakter hingestellt, in dem die Tugenden des Kriegers mit den Tugenden des sittlich-großen Menschen
zur schönsten Harmonie verschmolzen sind." —

Die Form des Gedichts ist alliterierend, wie bei den Merseburger Zauberliedern. Außerdem wird uns diese Form noch bei
zwei andern Gedichten (Wessobrunner Gebet und Muspilli) begegnen; es ist daher am Platze, hier das Nötigste über sie zu
sagen. *)

Diese alliterierenden Gedichte, besonders das Hildebrandslied, stellen uns das alte volksmäßige Versmaß des deutschen
Heldenliedes dar. Sie bestehen aus einer ununterbrochenen, nicht
in Strophen abgeteilten) Reihe von Langzeilen (Ganzzeilen, Lang-
versen). Jede Langzeile besteht aus zwei Halbzeilen (Kurzzeilen,
Halbversen), die durch eine starke Cäsur von einander geschieden

---

*) Vergl. Lachmann, über althochdeutsche Betonung und Verskunst, in
   den Abhandlungen der Berliner Akademie aus dem Jahre 1832. —
   Lachmann, über das Hildebrandslied, ebendaselbst, aus dem Jahre
   1833. — Jakob Grimm und Schmeller, lateinische Gedichte des 10. und
   11. Jahrhunderts, Einleitung. — Koberstein §. 26 sq. — Wackernagel,
   Geschichte §. 25. — Max Rieger in Kudrun, herausgegeben von
   Ploennies, 1862.

find. Jede Halbzeile hat vier Hebungen, d. h. höher betonte Silben; die Langzeile hat alfo acht Hebungen. Zwei von den vier Hebungen der Halbzeile find *ftärkere* (mit dem Hauptton verfehen), die zwei andern find *fchwächere* (mit dem Nebenton verfehen). Die ftärkeren Hebungen find in der Regel die erfte und dritte, die fchwächeren die zweite und vierte; doch ift dieß Verhältniß fchwankend und hängt auch von Bedeutung und Nachdruck der Wörter ab. Die letzte (vierte) Hebung jeder Halbzeile fteht immer auf der letzten Silbe derfelben (oder auf den zwei letzten, f. Seite 19, 3.) Man vergleiche die folgende Langzeile, in der die Hebungen durch Striche bezeichnet find:

funufatarúngós   fro fáro ríhtún.

Die Theorie von vier Hebungen in der Halbzeile, der wir hier folgen, hat Lachmann aufgeftellt. Wackernagel dagegen nimmt nur zwei Hebungen in der Halbzeile an, wofür die Analogie der Eddalieder fpricht. Es ift denkbar, daß eine frühere Zeit — die urfprüngliche Mythenpoëfie — auch im Deutfchen nur zwei entfchiedene Hebungen auf die Halbzeile kommen ließ und daß fich neben diefen im Lauf der Zeit zwei weitere, die Nebenhebungen, geltend machten.

Zwifchen den acht Hebungen der Langzeile fteht eine nicht beftimmbare Anzahl von *Senkungen* (niederbetonte Silben, auch unbetonte, tonlofe genannt). Hier ift nun aber zweierlei zu merken a) die Senkung zwifchen zwei Hebungen kann auch fehlen, f. Seite 18, 1); b) die Senkung befteht in der Regel aus Einer Silbe, kann aber auch aus zweien beftehen. Lachmann ftellt zwar das Gefetz auf, die Senkung dürfe nur einfilbig fein; aber diefes Gefetz kann nicht allgemein durchgeführt werden. In der Halbzeile: dat | Híltibrant | hætti | mín |

fater befteht der Versfuß Híltibrant offenbar aus einer Hebung und zwei Senkungen, und es ift hier auch nicht möglich, die zweifilbige Senkung unter das Gefetz Seite 19 3) unterzuordnen. Auch die Analogie des Auftakts fpricht für die Möglichkeit von zwei Senkungen.

Vor der erften Hebung jeder Halbzeile können eine oder zwei unbetonte Silben (Senkungen) vorausgehen. Dieß nennt man den *Auftakt*. Z. B.

dar mán mih 6o fcéritá   *in* fólc fcéotántaró

dat Híltibrant hætti mín fater u. f. w.

Da der deutſche Versfuß mit der Hebung beginnt, ſo ſteht
der Auftakt eigentlich außerhalb des Versmaßes und kann
ebenſo gut fehlen als da ſein.

Silbenzählung iſt alſo bei der altdeutſchen Poëſie unmög-
lich; der Leſer hat nur die acht Hebungen zu ſuchen, welche
bald allein bald mit einer oder zwei folgenden Silben die acht
Versfüße der Langzeile bilden. Wie findet er aber die Hebungen? Regel hiefür iſt: Die Hebung, beſonders die ſtärkere
Hebung, die den Hauptton hat, ruht gewöhnlich auf der Wurzelſilbe, welche meiſt auch die erſte Silbe des Wortes iſt.
Tritt vor die Wurzel eine kleine Partikel, die mit der Wurzel
zu Einem Worte verſchmilzt, ſo ruht der Hauptton nicht auf
dieſer Vorſilbe, ſondern verharrt auf der Wurzelſilbe, z. B.
gihórta, gimáhaltá, gafrégin, kitrágan, arhángan. Ausnahmen
davon ſ. unten bei Otfried. Hat ein Wort mehrere Hebungen, ſo
hat die erſte Hebung, die Wurzelſilbe, den Hauptton, die
zweite Hebung den Nebenton. In Híltibráht gimáhaltá haben
die Silben Hilt und máh den Hauptton, braht und ta den Nebenton. Welcher Silbe des mehrſilbigen Wortes kommt aber
der Nebenton zu? Darüber ſ. unten 2.

Der altdeutſche Vers, wie wir ihn kennen, beruht alſo
weſentlich auf der natürlichen, logiſch-grammatiſchen Betonung
der Worte, nicht wie der griechiſche auf der Quantitätsbetonung; oder wie dieß Max Rieger ausdrückt: Im Deutſchen
fällt die Versbetonung mit der logiſch-grammatiſchen Betonung
zuſammen, im Griechiſchen iſt die Versbetonung unabhängig
von der grammatiſchen.

Doch hat auch die Quantität einigen Einfluß auf die deutſche Betonung gewonnen, beſonders in folgenden Fällen:

1) Wenn zwiſchen zwei Hebungen keine Senkung ſteht,
ſo muß die erſte der zwei Hebungen lang ſein durch Vokal
oder durch Poſition. Mit andern Worten: nur nach einer *langen* Hebung *kann* die Senkung fehlen. Beiſpiele:

ih *wállóta* ſámaró   inti wíntro ſéhſtic ur *lánté*
úntar hérjún tuém
ſuértû háuwán
óstárliútó.

2) Daraus folgt in Betreff des Nebentons in drei- und mehrſilbigen Wörtern: Der Nebenton (die zweite oder dritte Hebung
eines mehrſilbigen Worts) *kann* nur dann auf die zweite Silbe des
Wortes (auf die erſte Bildungsſilbe nach der Wurzel) fallen,
wenn die erſte Hebung, die Wurzelſilbe, lang iſt. Der Neben-

ton kommt auf die dritte Silbe, wenn die erſte Hebung kurz iſt. Man betont also: wállóta, Ötáchres, sínéro, éwíger, fálícher, únsáru; dagegen máhaltá, fágétún, fúmaró, fcéritá, hévané. Mehrere diefer Beifpiele fallen zugleich unter das Gefetz der Verfchleifung s. 3). Das Urfprüngliche und Organifche war wohl auch in diefen Fällen, daß nach logifchem Princip betont wurde, d. h. daß die zweite Hebung eines drei- und mehrfilbigen Wortes durchaus auf die zweite Silbe fiel, auf die nächfte nach der Wurzel. Von diefem Princip wird aber abgewichen aus mufikalifchen Rückfichten und zunächft nach kurzer Wurzelfilbe der Nebenton auf die dritte Silbe vorgefchoben: máhaltá u. f. w. Aber auch fonft neigt fich die Sprache dahin, den Nebenton auf die dritte Silbe zu verlegen, befonders in Zufammenfetzungen, in denen das zweite Wort (das Grundwort) mit feiner Wurzel die dritte Silbe einnimmt, z. B. Híltibráht, írmingót, ármilíhaz, wúnnifám. Durch diefe Neigung, den Nebenton auf die dritte Silbe zu verlegen, wird der Wechfel zwifchen Hebung und Senkung befördert, der dem Ohre wohlthuender ift, als das unmittelbare Aufeinanderfolgen mehrerer Hebungen. Daher ift diefes Prinzip im Neuhochdeutfchen fo allgemein durchgedrungen, auch da, wo die Wurzelfilbe lang ift: wánderté, éwigér, séligé, únseré; lógifché, Stúrmendér, Göttinnén u. s. w. Zufammenfaffung: der Haupton eines drei- und mehrfilbigen Wortes fteht im Althochdeutfchen unter logifchem Gefetz, der Nebenton teilweife noch unter logifchem (wállóta), teilweife unter mufikalifchem (fágétún); im Neuhd. fteht der Nebenton wefentlich unter mufikalifchem Gefetz (wánderté).

3) Sowohl Hebungen als Senkungen können aus zwei Silben beftehen, die aber als Eine (lange) gelten d. h. *verfchleift* werden: wenn die erfte diefer Silben *kurz* und nur durch Einen Konfonanten von der zweiten getrennt ift. In diefem Falle *können* beide Silben für Eine gerechnet und als folche fowohl für Hebung als für Senkung gebraucht werden. In der Halbzeile

enti sínéro dégano fílu

gilt -ano als verschleifte Senkung, filu als verschleifte Hebung. Am häufigsten kommen folche Verfchleifungen vor als letzte Hebung der Halbzeile; so in folgenden Halbzeilen:

Híltibrántés sunu

ibu dú mir ænan -sages

dat ih dír it nú bi húldi gíbu

dat Híltibrant hætti mín fater

Auch in dem Lied der Nibelungen bilden folche zwei verfchleifte Silben gern die letzte Hebung des Verfes, z. B. klagen — fagen; degen — pflegen; leben — geben; fagen — jagen: maget — faget; fehen — jehen u. f. w. Das find lauter ftumpfe (männliche) Reime.

Obgleich der altdeutfche Vers wefentlich auf der natürlichen, logifch-grammatifchen Betonung beruht, fo hat doch, befonders durch das Gefetz des Nebentones, auch das mufikalifche Princip der Quantitätsbetonung und der Silbenzählung einigen Einfluß und es ergibt fich aus der Wechfelwirkung von logifcher und mufikalifcher Betonung eine gewiffe Mannigfaltigkeit, felbft fcheinbare Unregelmäßigkeit in der äußeren Form der Verfe, die jedoch von dem Dichter für poëtifche Zwecke benützt werden kann.

Das Band, das die beiden Hälften einer Langzeile mit einander verbindet, das fie zu Einem Verfe zufammenfchließt, ift der Stabreim, die Alliteration. Die Alliteration befteht darin, daß zwei, drei, auch vier der ftärkften Hebungen einer Langzeile mit gleichen Lauten beginnen, entweder mit gleichlautenden Konfonanten, oder mit beliebigen Vokalen, die alle unter fich gleich gerechnet werden. Das Regelmäßigste ist, wenn drei folche Gleichlaute (Stäbe) auf eine Langzeile fallen, zwei auf die erfte Halbzeile, einer auf die zweite, z. B.

hér furlæt in lánté   lúttila fíttén

prút in búré   bárn únwáhsán.

Aber die erfte Halbzeile kann auch nur Einen Stab haben, und die zweite kann zwei haben, so daß die Zahl der Gleichlaute für die ganze Langzeile zwifchen zwei und vier fchwankt. Auch kann ein verfchränkter Stabreim ftatt finden, d. h. zwei verfchiedenen Anfangslauten in der erften Halbzeile entfprechen zwei verfchiedene in der zweiten.

Das hier gefchilderte altdeutfche Versmaß mit der Alliteration mag bis um 800 in Deutfchland geherrfcht haben; im neunten Jahrhundert wird es umgeftaltet; in welcher Weife, werden wir bei Otfried fehen.

Je mehr Andeutungen uns das Hildebrandslied über Inhalt und Form der alten deutſchen Heldendichtung gibt, deſto mehr iſt zu bedauern, daß uns nur dieſes kleine Bruchſtück von ihr erhalten iſt. Wenn wir dieſen Mangel oben teilweiſe der Geiſtlichkeit Schuld gaben, ſo müſſen wir jetzt auch anerkennen, daß es dennoch der Stand der Geiſtlichen iſt, dem wir die Hervorbringung der übrigen uns erhaltenen Denkmäler des Althochdeutſchen verdanken. Seit dem Ende des ſiebenten und dem Anfange des achten Jahrhunderts beginnt nämlich im fränkiſchen Reich und im oberen Deutſchland eine von der Geiſtlichkeit ausgehende *chriſtliche* Literatur in deutſcher Sprache. Dieſe chriſtlich-deutſche Literatur iſt freilich in dieſem Abſchnitt (7. und 8. Jahrhundert) noch ganz unſelbſtändig, ein bloßes Hilfsmittel für die Ausbreitung und Befeſtigung des Chriſtentums und eine an ſich unbedeutende Vorbereitung für ſpätere bedeutſamere Leiſtungen; aber für die Geſchichte der *Sprache* ſind auch dieſe Anfänge von hohem Werte.

Das älteſte, was ſich uns erhalten hat, ſind deutſche *Gloſſen* zu lateiniſchen, meiſt bibliſchen Schriften; ferner *Gloſſarien* und *Vokabularien*. Gloſſen ſind deutſche Ueberſetzungen einzelner Wörter und Sätze, welche den (lateiniſchen) Handſchriften bald zwiſchen den Zeilen, bald am Rande des Textes beigefügt oder auch in beſondere Verzeichniſſe (Gloſſarien und Vokabularien) geſammelt ſind. Man verfaßte ſie als Hilfsmittel zur Erlernung der lateiniſchen und deutſchen Sprache für die Deutſchen, welche Geiſtliche werden und lateiniſch lernen wollten, und für fremde Geiſtliche, welche unter den Deutſchen wirken und ſich daher mit ihrer Sprache bekannt machen wollten.

Zu demſelben Zweck wurden *Interlinearverſionen* lateiniſcher Schriften angefertigt d. h. Verdeutſchungen, welche der Urſchrift Wort für Wort ohne Rückſicht auf Zuſammenhang und Bau des Satzes folgen.

Bald gieng man auch zu eigentlichen, freieren *Ueberſetzungen* über: bibliſche und andere chriſtliche Schriften von Autorität wurden aus dem Lateiniſchen ins Deutſche überſetzt. Auch dieſe Ueberſetzungen dienten ohne Zweifel zum Unterricht der jungen Geiſtlichkeit. Sie ſind, nebſt einigen Interlinearverſionen, in ſprachlicher Beziehung die wichtigſten Denkmäler dieſes Abſchnittes.

Originalpredigten in deutſcher Sprache ſind nicht auf uns gekommen; es ſcheinen auch beim gewöhnlichen Gottesdienſt wenige gehalten worden zu fein. Die fremden Glaubensboten mußten hier und da ihren lateinifchen Vortrag dem Volke während der Predigt ins Deutfche überfetzen laffen. Zwei deutfche Predigten, die fich aus dem achten Jahrhundert erhalten haben, find Ueberfetzungen aus dem Lateinifchen; wir werden fie unter den Ueberfetzungen aufführen.

Für das Bedürfniß des Volks, für deffen Bekehrung und für feine Befeftigung im Chriftentum wurde vorzüglich dadurch geforgt, daß man kurze *Katechismusformeln* in deutfcher Sprache abfaßte, welche bei dem Gottesdienfte und vielleicht auch fonft von dem Priefter und der Gemeinde wiederholt hergefagt wurden. Solche ftehende Formeln waren in der Tat das befte Mittel, um das Chriftentum wenigftens in das Gedächtniß des Volkes zu pflanzen. Denkmäler diefer Art befitzen wir in großer Anzahl: es find 1) Formeln der Abfchwörung des Teufels und feiner Genoffen (d. h. der alten heidnifchen Götter), 2) Formeln des Glaubens an Gott und Chriftum, meift Überfetzungen des apoftolifchen Credo. In der Regel find die beiden Formeln der Abfchwörung und des Glaubens zu Einer Bekenntnißformel vereinigt. 3) Das Vaterunfer, zum Teil mit eingefchobener kurzer Erläuterung der einzelnen Bitten. 4) Beichtformeln. Zu diefen Denkmälern rechnen wir ferner noch die *Ermahnungen*, welche hie und da den Bekenntnißformeln und dem Vaterunfer vorausgefchickt find und welche wohl ebenfo regelmäßig und wiederholt dem Volke vorgetragen wurden, wie jene Formeln felbft. Sie machen den Chriften auf die Wichtigkeit und Bedeutung der Formeln aufmerkfam und ermahnen ihn inftändig, fie auswendig zu lernen.

Das ift die chriftliche deutfche Literatur diefes Abfchnittes. Man fieht, es find nur Anfänge und Vorbereitungen, dem Inhalt nach unfelbftändig und nur der Form nach merkwürdig als frühefte Kinder der hochdeutfchen Mutterfprache. Zählen wir die bedeutendften Stücke im Einzelnen auf, fo find etwa folgende herauszuheben: *)

---

*) Über die Literatur diefer Denkmäler f. vorzüglich Koberftein §. 50. Wackernagel Gefchichte. §. 20. Raumer, die Einwirkung des Chriftenthums auf die althochdeutfche Sprache, zweites Kapitel; über die Gloffenliteratur befonders S. 81 ff. — Die St. Galler Denkmäler find gedruckt in Hattemer, Denkmale des Mittelalters, St. Gallens altdeutfche Sprachfchätze.

Gloffarien und Vokabularien:

Der fog. *Vocabularius sancti Galli.* Die Ueberlieferung fchreibt feine erfte Abfaffung dem h. Gallus zu, was aber nicht ficher ift. Die Handfchrift zu St. Gallen gehört dem achten Jahrhundert an. Wackern. Lesebuch, S. 27.

Die Keronifchen Glossen, das fog. Vocabularium Keronis, ein ziemlich großes Wörterbuch zu biblifchen Schriften, wird dem St. Galler Mönche Kero, der um 750 lebte, zugefchrieben, ebenfalls unficher. Manche andere Gloffenfammlungen aus die- fer und aus fpäterer Zeit find neuerdings durch den Druck be- kannt gemacht worden.

Interlinearverfionen:

Keros Interlinearverfion der Benediktinerregel, foll gleichfalls von dem eben erwähnten St. Galler Mönche Kero herftammen, folgt dem lateinifchen Texte Wort für Wort. Die Handfchrift befindet fich ebenfalls zu St. Gallen und fcheint noch dem ach- ten Jahrhundert anzugehören. Probe bei Wackern. S. 37. Die Mundart ift oberdeutfch-alemannifch. Wir haben von diefer Interlinearverfion mehrere Abfchnitte unter unfere Denkmäler aufgenommen (siehe V), weil fie die Sprache der Lautver- fchiebung, welche Grimm die ftreng-althochdeutfche nennt, ent- fchiedener darftellt, als die meiften anderen Denkmäler von größerem Umfange.

Interlinearverfion der Hymnen des h. Ambrofius, Mundart alemannifch, aus dem achten oder dem Anfang des neunten Jahrhunderts. Proben bei Wackern. S. 55. In unsern Denk- mälern IX.

Eigentliche Ueberfetzungen:

Überfetzung des Evangeliums Matthäi und einiger Homilien, umfangreiche Bruchftücke aus dem achten Jahrhundert. Mund- art oberdeutfch. Eine Probe daraus in Wackern. S. 45. In unfern Denkmälern VI.

Überfetzung von Ifidorus (Bifchof von Sevilla † 636) *Schrift* de nativitate domini, eine Verteidigung des Chriftentums. Mund- art fränkifch, aus dem achten Jahrhundert, ein ziemlich flief- fendes und ungezwungenes Deutfch. Wir haben keine Proben davon aufgenommen, weil die Eigentümlichkeit des Inhalts dem Anfänger Schwierigkeiten bereitet, und verweifen auf die Ausgabe von Holzmann, Karlsruhe 1836. Eine Probe in Wackern. S. 31.

Überfetzung einer Predigt de gentium vocatione über das Ver- hältniß von Heidentum und Chriftentum. Der lateinifche Text ist aus Stellen des Auguftinus, Gregorius Magnus und Ihdorus Hiſpalenſis zuſammengefügt. Die Überſetzung aus dem achten Jahrhundert. Probe Wackern. S. 47.

Überſetzung einer Predigt des h. Auguftinus, die besonders von dem Vorrang des Apoſtels Petrus handelt. Aus dem achten Jahrhundert.

Die Katechismusformeln, deren es aus dieſen und den folgenden Jahrhunderten eine Menge gibt, ſind geſammelt und herausgegeben von Maßmann „die deutſchen Abſchwörungs-, Glaubens-, Beicht- und Betformeln, vom achten bis zwölften Jahrhundert, Quedlinburg 1839." Wir entnehmen daraus für unſere Denkmäler:

1) *eine niederdeutſche Abſchwörungsformel.* Obgleich die Sprache niederdeutſch, ſchwankend und wahrſcheinlich lokal gefärbt iſt, mag dieſe Abſchwörungsformel doch einen Platz in unſeren Denkmälern finden, weil ſie die vollſtändigſte iſt und einige altgermaniſche Götter (jetzt Teufel) namentlich anführt. Wir ſetzen ſie (III) an den Übergang von der altnationalen Volksdichtung zur chriſtlichen Literatur.

2) *ein chriſtliches Glaubensbekenntniß*, nach dem apoſtoliſchen Credo gebildet. Sprache alemanniſch. S. Denkmäler IV.

3) *Exhortatio ad plebem chriſtianam*, eine Ermahnung an die Zeugen einer Taufe, ſich das Glaubensbekenntniß gründlich einzuprägen und es den Taufpathen zu lehren. Sprache oberdeutſch. Wackern. S. 51. Unſere Denkmäler VII.

4) *eine Überſetzung des Vaterunſer*, mit eingeſtreuter Auslegung und Erklärung jeder Bitte. Sprache oberdeutſch. Wackern. S. 53. Denkmäler VIII.

Dieſen Katechismusformeln ſteht nach Inhalt und Form am nächſten das *Weſſobrunner Gebet*, so benannt nach dem bairiſchen Kloſter Weſſenbrunn, in welchem es handſchriftlich vorgefunden wurde. Es enthält zuerſt eine Schilderung von Gottes vorweltlichem Daſein in altertümlichen, alliterierenden Verſen; dann folgt ein proſaiſches Gebet, das jedoch auch teilweiſe Alliteration zeigt. Dieſes Denkmal iſt ein Anfang der freieren Behandlung des chriſtlichen Stoffes in deutſcher Sprache, wie ſie ſich im folgenden Zeitabſchnitt ausbildet. Während man bis dahin als Gebetsformel dem Volke meiſt nur das Vaterunſer mitgetheilt zu haben ſcheint, haben wir hier ein ſelbſtändiges Gebet; während man ſich bis jetzt nicht über die Proſa erhoben hatte, haben wir hier eine poëtiſche Einleitung. Zugleich enthält dieſes Gedicht ganz entſchiedene An-

klänge an altheidnifche Dichtung, felbft an die ältere Edda (Vö-
luspâ Str. 3), und ift infofern auch ein Uebergang von der heidnifchen zur chriftlichen Dichtung in deutfcher Sprache. Der
Gang der Darftellung hat merkwürdige Aehnlichkeit mit dem
der Merfeburger Zauberlieder: zuerft Erzählung, dann, hierauf
fich gründend, der Wunfch, das Gebet. Wackern. S. 67; Denkmäler X; die rotgedruckten Ergänzungen find nach Feußner
eingefchoben.

Zweiter Abfchnitt.

Neuntes Jahrhundert.

Gefchichtliches: Karl der Große 768 — 814. Ludwig der Fromme
814 — 40. Ludwig der Deutfche 840 — 76. Vertrag von Verdun 843. Karl der Dicke 876 — 87. Arnulf 887 — 99. Ludwig das Kind 899 — 911.

Von Karl dem Großen ift bekannt, wie er das von den großen
Majordomen Pipin von Heriftal, Karl Martel und Pipin dem Kleinen begonnene Werk zur Vollendung führte, wie er die politifche
und kirchliche Einheit aller germanischen Stämme des Feftlandes
und der nächftgelegenen romanifchen gründete. Seiner großarti-
gen kriegerifchen Tätigkeit zur Seite gieng feine unermüdliche
Sorge für die innere Organifirung des Reichs, für die Ordnung der kirchlichen Verhältniffe und für die Bildung des
Volks und der Geiftlichkeit. In seinen Bemühungen für die
Bildung laffen fich zwei Seiten unterfcheiden: einerfeits die
Sorge für Einführung lateinifch-chriftlicher Bildung und Gelehrfamkeit in das Reich (Berufung der gelehrten Männer Peter
von Pifa, Paulus Diakonus, Alkuin; Errichtung einer Hofschule;
Organifation der Klofterfchulen u. f. w.); auf der anderen Seite
aber auch Sorge für Erhaltung, Hebung und Ausbildung der
deutfchen Sprache und Dichtung. Karl befahl den Geiftlichen
deutfche Predigt (d. h. deutfche Erklärung lateinifcher Homilien), befchäftigte fich mit der deutfchen Sprache und Grammatik, gab den Monaten und den Winden neue deutfche Namen
und ließ die alten Heldenlieder des Volks fammeln. Die berühmte Stelle in Einhardi vita Caroli imperatoris, cap. 29 lautet: „Item barbara et antiquissima carmina, quibus veterum

regum actus et bella canebantur, scripsit memoriaeque mandavit. Inchoavit et grammaticam patrii sermonis. Mensibus etiam juxta propriam linguam vocabula imposuit, cum ante id temporis upud Francos partim latinis partim barbaris nominibus pronunciarentur. Item ventos duodecim propriis appellationibus insignivit, cum prius non amplius quam vix quatuor ventorum vocabula possent inveniri." Auch das Auffchreiben und Sammeln der deutfchen Volksrechte fchließt fich den Beftrebungen für deutfche Sitte an, obwohl diefe Rechte lateinifch niedergefchrieben wurden. —

Wie bei Karl dem Großen Alles auf Einheit hinweift, fo kann auch feine Sammlung deutfcher Heldenlieder und die von ihm ausgehende Anregung als der erfte Schritt gelten, durch den die bisher vereinzelten rhapfodifchen Volksgefänge zu einem größeren epifchen Ganzen zufammengefaßt wurden. Denn fobald einmal eine zufammenhängende Reihe folcher Lieder gegeben, aufgefchrieben und bequem zu überfehen war, fo mußte wohl unter folchen, die mit lateinifcher und griechifcher Literatur bekannt waren, an den Höfen der Karolinger, der Ottonen oder in den Klöftern, von felbft das Streben entftehen, jene Lieder unter einander zu verbinden und eine wenn auch nur äußerliche und fcheinbare Einheit herzuftellen. Infofern waren diefe Sammlungen (Liederbücher), ob fie gleich verloren giengen, doch von nachhaltiger Bedeutung für die deutfche Dichtung; fie find der erfte Schritt zur einheitlichen Geftaltung des deutfchen Nationalepos.

Das Beifpiel des großen Kaifers konnte nicht ohne Einfluß bleiben. Auch die Geiftlichkeit fängt jetzt an, fich in ein anderes Verhältniß zu Poëfie und Sprache des Volks zu fetzen. Die Mönche fchrieben in ihrer Muße nach mündlicher Überlieferung deutfche Lieder auf; in den Klofterfchulen lehrte man die deutfche Sprache an deutfchen Gedichten. In einem Bücherverzeichniß des Klöfters Reichenau aus dem Jahre 821 heißt es: in vigefimo primo libello continentur XII carmina theodiscæ linguæ (theodisca lingua) formata - - -, in vigesimo secundo libello - - - - habentur cärmina diversa ad docendam theodiscam linguam. Sowohl diefe Nachricht als die obige von Karl dem Großen beweifen uns, welcher Reichtum von Liedern auch in diefem Jahrhundert im Munde des Volks gelebt haben muß.

Ludwig der Fromme war aus kirchlicher Befchränktheit der alten Volksdichtung feind, nur die chriftliche Dichtung ließ er noch gelten. Dennoch wurde in den Kloſterſchulen auf dem Grunde fortgebaut, den Karl der Große gelegt hatte. Die vorzüglichſte Kloſterſchule in Deutſchland war damals die zu Fulda, beſonders ſeit Hrabanus Maurus im J. 804 Lehrer an der Schule und im J. 822 Abt des Klöſters geworden war. Hrabanus · hatte zwar bei ſeiner wiſſenſchaftlichen Tätigkeit vor Allem kirchliche Zwecke im Auge; damit gieng aber damals die Beförderung der Bildung überhaupt Hand in Hand; er trieb lateiniſche Sprache und Poëſie und auch die höhere Ausbildung der deutſchen Sprache lag Hrabanus, wie dem großen Karl, am Herzen. Von nah und fern ſtrömten Jünglinge herbei, um ſeine Schüler zu werden, und verbreiteten dann die gewonnene Bildung weiter in den rheiniſchen und oberen deutſchen Landen. Bald wetteiferten die Kloſterſchulen von Hirſchau, St. Gallen, Weißenburg, Corvey, Prüm u. ſ. w.· mit der zu Fulda. Im Jahr 847 wurde Hrabanus Erzbiſchof von Mainz; als ſolcher erneuerte er das Gebot der deutſchen Predigt. Er ſtarb 856.

In deutſch-literariſcher Beziehung ſchritten Hrabanus Maurus und ſeine Schüler zunächſt auf dem angebahnten Wege vorwärts und erweiterten ihn. In der deutſchen Gloſſierung der Bibel hat er jedenfalls bedeutend mitgewirkt, obwohl nicht mehr auszuſcheiden iſt, welche der vorhandenen Gloſſare und wie viel in ihnen unmittelbar von ihm ausgieng, wie viel von ſeinen Schülern, namentlich dem Walafridus Strabus, hinzugefügt wurde. Insbeſondere wird dem Hrabanus ein Wörterbuch zugeſchrieben, das ſich in 3 Handſchriften erhalten hat: *Die ſog. Gloſſæ Hrabani Mauri*, eine neue Überſetzung des Keroniſchen Wörterbuchs zur Bibel. Ş. Raumer S. 126.

Auch beſchäftigten ſich Hrabanus und ſeine Schüler mit deutſcher Grammatik, Schreibweiſe und Verskunſt. Sie ſetzten der bisherigen barbariſchen Nachläſſigkeit im Latein- und Deutſchſchreiben ein Ziel; ſie fiengen an, den Ton (die Hebung) deutſcher Wörter zu beachten und zu bezeichnen u. ſ. w. — Studien und Bemühungen, deren Früchte uns bald — beſonders in Otfrieds Gedicht — ſichtbar werden.

Der Verfall des fränkiſchen Weltreichs nahte mit ſchnellen Schritten; er begann ſchon unter Ludwig dem Frommen. Für die deutſche Sprache war auch dieß vorteilhaft, ſofern in und mit dieſem Verfall die beiden Hauptbeſtandteile des Reichs mehr und mehr ihrer verſchiedenen Nationalität bewußt wurden und die Trennung in ein weſtfränkiſches (franzöſiſches) und

in ein oſtfränkiſches (deutſches) Reich anſtrebten. Staatsrecht-
liche Feſtſtellung gewann dieſe Trennung zum erſtenmal im
Vertrag von Verdun, 843. Im weſtfränkiſchen Reich war jetzt
ſchon die romaniſche Sprache herrſchend und die eingewander-
ten Franken waren ihr verfallen. Im oſtfränkiſchen Reich aber
hatte die deutſche Sprache jetzt um ſo mehr Raum, ſich geltend zu machen. Demgemäß treffen wir in dieſer Zeit die
erſten öffentlichen Urkunden in deutſcher Sprache, ſ. Raumer
S. 75 — 77. Die bedeutendſte dieſer Urkunden, den *Eid der
Könige und Völker zu Straßburg*, 842, haben wir in unſere
Denkmäler XI aufgenommen. Im Jahre 842 ſchloſſen nämlich zwei Söhne Ludwigs des Frommen, Ludwig der Deutſche
und Karl der Kahle, in Straßburg einen Bundesvertrag zu ge-
genſeitigem Beiſtand, beſonders gegen ihren dritten Bruder
Lothar. Ludwig ſchwört auf romaniſch, damit ihn die Mannen
ſeines Bruders verſtehen; aus demſelben Grunde ſchwört Karl
deutſch; die beiderſeitigen Mannen ſchwören je in ihrer eigenen Sprache.

Schon vor dieſen Begebenheiten, aber ebenfalls in der
erſten Hälfte des neunten Jahrhunderts, war das Wort „deutſch“
aufgekommen und bezeichnete unſere Sprache im Gegenſatz
gegen die lateiniſche Sprache der Gebildeten und gegen die
romaniſche Sprache des weſtfränkiſchen Volks. Gegenüber von
dieſen fremden Sprachen nannte man die heimiſche Sprache
thiudisk, diutisk = volkstümlich, volksmäßig, von thiuda = Volk;
lingua theodisca = Sprache des Volks, die das Volk ſpricht
und verſteht. Auch jetzt noch wird deutſch oft = *deutlich* gebraucht. Aber vorerſt nur die Sprache hieß diutisk, deutſch;
erſt ſpäter wird dieſe Benennung auch für das Volk und das
„oſtfränkiſche“ Reich allgemein.

In der Regierungszeit Ludwigs des Deutſchen geht nun
der Same auf, der von Karl dem Großen und von Hrabanus
ausgeſtreut war; aus ihr ſtammen die meiſten und bedeutend-
ſten althochdeutſchen Sprachdenkmäler. Vollenden wir zuerſt
die Überſicht der Proſa. Selbſtändige deutſche Proſa hat ſich
nicht erhalten; auch die Überſetzungsliteratur iſt nicht ſo zahlreich, wie im vorigen Abſchnitt. Sie beſteht in einigen unbe-
deutenden Interlinearverſionen und in der ſehr wichtigen *Überſetzung der ſog. Tatianſchen Evangelienharmonie*. Ausgabe von
Schmeller, Wien 1841. Dieſe Evangelienharmonie war urſprünglich griechiſch verfaßt, angeblich von Tatian, wahrſcheinlich
aber von Ammonius aus Alexandrien († um 224). Dem grie-

chifchen Text ftellte um das Jahr 546 Viktor, Bifchof von
Capua, den entfprechenden Text der lateinifchen Vulgata gegenüber. Diefe lateinifche Evangelienharmonie wurde im neun-
ten· Jahrhundert ins Althochdeutfche übertragen. Der Name
des Ueberfetzers ift nicht mehr zu ermitteln. Vielleicht war
es einer von den dreien, die Flacius Illyricus († 1575) als Ver-
deutfcher der Bibel zur Zeit der Karolinger nennt: Walafridus
Strabo († 849), Hrabanus Maurus († 856) oder Haimo von Hal-
berstadt († 853). Das Buch ift ziemlich umfangreich und bildet einen fehr bedeutenden Beitrag zur deutfchen Sprachgefchichte. Wegen der regelmäßigen, klaren und fchönen Sprache eignet fich diefe Überfetzung befonders gut zur erften Erlernung des Althochdeutfchen; wir haben daher zahlreiche Abfchnitte aus ihr unter die Denkmäler aufgenommen, fiehe XIII.
Wackernagel 95.

Wir dürfen annehmen, daß diefe Ueberfetzung zu ihrer
Zeit nicht allein ftand, und wir werden unten fehen, daß fich
ihr auch poëtifche Bearbeitungen deffelben Stoffes anreihten, die
fich vielleicht auf diefe oder auf eine ähnliche Überfetzung
gründeten.

Viel reicher als die Profa ift die chriftliche Poëfe diefes
Zeitabfchnitts. Sie bildet den Höhepunkt der althochdeutfchen
Literatur. Die Tätigkeit der Geiftlichen befchränkte fich jetzt
nicht mehr bloß auf Anfertigung von Gloffarien, Überfetzungen u. f. w., fondern wagte fich auch an felbftändige Schöpfungen. Man war über den chriftlichen Stoff fo weit Herr geworden, man hatte der Sprache und Poëfie des Volks folche wiffenfchaftliche und gemüthliche Aufmerkfamkeit gewidmet, daß
jetzt mit innerer Nothwendigkeit der weitere Schritt verfucht
wurde, den chriftlichen Stoff in deutfcher Poëfie wiederzuge-
ben. Wir haben alfo jetzt eine chriftlich-deutfche Dichtung,
von Geiftlichen ausgehend. Dabei war jedoch der chriftliche
Inhalt und Zweck Hauptfache, die Poëfie Nebenfache. Man
hatte die Abficht, dem Volke für feine heidnifchen Dichtungen
chriftliche anzubieten, und man kümmerte fich bei diefer guten
Abficht wenig um die künftlerifchen Forderungen der wahren
Poëfie.

Im Einzelnen ift zu nennen: *das Gedicht vom jüngften Gericht*, von Schmeller unter dem Namen Muspilli (Weltbrand),
herausgegeben, München 1832. Es wurde wahrfcheinlich unter
oder kurz vor Ludwig dem Deutfchen gedichtet, alfo um 840.
Mundart oberdeutfch-bairifch. Denkmäler XII. Wackern. S. 69.

Der Inhalt ift chriftlich, eine Befchreibung des jüngften Gerichts; aber die Darftellung ift umgeben und durchdrungen von
Anfchauungen des altheidnifchen Mythus von dem Weltbrand
und der Götterdämmerung. Durch diefe Verfetzung mit Elementen der altgermanifchen Naturreligion hat das Gedicht eine
frifchere, natürlichere Färbung, ftellenweife einen höhern poëtifchen Schwung erhalten, als die andern geiftlichen Dichtungen
diefer Zeit, obgleich es ebenfalls einen moralifch-didaktifchen
Zweck verfolgt und viele Sprüche in diefem Sinne einmifcht.
Auch in dem Versmaß fchließt es fich an heidnifche Form an:
es ift alliterierend und ohne Strophenabteilung. Neben und statt
der Alliteration findet fich jedoch teilweife auch der Endreim
als Bindemittel zweier Halbzeilen.

Mufpilli ift die letzte althochdeutfche Dichtung mit Alliteration; von jetzt an ift diefe Versform aus der hochdeutfchen Poëfie verfchwunden und hat fich nur noch in einzelnen ftehenden
Formeln, Redensarten und Sprichwörtern erhalten, wie: Haus
und Hof, Mann und Maus, Stock·und Stein, Stumpf und Stiel,
frank und frei, rothe Rofen, fingen und fagen, allzufcharf macht
fchartig u. f. w. Auch neuere Dichter wenden fie noch in *einzelnen* Stellen zu poëtifcher Lautmalerei an, z. B. Schiller in
der Stelle: und *h*ohler und *h*ohler *h*ört mans *h*eulen.

Das bedeutendfte Denkmal chriftlicher Dichtung in ahd.
Sprache ift das *Evangelienbuch von Otfried*: Liber Evangelio-
rum domini gratia theodisce conscriptus," von Graff unter dem
Titel Krift herausgegeben, Königsberg, 1831. Es ift ein Leben
Jefu in poëtifcher Form, eine in Verfen gebrachte Evangelien-
harmonie, mit vielfach eingeftreuten religiöfen und moralifchen
Nutzanwendungen. Die Sprache ift mittelrheinifch, fränkifch,
alfo oberdeutfch mit Annäherungen an das Niederdeutfche.
Otfried felbft war·ohne Zweifel ein Franke. Er war Schüler
Hrabans in Fulda gewefen und hatte wohl in diefer Schule
fich einige wiffenfchaftliche Kenntniß der deutfchen Sprache
und Dichtung, fowie der lateinifchen Kirchendichtung, ange-
eignet. Wahrfcheinlich hielt er fich auch kurze Zeit in St.
Gallen auf. Dann lebte er als Mönch im Benediktinerklofter
zu Weißenburg, das im jetzigen Elfaß liegt und damals zum
Speiergau im Herzogtum Oftfranken gehörte. Hier fchrieb er
fein Gedicht in verfchiedenen Abfchnitten um die Jahre 860—
868. Er teilte den Stoff in fünf Bücher und fchickte dem Ganzen eine Vorrede in lateinifcher Profa an Liutbert, Erzbifchof
von Mainz, ferner ein deutfches Widmungsgedicht an König

Ludwig den Deutſchen († 876), eines an Biſchof Salomon von
Konſtanz († 871) und eines an die St. Galler Mönche Hart-
muat und Werinbert voraus. Der poëtiſche Wert des Evange-
lienbuchs iſt nicht bedeutend, die Schöpferkraft gering. Es iſt
Erzählung und Lehre in gereimten Verſen; nur hie und da
erhebt ſich der Dichter zum vollen Ausdruck der Sache und
des Gedankens, beſonders in einigen lyriſch gehaltenen Stellen.
Otfrieds Zweck war auch nicht weſentlich Poëſie, ſondern Religion; er will den „unzüchtigen oder wenigſtens unnützen Geſang der Laien“ verdrängen (ſ. lateiniſche Vorrede), er will das
Chriſtentum volkstümlich machen und glaubt dieſes am beſten
durch poëtiſche Form zu tun. Auch laſſen die klöſterliche Ab-
geſchiedenheit des Mönchs von der Welt, die damalige Bildung der Geiſtlichen und ihre Stellung unter einem Volke, das
im mühſamen Übergang vom Heidentum zum Chriſtentum begriffen war, keine höhere Poëſie erwarten. Dennoch iſt Otfrieds Werk von großer Bedeutung; wir haben an ihm das erſte
hochdeutſche Kunſtepos, das erſte hochdeutſche Epos überhaupt, da die früheren Denkmäler der Volkspoëſie nur Bruch-
ſtücke ſind; es iſt das erſte ſelbſtändige, aus deutſchem Geiſt
hervorgegangene Werk unſerer Literaturgeſchichte, deſſen Ver-
faſſer wir mit Namen nennen können. Es führt eine neue
Versform ein, welche bleibendes Eigentum der deutſchen Dichtung wurde, und endlich iſt es eine unſchätzbare Quelle für
die deutſche Sprachgeſchichte. Otfrieds Sprache iſt noch äußerſt
volltönend und mannigfaltig; der Reichtum, die Geſchmeidig-
keit und die Entſchiedenheit ihrer Bildungen und Biegungen
reicht nahe an das Gothiſche hin. Man vergleiche die Formen: *oſtarrichi*, Oeſtreich; *thero frankono* der Franken, *ſila-
bar*, Silber; *thiarna* Dirne; *ſianta* Feinde; furiſto, Fürſt; *gi-
nada* Gnade; *luginari*, Lügner; mit *wafanon*, mit Waffen; *herzon zuivolonton*, mit zweifelnden Herzen; *blintilingon*, blind-
lings; *gisparotos*, ſparteſt; *wuntorota*, wunderte; *bibinota*, bebte;
thiononti, dienend; *fuari*, führe; *bigunni*, begänne; *lioboſta*,
liebſte; *farames*, fahren wir u. ſ. w.

Werfen wir bei dieſem Anlaß noch einen Blick auf das
Versmaß und deſſen Umgeſtaltung durch Otfried, wobei wir
Lachmann und J. Grimm folgen. Auch Otfried hat wie das
Hildebrandslied die alte Langzeile, eingeteilt in zwei Halbzeilen; acht Hebungen in der Langzeile, dazwiſchen eine unbe-
ſtimmte Anzahl Senkungen; der Auftakt kann ein- oder mehr-
ſilbig ſein oder ganz fehlen. In dieſen Grundverhältniſſen

fchließt fich Otfrieds Versmaß an das oben gefchilderte altdeutfche an; es hat aber zugleich zwei neue Elemente in fich
aufgenommen: den Endreim und die Strophenabteilung. Statt
der Alliteration gebraucht Otfried den Endreim als Bindemittel je zweier Halbzeilen; die Reime fallen auf die letzte (vierte)
Hebung jeder Halbzeile, find alfo einfilbig, ftumpf (männ-
lich) z. B.

> Lúdowíg ther snéllố   thes wísdúames fóllố
> er óstarríchi ríhtit *ál*,   fo fránkóno kúning *scál*.

Die Reime können nicht blos auf Wurzelfilben, fondern
auch auf bloße Endungsfilben fallen, welche letztere volltönend
genug find, um eine Hebung zu tragen und um durch ihren
Gleichlaut zwei Halbzeilen zu binden. In der Regel find die
Reime gleichlautend, d. h. die auslautenden Klänge (wenigftens
ein Vokal und ein Konfonant der letzten Hebung) find gleich,
gotes fún—herafún; waní—sconí; fagetá—zelitá; fár—wár; weiſt—
meift u. f. w. Oft aber begnügt fich Otfried mit bloßer Affo-
nanz, d. h. nur die Vokale der letzten Hebung find gleichlautend, z. B. mán—biquám. Selbft die Vokale find fich hie und
da nicht gleich, fondern nur ähnlich oder von verfchiedener
Quantität. Auf der andern Seite verfchmäht es Otfried auch
nicht, Aehnlichkeit oder Gleichlaut der zwei letzten Silben
(Hebungen) in den zufammengehörenden Halbzeilen eintreten
zu laffen, z. B dátố—thrátố; snéllố—fóllố; fíndés—kíndés;
fmérzá—hérzá; wúntón—fúntón; fúazí—fúazí; felbft die drei letzten Silben entfprechen fich hie und da; z. B. wórahtá—fórahtá;
githréwitá—giftréwitá u. f. w. Durch den Gleichlaut zweier Silben entftehen Ausgänge der Halbzeilen, die den weiblichen Reimen der fpätern Poëfie analog fcheinen. Sie unterfcheiden fich
aber von letzteren dadurch, daß die gleichlautenden Silben Otfrieds und feiner Nachfolger auf zwei *Hebungen* fallen, während die
eigentlichen weiblichen Reime der fpätern Poëfie auf eine Hebung und eine Senkung fallen, z. B. mhd. ſinne—mínne; ge-
zǽme—nǽme; geflíege—trǘege; múote—gúote; nhd. Gabe—
Stabe; Gäfte—Fefte; nieder—wieder. — Die Kunft des Reimes
war zu Otfrieds Zeit noch neu und wird daher von ihm ziemlich
unvollkommen gehandhabt. Offenbar haben ihm feine unge-
nauen Reime große Not gemacht und ihn zu einer Menge von
Flickwörtern, oft auch zu Weitläufigkeit in feinem fonft freien
und gewandten Periodenbau verleitet. — Otfried ftellt ferner
zwei Langzeilen (Verfe) zu einer *Strophe* zufammen; dabei aber

verbindet er fie durch gar kein Band unter fich, als durch die Einheit der Periode, und auch dieß mit Ausnahmen. Durch den Reim können die beiden Langzeilen nicht verbunden werden, da der Reim eben nichts ift, als das Band der zwei Halbzeilen eines Verfes. So ift auch die Stropheneinteilung der Otfriedfchen Poëfie nur erft ein Anfang. Andere Gedichte diefer Zeit, die wir unten S. 38 erwähnen werden, ftellen nach Otfrieds Vorgange ebenfalls zwei Langzeilen, andere auch drei und mehr zu einer Strophe zusammen. Alle diefe ftrophifch abgefaßten Gedichte waren ohne Zweifel für den Gefang des Volkes beftimmt, aber nicht für den kirchlichen Gebrauch; bei diefem befchränkte fich der Volksgefang auf das Abfingen von Kyrie eléison. Otfried fpricht ausdrücklich von dem Gefange feines Gedichts; auch ift in der Heidelberger Handfchrift Otfrieds eine Strophe mit Mufiknoten überfchrieben.

Der Endreim und die Stropheneinteilung find die neuen Elemente, durch welche das deutfche Versmaß in diefem Jahrhundert umgeftaltet wird. Beide drangen von Außen in die deutfche Poëfie ein, von der damaligen lateinifchen Reimpoëfie der Kirche, welche fie hinwiederum von der Volksdichtung der romanifchen Lande (Italien, Spanien, Südfrankreich) angenommen hatte. Gleichwol waren diefe Elemente der Natur der deutfchen Sprache und des altdeutfchen epifchen Verfes fo wenig zuwider, daß fie fich organifch in die deutfche Dichtung einfügten und mit derfelben bleibend verwuchfen.

Die Regeln über Betonung und Hebung, welche wir bei dem Hildebrandslied aufftellten, gelten meift auch hier, doch nicht ohne Schwankungen und Befchränkungen. Oberfte Regel ift: die erfte und Haupthebung eines Worts liegt auf der Wurzelfilbe. Von diefer Regel wird auch nicht abgewichen, wenn der Wurzelfilbe eine kleine, unfelbftändige Partikel vorausgeht, wie ir, int, ʒi, gi, fir. Diefe Silben tragen keine Hebung und die erfte und Haupthebung bleibt auf der Wurzelfilbe, z. B.: irságetí, irhúabún, intfúartá, infiangé, zitéiltá, gibéittí, githénké, gináda, gistírri, ginúagag.

Eine Ausnahme von der Grundregel bilden vorerft Zufammenfetzungen mit einigen zweifilbigen Partikeln, Präpofitionen und Adverbien, wie: ubar, thuruh, untar, umbi, widar, gegin (ingegin), hintar, furi, fora. Diefe haben, als felbftändige Wörter, als Präpofitionen und Adverbien gebraucht, Kraft genug, für fich eine Hebung und Senkung zu füllen und diefe Kraft

behalten ſie auch in Zuſammenſetzungen; ja in gewiſſen Zuſammenſetzungen ziehen ſie ſogar die Haupthebung auf ſich.
Die allgemeine Regel, die darüber gegeben werden kann, iſt:

1) in Zuſammenſetzungen mit Verbis behalten jene Par-
tıkeln die ihnen natürliche Hebung; ſie haben alſo zwar die
erſte Hebung des Wortes, aber nicht die Haupthebung, welche
auf der Wurzelſilbe bleibt. In den folgenden Beiſpielen bezeichnen wir die Haupthebung mit zwei Strichen. Man betont
alſo: úbarwän, úbarwänt (als Verbum), úbarstígan, úbarfúar,
úbargíang, thúruhgän, thúruhstöchan, úntarsähi, úntarſíang, ún-
tarwësta, thaz ſie nan úmbirīten, er ál iz úmbithähtä, úmbi-
gúrta ſíh, wídarstäntan, mir wídorfëret;

2) in Zuſammenſetzungen mit Nominibus ziehen dieſe Partikeln meiſt ſogar die Haupthebung des Wortes auf ſich und
man betont alſo: úbarmúati, úbarlút, úbarwánt (als Subſt.), thú-
ruhnáhtin, úntaŕskeít, úntharthío, úmbithérbi, úmbiwérft, wídar-
wérto, wídarmúati, gĕginwérti, gĕginwértig, híntorórt, híntar-
skránch, híntarspráchon.

Daß hie und da Schwankungen vorkommen, iſt begreiflich.
Sie werden beſonders bei abgeleiteten Wörtern dadurch veranlaßt, daß z. B. bei einem Nomen, das vom Verbum abgeleitet
iſt, noch die Verbalbetonung ſich hält (Haupthebung auf der
Wurzelſilbe), oder daß ein Verbum, das vom Nomen abgeleitet
iſt, Nominalbetonung hat (Haupthebung auf der Partikel). Es
iſt daher in abgeleiteten Wörtern nicht immer zu entſcheiden,
ob die Partikel oder die Wurzelſilbe die Haupthebung hat. Ein
Schwanken anderer Art wird dadurch herbeigeführt, daß umbi,
widar, ingĕgin, hintar auch in der Zuſammenſetzung mit Verbis die Haupthebung auf ſich ziehen können, wenn ſie rein adverbial gebraucht ſind, keinen Kaſus regieren oder regieren
könnten. Sie ſtehen in dieſem Falle in trennbarer Zuſammenſetzung mit dem Verbum; je enger man ſie ſich nun mit dem
Verbum verbunden denkt, je mehr ſie dem Verbalbegriff ſeine
charakteriſche Bedeutung geben, um ſo eher werden ſie den
Haupton an ſich reißen. Wenn wir alſo oben betonten: thaz
ſie nan úmbirīten, weil umbi hier einen Kaſus (inan) regiert,
ſo werden wir dagegen ohne Kaſus, bei rein adverbialem
Gebrauch des umbi, betonen müſſen: úmbiscøúwon; úmbi kérit
ſíh thaz múst; híntarquám er hártó; doch findet ſich auch hín-
tarquäm.

Auch einige einſilbige Partikeln begränden Ausnahmen

von der oberſten Regel. Die Vorſilbe bi hat zwar vor Verbis keine Hebung: bizeínit, bispíwan, bifíltan, biscóltan. Vor Nominibus aber ſchwankt ihre Bedeutung; hie und da hat ſie hier eine Hebung und ſogar die Haupthebung oder auch bei zweiſilbigen Wörtern die einzige Hebung des Wortes: bífang, bíwúrte, zi bismére, bígiht, binámo, bidĕrbí und bíderbí.

Aehnlich die Vorſilbe in, vorausgeſetzt, daß ſie nicht adverbial = intro ſteht, in welchem Falle ſie für ſich eine Hebung trägt: gíang ín. In untrennbarer Zuſammenſetzung mit Verbis hat ſie keine Hebung: inbíotan, inbízan, inbrénnan. In Zuſammenſetzung mit Nominibus zieht ſie die Haupthebung oder bei kurzen Wörtern die einzige Hebung auf ſich: íngang, ínwert, ímbot, wohl auch ímbiz.

Die Vorſilben ur, ant, zua (zuo) ſind die volleren Formen für ir, int, zi und haben immer die Haupthebung: úrdeíles, úrspríng, ántlúzzi, ántfáng, ántwúrti, ſogar ántwurtíta, zúagífti, zúowért.

Noch einige andere Zuſammenſetzungen ſind zu beachten. Die Vorſilbe fol hat vor Verbis keine Hebung: ál folspráh er wórtó; aber vor Nominibus hat ſie wohl immer die Hebung und zwar die Haupthebung: fólníssa, fólléist. Das Wörtchen missi vor Verbis füllt naturgemäß eine Hebung und Senkung, hat aber nicht die Haupthebung: míssidắti (malefaceret), míssigíang, míssiflangun. Aber vor Nominibus zieht es die Haupthebung auf ſich: míssidắt (malefactum), míssifárewá.

Das verſtärkende Vorwörtchen ala — hat vor Adjektiven, Partizipien und Adverbien keine Haupthebung: álafĕsti, álawássaz, álawälténtan. Vor Subſtantiven nimmt es hie und da Haupthebung an: in álafésti, in álalíchi, zi álawári, in álawári, in álawár, aber auch in álawắr.

Die Vorſilbe un — hat hie und da keine Hebung, z. B.: unwírdig, unlástarbárig, unfrúati. Im Allgemeinen aber herrſcht entſchieden die Neigung vor, die Haupthebung auf un — zu legen: únkústi, úndáti, únhéili, únwízzi, únthánkes, úngimáh, úngilóuba, únkund, únfro, únréini, úngérno, úngilíh, únfiralágan, únfarhólan.

Bei Zuſammenſetzungen von Nomen mit Nomen oder mit Verbum behält oft das Grundwort die Haupthebung: hímilgŭallíchi, héllipŏrta, fúazfállónti, ádalĕrbon, drútlíut, drútmĕnnísgo. Aber noch häufiger iſt, daß das Beſtimmungswort die Haupt-

hebung auf fich zieht: ădalérbi, ădalkúnni, drŭtthégan, drútsuir,
drútman, heímwist.

Die Pronominalformen iaan, imo, ira, iru, unsih haben zwar
gewöhnlich, wie die andern Pronominalformen, der Grundregel
gemäß, den Ton auf der Wurzelfilbe; hie und da aber auch
auf der zweiten, wenn der Nachdruck nicht auf dem Pronomen
liegt, fondern auf dem vorhergehenden Worte, z. B.: irspúan
unsíh so stílló; thaʒ síu inán birúartí. Zu Anfang eines Verfes
aber kann diefes nicht ftattfinden, wenigftens nicht zu Anfang
eines Langverfes; hier ift der Akzent immer auf der Wurzelfilbe: ínan ál tho bétotá; ímo éin gizámí; ímo thó gimácháʒ.

Der Hauptakzent ruht alfo in der Regel auf der logifch-
bedeutendften Silbe des Worts, auf der Wurzelfilbe, und die
Ausnahmen von diefem Grundfatz befchränken fich im Wefentlichen auf wenige Zufammenfetzungen. Der Nebenakzent aber
richtet fich auch hier, wie im Hildebrandsliede, nach der Quantität. Ift die Wurzelfilbe, die den Hauptton hat, lang, fo kann
in zweifilbigen Wörtern die zweite einen Nebenton haben; in
drei- und mehrfilbigen Wörtern hat fie ihn jedenfalls, z. B.:
bíllíche, dúrftígen, swígénti, sínémo, mámmúnti, thinéra, drúh-
tínes. Ift die erfte Silbe kurz, fo hat die dritte den Nebenton:
gádemé, irságetí, irhógeti, gárotá, wŏrahtá.

Verfchleifung zweier Silben, von denen die erfte kurz fein
muß, findet auch hier ftatt. Befonders wird die letzte Hebung
einer Hauptzeile hie und da durch zwei verfchleifte Silben gebildet, z. B.: tho quám béto fóna gote; drúhtin kós imo éinan
wini; hína, hína ním inan; nist thér in hímilríchi queme, géist
joh wáʒar nan irbere. Im letzten Beifpiel fallen Reim und Ge-
genreim auf zwei verfchleifte Silben.

Wenn das Wort mit einem Vokal endigt und das folgende
mit einem Vokal beginnt, fo kann des Versmaßes wegen der
eine diefer beiden Vokale vom andern verfchlungen werden
(Synalöphe). In den Otfriedfchen Handfchriften wird diefe Ver-
fchlingung oder Verfchleifung gewöhnlich, doch nicht immer,
durch einen Punkt unter dem ausfallenden Vokal bezeichnet,
wir laßen den auszuwerfenden Vokal in Curfivfchrift drucken
z. B.: odo ouh, ora iʒ, ouga irscowoti oder ouga irscowoti.

In den Handfchriften und darnach in der Ausgabe Graffs
ift ein Teil der Hebungen mit Akzenten bezeichnet, meift die

erſte und dritte jeder Halbzeile; häufig auch die zweite, allein oder mit einer der andern; am ſeltenſten die vierte. Auch dieſe Bezeichnung haben wir in den Proben ohne Veränderung beibehalten, Denkmäler XIV. Wackern. 77.

Aus dem Otfriedſchen Verſe haben ſich die Versmaße der mittelhochdeutſchen Zeit gebildet, ſowohl das Versmaß des nationalen Epos (Volksepos), als das des romantiſchen (höfiſchen) Epos. Statt der acht Hebungen Otfrieds haben wir in den drei erſten Langzeilen der Nibelungenſtrophe in der Regel nur ſechs Hebungen. Dieſe Verminderung der Hebungen um zwei erklärt ſich daraus, daß die Formen, beſonders die Ableitungs- und Flexionsformen, ſich immer mehr ſchwächten und abſtumpften. Dadurch wurde zunächſt veranlaßt, daß in manchen Wörtern bei vorhergehender langer Penultima der Akzent der letzten Silbe geſchwächt und der Hebung unfähig wurde. Für dieſe Menge zweiſilbiger Ausgänge, die bei Otfried zwei Hebungen trugen, war jetzt blos noch eine Hebung und etwa eine Senkung paſſend. So erhielt man ſtatt männlicher Ausgänge jetzt viele weibliche, die ſich auf das Ende der erſten Halbzeile niederließen. Bei der zweiten Halbzeile forderte ſchon die durch Geſang oder Recitation bedingte Gleichmäßigkeit ebenfalls die Unterdrückung einer Hebung, welchem Bedürfniß natürlich auch die verminderte Silbenzahl und geringere Volltönigkeit der Worte entgegen kam. So entſtanden aus den acht Hebungen der alten Langzeile die ſechs Hebungen der Nibelungenſtrophe.

Eine Spur der alten acht Hebungen erhielt ſich in der Nibelungenſtrophe, indem die letzte Halbzeile der Strophe gewöhnlich vier Hebungen hat. Zuweilen finden ſich auch in dem erſten Teile der vierten Langzeile vier Hebungen. Uebrigens wurde der männliche Reim des althochdeutſchen Verſes auch in der Nibelungenſtrophe beibehalten. Da aber jetzt die erſte Halbzeile weiblich endigte, ſo verſagte ſich dieſe dem Reim auf den männlichen Schluß der Langzeile, und man war genötigt, für dieſen ein Band im Schluß der folgenden Langzeile zu ſuchen. Daher wurden jetzt vier Langzeilen zu Einer Strophe verbunden, von denen die erſte und zweite, ſowie die dritte und vierte auf einander reimen, ſtatt wie früher jede Zeile auf ihren Einſchnitt.

Der Übergang vom Otfriedſchen Verſe zur Nibelungenſtrophe und die damit verbundene Umwälzung im Texte der nationalen Heldenlieder mag etwa ſeit der Mitte des eilften und beſonders im zwölften Jahrhundert vor ſich gegangen ſein.

Das Versmaß des romantifchen (höfifchen) mittelhochdeutfchen Epos muß fich um diefelbe Zeit entwickelt haben. Es
läßt die Stropheneinteilung wieder fallen, fteht jedoch dem Otfriedfchen Verfe in zwei andern Beziehungen näher: 1) reimen
je zwei Halbzeilen auf einander, wie bei Otfried, 2) alle männ-
lich gereimten Halbzeilen behalten vier Hebungen. Daneben
hat aber das romantifche Epos den weiblichen Reim eingeführt
und verleiht diefem nur drei Hebungen. Männliche und weibliche Reimpaare wechfeln hier beliebig.

Mit dem Otfriedfchen Evangelienbuch gleichzeitig, vielleicht
etwas älter, ift eine poëtifche, alliterierende Evangelienharmonie
in altniederdeutfcher (altfächfifcher) Mundart: Héliánd (Heiland),
herausgegeben von Schmeller, 1830, nebft Gloffar 1840. Ihrer
Mundart wegen gehört fie nicht in den Kreis unferer näheren
Betrachtung, verdient aber wenigftens erwähnt zu werden wegen
ihrer innern Bedeutfamkeit und als Beweis, wie allgemein die
Beftrebungen, das Chriftentum in deutfcher Poëfie wiederzu-
geben, damals in ganz Deutfchland waren, felbft auf dem erft
kurz und zuletzt eroberten Boden. Wir geben eine Probe aus
ihr im Anhang.

Von Otfrieds Vorgang angeregt und mit demfelben frommen Zweck wurden manche kleinere chriftliche Gefänge in dem
neuen Versmaß mit Endreim und Strophenabteilung gedichtet.
Erhalten haben fich: *)

Das Lied vom hl. Petrus, in Strophen von je drei Langzeilen, wobei jedoch die letzte Langzeile in allen drei Strophen
diefelben griechifchen Wörter enthält, alfo eine Art Refrain
bildet. Auch diefem Liede find in der Handfchrift Noten über-
gefchrieben. Denkmäler XV. Wackern. 103.

Eine Bearbeitung des 138. Pfalms, in Strophen von 2 und
3 Langzeilen.

Erzählung von Chriftus und der Samariterin, in Strophen von
2 und 3 Langzeilen. Denkmäler XVI. Wackern. 103.

Legende vom h. Georg, nach Lachmann's Abteilung aus
fünf-, fechs- und neunzeiligen Strophen beftehend, ift nur ent-
ftellt und mangelhaft erhalten.

Ein deutfches Gedicht diefer Art: Legende vom hl. Gallus,
gedichtet von Ratpert, einem St. Galler Mönche, der gegen das
Ende des neunten Jahrhunderts ftarb, ift verloren gegangen;

---

*) Über die Literatur diefer Denkmäler f. Koberftein §. 29. §. 35. §. 43.
Wackernagel §. 32. Hoffmanns Fundgruben I.

dagegen hat fich eine lateinifche Ueberfetzung und die Melodie desfelben erhalten. Die Strophen der Überfetzung find rhythmifch gebaut aus je fünf gereimten Langzeilen und müffen der Form des deutfchen Gedichts fehr genau nachgebildet fein. ‚

Alle diefe Gedichte waren für den (außerkirchlichen) Volksgefang beftimmt. Das Eigentümliche von mehreren derfelben ift, daß die Strophen, aus denen fie beftehen, nicht gleich viele Zeilen haben, fondern wechfelnd zwei oder mehr, je nachdem die wechfelnde Melodie es mit fich bringt. Der Text ift hier der Mufik untergeordnet. Man darf in diefen Gedichten die erften fogenannten *Leiche* fehen. Der Leich (leicha = modus, canticum, Gefang) unterfcheidet fich vom *Liede* (liod, lied) dadurch, daß letzteres Eine Strophenart fefthält, während der Leich nach dem Bedürfniffe der Mufik zwifchen verfchiedenen Strophenarten wechfelt. Die Leichform hat fich aus dem lateinifchen Kirchengefang, den fogenannten Profen und Sequenzen und aus der lateinifchen Hofpoëfie des zehnten und eilften Jahrhunderts entwickelt. Profen und Sequenzen heißen die Worte und Verfe,. welche den früher textlofen Melodieen oder Modulationen des Neuma oder der Jubilation des Alleluja angepaßt wurden.

Zu den angeführten chriftlichen Gedichten der althochdeutfchen Blütezeit kommt nun noch ein Lied (eigentlich Leich) mit weltlichem Stoff, das aber ebenfalls von einem Geiftlichen herrührt und chriftlich-religiös gehalten ift: das *Ludwigslied.* Es preift den Sieg, welchen der weftfränkifche König Ludwig III (Sohn Ludwigs des Stammlers) bei Saucourt über die Normannen im Jahr 881 erfocht, und wurde im Jahr 881 oder 882 gedichtet, wahrfcheinlich von einem Mönch Hugbald im Klofter St. Amand in Flandern. Die Form ift ebenfalls Leichform. Die Strophen beftehen teils aus zwei, teils aus drei Langzeilen. Denkmäler XVII. Wackern. 105. Diefes Gedicht bezeugt, daß die Poëfie der Geiftlichen fich jetzt auch den weltlichen Dingen, den Begebenheiten der Zeit einigermaßen zuwandte, diefen aber in der epifchen Darftellung eine entfchieden chriftliche, wunderbare Färbung gab. Der Boden, auf dem das Lied entftand, gehörte zum weftfränkifchen (franzöfifchen) Reich, zu einer Gränzprovinz deffelben. Die Sprache ift überwiegend oberdeutfch, mit ganz wenigen niederdeutfchen Elementen.

Der Vollftändigkeit wegen ift noch ein *chriftliches Gebet* zu erwähnen, das zwar aus lateinifcher Profa überfetzt ift, das

aber hieher gehört, weil es in poëtifcher Form überfetzt ift. Es
befteht aus zwei gereimten Strophen aus dem neunten oder dem
Anfang des zehnten Jahrhunderts. Wackern. S. 109. Denkmäler XVIII.

Das ift die chriftlich-deutfche Poëfie des neunten Jahrhun-
derts. Sie hatte nur eine kurze Zeit der Blüte; denn mit dem
Ende des neunten Jahrhunderts erlifcht fie, ohne in dem nächften
Zeitabfchnitt wieder aufzuleben.

Dritter Abfchnitt.

Von circa 900 bis um 1056.

Gefchichtliches: Ludwig das Kind 899—911. Konrad I. 911—18.
Sächfifches Kaiferhaus: Heinrich I. 919—936. Otto I. 936—
973. Otto II., Otto III., Heinrich II. 973—1024. Fränkifches
Kaiferhaus: Konrad II. 1024—39. Heinrich III. 1039—56.
Heinrich IV. feit 1056.

In der politifchen Gefchichte Deutfchlands bilden die anderthalb Jahrhunderte vom Ausfterben der karolingifchen Dy-
naftie in Deutfchland bis zu Heinrich IV. eine eigene Periode,
in der das deutfche Reich in der kräftigften Blüte, die
königliche Obergewalt auf dem Gipfel ihrer Macht fteht; in der
Gefchichte der Literatur bilden fie nur einen unfelbftändigen
Anhang zum althochdeutfchen Zeitraum.

Die verworrenen, ftürmifchen Zuftände am Ende des neunten
und am Anfange des zehnten Jahrhunderts, die Eiferfucht der
deutfchen Stämme, die anfänglich unfichere Stellung der oberften
Gewalt, die verheerenden Einfälle der Normannen, Slaven und
Ungarn machten der Blüte der althochdeutfchen Literatur ein
fchnelles Ende und hemmten felbft den Fortgang der allgemeinen Bildung, zu der die karolingifche Zeit den Grund gelegt
hatte. Kaum aber war durch Heinrich I. und Otto I. das jetzt
für immer von Frankreich getrennte, nationale deutfche Reich
auferbaut, fo erwachte auch die ftille Pflege der Mufen wieder,
nur daß fie jetzt noch mehr als früher, am Hofe der Kaifer,
wie in den Klöftern, fich der altklaffifchen, der lateinifchen,
zum Teil auch der griechifchen Gelehrfamkeit zuwandte. Die

byzantinifch-romanifche Richtung der Ottonen war mit diefem Streben in vollkommenem Einklang und beförderte es. Die Gebildeten, die Hofleute und Geiftlichen, fchrieben nur lateinifch, felbft wenn fie dichteten. Die deutfche Gefchichte wurde in lateinifcher Sprache gefchrieben von Widukind, Thietmar, Wippo, Richer, Hermann, Lambert. Bei diefem lateinifch-gelehrten Treiben der Gebildeten wurde die Volkspoëfie von ihnen teils ganz vernachläßigt, teils ebenfalls in die lateinifche Sprache und Form umgefetzt.

Was fich daher aus diefer Zeit von deutfcher Poëfie erhalten hat, ift lateinifch gefchrieben. Das Schönfte und Großartigfte davon ift das lateinifche Gedicht *Waltharius manu fortis* oder Walther von Aquitanien, in welchem ein ächter Stoff der deutfchen Heldenfage in lateinifchen Hexametern nach virgilifchem Vorbild wiedergegeben ift. Es erzählt den Aufenthalt Walthers des Aquitanen (Weftgothen) bei Attila, feine Flucht mit Hildgund, und den Kampf, den er in der Nähe von Worms mit den Helden des Königs Gunther und zuletzt mit diefem felbft zu beftehen hat. Verfaffer des lateinifchen Gedichts waren die Mönche des Klofters St. Gallen: Gerald und Eckehard, in der erften Hälfte des zehnten Jahrhunderts; fpäter wurde es von einem Bruder deffelben Klofters, Eckehard IV. (ftirbt 1024), durchgefehen und überarbeitet. Die Quelle, aus der diefe Mönche fchöpften, war wahrfcheinlich ein im zehnten Jahrhundert gangbares Lied, oder eine Anzahl von Liedern, die vielleicht im fiebenten und achten Jahrhundert entftanden waren. Der Stoff gehört dem burgundifch-fränkifchen Sagenkreis an; die burgundifchen Helden Gunther, Hagen u. f. w. werden hier Franken genannt.

In diefem Gedicht haben wir die alte deutfche Heroenzeit ungetrübter, als felbft in den Nibelungen, wo fchon mehr vom Geifte des Rittertums eingedrungen ift. Obgleich die Sprache lateinifch, und der Dichter ein Mönch ift, blieb doch der Inhalt wefentlich fo, wie er in der Volksdichtung gelebt haben muß, eine ächt deutfche Mifchung von riefenhafter, fchroffer Kraft und zarter Milde. Er verdient eine bleibende Stelle in der Literaturgefchichte und fo mag hier ein Auszug aus dem Gedicht nach J. Grimm ftehen:

Der Hunnenkönig Attila, dem nach der Gefchichte einige deutfche Völker untertan waren, fteht in der Sage noch mächtiger da, als in der Gefchichte. Die Franken, Burgunder und felbft die Weftgothen (in Aquitanien und Spanien) unterwerfen fich ihm, geben koftbaren Tribut und ftellen Geifeln. Von den Franken, wo König Gibicho herrfcht, erhält er als Geifel den edlen Knaben Hagano; von den Burgundern die fchöne Königstochter Hildgund, von den Weftgothen den Königsfohn Walthari. Mit diefen Geifeln und mit vielen Schätzen kehrt Attila heim nach Pannonien (Ungarn). Die drei Geifeln wiffen fich an feinem Hofe beliebt zu machen. Hagano und Walthari leiften bei Attilas Kriegszügen ausgezeichnete Dienfte, unter fich fchließen fie innige Freundfchaft und Blutbrüderfchaft. Hildgund wird die Vertraute der Königin und ihre Schatzmeifterin. Bald erfährt Hagano, daß König Gibicho in Frankenland geftorben und fein Sohn Gunthari ihm nachgefolgt fei, welcher das hunnifche Bündniß zerreißt und den Zins verweigert. Da entflieht Hagano nach feiner Heimat. Um fo fefter fucht Attila den jungen Walther zu feffeln; er bietet ihm eine der hunnifchen Fürftentöchter zur Frau. Diefer weiß dem Anerbieten gefchickt zu entgehen. Als Walthari bald darauf von einem fiegreichen Feldzuge zurückkehrt, den feine Tapferkeit entfchieden hat, trifft er in des Königs Gemach Hildgund allein; fie geftehen fich ihre Liebe und verabreden die Flucht. Walthari veranftaltet ein prächtiges Siegesgelage; die Hunnen trinken, unmäßig im Genuffe, tief in die Nacht hinein, bis fie vom Weine fchwer ihrer Sinne unmächtig umherliegen. Da zieht Walthari fein köftliches Roß, genannt der Löwe, aus dem Stall, legt ihm zwei Schreine über, die Hildgund mit den Schätzen gefüllt hat, welche Attila einft ihren Vätern abnahm. Dann fetzt er die Jungfrau auf den Rücken des Roffes. Hildgund lenkt mit der einen Hand die Zügel, in der andern hält fie eine Fifchergerte, um unterwegs Fifche zu fangen. Der Held, vollkommen gerüftet und mit fchweren Waffen belaftet, fchreitet nebenher.

„Es geht mit ftarken Schritten Herr Walther keck uud ftumm,
„Die zarte Jungfrau bangend fie fah fich vielmal um;
„Und flog einmal ein Vogel und raufcht ein Wind durch's
Land,
„So zitterte die Angel, die fie hielt in der fchwanken
Hand."*)

------

*) Aus der Nachdichtung von Guftav Schwab, im zweiten Band feiner Gedichte.

So fliehen fie bei Nacht, bergen fich Tags im Dunkel der Wälder, meiden bewohnte Stätten und gebautes Land. Am vierzehnten Abend erreichen fie den Rhein, nicht weit von Worms, wo König Gunthari feinen Sitz hat. Der König erfährt zufällig die Ueberfahrt der Flüchtlinge über den Rhein. So fehr ihn auch Hagano abzuhalten fucht, befchließt er doch, fie zu verfolgen, um die Schätze und das Mädchen dem Walthari abzugewinnen. Unterdeffen hat Walthari mit feiner Braut den Vogefenwald erreicht. Sie treffen hier auf eine enge anmutige Schlucht, durch zwei zufammenragende Berge und überhangende Felfen gebildet, eine Höhle für Räuber, mit grünem Grafe bewachfen, eine weite Ausficht gewährend. Sie gehen hinein. Seit der Flucht aus Hunnenland hat der Held keinen andern Schlaf gekoftet, als ftehend über den Schild gelehnt und kaum die Augenlieder gefchloffen. Jetzt zieht er zum erftenmal das fchöne Streitgewand ab, legt fein Haupt in den Schoß der Jungfrau und fpricht: „Schau wachfam umher, Hildgund, und fiehft du eine dunkle Staubwolke auffteigen, fo wecke mich fanft, doch nicht zu rafch, wenn auch ein großer Haufe naht; weit umher durchfpähen deine klaren Augen die Gegend.“ Er genießt endlich der erfehnten Ruhe. Aber bald fieht die Jungfrau von ihrem hohen Sitze Staub fich erheben und Reiter nahen; es ift Gunthari mit zwölf Mannen, der ihre Spur aufgefunden hat. Sie erweckt leife den Geliebten. Nachdem er fich erhoben hat, fällt fie vor ihm zu Boden und fleht ihn an, fie zu tödten, damit fie nicht in fremde Hände falle. Er aber tröftet fie und fpricht ftolze Worte voll kecken Selbftvertrauens. Dann fällt er (und hier verrät fich wohl der nachdichtende Mönch) auf feine Kniee und bittet Gott um Verzeihung wegen jener Trotzrede. Nun rüftet er fich zum Kampf. Gunthari fchickt zuerft einen feiner Mannen und läßt die Schätze und das Mädchen dem Walthari abfordern. Diefer verweigert das Mädchen und bietet nur weniges Gold zur Sühnung. Alfo beginnt der Kampf. Die Franken können fich nur einzeln der Höhle nähern und Walthari muß einen nach dem andern in eilfmal wiederholtem Zweikampf überwinden.

Die umftändliche Schilderung diefer Zweikämpfe bildet den Mittelpunkt des Gedichts und letzteres entwickelt darin eine ungemeine Gewandtheit und Mannigfaltigkeit. Keines der Gefechte gleicht dem andern, fondern ift durch Sinnesart der jedesmal auftretenden Kämpfer, durch die Verfchiedenheit der

gebrauchten Waffen und durch den für Walthari zwar immer
fiegreichen, in den Nebenumftänden aber immer abweichenden
Ausgang eigentümlich geftaltet.

Eilf Franken find von der Hand Waltharis gefallen; nur
der König und Hagano, welcher fich bis ietzt zürnend vom
Kampfe fern gehalten hat, find auf fränkifcher Seite noch übrig.
Jetzt kann fich Hagano den flehentlichen Bitten feines Königs
nicht länger widerfetzen. Mit gebrochenem Herzen (wie der
edle Rüdiger in den Nibelungen), entfchließt er fich, die Man-
nentreue zu halten und die Freundestreue zu brechen. Sie
verabreden, Walthari zu überfallen, wenn er feine Höhle ver-
laffe. Diefer befchließt, in der Höhle zu übernachten. Die
Schilderung diefer Nacht ift eine der erhabenften Schöpfungen
der deutfchen Poëfie. In der erften Hälfte der Nacht hat Hildgund die Wache; der Held fchläft zu ihren Füßen, während
die Jungfrau fingt, um fich den Schlaf zu vertreiben. Dann in
der zweiten Hälfte fteht der Mann auf, heißt das Mädchen
fchlummern, und an den Speer gelehnt bringt er die übrige
Nacht zu, bald die Roffe umgehend, die er von den gefallenen
Feinden erbeutet hat, bald über den Wall hinlaufchend, den er
am Eingang der Höhle aus Gefträuchen und Dornen gebaut
hatte. Als nun der Tag dämmerte und Tau die Erde benetzte,
nahm der Held den Erfchlagenen Waffen und Kriegsfchmuck
ab, belud damit vier Roffe, aufs fünfte hob er die Braut, er
felbft befteigt zu hinterft das fechfte; denn er fieht voraus, daß
König Gunthari von hinten kommen werde. Mit aufgereckten
Ohren fpäht er umher, ob nirgends Schallen der Zügel oder
Huffchlag von Roffen fich hören laffe. Alles fchweigt; fie beginnen den Zug. Kaum find fie taufend Schritte, als die angft-
voll zurückfchauende Jungfrau zwei Männer von einem Hügel
rennen fieht. Walthari fchickt das Mädchen mit den Roffen
voraus in den nahen Wald, er felbft erwartet die Feinde. Nach
einigen Wechfelreden, in denen Walthari vergebens den Hagano an
die gefchworne Brüderfchaft erinnert, beginnt der Kampf abermals,
und nur mit der äußerften Gewandtheit und Anftrengung weiß
fich der edle Jüngling der zwei Gegner zumal zu erwehren.
Lange kämpfen fie und enden erft, wie alle durch Wunden und
Verftümmelung verhindert find, weiter zu kämpfen. Dort liegt
Gunthari, neben ihm fein rechter Fuß, den Walthari mit Einem
Hiebe abgehauen hat; hier fitzt Hagano mit einem Auge, das
andere liegt blutig und zitternd am Boden, drei Backenzähne

find ihm ausgehauen; aber auch Waltharis tapfere rechte Hand ift abgefchlagen. Sie fuchen das ftrömende Blut mit Blumen zu trocknen. Walthari ruft die furchtfame Jungfrau herbei; fie kommt und verbindet alle Wunden. Dann bringt fie den Männern Wein und beim Verföhnungstrank fcherzen die unbezwungenen Helden, Walthari und Hagano, über ihre Verftümmelung. Hagano rät dem Walthari, mit der linken Hand fleißig Hirfche zu jagen und an der rechten einen Handfchuh von Hirfchleder, ausgeftopft mit Schafwolle, zu tragen. „Und ich rathe dir, du Schelblickender, — erwiedert Walthari, — wenn du heimkommft, koche dir einen Brei von Mehl und Milch als gefunde Koft und als Salbe für dein Auge." Darauf verfetzt Hagano: „Du wirft künftig das Schwert an der rechten Seite tragen und den Löffel mit der linken Hand zum Munde führen. Hei, was wird das für ein fchönes Kofen abgeben, wenn du deine Braut mit dem linken Arme umfängft!"

Darauf erneuern die Beiden die blutige Brüderfchaft, heben den König auf fein Roß und fcheiden. Die Franken gehen nach Worms zurück, Walthari feiner Heimat zu. Hier wird er mit großer Ehre empfangen, feiert feine Vermählung mit Hildgund und beherrfcht nach des Vaters Tod fein Volk in dreimal zehn glücklichen Jahren.

Das ift der Inhalt einer deutfchen Volksdichtung aus dem zehnten Jahrhundert. Sowohl diefes als die folgenden lateinifchen Gedichte find herausgegeben von J. Grimm und Schmeller, lateinifche Gedichte des X. und XI. Jahrhunderts. Andere Ueberlieferungen über diefelbe Sage finden fich in der Vilkinasaga und in den Bruchftücken eines mhd. Gedichts von Walther, Haupts Zeitfchrift II, 216 ff. In der Nibelunge Not Str. 2281 fagt Hildebrand höhnifch zu Hagen: „Nun, wer war es, der auf dem Schilde (untätig) vor dem Wasgenfteine faß, während ihm Walther von Spanien fo viel der Verwandten erfchlug?"

Ein Gegenftück zu Walther ift das lateinifche Gedicht *Ruodlieb*, wahrfcheinlich gedichtet von Fromund, der um 1000 Mönch des bairifchen Klofters Tegernfee war. Diefes Gedicht in leoninifchen Hexametern, das uns nur in Bruchftücken erhalten ift, klingt nur wenig an die deutfche Heldenfage an; es fcheint ein Gemifch von Volksfagen und freien Erfindungen von Fremdem und Heimifchem, Gelehrtem und Volksmäßigem, und erinnert feinem ganzen Charakter nach an das romantifche (höfifche) Epos der mhd. Zeit, während Walther ein reines Vermächtniß der nationalen Heldendichtung ift.

Auch die eigentliche Nibelungenfage wurde in diefer lateinifchen Zeit in ein lateinifches Gedicht übertragen, gegen Ende des zweiten Jahrhunderts, von einem Meifter (d. h. gelehrten Geiftlichen) Konrad, im Auftrag des Bifchofs Pilgrin von Paffau, der im Jahre 991 ftarb. Leider ift diefe Uebertragung verloren gegangen. — Andere lateinifche Dichtungen diefer Zeit behandeln die Tierfage, alfo ebenfalls einen Stoff der altgermanifchen Volksdichtung.

Am Hofe der Ottonen wurde die lateinifche Dichtung befonders gepflegt; wir haben noch eine Anzahl kleinerer lateinifcher Gedichte erzählenden Inhalts aus diefem Hofkreife; fie fcheinen theils lateinifche Originale, teils Uebertragungen kleiner deutfcher Lieder zu fein. Den Gipfel der gelehrten Spielerei bildet es, wenn lateinifche und deutfche Sprache in Einem Gedicht gemifcht wird. Wir haben ein Produkt diefer Art in unfere Denkmäler aufgenommen; es ftammt aus den Jahren 941—60 und ift ein halb lateinifcher, halb deutfcher Leich, welcher die Verföhnung Ottos I. mit feinem Bruder Heinrich feiert. Die Mundart ift hochdeutfch mit fächfifchen Einmifchungen. Die Strophen beftehen aus drei und vier regelmäßig gebauten Langzeilen; die erfte Halbzeile ift meift lateinifch, die zweite deutfch; beide reimen auf einander. S. Denkmäler XIX nach der Herftellung Wackernagels und Lachmanns in Ranke, Jahrbücher des deutfchen Reichs unter dem fächfifchen Kaiferhaufe, I. Band, zweite Abteilung S. 96 ff.

Während die Vornehmen und Geiftlichen lateinifche Verfe machten und anhörten, fangen die niedere Stände fowohl die alten nationalen Heldenlieder, als auch neue durch bedeutende Zeitereigniffe veranlaßte Volksgefänge. Von dem Fortleben der nationalen Heldendichtung im Volke geben eben jene lateinifchen Umarbeitungen Zeugnis. Es ift zu vermuten, daß die Zeit der Ottonen, wenn fie auch in diefem Gebiete nichts Neues fchuf, doch ihren Beitrag zur Weiter- und Umbildung der deutfchen Heldendichtung geliefert habe. Die Erfcheinung der Ungarn, welche gewöhnlich Hunnen genannt wurden, erweckte das Andenken an die alten Hunnenzüge wieder und gab den Beziehungen zu ihnen in der Nibelungenfage neues Leben. Auch die Verbindung der Ottonen mit dem byzantinifchen Reich mochte dazu beitragen, die öftlichen Gegenden hervorzuheben. Abenteuerliche Brautzüge, wie der Ottos I. nach der fchönen Adelheid, fcheinen auf die Ausmalung der Brautzüge und Brautwerbungen in den Nibelungen ihren Einfluß geäußert zu haben (Gervinus). So war die deutfche Volksdichtung in diefen Jahrhunderten wohl in einem Zuftande des Schlafes und des Traumes; aber keineswegs war fie todt. Wie der menfchliche Körper auch im Schlafe fein natürliches Leben, Atmung, Verdauung, fortfetzt, fo fog auch die deutfche Heldendichtung während ihres Schlaf- und Traumlebens die poëtifchen Säfte der Zeit an fich, während fie vielleicht alte Beftandteile, welche die Zeit nicht mehr verftand, ausfchied oder der Ausfcheidung nahe brachte. ·

Von den Nachrichten, nach welchen bedeutende Ereiguiffe der Zeit befungen wurden, wollen wir nur eine herausheben. Als unter der Regierung Konrads I. die Franken von den Sachfen bei Heresburg entfcheidend gefchlagen wurden (912), hörte man wandernde Spielleute und Sänger diefen Sieg, der dem fächfifchen Haufe (Heinrich I.) den Weg auf den deutfchen Königsthron bahnte, in humoriftifcher Weife alfo befingen: „ubi tantus ille infernus esset, qui tantam multitudinem cæsorum capere posset?" (Eine folche Hölle findet man kaum, wo fo viel Franken hätten Raum).

Fragen wir nun aber nach diefem Allem: was hat fich in deutfcher Sprache aus diefen anderthalb Jahrhunderten erhalten, fo müffen wir antworten: nichts als Ueberfetzungen, einige kleine Profaftücke und ganz wenige Verfuche von Poëfie.

Das Bedeutendfte find die *Ueberfetzungen*. Den fleißigen St. Galler Mönchen verdanken wir, daß uns wenigftens charakteriftifche Denkmäler der *Sprache* aus diefen Zeiten überliefert wurden. Obwohl auch in St. Gallen, wie in den andern Klofterfchulen, neben der Bibel und den Kirchenvätern einzelne Teile der lateinifcken und griechichen Literatur die vornehmften Gegenftände des Studiums waren, fo trieb man doch auch mit alter Vorliebe und neuer Gewandtheit das Gefchäft des Überfetzens. Auf dem Gipfel des Fleißes und des Ruhmes ftand das Klofter und feine Schule um 1000, als das Klofter von Burkard II., die Schule von Bruder Notker III. geleitet wurde. Notker III., zu unterfcheiden von zwei älteren Mönchen deffelben Namens in St. Gallen, heißt auch Notker Labeo = der mit den großen Lippen. Er war nicht nur der deutfchen und lateinifchen, fondern auch der griechifchen und hebräifchen Sprache kundig, überhaupt

einer der gelehrteften Männer feiner Zeit. Wegen feiner Sorge
für die deutfche Sprache gaben ihm die Kloftergenoffen auch
den Beinamen teutonicus. Er ftarb im Jahr 1022, und hinter-
ließ eine Reihe von Überfetzungen und Erklärungen (exposi-
tionum libri), die feinen Namen führen, mögen fie nun von
ihm felbft oder von feinen Schülern unter feiner Aufficht ver-
fertigt worden fein. Es find Überfetzungen fowohl biblifcher
als weltlicher Schriften, mit beiftehendem und untermifchtem
lateinifchem Texte. Die deutfche Mundart ift oberdeutfch,
alemannifch. Ein Teil der Schriften ift verloren gegangen.
Erhalten haben fich folgende: *)

Überfetzung und umfchreibende Erläuterung der Pfalmen, das
Hauptwerk Notkers, welches tief in das Mittelalter hinein Gel-
tung und Anfehen genoß. S. Denkmäler XX.

*Überfetzung und Erläuterung einiger andern lyrifchen Stücke
des alten und neuen Teftaments:* Canticum Esaiæ, canticum
Ezechiæ, canticum Annæ, canticum Moysis, canticum Abacuc,
canticum Deuteronomii, Hymnus Zachariæ, canticum Sanctæ
Mariæ. Die fechs erften diefer biblifchen Gefänge wurden in
der Kirche bei den laudes gefungen, der Gefang aus Jefaias
am Montag und fo fort in obiger Reihenfolge bis zum Samftag.
Der vom Sonntag fehlt; es war der Lobgefang der drei Knaben
im feurigen Ofen. Zachariä Lobgefang wurde täglich bei der
Matutina, der Lobgefang der heiligen Jungfrau täglich bei der
Vefper gefungen.

*Überfetzung und Erläuterung der zwei Abhandlungen des
Ariftoteles* κατηγορίαι und περὶ ἑρμηνείας, zunächft nach einer
lateinifchen Überfetzung.

Überfetzung und Erläuterung der Schrift des Boëthius: de
consolatione philosophiæ.

*Überfetzung und Erläuterung der Schrift des Martianus Ca-
pella:* de nuptiis Mercurii et Philologiæ, zwei Bücher.

Überfetzung einer Abhandlung über Mufik: de octo tonis,
Bruchftück, ftammt ebenfalls aus St. Gallen, wenn auch vielleicht nicht von Notker.

---

*) meiftens herausgegeben von Hattemer, zum Teil auch von Graff und von
der Hagen. Vergleiche über die Literatur fämmtlicher Überfetzungen
diefes Abfchnitts: Raumer S. 38—41; 46; 72—74. Koberftein §. 50 u.
51. Wackern. Gefchichte §. 31, 32. Proben in deffen Lefebuch 110—156.

In allen diefen Überfetzungen ift der lateinifche und deutfche
Text neben einandergeftellt, letzterer ift häufig unterbrochen von
lateinifchen Worten und Wendungen, alles nach dem Bedürfniß des
Unterrichts und der bald fprachlichen, bald fachlichen Erklärung.

Andere Überfetzungen und Erklärungen von Notker und
feiner Schule find verloren gegangen, z. B. das Buch Hiob,
Gregors Moralia (Sittenlehre), Virgils Bucolica (Gedicht vom
Ackerbau), Andria des Terenz u. f. w.

Einige weitere Werke der St. Galler find keine wirklichen
Überfetzungen, fondern find lateinifche Abhandlungen, die an
einzelnen Stellen deutfche Erklärungen, Umfchreibungen und
Beifpiele einftreuen. Dahin gehören:

Die St. Gallifche Rhetorik, ein kleines Lehrbuch der Rhetorik,
gehört dem eilften Jahrhundert an. Einzelne deutfche Strophen
daraus nach Wackern. 110. f. Denkmäler XXI.

Abhandlung de syllogismis, nach Ifidor bearbeitet.

Abhandlung de partibus logicæ, Bruchftück einer lateinifch-
althochdeutfchen Logik. Daraus einige deutfche Sprichwörter
in Denkm. XXII. nach Wackern. 123.

Brief Meifter Ruodperts von St. Gallen, handelt von Ver-
deutfchung einiger lateinifchen Stellen und Ausdrücke.

Notker ift der letzte bedeutende Name der althochdeutfchen
Literaturgefchichte, und eines der wichtigften Glieder unferer
Sprachgefchichte; ohne ihn hätte letztere im zehnten und eilften
Jahrhundert eine bedauerliche Lücke. Seine Sprache ift oberdeutfch-alemannifch. Obwohl fie fchon bedeutende Veränderungen gegenüber der Sprache des karolingifchen Abfchnittes er-
litten hat, fchließt fie fich doch in allen wefentlichen Zügen noch
an die althochdeutfche an und kann als deren Abfchluß be-
trachtet werden. Sehr vorteilhaft ift, daß in den Notker'fchen
Handfchriften nicht blos die Länge der Vokale, fondern auch
die Betonung der meiften deutfchen Wörter bezeichnet ift. Wir
haben in den Denkmälern (XX.) und in der Grammatik
— nächft Kero, Otfried, Tatian — auf Notkers Pfalmen befondere Rückficht genommen; die Betonungszeichen haben wir
da beibehalten, wo bei dem Anfänger etwa Zweifel über die
Stelle des Tons obwalten könnten.

Später als die Arbeiten der St. Galler und faft fchon über
die althochdeutfche Periode hinausreichend find die folgenden
zwei Überfetzungen:

Überfetzung und Erklärung des hohen Liedes von Williram,

Mönch zu Fulda, fpäter Abt zu Ebersberg in Baiern, ftarb dafelbft 1085. Er deutet das Hohe Lied Salomonis durchweg auf
Chriftum und die Kirche, häufig fehr gezwungen, im Ganzen
aber nicht ohne Geift, in verwilderter, aber fließender Sprache.
Diefe Überfetzung und Erklärung war zu ihrer Zeit und noch
lange nachher im Mittelalter hochgefchätzt und fehr verbreitet.
Ausgabe von Hoffmann 1827. Wackern. 155.

Die Überfetzung eines lateinifchen Phyfiologus oder *reda
umbe diu tier* gehört in einer Handfchrift dem eilften Jahrhundert, in einer andern abweichenden dem zwölften Jahrhundert
an. Der Phyfiologus ift ein von den Kirchenvätern verfaßtes
chriftliches Erbauungsbuch, in welchem den Eigenfchaften der
Tiere eine Deutung auf Chriftus und den Teufel und auf die
Tugenden und Lafter derMenfchen gegeben wird. Wackern. 161.

Die felbftändige Produktion in deutfcher Sprache ruht in
diefem Abfchnitt faft gänzlich. Wir zählen im Folgenden die
wenigen Denkmäler auf, die fich außer den Überfetzungen erhalten haben.*)

Nämlich in Profa:

Sechs Bruchftücke von Predigten, d. h.: Textauslegungen aus
dem zehnten und eilften Jahrhundert. Sie find intereffant als
Anfänge der deutfchen Predigt. Hoffmann's Fundgruben I,
59 ff. Proben: Wackern. 159. Denkmäler XXIII.

Ein Bruchftück aus einer Beichtrede, worin der Himmel
und die Hölle fchwunghaft befchrieben werden.

Ein Gebet aus dem Jahre 1062 von Otloh, Mönch und
Priefter in Regensburg. Einige weitere profaifche Denkmäler
kleinen Umfangs, welche meift rechtlichen Inhalt haben, ver-
zeichnet Raumer S. 76 und 77.

In poëtifcher (gereimter) Profa:

Die Schöpfung, fo von dem Herausgeber Diemer (deutfche
Gedichte des 11. und 12. Jahrhunderts) betitelt, wahrfcheinlich
aus dem Anfang des eilften Jahrhunderts von einem öftreichi-
fchen Geiftlichen.

Merigarto, ein Bruchftück, unter diefem Titel von Hoffmann
(Fundgruben II.) herausgegeben. Stammt aus dem Anfang des
eilften Jahrhunderts, wahrfcheinlich ebenfalls von einem öftrei-
chifchen Geiftlichen. Das Ganze fcheint von großem Umfang
und eine Art Weltbefchreibung gewefen zu fein. Den Stoff
dazu hat der Verfaffer wahrfcheinlich aus der Bibel, aus eini-

____

*) Über deren Literatur f. Raumer S. 67. S. 34, Koberftein §. 47, §. 50.
Wackern. §. 39 u. 40.

gen enzyklopädifchen Werken des Mittelalters, aus mündficher Überlieferung und aus eigener Erfahrung gefchöpft.

Die vier Evangelien (fo betitelt von dem Herausgeber Diemer), ein kurzes Leben Chrifti, anhebend mit der Schöpfung der Welt und des Menfchen. Es gehört fchon der zweiten Hälfte des eilften Jahrhunderts an, und ftammt vielleicht von einem bambergifchen Geiftlichen Ezzo. Wackern. fchlägt dafür den Titel „von dem anegenge" vor.

Die drei letztgenannten Stücke wurden früher als Poëfie angefehen, von Wackernagel aber als Gemifch von Profa und Poëfie, als gereimte Profa bezeichnet. Die geiftlichen Verfaffer hatten für diefe Mifchung ein Vorbild an der lateinifch-mittelalterlichen Literatur. Jedenfalls beweifen diefe Stücke die Verwilderung und die Schwindfucht der deutfchen Kunftdichtung in diefer Zeit. Die chriftlich-deutfche Poëfie, welche das Charakteriftifche der Karolingerzeit bildet, hat in diefem Zeitabfchnitt faft aufgehört neben der Lateingelehrfamkeit und der Überfetzungsprofa und nur fchwache Spuren leiten zu der Poëfie der mhd. Zeit hinüber.

Werfen wir noch einen flüchtigen Blick auf die mhd. Periode. Wirkliche geiftliche Poëfie, fich anlehnend an die Reimprofa der letzten Zeit, lebt am Ende des eilften und im zwölften. Jahrh. wieder auf und leitet die mhd. Epik ein, zu der nun auch allmählig die Lyrik als felbftändige Dichtungsart tritt. Die mhd. Epik entfaltet fich in zwei großen Richtungen, deren Vergleichung mit der ahd. Poëfie lehrreich ift. In der ahd. Zeit pflanzte fich heidnifche, nationale Naturdichtung des Volks felbftändig durch alle Jahrhunderte und ihr ziemlich fremd gegenüber entwickelte fich chriftliche Kunftdichtung der Geiftlichen. In der mhd. Literatur haben wir eigentlich lauter Kunftpoëfie; aber der alte Gegenfatz wiederholt fich gemildert darin, daß nun innerhalb diefer Kunftpoëfie die eine Richtung Stoffe aus der Ferne und Weite, aus der Bibel und chriftlichen Legende, aus Paläftina und Byzanz, aus dem klaffifchen Altertum und aus der britifch-franzöfifchen Sagenwelt entnimmt und fubjectiv willkührlich im Geifte des chriftlichen Rittertums verarbeitet: *romantifches Epos*, während die andere Richtung die altheimifchen Stoffe der heidnifchen und nationalen oder national. gewordenen Volksdichtung aufnimmt, fie zu Epopöen geftaltet und auch fie mit der Farbe des Rittertums wenigftens äußerlich überkleidet: *nationales Epos*.

II.

Grammatik der althochdeutfchen Sprache.

Erfter Abfchnitt.

Lautlehre.

§. 1.

Die gothifchen Laute ftellen uns in den meiften Fällen das urfprüngliche und organifche Lautfiftem der germanifchen Sprachen dar. In der althochdeutfchen Sprache ift das urfprüngliche deutfche Lautfiftem vielfach angegriffen und durchbrochen; jüngere Formen, die hauptfächlich von den obern deutfchen Stämmen, Schwaben, Alemannen und Baiern ausgehen, haben die älteren abgelöst; daneben laffen fich aber auch noch die alten organifchen Formen wenigftens durch einzelne Beifpiele belegen. Zu diefer zeitlichen Verfchiedenheit der ahd. Sprachformen tritt noch eine örtliche, da fich in den ahd. Denkmälern die Dialekte der Verfaffer oder Schreiber mehr oder minder geltend machen. Wollen wir nun das Ältere vom Jüngeren, das Organifche vom Unorganifchen, das allgemein Deutfche von der zufälligen dialektifchen Spielart unterfcheiden, wollen wir die Verfchiedenheiten in dem richtigen wiffenfchaftlichen Lichte fchauen, fo haben wir kein befferes Mittel, als indem wir die ahd. Laute, die Vokale und die Konfonanten, an die entfprechenden gothifchen halten und ihr Verhältnis zu diefen beftimmen.

In der Darftellung des ahd. Lautfiftems fprechen wir zuerft von den Vokalen, den kurzen, langen und difthongifchen, dann von den Konfonanten.

A. *Vokale.*

§. 2. Kurze Vokale.

Während das Gothifche nur drei einfache kurze Vokale
hat (a, i, u), befitzt das Althochdeutfche deren fünf: a, i, u, e, o.
Die beiden letztern find aus den drei erfteren entftanden; e ift
ein Produkt von a und i und ihrem Aufeinanderwirken; o ift
ein Produkt von a und u. Man vergegenwärtige fich dieß
durch folgendes Schema:

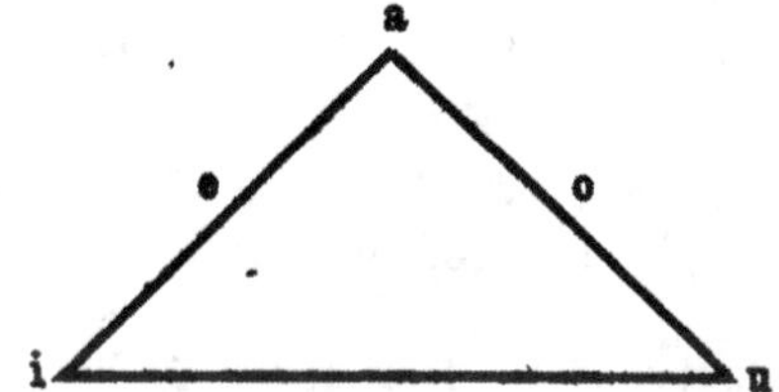

Halten wir nun im Folgenden die ahd. Vokale an die gothifchen, fo ift, wenn nichts Befonderes bemerkt ift, von den
Wurzelvokalen die Rede, die in den Wandlungen der Zeit
beffer Stand halten, als die Vokale der Endfilben.

Kurzes a.

Dem goth. kurzen a entfpricht in der Regel auch im Ahd. kurzes
a, welches überhaupt ein fehr häufiger Laut ift. Insbefondere
find viele wurzelhafte a, die im Nhd. lang ausgefprochen werden,
im Ahd. noch kurz, wie im Goth. Beifpiele:

goth.	haban	mag	malan	faran	vato	hardus	alls	skalks
ahd.	hapên	mak	malan	varan	wazar	hart	al	skalk
nhd.	haben	mag	mahlen	fahren	Waffer	hart	all	Schalk.

Aber das goth. a haftet ahd. nicht immer, fondern wird
hier oft verwandelt 1) in e durch Umlaut (in den Endungen
auch durch Abfchwächung); 2) in o; 3) es wird verlängert in
â; fiehe e, o, â.

Kurzes i.

Dem goth. kurzen i entfpricht ahd. kurzes i. Beifpiele:

goth.	giba	hilpa	bindan	skip	lists	liþus	vinds
ahd.	kipu	hilfu	pintan	scif	list	lid	wint
nhd.	gebe	helfe	binden	Schiff	Lift	Glied	Wind.

Aber das goth. i bleibt ahd. nicht immer i, fondern wird
in gewiffen Fällen gebrochen in ê, f. ë.

Kurzes u.

Das goth. u wiederholt fich in der Regel auch im Ahd.
Beifpiele:

goth.	huljan	runnum	luftus	sunus	sunna	vunds
ahd.	huljan	runnumês	luft	sunu	sunna	wunt
nhd.	hüllen	wir rannen	Luft	Sohn	Sonne	wund.

goth.	sums	sundrô
ahd.	sumêr	suntar
nhd.	einer	befonders.

Aber auch u geht oft fchon ahd. über in o, f. o.

Kurzes e.

Ahd. wurzelhaftes e ift doppelter Natur, indem es entweder aus urfprünglichem (gothifchem) a oder aus i entfprun-
gen ift.

1. e ift Umlaut des a. Der Laut ift dünn, dem a näher
ftehend, etwa wie in: Menge, Enge, Engel. Der *Umlaut* ift
verurfacht durch ein in der folgenden Silbe vorkommendes i
oder î, welches auf die Reinheit des in der Wurzelfilbe voran-
gehenden a wirkt und fie trübt, z. B. goth. nati, ahd. nezi
(Netz); goth. harjis, ahd. hari, heri (Heer); goth. sandjan, ahd.
sandjan, sendjan, sendan (fenden). Die frühere ahd. Sprache
hat in diefen Fällen meift noch den urfprünglichen vollen Vokal; nach und nach wird der Umlaut häufiger. Insbefondere
wird er durch die Flexion hervorgebracht; aus ahd. plat wird
plur. plat und pletir; aus ast — esti, estim. — Im Goth. ift der
Umlaut des wurzelhaften a in e noch nicht vorhanden. Auch
die ältern lateinifchen Schriftfteller laffen noch nichts von ihm
merken, wenn fie deutfche Eigennamen gebrauchen; Tacitus
fagt Aliso, Albis, Amisia, für Elfe, Elbe, Ems. Der Umlaut
muß fomit erft nach der Völkerwanderung, im fechsten und
fiebenten Jahrhundert, begonnen haben; im achten und im Anfang des neunten Jahrhunderts dauern noch unumgelautete Formen neben den umgelauteten fort; in der zweiten Hälfte des
neunten find die umgelauteten bereits die gewöhnlicheren. Übrigens kennt die Blütezeit der ahd. Sprache, das neunte Jahrhundert, noch keinen andern Umlaut, als den des kurzen a in
e; nur diefer edelfte und verletzbarfte aller Vokale wird angegriffen. Am Ende der ahd. Zeit kommt der Umlaut von û in iu
hinzu; alle andern Umlaute kurzer und langer Vokale find erft
in der mhd. oder nhd. Sprache aufgekommen.

2. ĕ aus wurzelhaftem *i* durch *Brechung* hervorgegangen, muß ohne Zweifel mehr wie **a** gefprochen werden, wie in: fehen, effen, geben. Zur Unterfcheidung von dem Umlaut **e** wird das durch Brechung entftandene e von Grimm mit zwei Punkten überfchrieben. Es entfpricht goth. i und deffen Brechung **ai**.*) Beifpiele:

goth.	stilan	niman	brikan	itan	giban	bafran
ahd.	stĕlan	nĕman	prĕchan	ĕʒan	kĕpan	pĕran
nhd.	ftehlen	nehmen	brechen	effen	geben	gebären

goth.	safhvan	giba	hilms	safhs
ahd.	sĕhan	kĕpa	hĕlm	sĕhs
nhd.	fehen	Gabe	Helm	fechs.

Die Brechung des wurzelhaften i in ĕ wird abgehalten und i erhält fich, a) wenn die der Wurzelfilbe folgende Silbe i oder u enthält (oder enthalten hat), z. B. nimu, nimis, nimit; Impr. nim; gibu, gibis, gibit; Impr. gib; piru, piris, pirit; irdîn von ĕrda; fihu. Dagegen führt **a** der folgenden Silbe die Brechung herbei, z. B. nĕmamês, nĕmat, nĕmant; nĕman, gĕban, pĕran; ĕrda. b) i erhält fich, ohne Rückficht auf den folgenden Vokal, vor gedoppeltem m und n, ebenfo vor m und n mit einer Muta, z. B. swimman, brinnan, bindan, singan. Auch in den Verbis liggan, bittan, sizzan erhält fich i durchaus: liggu, liggis, liggit, liggamês, liggat, liggant.

3. Ein drittes **e** zeigt fich gegen Ende der ahd. Zeit, meift außerhalb der Wurzel, in Flexions- und Endungsfilben, auch in einigen Vorfilben. Es entfpringt weder durch Umlaut noch durch Brechung, fondern durch allmähliche *Abfchwächung* der ältern vollen Laute a, auch i und u, o. Am früheften wird **a** abgefchwächt, dann i; u geht zunächft nur in o und erft mit dem eilften Jahrhundert in e über: sendan — senden; fona — fone; gawisso — gewisso; gaskeidan — geskeidan; nĕmat — nĕmet; dia — die; liuti — liute; nimis — nimes; esti — este; sunju, suno, sune; nimu — nimo; aus tagum (diebus) wird tagom, tagon, tagen. So können faft fämmtliche Flexionsvokale in ein farblofes e übergehen. Doch findet diefe Ertödtung der älteren, finnlicheren Formen im neunten Jahrhundert noch felten ftatt.

Kurzes o.

Wie e aus a oder i entſprungen iſt, ſo o aus a oder u.

1. o aus a entſprungen iſt kein Umlaut, ſondern blos Hinneigung des a nach der uSeite. Neben ahd. halôn findet ſich auch ſchon holôn, neben mahta — mohta; neben scal — scol, sol; neben fana — fona. Gothiſchem ak (ſondern), jah (und) entſprechen ahd. oh, joh. Am entſchiedenſten und häufigſten iſt der Übergang von urſprünglichem a in o in den Flexionen des ſchwachen Maſc., goth. hana, hanan, blinda, ahd. hano, hanun und hanon, plinto u. ſ. w.

2. o iſt aber auch Brechung aus u, entſpricht dann goth. u und deſſen Brechung aú, wie e gothiſchem i und aí entſpricht. Beiſpiele:

goth.	guma	Þulan	guÞ	skulan	fugls	haúrn	daúr
ahd.	gomo	dolên	got	scolan	vogal	horn	tor
nhd.	Mann	ertragen	Gott	ſollen	Vogel	Horn	Tor

goth.	faúra	naúh	huls
ahd.	vora	noh	hol
nhd.	vor	noch	hohl.

Die Brechung wird jedoch abgehalten und u erhält ſich in der Wurzelſilbe, a) wenn die folgende Silbe i oder u enthält oder früher enthalten hat: sunu, sun (Sohn); suht; durri, durr; furi. Dagegen führt a der folgenden Silbe die Brechung herbei: noman, holfan, gozan für numan u. ſ. w. Siehe die obigen Beiſpiele. b) u erhält ſich ohne Rückſicht auf den folgenden Vokal vor doppeltem m und n und vor m und n mit einer Muta verbunden: swumman, brunnan, bundan, sungan.

y

iſt ein für deutſche Laute überflüſſiges Zeichen, kommt jedoch auch in ahd. Denkmälern vor, 1) in fremden Wörtern: kyrie, 2) hie und da in deutſchen, wo es für u zu ſtehen ſcheint.

Anmerkung 1. Der *Umlaut* trifft vorzugsweiſe die Wurzelſilben; doch kommt er auch in Bildungsſilben vor, iſt aber hier nicht immer zu erkennen wegen des Eingreifens der Schwächung.

2. *Brechung* im ſtrengen Sinn findet nur ſtatt in der Wurzel bei kurzem i und u und bei dem Difthong iu, ſ. dieſen.

3. Von dem Umlaut zu unterſcheiden iſt der *Ablaut* d. h. die willkührliche Veränderung des kurzen oder langen Wurzelvokals, welche zum Zwecke hat, der Wurzel neue Formen zur Bezeichnung weſentlich verſchiedener Begriffe zu liefern: Binde, Band, Bund; Grab, Grube. Der Ablaut dient vorzüglich zur Bildung der Vergangenheitsformen beim ſtarken Verbum, ſ. dieſes.

4. Weitere Zufälle, welche die kurzen Vokale treffen, find die *Schwächung* und die *Affimilation*; beide treffen nur die Ableitungs- und Flexionsvokale. Von der *Schwächung* aller kurzen Vokale in **e** war oben bei **e** die Rede. Es ift aber auch fchon Schwächung, wenn ftatt **a** in den Ableitungsfilben **u** oder **i** eintritt: durah, duruh, durih; wenn in Flexionsfilben ftatt **u** **o** eintritt: hanun—on.

Die *Affimilation* befteht darin, daß in drei- und mehrfilbigen Wörtern ein außer der Wurzel liegender kurzer Vokal dem folgenden Vokal gleich gemacht wird: fugali — fugili; bittaru — bitturu; wuntarôtun — wuntorôton. Auch die Affimilation war der älteften Sprache nicht eigen und wurde nie allgemein.

§. 3. Lange Vokale.

Im Goth. find nur zwei regelmäßige lange Vokale: **ê** und **ô**; im Ahd. treffen wir deren fünf: **â, î, û, ê, ô**. Die langen Vokale find eigentlich eine Verdopplung der einfachen kurzen; ihre Länge wird auch häufig in ahd. Handfchriften durch doppelte Schreibung bezeichnet: aa, oo, uu.

â

fteht dem goth. **ê** gleich und entfpricht ihm meiftens. Beifpiele:

goth.	mêl	sêlei	jêr	wêns	vênjan	stêlum
ahd.	mâl	sâlida	jâr	wân	wânjan	stâlumês
nhd.	Zeit, Maal	Glück	Jahr	Wahn	wähnen	wir ftahlen.

Doch gibt es auch andere ahd. **â**, denen unläugbar keine goth. **ê** zur Seite ftehen. Die meiften *diefer* **â** fcheinen unorganifche Verlängerung des früheren kurzen a, z. B. goth. ja, Þahta, brahta, ahd. jâ, dâhta, brâhta. Oder **â** ift durch Zufammenziehung entftanden: aha — â; mahal — mâl; hangan — hâhan; fangan — fâhan; habên — hân.

î

nimmt den Platz des goth. Difthongen ei ein, wo nhd. meift wieder ei eingetreten ift. Beifpiele:

goth.	Þreis	freis	vein	leik		meins	Þeins	seins
ahd.	drî	frî	wîn	lîch		mîn	dîn	sîn
nhd.	drei	frei	Wein	Körper, Leiche	mein	dein	fein.

Doch fteht ahd. **î** auch in einigen andern Fällen, z. B. als Verlängerung des organifch kurzen i: bi — bî, pî; oder durch Zufammenziehung: goth. fijands, ahd. vîant (Feind).

û

Ahd. **û** fteht 1) für den goth. Difthongen **au**, z. B. goth. sâuls, bâuan, ahd. sûl, bûan (nhd. wieder au: Säule, bauen);

2) für urſprüngliches und goth. kurzes u: goth. rums, fuls, nu,
ahd. rûm, fûl, nû; 3) ſelten für goth. iu, z. B. goth. iup — ahd.
ûf; denn meiſt erhält ſich goth. iu auch im Ahd.

Seit dem 11. Jahrhundert beginnt der Umlaut von û in iu.
krût — kriuter; prût — priute, ſ. iu.

ê.

Ahd. ê iſt entſtanden aus dem älteren und goth. Difthongen
ái; es trifft demnach mit goth. ê nur im Laut, durchaus nicht
in der Bedeutung überein. Zunächſt entſteht aus goth. ái ahd.
ei (ſ. ei); dieſes verdichtet ſich aber häufig zu ê, beſonders
vor w, h, r, ſowie im Auslaut und in den ahd. Flexionsendungen:

goth.	saívala	snáivs	aívs	sáivs	vái	habáis	nimáis
ahd.	sêla	snêo	êwa	sêo	wê	hapês	nëmês
nhd.	Seele	Schnee	Ewigkeit	See	weh	haſt	nehmeſt

goth.	blindái	blindáim
ahd.	plintê	plintêm
nhd.	blinde	blinden.

Statt ê trifft man in einigen alten Handſchriften ae, vielleicht wegen der Abſtammung des Lautes von ai, ei.

ô.

Wie der goth. Difthong ái zunächſt zu ei wird und ei ſich
zu ê verdichtet, ſo wird der goth. Difthong áu zunächſt zu ahd.
Difthong ou, ſiehe ou. Dieſer erhält ſich, wie ei, in manchen
Fällen, meiſt aber verdichtet er ſich zu ô. Beiſpiele von Ver-
wandlung des goth. áu in ahd. ô ſind:

goth.	háusjan	láuhatjan	táuh	Þláuh	ráus	áuso	dáuþus
ahd.	hôrjan	lôhazan	zôh	flôh	rôr	ôra	tôd
nhd.	hören	glänzen	zog	floh	Rohr	Ohr	Tod

goth.	náuds	háuh
ahd.	nôt	hôh
nhd.	Not	hoch.

Aber das ahd. ô kommt auch ſonſt noch vor, wo es nicht
dem goth. áu entſpricht. Beſonders erhält ſich in gewiſſen
Flexionsformen, die goth. ô lauten, auch im Ahd. ô, z. B. goth.
blindôs, salbô, salbôda; ahd. plintô, salpôm, salpôta u. ſ. w.
Sonſt entſpricht dem goth. ô gewöhnlich ahd. uo, ſ. dieſes. —
Eine Spielart der ahd. Sprache ſetzt ſtatt ô das difthongiſche
ao, welches dem alten au noch näher ſteht.

§. 4. Difthonge.

Die ahd. difthongifchen Zufammenfetzungen find nach Zeit und Heimat der Schriftfteller fehr zahlreich; doch find vier Difthonge als die eigentlichen und hauptfächlichen zu betrachten: ei, iu, ou, uo.

Auch im Gothifchen gab es vier Difthonge: ái, iu, áu, ei. Die drei erften ái, iu, áu wiederholen fich in den ahd. Difthongen ei, iu, ou; dem goth. ei aber entfpricht ahd. kein Difthong, fondern í; dagegen antwortet ahd. uo keinem goth. Difthongen, fondern gothifchem ô.

ei

ift aus älterem und goth. ái entftanden. In früheren ahd. Denkmälern fteht häufig noch ai; daraus entfpringt ei, indem a durch i Umlaut erleidet. Beifpiele:

goth.	háils	sáil		háims	stáins	skáidan
ahd.	heil	sail, seil		heim	stein	sceidan
nhd.	Heil	Seil		Heimat	Stein	fcheiden.

Daß diefes ahd. ai, ei fich häufig in ê verdichtet, f. bei ê.

iu (io, ia, ie).

Dem goth. iu entfpricht ahd. meift iu, außer wo an deffen Stelle û tritt, f. û. Beifpiele:

goth.	kiusa	giuta	fraliusa	stiurja	biuda	tiuha	dius
ahd.	chiusu	kiuʒu	varliusu	stiurju	piutu	ziuhu	tior
ahd.	kiefe	gieße	verliere	fteure	biete	ziehe	Tier.

Das ahd. iu wird aber nicht immer rein gelaffen, fondern in gewiffen Fällen *gebrochen* in io, welches weiter in ia, ie gefchwächt wird. Regel für die Brechung ift: wenn die folgende Silbe i oder u enthält, fo bewahrt fich iu; wenn fie a enthält, fo geht iu in io (ia, ie) über: piutu, piutis, piutit; piotamês, piotat, piotant; diutisk, diota. Doch wird die Regel nicht immer eingehalten.

Die Schwächung des io in ia, ie ift dialektifche Eigentümlichkeit der einzelnen Denkmäler. Tatian fchreibt io, Otfried ia: liabaʒ, gibiatan, gibiatent, aber ih gibiutu. — Außer diefem ia gibt es noch ein anderes ia, von Grimm gern ia gefchrieben, welches unorganifch durch Zufammenziehung in vormals reduplizierenden Verben entftanden ift: giang, hialt, liaʒ, f. §. 13, VII—X Ablautreihe.

Neben dem älteren iu beginnt nun aber im fpätern Ahd. noch ein ganz anderes iu aufzutauchen, das der ältern und der goth. Sprache fremd ift. Das aus goth. u hervorgegangene ahd. û (fiehe û) pflegt, wenn die Bedingung des Umlauts eintritt, d. h. wenn i folgt, in iu umzulauten. Dieß gefchieht etwa feit dem eilften Jahrhundert, befonders bei Notker. In früherer Zeit wird von prût, fûst, hûs, chrût der Plural prûti, fûsti, hûsir, chrûtir gebildet, Notker aber fchreibt priute, fiuste, hiuser, chriuter. Doch ift diefer Umlaut noch keineswegs feft; es ift nur ein *Anfang* der weiteren Umlaute, die im Mhd. um fich greifen.

ou

ift aus dem alten und goth. áu hervorgegangen, welches auch im Ahd. noch vorkommt. Aus áu wird ou, wie aus ai—ei; ou verdichtet fich aber auch zu ô, wie ei zu ê (fiehe ô). Alfo teilen fich im Ahd. ou und ô (felten û) in die Erbfchaft von goth. áu, und zwar fo, daß ou (au) fich behauptet vor m, den Labialen und Gutturalen, gewöhnlich auch vor w. Beifpiele:

goth.	háubiþ*)	láufs†)	galaubjan	auga	laugnjan
ahd.	houpit	loup	kaloupjan	ouga	lougnan
nhd.	Haupt	Laub	glauben	Auge	läugnen.

In allen diefen Wörtern läßt fich neben ou auch noch das urfprüngliche au im Ahd. belegen: haupit, laub, galaupjan, auga; fo auch baum und boum.

uo

ift an den Platz des ältern und goth. ô getreten, welches letztere auch noch im früheren Ahd. fich zeigt. Beifpiele:

goth.	hôlôn	bôtjan	fôr	stôls	môds	bôka	grôba	fôtus
ahd.	huoljan	puoʒan	vuor	stuol	muot	puoh	gruoba	vuoʒ
nhd.	fchaden	büßen	fuhr	Stuhl	Mut	Buch	Grube	Fuß

goth.	brôþar	gôds
ahd.	pruodar	guot
nhd.	Bruder	gut.

Die Denkmäler, welche ia für io fetzen, gebrauchen auch ua für uo; fo befonders Otfried: buaʒen, stual, buah, muat, fuaʒ, bruadar, muater, fuar, guat, guallîchi u. f. w. Ein Dialekt hat oa: moat, Hroadbert für Hruodbert, Hrôdbert.

In manchen älteren Denkmälern findet fich noch das alte ô, fo im Weffobr. Gebet: kôt, kôtlîh für guot, guotlîh.

Anmerkungen zu den langen und difthongifchen Vokalen.

Anm. 1. Es ift in der Sprache fchon das Beftreben fichtbar, die urfprüngliche Kürze der Wurzelvokale aufzuheben, wie fich aus der Vergleichung der ahd. Vokale mit den gothifchen mehrfach ergeben hat. Doch ift im Allgemeinen die Verlängerung der urfprünglichen Kürze im Ahd. und felbft im Mhd. noch felten im Vergleich mit dem Umfang, den fie in der nhd. Sprache erlangt hat. Die meiften Wurzelvokale, welche im Nhd. lang ausgefprochen werden, haben im Ahd. und Mhd. noch die urfprüngliche Kürze: săgên u. sĕgjan, trăgan, mălan, vătar, nëman, stëlan, sëhan, hĕvjan, lĕgjan, gëban, gëba, ligan, sĭgu, kŭning, ŭbar, ŏfan (Ofen), ŏbana. Zur fpätern Verlängerung diefer Wurzelvokale hat wohl — außer der Hebung, die der Wurzelfilbe gebührt — wefentlich auch das beigetragen, daß die Flexionsvokale ihre urfprüngliche Länge und Fülle allmählich einbüßten und fo das Wort den feften Halt verloren hätte, wenn nicht die Wurzelfilbe verlängert worden wäre.

Anm. 2. Die Difthongen **au** und **iu** verlieren vor hinzutretenden Flexionsvokalen den difthongifchen Karakter, indem **u** zu **w** wird. Im Goth. geht dabei jedesmal lange Silbe in kurze über: náus, tius, kniu haben im Gen. năvis, tĭvis, knĭvis. Auch in früheren ahd. Quellen fcheint das Verhältnis noch ganz fo zu fein: tau, tawes. Allein es blickt nun im Ahd. die Neigung durch, dem **w** das **u**, aus welchem es hervorgegangen, nochmals vorzufchieben: tauwes, kniuwes; iwêr und iuwêr. Damit hört jener Wechfel zwifchen Kürze und Länge der Wurzelfilbe auf, die Länge dringt auch hier vor.

Anm. 3. Überblicken wir noch einmal das Verhältnis der goth. und ahd. Längen und die mundartlichen Nebenformen des Ahd.; letztere find klein gedruckt. Zur Vergleichung ftellen wir die entfprechenden nhd. Längen bei.

goth.	ahd.	nhd.
â	â	â, ă
ô	ô, uo, *Otfried* ua	û, ŭ
ei	î	ei
ái	1) ei	ei
	2) â	â
áu	1) au, ou	au, ău
	2) ao, ô	ô, ŏ
	3) û	au, ău
iu	iu, io, *Otfried* iu, ia	ie (auch û)
	ĕu, ĕo, ëu, ĕa	eu.

B. *Konfonanten.*

§. 5. Überficht.

Die ahd. Konfonanten find folgende:

I. Liquidae (flüffige): l, r, **m**, **n**.

II. Spirantes (wehende): Labialfpirans **w**, Lingualfpirans **s**, Gutturalfpirans **h**; auch **j** ift feinem Wefen nach als Spirans, und zwar als Gutturalfpirans anzufehen; es ift aus i hervorgegangen und bildet den Übergang von i zu **g**, wie **w** aus u hervorgegangen ift und den Übergang von u zu b bildet; j und w find alfo Mittelglieder zwifchen Vokalismus und Konfonantismus, heißen daher auch Halbvokale.

III. Mutæ (ftumme) und zwar:

	Labiales	Linguales	Gutturales
Mediä	b	d	g
Tenues	p	t	k
Afpiratä	ph, f, pf, v	(th), z, ʒ	ch

Hiezu kommen noch die Doppelkonfonanten q (für ku, kw) und x (für ks, chs), deren Anlaut Gutturalis ift.

Man vergleiche mit diefem ahd. Siftem das gothifche:

I. Liquidæ: l, r, m, n.

II. Spirantes: v, s und z, h, j.

III. Mutæ und zwar:

	Labiales	Linguales	Gutturales
Mediä	b	d	g
Tenues	p	t	k
Afpiratä	f	th*)	—

Hiezu noch q.

Die äußerliche Vergleichung ergibt folgende Unterfchiede:

1) im Ahd. exiftirt eine zweite Afpirata der Labialen v, neben der erften f; im Goth. dagegen ift v Labialfpirans, welche im Ahd. durch w bezeichnet wird. Gothifches v und ahd. w ftehen fich alfo in der Bedeutung gleich; aber ahd. v ift Afpirata.

2) Im ahd. Siftem ift s die einzige Lingualfpirans; im goth. befteht neben s noch z, eine Abart der Lingualfpirans, eine Verdichtung des s. Im Ahd. ift z und ʒ nur Afpirata, nicht Spirans und bezeichnet daher wohl einen etwas andern (härtern) Laut, als goth. z. Jedenfalls find goth. z und ahd. s, ʒ der innern Bedeutung und dem Urfprung nach gänzlich verfchieden.

3) Die urgermanifche und goth. Afpirata th, Þ befteht im Ahd. nur noch theilweife fort und erlifcht während der ahd. Zeit; der Laut, der dem englifchen th, dem griechifchen ϑ gleich kam, geht in der hochdeutfchen Sprache gänzlich verloren, welche dafür als Lingualafpirata z, ʒ befitzt.

4) Die Gutturalafpirata ch fehlt dem Gothifchen und wird hier teils durch h, teils durch g erfetzt.

---

*) Das alte Zeichen für diefe Lingualafpirata ift Þ.

Wir betrachten nun die Konſonanten im Einzelnen, indem
wir auch hier von dem urſprünglichen organiſchen Stand ausgehen, wie er ſich im Gothiſchen darſtellt.

§. 6. Liquidae.

Die Liquiden behaupten im Weſentlichen durch alle ger-
maniſchen Dialekte gleiche Stellung und Bedeutung. Wo der
goth. Dialekt in der Wurzel eine Liquida verwendet, erhält ſich
dieſe meiſt in allen andern Dialekten.*) Beiſpiele:

goth.	ligan	liusan	liþus	stilan	hilpan	fulls
ahd.	ligan	liosan	lid	stëlan	hëlphan	vol
nhd.	liegen	verlieren	Glied	ſtehlen	helfen	voll

goth.	reisan	raíhts	reiki	svaran	svarts	harjis	arjan
ahd.	rîsan	rëht	rîchi	swerjan	swarz	heri	aran
nhd.	aufſtehen	recht	Herrſchaft, Reich	ſchwören	ſchwarz,	Heer	ackern

goth.	magan	mikils	manags	lamb	niman
ahd.	makan	michil	manak	lamp	nëman
nhd.	vermögen	groß	manch	Lamm	nehmen

goth.	namo	ni	vindan	sunus	sunna	vunds
ahd.	namo	ni	wintan	sunu	sunna	wunt
nhd.	Name	nicht	winden	Sohn	Sonne	wund.

Ausnahmen finden ſich auch, beſonders bei Liquiden, die
nicht in der Wurzel ſtehen, wie ſich aus folgenden Anmerkungen ergibt.

Anm. 1. Die Liquiden ſind alle unter ſich nahe verwandt und wechſeln
daher hie und da mit einander: goth. himins, ahd. himil; ahd. törper—tölpel.

Anm. 2. Im Ahd. tritt r häufig an die Stelle von alter und goth. Spirans ſ und z. Dieß geſchieht beſonders im Plur. Impf. und im Part. Perf.
einiger ſtarken Verba, während der Sing. Impf. und die übrigen Formen noch
ſ haben: ahd. wësan, kiosan, farliosan, friosan, ganësan haben im Sing. Impf.
was, kôs, farlôs, frôs, ganas, Plur. wârumês, kurumês, farlurumês, frurumês,
ganâsumes und ganârumês (goth. ſ: vêsum, kusum, fraliusum u. ſ. w.); Part. Perf.
zwar wësan, aber koran, farloran, froran, ganësan und ganëran, wo goth. überal
ſ ſtatt r. Ferner wird älteres ſ durch ahd. r abgelöst beſonders in der Flexion
und Komparation des Adjektivs: goth. blinds, ahd. plintêr; goth. blindáizôs,
ahd. plintêrâ (—êrô); goth. blindôza, ahd. plintôro. Ferner in manchen kurzen, meiſt einſilbigen Wörtern: goth. kas, raus, ahd. kar, rôr.

Geblieben iſt ſ beſonders a) zum Teil in denſelben Verben, deren
Flexion oder Ableitung bereits r angenommen hat, wie oben zu ſehen; b) als

*) Auch die urverwandten griech. und lat. Wörter haben meiſt dieſelbe
Liquida, z. B. rectus, regnum, ἀροῦν, arare, μέγας, nomen.

karakteriftifches Kennzeichen der ftarken Deklination im Gen. Sing. maec. und
neutr.: goth. fiskis, vaúrdis, ahd. viskes, wortes. Im Übrigen f. über **s** §. 7.

Anm. 3. **m** als Auslaut beginnt gegen das neunte Jahrhundert fich in
n zu wandeln, jedoch nur in einigen Flexionen, zugleich mit der Schwächung
des Flexionsvokals, namentlich im dat. pl.: viscum, — om, — on, — en; in
der 1. p. plur. der Verben: aus gëbamês wird mit Wegfall des ês- gëbam, gëban, gëben; aus gâbumês — gâbum, gâbun, gâben; aus gâbîmês — gâbîm,
gâbîn. Ebenfo wird altes **m** zu **n** in ih habêm, habên; ih sagêm, sagên; ih
salpôm, salpôn, wodurch diefe Präfensformen mit der des Inf. gleich werden.
In Wurzeln und in andern Bildungsendungen als den Flexionen bleibt aber
das auslautende **m** und gänzlich abgeworfen wird es nie.

Anm. 4. **n** fällt oft aus, wodurch der vorhergehende kurze Vokal lang
wird: gangit — gât; standit — stât; fangan — fâhan; gangan — gâhan, gân; hangan
— hâhan; denkan — dâhta; dunkan — dûhta.

Anm. 5. Sowol die Liquidæ als die andern Konfonanten — am we-
nigften die Aspiratæ — werden im Inlaut nach kurzem Vokal häufig verdoppelt: scellan, klimman, spinnan, liggan, bittan u. f. w. Oft ift diefe Verdopplung durch unterdrücktes **i** veranlaßt: sipja—sippa, zeljan—zellan, f. §. 7,
unter j. Aber im Auslaut wird die Konfonanz wieder einfach: scal, klam,
span, lag, bat. Gemination wird alfo im Ahd. nur im Inlaut angewendet.

Auch in andern Fällen greift die Verdopplung der Liquiden um fich,
aber als ein fchwächendes Prinzip erft nach und nach. Aus den ältern **li**,
ri, **ni** entftehen durch Affimilation **ll**, **rr**, **nn**: brunja—brunna; saljan, seljan
—sellan; innabûrjo—innabûrro. Aus **bn**, **mn** wird **mm**, **nn**: stibna—stimna,
stimma; namnjan—nemmjan, nennjan, nennan. Aus **dl**, **tl** wird **ll**: guotlîchi
—guollîchi, Otfried guallîchi. Es wechfeln auch **rr** und **rn**: ferrô—fernô;
stërro—stërno. Auch **mb** und **mp** neigen fich allmählig zu der Affimilation
mm: ambaht,—ampet, ammet; doch in diefer Periode noch felten.

§. 7. Spiranten.

Die Spiranten werden fonft auch zu den Muten gerechnet,
w als Labialfpirans, **s** als Lingualfpirans, **h** als Gutturalfpirans,
der noch **j** beizugefellen ift.

Was von den Liquiden gefagt ift, gilt in der Hauptfache
auch von den Spiranten: fie behalten mit wenigen Ausnahmen
durch alle germanifchen Dialekte ihren Platz. Die Ausnahmen
und Schwankungen find hauptfächlich begründet a) in der nahen
Verwandtfchaft der Spiranten unter fich, welche macht, daß fie
hie und da unter einander wechfeln, z. B. ahd. sâjan, sâhan
und sâwan (fäen); fôhêr und fôwêr (wenig); ahd. ruowân, nhd.
ruhen; b) in der flüchtigen Natur der Spiranten, welche macht,
daß fie oft ganz ausfallen.

Auch die urverwandten griech. und lateinifchen Wörter
find mit den entfprechenden germanifchen, was die Spirans betrifft, meift im Einklang; nur ift nicht außer Acht zu laffen,

a) daß die griech. Sprache keinen Buchſtaben für w, h, j hat, b) daß anlautendes lat. und germaniſches a in der Regel durch griech. ſpiritus asper, hie und da auch durch lenis, c) daß anlautendes lat. und goth. v, ahd. w, im Griech. meiſt durch ſpiritus lenis (= früherem Digamma), hie und da auch durch ſpiritus asper vertreten werden.

Labialſpirans w.

Sie wird ahd. bezeichnet durch u, v, uu, vv, uv, vu, w. Otfried ſchreibt meiſt uu: uuorolt, uuuntar, doch auch u: iuih, iuêr. Die ahd. Spirans w entſpricht meiſt goth. Spirans v. Beiſpiele:

goth.	vakan	viljan [1]	vein [2]	vinds [3]	vato [4]	swimma	aiva
ahd.	wachan	wëllan	wîn	wint	wazar	swimman	êwa
nhd.	wachen	wollen	Wein	Wind	Waſſer	ſchwimmen	Zeit

goth.	svinþs
ahd.	swind
nhd.	geſchwind.

Um die Ausnahmen und Schwankungen anzugeben, müſſen wir w im An-, In- und Auslaut beſonders betrachten.

1. w im Anlaut. Im Goth. wird v häufig anlautend den Liquiden r, l vorgeſetzt: vrikan, vrits, vrôhjan; ahd. geht w in ſolchen Verbindungen verloren: rëchan, rîzan, rôgjan.

2. w im Inlaut wird ebenfalls oft ausgeworfen, beſonders wenn zwiſchen dem Wurzelvokal und dem w noch andere Konſonanten liegen: goth. saíhvan, ahva, sparva, gatvo, ahd. sëhan, aha, sparo, gazza.

Von den Diſthongen au, iu im Inlaut wurde ſchon §. 4, Anm. 2 geſagt, daß ſie vor Vokal zu aw, iw werden, und daß ſich dieſe weiter entwickeln zu auw, iuw: tawes, tauwes; triwi, triuwi. Ebenſo wird ou zu ow, ouw, auch ôw: gowi, gouwi. Überhaupt ſchwanken nun die Inlaute aw, ew, ow, ôw und ihre Erweiterungen auw, euw, ouw in denſelben ahd. Wörtern untereinander: gawi, gewi, gowi, gouwi, auch gauwa; frawa, frauwa frowa, frouwa, frôwa; frawjan, frewjan, frauwjan, freuwjan, frewen, frowjan, frouwjan, frouwan, frouen; Impf. frowita, frewita, freuta; frawida, frewida, frowida u. ſ. w.

3. w im Auslaut hält am wenigſten Stand; es wandelt ſich in den Vokal u, o, oder wird ganz weggeworfen (nhd. wird es entweder auch weggeworfen oder geht in b über): gelawêr—gelo

---

1) velle. 2) οἶνος, vinum. 3) ventus. 4) ὕδωρ, udor, — eudor.

(gelb); falawêr—falo (fchmutzig, vgl. nhd. Salbe); garawêr—garo (bereit, gerüftet); garawan, Impf. garawita, garwita, garuta (gerben); frawêr, frowêr, frouwêr, frô (froh); grawêr, grao, grâ (grau); plawêr, plau, plao, plâ (blau); falawêr, falo (falb, fahl); houwan, Impf. hiow und hio (hieb); plur. hiowumes; swalawa (Schwalbe); varawa (Farbe); goth. sáivs, snáivs, áivs, áiv — ahd. sêo, gen. sêwes; anêo, êwa, êo.

Lingualfpirans s.

Auch die ahd. Spirans s entfpricht in der Regel goth. Spirans s oder z. Beifpiele:

goth.	sita [1]	sutis [2]	salt [3]	sibun [4]	svafhra [5]	gasts [6]	vis
ahd.	sizu	suoʒi	salz	sipun	swëhur	kast	kawiss
nhd.	fitze	füß	Salz	fieben	Schwieger	Gaft	gewiß

goth.	visan	sind [7]	seina [8]	sik [9]	sva [10]	safbs [11]	ist [12]
ahd.	wësan	sint	sîn	sih	sô	sëhs	ist
nhd.	fein	find	fein	fich	fo	fechs	ift.

Aber im Ahd. leidet s bedeutende Einfchränkung, indem es häufig in r verdichtet wird, früher im Inlaut, fpäter im Auslaut, f. bei r §. 6, Anm. 2.

Anlautendes sk geht fpäter in sch über, darüber f. k — ch.

Verdoppelung des s entfteht a) durch Zufammenziehung und Affimilation: wista—wissa; b) Verdoppelung des urfprünglich einfachen s im Inlaut nach kurzem Vokal: ros, rosses; kus, kusses; wis, gawisso.

Die faufende Labialfpirans s und ss ift wefentlich zu unterfcheiden von dem ahd. und nhd. Zifchlaut z, ʒ, ß, welcher Labialafpirata ift; näheres hierüber f. bei z, ʒ §. 10.

Gutturalfpirans h.

h als Gutturalfpirans ift zu unterfcheiden von den ahd. h, welche die Afpirata ch entweder bezeichnen oder vertreten, f. ch.

Reine Spirans, fomit felbftändiger, von aller Afpiration verfchiedener Hauchlaut ift h eigentlich nur im Anlaut. Diefes anlautende h bleibt fich vor einem Vokale durch alle germanifchen Dialekte gleich. Beifpiele:

---

1) ἵζω, ἵζομαι, sedeo. 2) ἡδύς, suavis. 3) ἅλς, sal. 4) ἑπτὰ, septem.
5) ἑκυρός, socer. 6) hostis. 7) sunt. 8) οὑ, sui. 9) ἕ, se. 10) ὡς, sic.
11) ἕξ, sex. 12) ἐστί, est.

goth. háubiþ[1]) haírto[2]) hunþs[3]) haúrn[4]) hausjan
ahd. houpit hërza hund horn hôrjan
nhd. Haupt Herz Hund Horn hören.

Vor einem Konfonanten aber verfchwindet das anlautende h während der ahd. Zeit nach und nach: hlahhan, lahhan; hlosên, losên; hlût, lût; Hludowîg, Ludwîg; Hludheri, Ludheri; hros, ros; hruorjan, ruorjan; hnîgan, nîgan; hwërban, wërban; hwer, wer; hwaȝ, waȝ; hwiu, wiu.

In der fränkifchen Mundart exiftierte ftatt diefes anlautenden h ein ch: die bei mittellateinifchen Schriftftellern vorkommenden fränkifchen Eigennamen Chlodoveus, Charibertus, Chilpericus, Chochilaicus, Chramnus, Chrôdobertus, Chedinus, Chlotarius find deutlich die ahd. Hludowîg, Heripëraht, Hiltipëraht, Hëlfrîh, Hukileih, Hramnus, Hruodpëraht, Hedin, Hludheri. Jenes fränkifche ch fcheint urfprünglich wirklich Afpirata gewefen zu fein; in der karolingifchen Zeit geht es in ahd. h über und verliert fich mit diefem.

Gutturalfpirans j

bildet die Mitte zwifchen i und g, wie w die Mitte zwifchen u und b, und wird in den Denkmälern gewöhnlich mit i bezeichnet. Es fteht nur im An- und Inlaut und nur vor Vokalen, und entpricht dem goth. j. Beifpiele:

goth. juggs jêr jáins juk jah ja galaubjan
ahd. jung jâr jënêr joh joh ja galoupjan
nhd. jung Jahr jener Paar und ja glauben.

Im Auslaut verwandelt fich j in i oder wird weggeworfen, fowie auf der andern Seite auslautendes i fich in j verwandelt, wenn es in den Inlaut zu ftehen kommt: heri, herjes; nerjan, neri, nerita. Mit dem Auswerfen diefes ableitenden j ift gewöhnlich Verdopplung des vorhergehenden Konfonanten verbunden: nerjan—nerran; zeljan—zellan; mitjêr—mittêr, ohne Flexion miti; sipja—sippa. Befonders viele Ableitungs-i (j) hat das Ludwigslied erhalten: wunniônô, gendiôt, sundiônô, gisellion, gineriti, ellian, willion, kunnie; in fpäterer Zeit fallen alle diefe i aus. Selbft im Anlaut kann j hie und da wegfallen; Notker fchreibt: ënêr, âmer für jënêr, jâmer.

Oft aber wird j auch in g verwandelt, im Anlaut vor e und i von Kero, Otfried, Tatian: jënêr—genêr; jëtan—gëtan; jëhan

---

1) κεφαλή, caput.   2) καρδία, cor.   3) κύων, canis.   4) κέρας, cornu.

—gëhan; bijihti—bigihti; fobald aber a oder â folgt, fo haben
fie j: jah, jâhun. Auch im Inlaut geht j in g über: ei, eigir
für ejir, eijir; ffjand — vîgand; frîjêr—frîgêr; Frîja—Friga;
ferjo—fergo.

§. 8. Mutæ.

Die Veränderungen, welche wir bei Liquiden und Spiranten
trafen, gefchehen nicht nach einem allgemeinen, durchgreifenden
Grundfatz. Diefe Laute können fchwanken, fie können fich
abändern, fchwächen und unter einander vertreten; aber dieß
ift mehr nur zufällige Ausnahme und fie können auch in allen
Zweigen der germanifchen — und der urverwandten — Sprachen
gleich geblieben fein. Mit den Muten dagegen geht innerhalb
der germanifchen Dialekte eine regelmäßige, gegliederte Umwälzung vor, durch die das alte germanifche Lautfiftem wefentlich angegriffen und verfchoben wird. Vertreter des urgermanifchen Siftems ift uns wiederum vor Allem das Gothifche; aber
auch das Altfächfifche, Altfriefifche, Angelfächfifche, Altnor-
difche hatten daffelbe Mutenfiftem, wie das Gothifche, und von
ihnen haben es ihre Töchterfprachen: das Plattdeutfche, Nieder-
ländifche, Neufriefifche, Englifche, Dänifche, Schwedifche, Is-
ländifche, bekommen und bis auf den heutigen Tag behalten.
Schon aus diefer Übereinftimmung aller übrigen germanifchen
Mundarten muß gefchloffen werden, daß auch bei den oberdeutfchen Stämmen in der älteften Zeit die Muten mit den gothifchen zufammentrafen. Dieß geht überdieß aus alten, von
den Römern aufbewahrten Eigennamen hervor, in denen fich
noch die organifche, goth. Konfonanzordnung zeigt, z. B. Tol-
biacum (Zülpich). Überdieß find die alten Muten im Ahd. noch
vielfach beibehalten und das urfprüngliche Siftem ift nie *ganz*
verdrängt worden.

Daneben ift nun aber bei den obern und mittlern deutfchen
Stämmen — am meiften bei denen, welche in das deutfche
Hochland vordrangen, bei Alemannen, Schwaben und Baiern,
weniger bei Franken, Thüringern und Heffen — etwa feit dem
fechsten, fiebenten und achten Jahrhundert eine neue Stellung
der Muten eingedrungen, die wir die oberdeutfche und, fofern
fie fich in Schrift und Literatur geltend macht, die althochdeutfche
nennen. Sie verhält fich zu dem alten und gothifchen Siftem
als eine einfache Verfchiebung der media, tenuis, aspirata. Es
wird nämlich goth. media ftrengalthochdeutfch zur tenuis, goth.
tenuis zur aspirata, goth. aspirata zur tenuis. Diefe Umwäl-

zung nennt man die *Lautverfchiebung*. In demfelben Verhältniß aber, in welchem das ahd. Mutenfiften zum goth.
und altgermanifchen fteht, in demfelben fteht wiederum das
gothifche Siftem zum Siftem der griechifchen und lateinifchen Sprache, welche beide wir der Kürze halber zufammen
pelasgifche Sprachen nennen wollen. Es verfteht fich, daß
diefe Lautverfchiebung regelmäßig nur ftatt hat in den
Wörtern, die beiden Sprachgebieten, dem pelasgifchen und dem
germanifchen, von der Urzeit her gemeinfam find, d. h. in den
urverwandten Wörtern, nicht in denen, welche eine Sprache von
der andern *entlehnt* hat. Zur Überficht der zweifachen Lautverfchiebung diene folgendes Schema:

Pelasgifche Media	Tenuis	Aspirata wird
Gothifche Tenuis	Aspirata	Media wird
Althochd. Aspirata	Media	Tenuis.

Die erfte Lautverfchiebung, die vom Pelasgifchen zum Urgermanifchen und Gothifchen, ift jedoch allgemeiner und ftrenger
durchgeführt, als die zweite, die vom Urgermanifchen zum Althochdeutfchen. In Beziehung auf diefe letztere halte man feft:
a) Manche althochdeutfche Schriftfteller bedeutenden Ranges
haben das altgermanifche Siftem bald in diefem, bald in jenem
Punkte feftgehalten und haben die Lautverfchiebung nur in einigen Punkten wirklich angenommen. b) Andere Denkmäler
geben eine ziemlich fcharfe Ausprägung der ahd. Lautverfchiebung; wir nennen diefe Denkmäler und ihre Sprache mit Grimm
ftrengahd.; dahin gehören Kero, Hymnen, Mufpilli, die Hra-
banifchen und aa. Gloffen, auch Notker. Aber auch diefe führen
die Lautverfchiebung nicht vollftändig durch, namentlich nicht
bei den Gutturalen. c) Im Mhd. und Nhd. ift die Lautverfchiebung in einigen Punkten ganz durchgedrungen, in andern aber
wieder gänzlich verfchwunden. Wir haben demnach in unferer
nhd. Sprache eine Mifchung des altgermanifchen, gothifch-nie-
derdeutfchen Mutenfiftems und der oberdeutfchen Lautverfchiebung; doch herrfcht letztere vor und gibt der hochdeutfchen
Sprache ihren wefentlichen Karakter.

Wir werden auch in der folgenden Darftellung die Beifpiele des altgermanifchen Mutenfiftems womöglich der gothifchen
Sprache entlehnen. Wo die Refte der gothifchen Sprache keine
Beifpiele bieten, nehmen wir diefe aus einer der Sprachen, die
ihr gleich ftehen: angelfächfifch (ags.), altnordifch (altn.), alt-
fächfich (alts.) u. f. w. Die urverwandten pelasgifchen Wörter
fügen wir wieder unter dem Texte bei.

§. 9. Labiales.

b—p.

Der goth. media b entfpricht ftrengahd. die tenuis p. Beifpiele:

goth.	brikan[1])	broþar[2])	baíran[3])	giba	háubiþ[4])	libains	láufs[5])
ahd.	prëchan	pruodar	përan	këpa	houpit	lîp	loup
nhd.	brechen	Bruder	tragen	Gabs	Haupt	Leben	Laub.

Im Allgemeinen ift diefe Lautverfchiebung wenig durchgedrungen; Otfried und Tatian behalten gewöhnlich b bei, im An-,
In- und Auslaut. Strengahd. Schriftfteller haben im Auslaut
ftets p, im Inlaut aber in denfelben Wörtern b: loup—loubes;
wîp—wîbes; lîp—lîbes; gap—gâbun. Im Anlaut haben fie gern
p: pruodar.

Notker richtet fich im Anlaut der Labialen fowohl als der
Lingualen und Gutturalen nach folgendem Gefetz: endigt das
in demfelben Satze vorhergehende Wort auf Vokal oder Liquida, fo gebraucht er Media b, d, g: du bist, ter dag, tes anderen dages, ze demo dage, du gibest; endigt das vorhergehende
Wort auf Spirans oder Muta oder beginnt das Wort den Satz,
fo gebraucht er Tenuis p, t, k: ih pin, tes tages, mit temo, ih
kesihu.

In der nhd. Schrift hat fich meift Media wieder hergeftellt,
in der Ausfprache aber wird oft Tenuis gefprochen, z. B. Weib,
gab.

p—ph, f.

Der goth. Tenuis p entfpricht ftrengahd. die Afpirata ph,
f, und die verftärkte Afpirata pph, pf. Beifpiele:

goth.	puggs	hláupan	slêpan	hilpan	diups	dáupjan	Þáurp[6])
ahd.	phung	loufan	slâfan	hëlfan	tiuf	toufjan	dorof
nhd.	Geldbeutel	laufen	fchlafen	helfen	tief	taufen	Feld, Dorf

goth.	iup	ags. lapjan[7])	ags. plegjan	ags. penning	alts. wâpn
ahd.	ûf	laffan	phlegan	phendink	wâfan
nhd.	auf	lecken	pflegen	Pfenning	Waffen

altn.	hanpr[8])	kaupa	kappi[9])
ahd.	hanaf	koufên	kemfo
nhd.	Hanf	kaufen	Kämpfer, Kämpe.

---

1) frangere. 2) frater. 3) φέρειν, ferre. 4) für háubid; κεφαλή. 5) für
láubs; φύλλον, folium? 6) vielleicht turba? 7) lambere. 8) κάνναβις. 9) für
kampi.

Die Beifpiele laffen fich vermehren, wenn man plattdeutfche Wörter zu Hilfe nimmt und fie mit hochdeutfchen vergleicht: jappen—gaffen; roopen—rufen; versööpen—verfaufen; fcharp— fcharf; Sweepe—Schweife (Peitfche); Hupe—Haufe; Kopp— Kopf; Pad—Pfad; Perd—Pferd; Plooch—Pflug u. f. w.

Otfried läßt in einigen Wörtern die Afpiration noch nicht eintreten, z. B. pad, plegen. Im Allgemeinen aber ift diefe Lautverfchiebung p—ph, f durchgedrungen; fie wurde fogar in manchen Wörtern noch verftärkt, d. h. p, das fchon im ph, f fteckt, wurde nochmals vorgefetzt: pph, pf: Pflicht, Pfad, Pflug. Dieß gefchieht zum Teil fchon im Ahd.: fliht u. pfliht, kemfo und kempfo.

Im Anlaut ift die Lautverfchiebung von p—f in urfprüng-lich deutfchen Wörtern nicht häufig nachzuweifen, weil es im Urgermanifchen nicht viele Wörter gibt, die mit p anlauten. Dagegen wurden manche fremde Wörter, die mit p anlauten, frühe in das Ahd. aufgenommen (*entlehnt*) und der ahd. Laut-verfchiebung unterworfen; fo entftand aus alt- und mittellatei-nifchem pondus, porta, planta, piper, pavo, pipa, papas, parochia, palatium ahd. zunächft phunt, phorta, phlanza, phëfar, phâwo, phîfa, phafo, pharra, falanza; weiterhin pfunt, pforta, pflanza, pfëfer, pfâwe, pfîfa, pfafo, pfarre, pfalanz u. f. w.

In der anlautenden Verbindung sp hat fich altes p durch-aus erhalten: spinnan, sprëchan.

f—v (b).

Das goth. und altgermanifche f follte ahd. zu b werden und diefer Übergang läßt fich auch mit einigen Beifpielen be-legen: griech. ἀπό, goth. af, ahd. ab; ὑπέρ, ufar, ubar; goth. afar, ahd. afar, avar, avur, abur, aber; goth. hafjan, ahd. hafan, hevjan, Impf. huob, nhd. heben.

Aber im Ahd. befteht neben der erften Labialafpirata f noch eine zweite mit ähnlichem Laut: v, gewöhnlich u gefchrie-ben. An die Stelle von goth. Afpirata f tritt nun ahd. ftatt b meift diefe zweite Afpirata v. Es ergibt fich hieraus, daß im Ahd. die Afpiration überhand nimmt, was überhaupt eine Eigen-tümlichkeit oberdeutfcher Sprache ift. Beifpiele:

goth.	fisks[1]	fôtus[2]	fadrs[3]	fula[4]	faíhu[5]	filu[6]	fulls	fimf[7]
ahd.	visk	vuoz	vatar	volo	vihu	vilu	vol	fimvi
nhd.	Fifch	Fuß	Vater	Füllen	Vieh	viel	voll	fünf.

Diefe zweite Afpiration v ift in der Ausfprache, befonders im Anlaut, kaum von der erften f zu unterfcheiden. Vielleicht wurde fie anfangs etwas milder gefprochen, zwifchen f und w, wie bh. Offenbar ift aber der Unterfchied frühe verwifcht und beide find im Gebrauch mit einander verwechfelt worden; denn für v kann fchon ahd. faft immer auch f ftehen. Im Anlaut fteht meift v: visk, vuoz, vatar; im Inlaut mehr v als f, im Auslaut ftets f: wolf, hof, briaf, Gen. wolves, hoves, briafes und brieves; fimf, fimvi.

§. 10. Linguales.

d—t.

Die goth. Media d wird ftrengahd. zur Tenuis t. Beifpiele:

goth.	dreiban	drigkan	dugan	dags	daila	dal	daúhtar[8]
ahd.	trîban	trinkan	tugan	tag	teil	tal	tohtar
nhd.	treiben	trinken	nützen	Tag	Teil	Tal	Tochter

goth.	dius[9]	daúr[10]	dauþus[11]	dauþs	dêds	biudan	fadar
ahd.	tior	turi, tor	tôd	tôt	tât	piotan	vatar
nhd.	Tier	Türe, Tor	Tod	todt	Tat	biatan	Vater

agf. môder goth. sidus[12] môds gôds[13] altn. frôdi[14] goth. salbôda
ahd. muotar situ muot guot fruot salpôta
nhd. Mutter Sitte Mut gut klug falbte.

Diefe Lautverfchiebung ift zwar nicht allgemein durchgedrungen, doch überwiegt fie bei den ahd. Schriftftellern. Kero hat gewöhnlich t: tak, kot. Tatian hat im Anlaut gewöhnlich t: tag, tuon, tohtar; im In- und Auslaut wechfeln d und t, aber t überwiegt: tag, tuon, tohtar, blinter, sentan, stantan, bintan, bant, muoter, gibiotan, got, salbôta, nerita, habêta, findan, fand, kind, kund, manôd, ladôn. Otfried hat im Anlaut meift die alte Media: drinkan, duan, dag, deil, im In- und Auslaut wechfelnd. Notker meift t, über den Anlaut fiehe b—p. — Zuweilen erfetzt t auch die goth. Afpirata þ, welche in diefem Falle für d fteht: goth. háubiþ, frôþs, guþ, miþ, iþ—, ahd. houpit, fruot, got, mit, it—.

---

1) piscis. 2) πούς, ποδ-, pes, ped-. 3) πατήρ, pater. 4) πῶλος, pullus. 5) pecus. 6) πολύς, plenus. 7) πέντε für πέμπε. 8) θυγάτηρ. 9) θήρ. 10) θύρα. 11) θάνατος. 12) ἔθος. 13) ἀγαθός. 14) prudens (die Lateiner befitzen kein th).

th—d.

Der goth. Aſpirata Þ, th entſpricht ſtrengahd. die Media
d. Beiſpiele:

goth.	Þanjan[1])	Þahan[2])	Þulan[3])	Þiuda	Þiudisk	Þiubs	Þata[4])
ahd.	denjan	dagên	dolên	dioe	diutisch	diub	daʒ
nhd.	dehnen	ſchweigen	ertragen	Volk	volkstümlich	Dieb	daß

goth.	Þan[5])	Þu[6])	Þeins[7])	Þusundi	Þreis[8])	Þaírh	raÞjo[9])
ahd.	danna	du	dîn	dûsunt	drî	durah	reda
nhd.	dann	du	dein	tauſend	drei	durch	Rede

goth.	brôÞar[10])	tunÞus[11])	aírÞa	anÞar	qiÞan	qaÞ
ahd.	pruodar	zand	ërda	andar	quĕdan	quad
nhd.	Bruder	Zahn	Erde	ander	ſagen	ſagte

goth.	vaírÞan	varÞ
ahd.	wërdan	ward
nhd.	werden	ward.

Von manchen ahd. Schriftſtellern, ſelbſt im neunten Jahrhundert, wird noch die alte Aſpirata th gebraucht, wie heute
noch im Engliſchen, Däniſchen u. ſ. w. Otfried und Tatian
gebrauchen im Anlaut gewöhnlich th: ther, thiu, thaʒ; thiarna,
thionôn, thenkan; im In- und Auslaut meiſt d: andar, bruadar,
quĕdan, quad, redina, tôd. Aber gegen das Ende des ahd.
Zeitraums verſchwindet die Aſpirata th im Hochdeutſchen, die
Lautverſchiebung dringt in dieſem Punkte allgemein durch
und Notker hat bereits kein th mehr. Überall wird es erſetzt
durch d, unregelmäßig und ſelten auch durch t.

Der aſpirierte Laut th exiſtirt nun im Mhd. und Nhd.
nicht mehr; daher ſollte auch das Zeichen th in wirklich deutſchen
Wörtern nicht mehr gebraucht werden: duon, dails, dêds werden durch die Lautverſchiebung zu nhd. tun, Teil, Tat, nicht
zu thun, Theil, That. Thiudisk wird zu diutisch, deutſch (nicht
zu teutſch); Thëodrîh wird zu Dëotrîh, Dietrîh. Die Zahl 1000
ſollte geſchrieben werden: dauſent.

Statt der verloren gehenden Labialaſpirata th hat die hochdeutſche Sprache eine neue, zweite Aſpirata der Lingualen angenommen: z, ʒ, alſo ts ſtatt th, wobei an die Verwandtſchaft
der Spiranten h und s gedacht werden muß. Dieſes hochdeutſche z, ʒ exiſtierte vor der Lautverſchiebung noch gar nicht
in deutſchen Mundarten; es iſt gänzlich verſchieden von dem

---

1) tendere. 2) tacere. 3) tolerare. 4) to. 5) tum. 6) tu. 7) tuus.
8) τρεῖς, tres. 9) ratio. 10) frater. 11) ὀδούς, δοῦρ..; dens, dent-.

goth. **z.** Goth. z ift Spirans, eine Nebenart der Spirans s; hochdeutfches z, ʒ ift nur Afpirata von t und tritt in der Lautverfchiebung an deffen Stelle.

t—z, ʒ.

An die Stelle der goth. Tenuis t tritt ftrengahd. die neue Afpirata z; Grimm gebraucht für fie zwei Zeichen z und ʒ, worüber nachher. Beifpiele:

goth. tiuhan[1]) timan[2]) tamjan[3]) teihan[4]) táikns tagr[5]) tuggo[6])
ahd. ziohan zëman zemjan zîhan zeichan zahar zunga
nhd. ziehen ziemen zähmen zeihen Zeichen Zähre Zunge

goth. tunþus[7]) tafhun[8]) tigus[9]) tvái[10]) itan[11]) mitan môtan
ahd. zand zëhan zig, zug zwêne ëʒan mëʒan muoʒan
nhd. Zahn zehn -zig zwei effen meffen müffen

goth. gabôtan bat giutan niutan skiutan beitan lêtan
ahd. buoʒan baʒ gioʒan nioʒan skioʒan bîʒan lâʒan
nhd. beffer machen beffer gießen genießen fchießen beißen laßen

goth. sitan, ags. sittan[12]) vitan[13]) fravaitan hatis[14]) fôtus[15])
ahd. sizzan wiʒan farwîʒan haʒ vuoʒ
nhd. fitzen wiffen verweifen Haß Fuß

goth. altn. fetill vato[16]) suti[17]) þata it[18]) ags. to at[19])
ahd. veʒil waʒar suoʒi daʒ iʒ zi, zuo aʒ
nhd. Feffel Waffer füß daß es zu zu

Die Lautverfchiebung von t—z, ʒ ift fchon im Ahd. allgemein durchgedrungen; fie hat fich im Mhd. und Nhd. durchaus erhalten und bildet ein wefentliches Merkmal, durch das fich fämmtliche oberdeutfche Dialekte und die hochdeutfche Schriftfprache von den niederdeutfchen und nordifchen Dialekten und Schriftfprachen unterfcheiden.

Von der Lautverfchiebung t—z, ʒ wurden auch manche fremde, im Deutfchen eingebürgerte Wörter ergriffen: planta—phlanza; befonders Eigennamen: Magontiacum—Maginz (Mainz); Borbetomagus—Wormiʒfeld, Wormeʒ (Worms); Batavium, castra Batava—Paʒowa (Paffau); Confluentia—Kobolenzi (Koblenz); Taberna—Zabern; castrum Turicum—Zurih (Zürch); Strataburgum—Straʒburg; Metensis—Metz.

---

1) ducere. 2) docere. 3) δαμᾶν. 4) dicere, dicare. 5) δάκρυ. 6) lingua für dingua. 7) δοντ-, dent-. 8) δέκα, decem. 9) Anzahl von 10, δέκας. 10) δύο, duo. 11) ἔδειν, edere. 12) sedere. 13) videre. 14) odium. 15) ποδ-, ped-. 16) ὕδωρ. 17) ἡδύς. 18) id. 19) ad.

Andererfeits hat fich auch in einigen Wörtern die alte Tenuis t erhalten, befonders im Anlaut und in Verbindung mit einem andern Konfonanten: trëo, trëtan, trûwan, tarnjan, stëchan, bittar, ottar. Bei Otfried erhielt fich auch kurt, Kero und Notker haben churz.

In dem neuen Zifchlaut z unterfcheidet nun Grimm eine zweifache Stufe: einen härteren Laut z und einen weicheren, den Grimm mit ʒ und den die nhd. Schrift mit ß bezeichnet. Jenes fcheint der ältere Laut zu fein, der Tenuis näher ftehend, = ts, diefes der jüngere, durch Hinzutreten der Spirans s verweichlichte, = zs, dss. Ifidor bezeichnet letzteren Laut mit zs, eine beffere Bezeichnung als unfer sz; alle andern ahd. Schriftfteller fchreiben für beide Laute z, verdoppelt zz. Regel für die Unterfcheidung von z und ʒ ift: z fteht a) immer im Anlaut: zunga, ziohan; b) im In- und Auslaut dann, wenn Liquida vorhergeht: harz, salz, holz, swanz, lenzo; auch nach kurzem Vokal, wenn z einem früheren doppelten tt entfpricht: scaz, sizzu. Dagegen ʒ fteht nur im In- und Auslaut, und zwar nach langem Vokal immer: muoʒan, gioʒan, suoʒi, bîʒan, vuoʒ, buoʒa; nach kurzem nur, wenn es einem früheren einfachen t entfpricht: daʒ, saʒ, waʒar, ëʒan, mëʒan.

Auch bei z, ʒ findet, wie bei allen Konfonanten, nach kurzem Vokal Verdopplung ftatt, aber unficher und fchwankend. Für zz wird auch fchon tz gefchrieben, wie im Nhd. allgemein. Ifidor fchreibt für zz—tz; für ʒʒ—zss.

Das ahd. z, zz, ʒ, ʒʒ muß genau unterfchieden werden von s, ss. Es ift zu unterfcheiden: wîs (erfahren, weife), wîstuom (Weisheit); wîʒ (weiß, glänzend), wizzi (Verftand); wiʒan, wiʒʒan (wiffen); gawisso (gewiß, certe); wîʒan (fehend wahrnehmen), wîʒago (Weiffager) u. f. f. Im Verlauf der Zeit hat fich nun freilich die Ausfprache von ʒ (ß) der von s und ss fehr genähert und beide werden vom deutfchen Ohr kaum mehr unterfchieden. In der nhd. Schrift werden daher s, ss und ʒ (ß) verwechfelt und vermengt, wodurch große Verwirrung entftanden ift. Zu heben wäre diefe nur, wenn man fich entfchließen könnte, ß *nur* zu gebrauchen, wo urgermanifch t, ahd. ʒ fteht, aber da *immer*.

Anm. Das ahd. z, ʒ geht, wie fchon goth. t, vor einem anftoßenden t in s über: wiʒ—weist, wësta; muoʒ—muost, muosta.

§. 11. Gutturales.

g—k.

Die goth. Media **g** follte ftrengahd. in **k** übergehen. **K**
wird auch **c** gefchrieben, **kk** auch **cc, ck**. Beifpiele:

goth. altn.	gâs[1])	gasts[2])	giutan[3])	guþ[4])	aigan[5])	láigôn[6])
ahd.	kans	kast	kiozan	kot	eikan	leckôn
nhd.	Gans	Gaft	gießen	Gott	haben	lecken

goth.	dags	vigs	altn. egg[7])
ahd.	tak	wek	ekka
nhd.	Tag	Weg	Ecke.

Hier, wie bei den Gutturalen überhaupt, hat die Lautverfchiebung wenig Eingang gefunden. Otfried und Tatian behalten **g** im An-, In- und Auslaut bei. Selbft ftrengahd. Denkmäler, wie Kero, behalten im Inlaut faft immer **g** bei, meift
auch im Anlaut: fangan, gangan oder kangan; nur im Auslaut
laffen fie immer die Lautverfchiebung eintreten und fagen:
fiank, giank, tak, wek; aber fiangun, giangun, tages, weges,
wie wîp—wîbes. Im Nhd. hat fich die Media faft überall wieder hergeftellt.

k—ch.

Die goth. Tenuis **k, c** wird ftrengahd. zur Afpirata **ch**, welche
auch **hh** oder **h**, verdoppelt **cch** gefchrieben wird. Beifpiele:

goth.	kuni[8])	kniu[9])	kalds[10])	kunnan[11])	akrs[12])	mikils[13])
ahd.	chunni	chniu	chalt	chunnan	achar	michil
nhd.	Gefchlecht	Knie	kalt	kennen	Acker	groß

goth.	reiki[14])	leik	ik[15])	mik
ahd.	rîchi	lîh	ih	mih
nhd.	Reich	Körper(Leiche)	ich	mich.

Strengahd. Quellen, wie Kero, Notker, gebrauchen **ch** faft
immer, im Anlaut häufig: chint, chunni, mihil, folch, wërah.
Die meiften übrigen, wie Otfried und Tatian, behalten im Anlaut die Tenuis bei: kind, kunni, kuning, skînan; im In- und
Auslaut laffen fie nach einem Vokal **ch** eintreten: wachan, rîchi,
mihil, ih, mih, lîh; nach einem Konfonanten **k**: visk, viskes;
folk, folkes; thank, werk. Diefer Gebrauch hat fich im Ganzen
auch im Mhd. und Nhd. erhalten, mit Ausnahme des **sk**, welches

---

1) χήν. 2) hostis. 3) χέειν. 4) für gud. 5) ἔχειν. 6) λείχειν. 7) acies
8) γένος, genus. 9) γόνυ, genu. 10) gelidus. 11) γνῶναι, gnoscere. 12) ἀγρός,
ager. 13) μέγας, μεγαλ-. 14) regnum. 15) ἐγώ, ego.

durchaus zu sch geworden ist. Demnach ist die Gutturalaspirata ch nicht so allgemein durchgedrungen, wie wir dieß bei
der Lingualaspirata z, z sahen. Nur die alemannische Mundart
führt auch hier die Aspiration durch und sagt: chuel, chalt,
chint, folch.

Ganz unregelmäßig ist bei Otfried und Tatian, daß sie oft
statt des organischen sk im In- und Auslaut setzen sg: fisg,
fleisg, wasgan für fisk u. s. w.

In der Verbindung sk hat sich anfangs zwar die Tenuis
lange und häufig erhalten; noch im neunten Jahrhundert sagen
die Quellen: skinan, skiozan, skenkjan, skamjan, visk, fleisk.
Doch zeigt sich schon in der spätern ahd. Zeit ein Übergang
des sk (sc) in sch; diese Aspiration fieng an im Anlaut vor e und
i: sche, schi, z. B. schinen; allmählich auch vor andern Vokalen:
scha, schu. Durchgreifend und allgemein wird jedoch die Afpiration sch für sk erst im Mhd. Im Nhd. hatte es auch hier-
mit sein Bewenden nicht; die Form sch wurde der hochdeutschen
Zunge so geläufig, daß späterhin selbst sl, sm, sn, sw im Anlaut
durch Einschiebung der historisch unbegründeten Kehlaspirata
zu schl, schm, schw wurden: ahd. slagan, smakan, sniowan, swimman, nhd. schlagen, schmecken, schneien, schwimmen. Die Aussprache des obern und mittlern Deutschlands gieng noch einen
Schritt weiter und verwandelte auch die am längsten wider-
strebenden Laute sp, spr, st, str in schp u. s. w., jedoch nur im
Anlaut: spannen, sprechen, sterben, streichen werden wie gelindes
schpannen u. s. w. gesprochen. Die Alemannen und Schwaben
gehen auch hier in der Aspiration am weitesten, indem sie scht,
schp selbst in dem In- und Auslaut anwenden: ischt, weschpe.
— Rückblick: Die Aspiration sch hat sich zwar immer weiter
ausgebreitet; je weiter man aber rückwärts geht, um so seltener
ist sie, und ursprünglich war sie gar nicht vorhanden.

ch—g, h.

Da die goth. Sprache kein ch besitzt, so kann von Lautverschiebung eines goth. ch in ahd. g keine Rede sein. Die
Gutturalaspirata wird im Goth. durch h oder durch g ersetzt,
z. B. hunþs, þahan, augô, tagr, fafhu, tiuhan, teihan, slahan, dva-
han, hlahjan, safhvan, ahtáu.*) An die Stelle dieses h oder g,

---

*) Daß in diesen goth. Wörtern Aspirata am Platze wäre, beweist auch
die Tenuis der urverwandten pelasgischen Wörter: κύων, canis, tacere,
oculus, δάκρυ, pecus, ducere, dicere, octo

welche für ch ftehen, follte nun nach der Theorie der Lautverfchiebung ahd. g treten. Dieß gefchieht auch teilweife und
ohne Konfequenz: ahd. dagên; ouga; ziuhu, zôh und zôg, zugu-
mês, zogan; zîhu, zêh, zigumês, zigan; slahu, sluoh und sluog,
sluogumês, slagan; dwahu, dwuag, dwuagumês, dwagan. Häufiger
aber bleibt h, hh im Ahd. unverändert beftehen: ziuhu, zîhu,
slahu, dwahu haben in allen Präfens- und Infinitivformen h;
ebenfo bleibt goth. h in ahd. hund, vihu, lahhan, sëhan, ahtô;
auch tritt ahd. h an die Stelle von goth. g: tagr—zahar.

Wir haben alfo im Ahd. drei verfchiedene h:

1) h ift im In- und Auslaut der eben erwähnte, die Afpirata vertretende Laut, der durch die Lautverfchiebung zu g
werden follte: ziuhu, zîhu, slahu, sihu, sah, vihu, lahhu, scuaha,
aha, zahar, hôhêr. Diefes h muß wohl der Afpirata ähnlich, wie-
wol etwas milder gefprochen werden;

2) ein zweites h im In- und Auslaut ift durch Lautverfchiebung aus k entftanden, alfo nur ein anderes Zeichen für ch oder
hh: mihil = michil; rîhi = rîchi; lîh = lîch (Leiche); ih, mih =
ich, mich.

3) h ift reine Spirans, verfchieden von aller Afpiration,
gleich dem griech. Spiritus asper. Dieß ift h eigentlich nur im
Anlaut; aber auch im Anlaut fcheint es einigemal aus ch entftanden zu fein.

Im Mhd. und Nhd. fallen die h Nro. 2) aus, indem fie ch
gefchrieben werden: ich, mich, rîch, Reich. Die h Nro. 1)
werden beibehalten: mhd. vihe, skuohe, zahir, hôhêr, sëhen,
sah, slahen, ziehen, ahte, fehr milde und weich gefprochen;
nhd. Vieh, Schuhe, Zähre, hoher, fehen, fah, ziehen, wobei h kaum
mehr hörbar ift, während es in andern afpiriert gefprochen und
gefchrieben wird: lachen, hoch, acht, Ach; felten ift es zu g geworden: fchlagen, zog. Die anlautende Spirans h (Nro. 3) hat
fich ebenfalls im Mhd. und Nhd. erhalten.

Wir haben demnach im Nhd. immer noch zwei verfchiedene
hiftorifch begründete h: die Spirans h (Nro. 3) und die zahlreichen
aus Nro. 1) ftehen gebliebenen. Ein drittes h im Nhd., das Ver-
längerungsh, ift nicht hiftorifch begründet und wird ganz willkührlich angewandt oder weggelaffen: Zahl, Saal, Thal, Rath, That,
Saat, Blut, Muth.

q

ift eine Verbindung der Gutturaltenuis k mit u oder w; es wäre
daher hinreichend, nur q zu fchreiben, wie im Goth. gefchieht;
im Deutfchen wird aber meift qu gefchrieben.

Gewöhnlich erhält fich goth. q auch im Ahd., z. B. goth. qens
und qino, qiþan, qiman, qius, qiþus, qistjan lauten ahd. quëna,
quëdan, quëman, quiti, quëk, quistjan.

Aber das k, welches in q fteckt, kann auch an der Lautverfchiebung Anteil nehmen und zur Afpirata ch werden; der u-Laut,
der in q fteckt, kann zu o werden oder wegfallen und fo entftehen
die Formen: für quëman — këman, koman, choman; für quam —
kam, cham; für quad — chad; für quidit, quit — chidit, chit; für
quëna — chëona, chona, chëna; für quëk — këk. Einige
fchreiben chuuëman, chuuëdan, Ifidor quhëdan, qhuëdan.

x

ift eigentlich noch nicht aufgenommen, dafür wird noch hs gefchrieben: ahsa, wahs.

Anmerkungen zu den Muten und zu der Lautverfchiebung.

Anm. 1. Auf der erften Stufe der Lautverfchiebung ftehen nicht blos
die griechifche und lateinifche Sprache, fondern überhaupt alle indogerma-
nifchen; die zweite Stufe wird von den urgermanifchen Sprachen betreten und
ift jetzt noch in den niederdeutfchen und nordifchen repräfentiert; auf die
dritte Stufe fchreiten nur die Dialekte der obern deutfchen Stämme und mit
ihnen das Hochdeutfche vor. Die wefentlichften Ausnahmen faffen wir in
den folgenden Anmerkungen zufammen.

Anm. 2. Schon in den Sprachen der erften Stufe finden fich Vorläufer
der zweiten. Andererfeits haften in den Sprachen der zweiten Stufe noch
Spuren der erften als Nachzügler, z. B. die goth. praep. du follte nach der
Lautverfchiebung tu heißen, — ags. tô, alts. te, entfprechend dem ahd. za, zi.
Goth. dags fteht noch auf derfelben Stufe mit lat. dies. Noch häufiger ift
freilich, daß die Mundarten der dritten Stufe Merkmale der zweiten beibehalten.

Anm. 3. Einige hochdeutfche Wörter find von der dritten Stufe, die
fie im Ahd. einnahmen, im Mhd. und Nhd. noch weiter vorgefchoben worden,
bis fie bei der Afpirata angelangt waren: goth. þvaírhs, ahd. dwërah, mhd.
twërh, nhd. zwerch. Ags. þvingan, ahd. dwingan, mhd. twingen, nhd. zwingen.
Altn. dvergr, goth. vielleicht dvaírgs, ahd. mhd. twërc, nhd. Zwerg.

Anm. 4. Auch in einer und derfelben Sprache findet fich Lautabftufung:
nubo, nupsi; ago, actum; γράφω, γραπτὸς, γραφθείς; goth. giban, gaf; hau-
biþ, haubidis; ahd. wîp, wîbes.

Anm. 5. Die Mutä gehen hie und da aus einer Reihe in die andere
über, z. B. goth. þl, þr in ahd. fl, fr: þliuhan — fliogan.

Anm. 6. Die Mutä wechfeln hie und da mit den Spiranten und Liquiden: dingua — lingua; dacrima — lacrima; Ὀδυσσεύς — Ulysses; σὺ für τὺ,
tu; σὲ für τὲ, te; im Deutfchen befonders b mit w, f. §. 7, Anm. 3.

Zweiter Abfchnitt.

Das Verbum.

§. 12. Allgemeines.

Die goth. Sprache hat noch eigene Formen für Aktiv und Paffiv des Verbs, auch noch Trümmer eines Medium; im Ahd. fehlen die Formen für Paffiv und Medium ganz und müffen durch Umfchreibung erfetzt werden. Die goth. Konjugation hat auch einzelne Dualformen, welche im Ahd. gleichfalls verfchwunden find.

Für die Tempora haben alle germanifchen Sprachen nur zwei Formen aufzuweifen: Präfens und Imperfekt; die übrigen Tempora werden durch Umfchreibung ausgedrückt.

Die deutfche Konjugation wird eingeteilt in ftarke und fchwache; die ftarke Konjugation bildet das Imperfekt durch willkührliche Veränderung des Wurzelvokals, d. h. durch Ablaut; die fchwache durch ein der Bildungsfilbe äußerlich angehängtes d, nach der Lautverfchiebung t, dem dann die Flexion folgt. Der ftarken Konjugation gehören meift intranfitive und wurzelhafte Verba an, wenig abgeleitete; der fchwachen *nur* abgeleitete.

§. 13. Starke Konjugation.

Um den Ablaut der ftarken Verben zu überfehen und um daraus ihre Einteilung zu beftimmen, müffen die Wurzelvokale folgender Formen beachtet werden:

1) 1. pers. sing. präs. ind.: ih hilfu. Zu diefer Rubrik gehört das ganze Präs. ind. und conj., ferner Imperativ, Infinitiv und Part. präs.

2) 1. pers. sing. impf. ind.: ih half. Zu diefer Rubrik gehört nur noch 3. pers. sing. impf. ind.

3) 1. pers. plur. impf. ind.: wir hulfumês. Der Wurzelvokal diefer Rubrik herrfcht nicht nur im ganzen plur. impf. ind., fondern auch in der 2. pers. sing. impf. ind.und im ganzen impf. conj.

4) part. praet. holfan. Diefer Ablaut fteht ganz vereinzelt.

Solcher Ablautreihen können wir nun zehn aufftellen und darnach die ftarken Verben in zehn Klaffen einteilen:

I. i a u u (o): singu sank sungumês sungan
     hilfu half hulfumês holfan.

II.	i	a	â	o:	stilu	stal	stâlumês	stolan
III.	i	a	â	ë:	sihu	sah	sâhumês	sëhan
IV.	î	ei	i	i:	skînu	skein	skinumês	skinan
V.	iu	ou(ô)	u	o:	fliugu	flouk	flugumês	flogan
					giuʒu	gôʒ	guʒumês	goʒan
VI.	a	ou	ou	a:	malu	muol	muolumês	malan
VII.	a	ia	ia	a:	waltu	wialt	wialtumês	waltan
VIII.	â	ia	ia	â:	râtu	riat	riatumês	râtan
IX.	ei	ia	ia	ei:	skeidu	skiat	skiadumês	skeidan
X. a)	ou	iu(ia)	iu(ia)	ou:	hloufu	hliuf	hliufûmês	hloufan
b)	ô	io(ia)	io(ia)	ô:	stôʒu	stioʒ	stioʒumês	stôʒan
c)	ou	io(ia)	io(ia)	uo:	hruofu	hriof	hriofumês	hruofan

Die ſechs erſten Klaſſen haben urſprünglichen und ächten Ablaut; die vier andern (VII—X) ſind aus urſprünglicher Reduplikation hervorgegangen, haben alſo unächten Ablaut. Bei den letztern, ſowie auch bei der VI Klasse, hat zugleich die dritte Rubrik gleichen Wurzelvokal mit der zweiten und die vierte mit der erſten.

Anmerkungen.

Anm. 1. Über die Brechung des wurzelhaften i in ë in den drei erſten, Klaſſen ſ. §. 2, ë. Über die Brechung von iu der fünften Klaſſe in io, ia ſ. §. 4, iu.

Anm. 2. In der erſten Rubrik der VI. und VII. Klaſſe kann Umlaut des wurzelhaften a in e eintreten nach §. 2, e: varu, varis und veris; varit und verit; grabis und grebis; haltis und heltis; fallis und fellis.

Anm. 8. In den fünf erſten Klaſſen hat die dritte Rubrik andern Ablautvokal als die zweite. Aber auch der die Wurzel ſchließende Konſonant iſt bei einigen Verben in der ganzen dritten und in der vierten Rubrik ein anderer, als in der erſten nnd zweiten. Darüber handeln die drei nächſten Anmerkungen.

Anm. 4. In einigen Wörtern, deren Wurzel mit s ſchließt, geht dieſes s in ſämmtlichen Formen der dritten Rubrik, meiſt auch in der vierten Rubrik in r über: farliusu; impf. ind. farlôs, farluri, farlôs, farlurumês u. ſ. w. ſ. §. 6, Amn. 2.

Anm. 5. Ebenſo laſſen einige Verba, deren Wurzel mit h ſchließt, dieſes h in ſämmtlichen Formen der dritten und vierten Rubrik, hin und wieder auch ſchon in der zweiten, in g übergehen: slahan, sluoh und sluog, sluogi, sluoh und sluog, sluogumês; slagan, ſ. §. 11, ch—g, h.

Anm. 6. Einige Verba, deren Wurzel ahd. mit d ſchließt, laſſen d in der dritten und vierten Rubrik — nach kurzem Vokal — gern in t übergehen: mïdan, sniodan, siodan; impf. plur. mitumes, snitumês, sutumês; part. perf. mitan, snitan, sotan.

Anm. 7. Daß doppelte Konfonanz im Auslaut einfach wird, f. §. 6, Anm. 6. Auch wird doppelte Konfonanz regelmäßig einfach, fobald der vorhergehende Wurzelvokal lang wird: vallu, vial, vialumus, vallan.

Anm. 8. Zur I. Klaffe. In der vierten Rubrik diefer Klaffe herrfcht der Wurzelvokal **u**, wenn auf ihn **m** oder **n** geminiert oder mit einem andern Konfonanten verbunden folgen: spunnan, bigunnan, prunnan, sungan, vundan, swumman. Dagegen wird **u** in **o** gebrochen, wenn **l** oder **r** geminiert oder mit einem andern Konfonanten verbunden folgen: bollan, holfan, worran, worfan, storban, hworban, wordan, borgan. Letzterem Gebrauche fchließen fich noch einige Verba der erften Klaffe an: vehtan, flehtan, drëscan, brëstan lauten ab: vihtu, vaht, vuhtumês, vohtan u. f. w.

Anm. 9. Zur IV. Klaffe. Diejenigen Verba diefer Klaffe, deren Wurzel auf **h** oder **w** ausgeht, verdichten in der zweiten Rubrik den Ablaut **ei** in **ê**: dîhu—dêh; lîhu—lêh; spîwu—spêo.

Anm. 10. Zur V. Klaffe. Hier find zweierlei Abweichungen möglich: a) die erfte Rubrik hat zwar gewöhnlich den Wurzelvokal **iu, io, ia**: kliubu, skiubu, sliufu, triufu, biutu, diuʒu, giuʒu, niuʒu, sliuʒu; aber einige wenige Verba haben **û**: sûfu, sûgu; b) in der zweiten Rubrik ift zwar **ou** der gewöhnliche Ablaut: kloup, skoup, slonf, trouf, souf, souk; aber die Verba, deren Wurzel auf Lingualis oder auf Lingualfpirans, meift auch die, deren Wurzel auf **h** ausgeht, haben verdichtetes **ô**: bôt, sôd, dôʒ, gôʒ, nôʒ, slôʒ.

Anm. 11. Die VII.—X. Klaffe bilden urfprünglich (gothifch) das Impf. durch Reduplikation, z. B. goth. halda—háihald; valda—váivald; slêpa—saizlêp, skáida—skáiskáid; stáuta—stáitaut. Analog ift die griechifche und lateinifche Reduplikation in πέμπω, πέπομφα; cado, cecidi u. f. w. Aus jener Reduplikationsfilbe mag durch Zufammenziehung und Verdichtung im Ahd. der dem Ablaut ähnliche unächte Ablaut **ia, iu, io**, dann **ia, iu, io** entftanden fein. Die VII., VIII. und IX. Klaffe haben im Ahd. ftets ia, in der X. Klaffe wechfeln **iu, io, ia**, von denen **iu, io** hier vielleicht urfprünglicher find: a) von houwan findet fich als Impf. nur hiu, hio, hëo; von hloufan fowohl hliuf, hlëof, als hliaf; b) von stôzan — stioz und stiaz; c) von hruofan — hriof und hriaf; von wuofan—wiof und wiaf.

§. 14. Flexion des starken Zeitworts.

Die Flexion ift in allen ftarken Verben wefentlich diefelbe. Wir wählen zwei Paradigmen, deren eines kurzen Wurzelvokal hat, das andere langen.

Indikativ.

Präs.	sing.	nim-u	nim-is	nim-it
	plur.	nëm-amês	nëm-at	nëm-ant.
Impf.	sing.	nam	nâm-i	nam
	plur.	nâm-umês	nâm-ut	nâm-un.

Konjunktiv.

Präc.	sing.	nëm-e	nëm-ês	nëm-e
	plur.	nëm-êmês	nem-êt	nëm-ên.
Impf.	sing.	nâm-i	nâm-îs	nâm-i.
	plur.	nâm-îmes	nâm-ît	nâm-în.

Imper. sing. nim, plur. nëm-at.

Infin. nem-an. Part. præs. nëm-ant, præt. nom-an.

Indikativ.

Präs.	sing.	trîp-u	trîp-is	trîp-it
	plur.	trîp-amês	trîp-at	trîp-ant.
Impf.	sing.	treip	trip-i	treip
	plur.	trip-ûmes	trip-ut	trip-un.

Konjunktiv.

Präs.	sing.	trîp-e	trîp-ês	trîp-e
	plur.	trîp-êmês	trîp-êt	trîp-ên.
Impf.	sing.	trip-i	trip-îs	trip-i
	plur.	trip-îmês	trip-ît	trip-în.

Imper. sing. trîp, plur. trîp-at.

Inf. trîpan. Part. præs. trîp-ant, præt. trip-an.

Anmerkungen.

Anm. 1. Die Endungen der 1. pers. plur. — âmês, — umês, — êmês, — îmês verlieren das — ês teilweife fchon frühe; mit dem X. Jahrhundert hört — ês gänzlich auf. Das zurückbleibende m fchwächt fich feit dem neunten Jahrhundert in — m, felbft bei Otfried und Tatian, welche doch daneben die volle Form — mês gebrauchen; f. §. 6, Anm. 3. — Ueber die Abfchwächung der kurzen Flexionsvokale f. §. 1 bei e.

Anm. 2. Der 2. pers. sing. des Präf. ind. und conj. und des Imperf. conj. ift die Endung — s eigentümlich: nimis, nëmês, nâmîs; diefem s fügt fchon Notker ein t bei: nimest, nëmêst, nâmîst.

Anm. 3. Die eigentümliche Form der 3. pers. plur. ift — nt (= lateinifch amant). Unregelmäßig ift, daß Notker und andere fpätere Denkmäler diefe Endungsform auch der 2. pers. plur. mitteilen, und nicht blos im præs. ind., fondern auch in den drei anderen Formen, fowie im Imperativ. Statt nëmat, nëmêt fagen fie: nëment, nëmênt. Noch unregelmäßiger ift, wenn durch diefes eingefchobene n das fchließende t verdrängt wird: ir vunton ftatt ir vuntut.

Anm. 4. Die 2. pers. sing. impf. ind. follte nach der Analogie des Gothifchen und der Verba præteritopræsentia (f. §. 20) endigen auf t: du namt, gabt, treipt; ftatt deffen ift im Ahd. konjunktivifche Flexion i nebft dem Wurzelvokal des Konjunktivs herrfchend geworden: du nâmi, gâbi, tripi.

Anm. 5. Beide Partizipia werden ſtark und fchwach dekliniert, wie das Adjektiv: Part. præs. ſtark nĕmantêr, nĕmantu, nĕmantaz, unflektirt meiſt nĕmanti; fchwach nĕmanto, nĕmanta, nĕmanta. Dem Part. præt. wird gern **ga— ka—gi—ki—** vorgeſetzt, welches den paſſiviſchen und perfektiſchen Sinn kennzeichnet.

§. 15. Schwache Konjugation.

Die Verba der fchwachen Konjugation ſind abgeleitete; zwifchen der Wurzel und der Flexion befindet ſich in der Regel der Ableitungsvokal, der entweder i oder ô oder ê iſt; er kann jedoch auch ausfallen. Nach den Ableitungsvokalen werden die fchwachen Verba in drei Klaffen eingetheilt: I. Ableitungsvokal i, vor Vokal j: ner-j-an, brennan (für brenn-j-an); sendan (für send-j-an). II. Ableitungsvokal ô: salpôn (für salp-ô-an); III. Ableitungsvokal ê: hapên (für hap-ê-an).

§. 16. Erſte fchwache Konjugation.

Ableitungsvokal i, j. Hier iſt zu unterfcheiden zwifchen folchen, deren Wurzel urfprünglich kurz iſt, und zwifchen folchen, deren Wurzel urfprünglich lang iſt, fei es durch langen Vokal oder durch Poſition.

1. Kurzfilbige Verba der I. fchwachen Konj. behalten das Ableitungs i oder j überall bei, außer wo die Flexion mit i anfängt; fie laffen es alfo regelmäßig nur ausfallen in der 2. und 3. pers. præs. ind.

Indikativ.

Präs.	sing.	ner-j-u	ner-is	ner-it
	plur.	ner-j-amês	ner-j-at	ner-j-ant.
Impf.	sing.	ner-i-ta	ner-i-tôs	ner-i-ta
	plur.	ner-i-tumês	ner-i-tut	ner-i-tun.

Konjunktiv.

Präs.	sing.	ner-j-e	ner-j-ês	ner-j-e
		ner-j-êmês	ner-j-êt	ner-j-ên.
Impf.	sing.	ner-i-ti	ner-i-tîs	ner-i-ti
		ner-i-tîmês	ner-i-tît	ner-i-tîn.

Imper. ner-i, ner-j-at.

Inf. ner-j-an. Part. præs. ner-j-ant, præt. ner-it.

Anm. 1. Wo das Ableitungs-i zu j wird, kann es mit dem vorhergehenden Konfonanten affimiliert werden: nerju — nerru; zelju — zellu; retju — rettu; scutju — scuttu, quelju — quellu. Der doppelte Konfonanz bleibt dann überall, vo j geblieben wäre: nerramês, nerrat, nerrant. Wo aber j durch

die Flexion ausgefallen wäre (vor i), fällt auch der es erfetzende Konfonant
aus, die Konfonanz wird wieder einfach: neris, nerit. Im Imperf. bleibt i:
nerita, zelita, scutita. Durch folche Formen fcheiden fich diefe Verba prin-
zipiell von den eigentlich langfilbigen, obgleich manche von ihnen auch mit
den letztern fich vermengen, f. unten Anm. 2.

Anm. 2. Langfilbige Verba der I. fchwachen Konj. werfen das Ableitungs-i meift aus: sendjan — sendan, brennjan — brennan. Dieß hat für
das Impf. folgende Wirkungen: a) das e der Wurzel wird wieder zu a, aus
dem es entftanden ift, d. h. es erfährt *Rückumlaut*: prennu—pranta; sendu-
santa; arkennu—arkanta; nennu—nannta. Doch kann i auch bleiben, befonders im Imperfekt: prennita, sendita, arkennita. b) vor der Endung —ta, tôs etc.
wird die geminierte Konfonanz einfach: pranta, arkanta, nanta. c) fchließt
die Wurzel mit ld, lt, nd, nt, rd, rt, ft, st, ht, fo fällt vor -ta, -tôs etc.
das wurzelhafte d oder t meift weg: santa, antwurta (neben antwurtita); hin-
gegen einfaches d, t bleiben: wâtu, wât-ta. Paradigma:

Indikativ.

Präs. sing.	send-u	send-is	send-it
	send-amês	send-at	send-ant.
Impf. sing.	san-ta	san-tôs	san-ta
	sant-umês	san-tut	san-tun.

Konjunktiv.

Präs. sing.	send-e	send-ês	send-e
	send-êmês	send-êt	send-ên.
Impf. sing.	san-ti	san-tîs	san-ti
	sant-îmês	san-tît	san-tîn.

Imper. send-i, send-at.
Inf. send-an. Part. præs. send-ant, præt. send-it, san-t.

Anm. 1. Daß i oder j auch bleiben kann, wurde fchon oben bemerkt:
sendita; befonders bleibt es gern im Part. præt.: sendit, prennit, wogegen
sant, prant felten erfcheinen.

Anm. 2. Manche urfprünglich kurzfilbige Verba, die durch Affimilation
und Verdopplung der Konfonanz lang geworden fing, werden mit den urfprünglich langfilbigen vermifcht und wie diefe konjugiert (mit Ausfall des
Ableitungs-i und mit Rückumlaut in der Wurzel), fo daß alfo die Konj. von
nerru, zellu zufammenfällt mit der von sendu, prennu: zellu; zellis; zellit;
impf. zalta für zalita; ratta für retita etc. Diefes Hinüberfchwanken kurzfil-
biger Verba in die Art der langfilbigen nimmt allmählig fehr überhand.

§. 17. Zweite fchwache Conjugation.

Der Ableitungsvokal ô fällt in der Regel nicht aus. Dagegen wird der Flexionsvokal, wenn er unmittelbar auf ô folgt,

meiſt von dieſem verdrängt: ſtatt salp-ô-an — salp-ô-n. Dieß
findet beſonders im ganzen Præs. ind. ſtatt: salpôs, salpôt,
salpômês etc. für salp-ô-is, salp-ô-it, salp-ô-amês etc. Eine
Eigentümlichkeit der II. und III. ſchwachen Konj. iſt, daß
die 1. Person sing. præs. ind. auf m auslautet, welches jedoch
nicht nur zu n verdünnt, ſondern auch abgeworfen werden kann.

Indikativ.

Präſ.	sing.	salp-ôm	salp-ôs	salp-ôt
	plur.	salp-ômes	salp-ôt	salp-ônt.
Impf.	sing.	salp-ô-ta	salp-ô-tôs	salp-ô-ta
	plur.	salp-ô-tumes	salp-ô-tut	salp-ô-tun.

Konjunktiv.

Präſ.	sing.	salp-ô-e	salp-ô-ês	salp-ô-e
	plur.	salp-ô-êmês	salp-ô-êt	salp-ô-ên.
Impf.	sing.	salp-ô-ti	salp-ô-tîs	salp-ô-ti
	plur.	salp-ô-tîmês	salp-ô-tît	salp-ô-tîn.

Imper. salp-ô, salp-ôt.

Inf. salp-ôn. Part. præs. salp-ônt, præt. salp-ôt.

Anm. 1. Auch im præs. conj. wird das karakteriſche e der Flexion
nur von einigen Denkmälern, wie Kero und Notker, beibehalten, von andern
z. B. von Otfried und Tatian abgeworfen: salpô, salpôs, salpô, salpômês,
salpôt, salpôn.

Anm. 3. Einige Verba ſchwanken zwiſchen der I. und II. ſchwachen
Konj., z. B. zeinan und zeinôn.

§. 18. Dritte ſchwache Konjugation.

Der Ableitungsvokal ê, entstanden aus älterem ái, ei, läßt
ſich nirgends verdrängen, verdrängt vielmehr meiſt den Flexionsvokal, wenn dieſer unmittelbar auf ihn folgen ſollte: ſtatt
hap-ê-an — hap-ê-n etc.

Indikativ.

Präſ.	sing.	hap-êm	hap-ês	hap-êt
	plur.	hap-êmes	hap-êt	hap-ênt.
Impf.	sing.	hap-ê-ta	hap-ê-tôs	hap-ê-ta
	plur.	hap-ê-tumês	hap-ê-tut	hap-ê-tun.

Konjunktiv.

Präſ.	sing.	hap-ê-e	hap-ê-ês	hap-ê-e
	plur.	hap-ê-êmês	hap-ê-êt	háp-ê-ên.
Impf.	sing.	hap-ê-ti	hap-ê-tîs	hap-ê-ti
	plur.	hap-ê-tîmês	hap-ê-tît	hap-ê-tîn.

Imper. hap-ê, hap-êt.

Inf. hap-ên. Part. præs. hap-ênt, præt. hap-êt.

Anm. 1. Auch im præs. conj. wird der Flexionsvokal meist durch das Ableitungs —ê verdrängt, alfo hapê, hapês, hapê, hapêmês etc.

Anm. 2. Einige Verba fchwanken zwifchen der III. und I. Konj. sagên und sagjan, segjan (seggen); hapên und hapjan, hepjan; einige zwifchen der III., II. und I. dolên, dolôn, doljan, daneben noch dultjan, dultan.

Unregelmäßige Verba.

§. 19. Das Hilfszeitwort sîn, wësan.

Die Formen diefes Verbums find aus drei oder vier verschiedenen Stæmmen zufammengewachfen:

1) aus dem Stamme bim, pim: Ind. præs. sing. 1. pers. pim, pin; 2. p. pist; plur. 1. pers. pirumês, 2. p. pirut, bei Notker pirent, pirnt, pint. Imper. sing. pis, plur. pirut.

2) aus dem Stamme im? Ind. præs. sing. 3. p. ist. Oder ift diefes auch zu dem Stamme pim zu rechnen?

3) aus dem Stamme sîn: Inf. sîn. Ind. præs. plur. 3. p. sind, sint. Conj. præs. sî, sîs, sî, sîmês, sît, sîn. Imper. plur. auch sît.

4) aus dem Stamme wësan: Ind. impf. was, wâri, was, wârumês, wârut, wârun. Conj. impf. wâri, wârîs, wâri, wârîmês, wârît, warîn. Imp. sing. auch wis (wëse), plur. auch wësat. Inf. wësan.

Das Zeitwort wësan hat im Präs. ind. und conj. die konkrete Bedeutung = maneo, ich bleibe. Der Inf. wësan wird in der Bedeutung = esse neben dem älteren und gewöhnlicheren sîn gebraucht.

§. 20. Verba præteritopræsentia.

Eine Anzahl Zeitwörter ift dadurch unregelmäßig, daß fie gänzlich der eigentlichen Präfensform ermangelt. Die Bedeutung des Präfens wird durch die Form eines ftarken Imperfekts ausgedrückt, daher diefe Verba præteritopræsentia genannt werden. Für die Bedeutung des Imperfekts bilden fie ein neues Imperfekt nach fchwacher Form.

1) unnan, gaunnan, gunnan (günftig fein, gönnen, gewähren). Ind. præs. sing. an, anst, an; plur. unnumês, unnut, unnun. Impf. onda (Nebenform onsta), ondôs, onda, ondumês, ondut, ondun. Conj. præs. unni, unnîs, unni, unnîmês etc.

Impf. ondi (Nebenform onsti), ondîs, ondi, ondîmês etc. So
gehen auch die Composita: gaunnan und arpunnan (beneiden).
Ferner kunnan, chunnan (kennen, verſtehen, novisse), præs.
kan, impf. kunda, konda (konsta). Ferner inkunnan (anklagen).
Aus dem regelmäßigen ſtarken Verbum biginnan, impf. bigan
entſteht ebenfalls ein anomales Verbum: præs. -bigan, impf. bi-
gunda, bigonda (bigonsta).

2) durfan (bedürfen, opus habere). Ind. præs. darf, darft,
darf; durfumes, durfut, durfun. Impf. dorfta (durfta?). Conj.
præs. durfi u. ſ. w.

3) turran, gáturran (den Muth haben, wagen, dürfen). Ind.
præs. tar, tarst, tar; turrumês, turrut, turrun. Impf. torsta.
Conj. præs. turri, impf. torsti.

4) sculan, scolan, suln (follen, wollen). Ind. præs. scal
(scol, Notker sol), scalt, scal; sculumês, sculut, sculun. Impf.
scolta. Konj. præs. sculi, impf. scolti.

5) magan, Nebenform mugan (vermögen, können). Ind.
præs. mak, maht, mak, magumês (mugumês), magut (mugut),
magun (mugun). Impf. mahta und mohta. Konj. præs. megi,
auch mugi, muge. Impf. mahti und mohti. Part. præs. magant
und mugant.

6) wizan, wizzan.(wiſſen, kennen). Ind. præs. weiz, weist,
weiz; wizumês, wizut, wîzun. Imp. wissa (Nebenformen wista,
wësta, wëssa). Konj. præs. wizi, wizîs etc.; impf. wisti. Imper.
wize, wizit. Part. præs. wizant, præt. wizan.

7) eigan (beſitzen, haben). Die Konjugation iſt unvoll-
ſtändig. Ind. præs. sing. 2. p. eigist; plur. eigumês, eigut,
eigun. Conj. præs. sing. 2. p. eigîst, 3. p. eigi; plur. eigîmês,
eigît, eigîn. Das Impf. mangelt.

8) tugan? Es ist nur die 3. p. gebräuchlich: Ind. præs.
sing. touk (es taugt), plur. tugun. Impf. tohta, tohtun. Conj.
præs. tugi, plur. tugîn?, impf. tohti, plur. tohtîn?

9) muozan (müſſen, follen, dürfen). Ind. præs. muoz,
muost, muoz; muozumês, muozut, muozun. Impf. muosa und
muosta. Conj. præs. muozi; impf. muosi und muosti.

Anm. 1. Von dieſen Verben gehören an, kan, darf, tar der I. Ablautreihe an, scal weſentlich der II., mak weſentlich der III., weiz und eigan
weſentlich der IV., touk der V., mouz der VI. Ablautreihe.

Anm. 2. Diefe Verba haben in der 2. pers. impf. ind. weder die kon-
junktiviſche Endung i noch den Ablaut des Plural (warf—wurfi), fondern fie
haben die urſprüngliche (und goth.) Endung aller ſtarken Verba in der 2. pers.
impf. ind. auf t und den Ablaut des Singular: darf—darft.

§. 21. Weitere unregelmäßige Verba.

1) wĕllan (wollen). Das Prǽf. ift eigentlich ein ftarke*
impf. conj. (alfo auch Præteritum für Præsens, zugleich aber
Konjunktiv für Indik.): wili, wilîs, wili, wilîmês, wilît, wilîn.
Da aber diefer Konjunktiv in indikativifcher Bedeutung gebraucht wird, fo wurden jene Formen gröstenteils vergeffen
und teils Indikativformen, teils fchwankende und unregelmäßige
dafür angenommen; faft jedes Denkmal hat dabei etwas eigenes.

Indikativ.

Præs. sing. 1. wili, wile, willu, wĕlle, wolle
          2. wilîs, wili, wile, wilt
          3. wili, wĕlle, wilit
   plur. 1. wĕllêmês, wollêmês
          2. wĕllet, wollet
          3. wĕllant, wĕllent, wollent, wĕllen.
Impf. wolta, ganz selten wĕlta.

Konjunktiv.

Præs. sing. 1. wĕlle, wolle
          2. wĕllês, wollês
          3. wĕlle, wolle
   plur. 1. wĕllêmês, wollêmês
          2. wĕllêt, wollêt
          3. wĕllên, wollên.
Impf. wolti, ganz selten wĕlti.
    Imper. plur. wollet.
    Part. præs. wĕllent, wollent.

2) duon, tuon, tuan. Ind. præs. tuom (tuon), tuos (tuois,
tuis, duas), tuot (tuoit, tuit, duat); tuomês, tuot, tuont. Impf
têta, tâti, têta; tâtumês, tâtut, tâtun. Conj. præs. tuoe (tuo,
tuoje), tuoês (tuos, tuojêst), tuoe (tuo, tuoje); tuoêmês, tuoêt,
tuoên. Impf. tâti, tâtîs, tâti; tâtîmês, tâtît, tatîn. Imper. tuo,
tuot. Part. præs. tuoant, tuont; præt. tân, gitân.

3) Die Verba stantan, gangan gehen regelmäßig nach der
VI. und VII. ftarken Konjugation. Daneben exiftiert aber für
Präfens, Inf. und Part. eine verkürzte Form, bei der —nt und
—ng synkopirt ift, und zwar meift doppelter Art: Ind. præs.
stâm, stâs, stât; stâmês, stât, stânt und stêm, stês, stêt, stêmês,
stêt, stênt. Inf. stân und stên. Imper. plur. stât und stêt.
Part. præs. stânt und stênt. Von gangan Ind. præs. gâm, gâs,

gât, gâmês, gât, gânt und gêm, gês, gêt, gêmês, gêt, gênt.
Der Konjunktiv kommt felten vor, z. B. 3. p. plur. stên, gên.

4) bringan. Statt der regelmäßigen Ablautreihe bringu, brank, brungumês, brungan ift häufiger die unregelmäßige Reihe: bringu, brâhta, brâhtumês, braht.

5) denkan. Ind. præs. denku. Impf. dâhta, Part. præt. dâht und denkit.

6) dunkan (dünken). Ind. præs. mih dunkit (mich dünkt). Impf. mih dûhta (mich däuchte). Part. præt. dûht (gedäucht).

7) furahtan, furhtan, forhtan. Ind. præs. furahtu, forahtu, forhtu. Impf. forahta, forhta. Part. præt. furahtit, forhtit, forht.

8) worahan, wurchan, wurkan (wirken, fchaffen). Ind. præs. wurchu und wirchu. Impf. worahta, worhta. Part. præt. wurchit, worht, wurht.

9) Die Verba liggan, bittan, sizzan, heffan, swerran find eigentlich ftarke Verba, aber im Præs. Impf. und Inf. haben fie fchwache Konj. mit Ableitungsvokal i: ligju, bitju, sizju, hefju, swerju. Imper. biti, sizi, hevi (hevjat), sweri. Obgleich nun das i gewöhnlich wegfällt oder affimiliert wird, verhindert es doch in liggan, bittan, sizzan die Brechung des wurzelhaften i in ë, und in heffu, swerru hat es den Umlaut des wurzelhaften a in e verursacht. Das Impf. und das Part. præt. aber lauten ftark: lag, bat, saʒ nach der III. Ablautreihe, huob, swuor nach der VI.

§. 22. Ueber Paffivum und Mittelverb.

Das Paffivum wird im Ahd. durch Umfchreibung ausgedrückt, entweder durch wësan, sîn oder durch wërdan, mit dem Part præt.: giladôt bim oder giladôt wirdu = invitor; giladôt was oder giladôt ward = invitatus sum.

Das Mittelverb (verbum reflexivum, medium) wird bei tranfitiven Verben durch das Pronomen reflexivum ausgedrückt: frewan sih. Dieß gefchieht auch vielfach bei intranfitiven, wo es faft entbehrt werden könnte: weinôn sih (weinen). Das Pronomen reflexivum bei Mittelverben fteht meift im Akkufativ: frewan sih, mîdan sih (fich fcheuen), weinôn sih, klagên sih; doch auch im Dativ: ni forhti thu thir (fürchte dich nicht), borgê dir (hüte dich), und im Genttiv: zilô thîn (beeile dich, eile). Übrigens wird das Aktivum nicht felten auch in medialem und paffivem Sinn gebraucht: varantêr scaz = fahrende Habe für: gefahren werdende H. Umgekehrt hat das Part.

præt. zwar in der Regel paſſiven Sinn: er ist giladôt; aber im Perf. act. wird es auch für aktive Bedeutung gebraucht: ih hapêm giladôt.

§. 23. Über die Tempora.

Die .Form des *Präsens* wird für die Gegenwart, oft auch für die Zukunft gebraucht; mit vorgeſetztem ga, gi auch statt des Perfects.

'Die Form des *Imperfekts* drückt urſprünglich alle Beziehungen der Vergangenheit aus, das Imperfekt, Perfekt, Plusquamperfekt. In den früheſten ahd. Quellen geſchieht dieß durchaus; häufig wird die Vorſilbe ga, gi vor das Impf. geſetzt, um ihm den Sinn des Perf. oder auch des Plusquamperf. zu geben. Dabei aber ſteigen ſeit dem 9. Jahrhundert Spuren von Umſchreibung des Perfekts auf und im 10. haben ſie ſich neben dem einfachen Impf. feſtgeſetzt. Die Umſchreibung geſchieht durch habên (mit dem Plur. von eigan) und durch wësan, beide verbunden mit dem Part. præt. Es ergeben ſich daraus folgende Formen:

für das *Perfekt* a) habên funtan, habês f., habêt f., eigumês funtan, eigut funtan, eigun f. Perf. conj. eigi funtan etc. b) bin quëman etc.

für das *Plusquamperfekt:* a) habêta funtan etc. b) was quëman etc.

Dieſe Umſchreibungen haben dieſelbe Bedeutung wie das heutige Perf. und Plusquamperfekt.

, Das *Futurum* wird im Ahd. erſetzt 1) meiſt durch das Präfens ind.: findis = du wirſt finden; umſchreibend: ist bërantu = iſt gebärend = gebiert oder wird gebären. 2) durch Umſchreibung mit scal, scôl, sol und dem Inf.: thu scalt bëran = du wirſt gebären (Otfried). Im Mhd. iſt dieſe Umſchreibung des Futurums allgemein; die Umſchreibung mit werden findet erſt im Nhd. ſtatt. In Niederdeutſchen, Engliſchen und Nordiſchen hat ſich die Umſchreibung durch scal erhalten.

Dritter Abſchnitt.

Das Nomen.

§. 24. Allgemeines über das Nomen.

Zu der Klaſſe des Nomens im weiteren Sinn gehört 1) das Substantiv 2) das Adjektiv 3) das Zahlwort 4) das Pronomen 5) das Adverb, ſofern es aus Subſtantiv, Adjektiv, Zahlwort und Pronomen entſtanden iſt.

Sämmtliche Nomina, mit Ausnahme der Adverbia, können dekliniert werden. Die ahd. Deklination hat zwei Numerus: Singularis und Pluralis; von einem Dualis findet ſich im Ahd. nur noch eine Spur beim Pronomen. Ferner hat die ahd. Deklination fünf Kaſus: Nominativ, Genitiv, Dativ, Accuſativ, Inſtrumentalis (= Ablativ). Der Inſtr. beſteht aber nur noch bruchſtückweiſe, nicht mehr für den Plural, nicht mehr für das Femininum, alſo nur noch für den Singular masc. und neutr.; er geht während der ahd. Zeit unter. Der Vokativ wird durch den Nominativ erſetzt.

Die ahd. Deklination ſcheidet ſich in ſtarke und ſchwache. Die Kennzeichen der ſtarken Deklination ſind: beim ſtarken masc. und neutr. endigt der gen. sing. auf s, der nom. plur. auf Vokale (â, í, o, u), wenn nicht die Flexion ganz fehlt; beim ſtarken Femininum endigen beide genannten Kaſus auf Vokale. Das Kennzeichen der ſchwachen Deklination iſt die Flexionsendung n in allen Kaſibus mit Ausnahme des nom. sing. und beim neutrum auch mit Ausnahme des acc. sing. Die Flexionsendungen der ſtarken Deklination ſind alſo weſentlich vokaliſcher Natur, die der ſchwachen konſonantiſcher.

A. Das Substantiv.

§. 25. Allgemeines über die Deklination des ſtarken Subſtantivs.

Nach den Vokalen, die der Flexion des ſtarken Subſtantivs zu Grunde liegen und die ſich beſonders noch im Goth. erkennen laſſen, kann die ſtarke Deklination dreifach abgeteilt werden I) Deklination mit dem Grundvokal a. II) Dekl. mit dem Grundvokal i. III) Dekl. mit dem Grundvokal u. Die Deklination mit a findet ſich beim ſtarken masc., fem. und neutr., die Deklination mit i nur beim masc. und fem., die Deklination mit u nur beim masc. und neutr.

§. 26. Deklination des ſtarken Maskulinums.

		I. Dekl. mit a.	II. Dekl. mit i.	III. Dekl. mit u.
Sing.	Nom.	tak	gast	sun-u
	Gen.	tag-es	gast-es	sun-es
	Dat.	tag-a	gast-a	sun-ju
	Acc.	tak	gast	sun-u
	Inſtr.	tag-û	gast-û	sun-jû
Plur.	Nom.	tag-â	gest-i	sun-i
	Gen.	tag-ô	gest-jô	sun-jô
	Dat.	tag-um	gest-im	sun-im
	Akk.	tag-â	gest-i	sun-i

Anmerkungen.

1) Die Länge oder Kürze der Flexionsvokale iſt nicht immer ſicher, im obigen iſt ſie meiſt nach Analogie des Gothiſchen angenommen. Jedenfalls ſchwanken im Verlaufe der Zeit einige urſprünglich lange Flexionsvokale in die Kürze. Über die Abſchwächung von **u** in **o**, von **a, i, u, o,** in **e** von **m** in **n** gelten bei der Dekl. dieſelben Geſetze wie bei der Konj.; vergl. §. 1, über **e** und §. 14, Anm. 1 und 2.

2) Zur I. Dekl. Der Acc. sing. I. decl. muß urſprünglich die Endung —an gehabt haben, welche ſich zuweilen noch findet, z. B. gotan, truhtinan, mannan, vataran und bei allen Eigennamen: Hludwîgan etc. Vergl. auch plintan und inan.

3) Zur I. Dekl. gehören auch viele Subſtantiva, welche im Nom ſing auf —i endigen. Dieſes **i** iſt Bildungsvokal und hat mit der Flexion nichts zu ſchaffen; es hält ſich gewöhnlich nur im Nom. und Acc. ſing., in den andern Caſibus fällt es aus, ſo daß die Deklinatiou lautet: ſing. nom. hirti, gen. hirtes, dat. hirta, acc. hirti, instr. hirtû; plur. nom. hirtâ, gen. hirtô, dat. hirtum, acc. hirtâ. Für nom. und acc. plur. findet ſich auch die Form hirti, für dat. plur. hirtin; in dieſen Fällen iſt der Flexionsvokal durch den Bildungsvokal **i** verdrängt.

4) Zur I. und II. Dekl. Wenn die Wörter der II. Dekl. den Wurzelvokal a haben, ſo laſſen ſie ihn im Plur. umlauten: geſti, belgi, esti etc. Bei den Wörtern der I. Dekl. iſt dieß natürlich nicht der Fall, ein Unterſchied, der ſich auch im Nhd. erhalten hat: Tage, Arme — Gäſte, Bälge, Aeſte.

5) Zur II. und III. Dekl. Für gastjo Nebenform gestëô, gestô; ebenſo für sunjo—sunëô, sunô.

6) Zur III. Dekl. Das Flexions — **u** im nom. und acc. ſing. geht zwar zunächſt in **o** über: suno, sigo, fällt aber auch in einigen Denkmälern ſchon ganz weg: sun, sig. Überhaupt hat ſich dieſe Deklination nicht mehr rein erhalten und iſt im Untergang begriffen. Schon im dat. ſing. tritt ein j ein und im plur. iſt **u** ganz verdrängt und die Formen der II. Dekl. ſind vollſtändig dafür eingetreten: suni, sunjo, sunim, suni. Aber Spuren des urſprünglichen **u** ſind noch nachzuweiſen: situ als acc. plur., ebenſo fuagu von fuaʒ, das ſonſt nach der I. Dekl. geht.

§. 27. Deklination des ftarken Femininums.

Es exiftieren im Ahd. nur noch die I. Dekl. mit dem
Grundvokal a und die II. mit dem Grundvokal i; die III. mit
u hat fich mit der II. vermifcht, doch laffen fich noch Spuren
von ihr auffinden z. B. hantum als dat. plur. von hant.

		I. Dekl. mit a.	II. Dekl. mit i.
Sing.	Nom.	gëb-a	kraft
	Gen.	gëb-ô(â)	kreft-i
	Dat.	gëb-ô(u)	kreft-i
	Acc.	gëb-a	kraft
Plur.	Nom.	gëb-ô(â)	kreft-i
	Gen.	gëb-ônô	kreft-jô (ëo, ô)
	Dat.	gëb-ôm	kreft-im
	Acc.	gëb-ô(â)	kreft-i

Anmerkungen.

1) Zur I. Dekl. Die nicht in Klammern eingefchloffene Flexion hält
Grimm für die ältefte; fie ift aber felten beobachtet und meift treten die bei-
gefügten Nebenformen für fie ein.

2) Zur I. Dekl. Der gen. plur. gëbônô (abgefchwächt gëbôn) gehört
eigentlich der fchwachen Dekl. an, die fich hier eingedrängt hat. Die ftarke
Form würde gëbô lauten und es finden fich noch Spuren von ihr.

3) Zur I. Dekl. Hierher gehören auch die Wörter, welche zwifchen
der Wurzel und der Flexion den Bildungsvokal i (j, ë) eingefchoben haben:
sundja, sippja (sippëa), gundja (gundëa, gûdea). Oft ift diefes Bildungs —i
fchon im Ahd. ausgefallen.

4) Zur II. Dekl. Diefe hat viele Aehnlichkeit mit der II. mafc.: a)
nom. und acc. sing. haben keine Flexion b) der Wurzelvokal, wenn er a ift,
leidet Umlaut, hier fchon im sing. c) der ganze plur. fem. ift gleich dem plur.
mafc. — Diefer Verwandfchaft entfpricht es auch, daß manche Wörter zwifchen mafc. und fem. der II. Dekl. fchwanken.

§. 28. Deklination des ftarken Neutrums.

Hier exiftieren nur noch die I. Dekl. mit dem Grundvokal
a und die III. mit u; die II. mit i fehlt; fie hat fich mit der
I. vermifcht.

		I. Dekl. mit a.	III. Dekl. mit u.
Sing.	Nom.	wort	vih-u
	Gen.	wort-es	vih-es
	Dat.	wort-a	vih-ju
	Acc.	wort	vih-u
	Instr.	wort-û	vih-jû

Plur.	Nom.	wort	vih-u(ju)
	Gen.	wort-ô	vih-jô(ëo)
	Dat.	wort-um	vih-im
	Acc.	wort	vih-u(ju)

Anmerkungen.

1) Zur I. Dekl. Hierher gehören auch folche Wörter, welche nach der Wurzel den Bildungsvokal **i** haben. Im nom. und acc. sing. und plur. fchließt · diefes **i** das Wort, in den andern Cafibus fällt es meift aus. Paradigma:

Sing. nom. kunn—i
      gen. kunn—jes, kunn—es
      dat. kunn—je, kunn—e
      acc. kunn—i
      instr. kunn—jû, kunn—û
Plur. nom. kunn—i,
      gen. kunn—jô, kunn—ëô, kunn—ô
      dat. kunn—um
      acc. kunn—i.

Nom. und acc. plur. haben bei Tatian oft die Endung —ju, —u: kunnju, kunnu. Es fcheint, daß diefe Endung urfprünglich die normale war und daß fie erft im Verlauf der Zeit abgelegt wnrde.

3) Zur I. Dekl. Gewiffe ftarke Neutra fchieben im Plural die Bildungsfilbe —ir nach der Wurzel ein: grap—grebir, grebirô, grebirum, grebir. So auch krûtir, hûsir (oder kriuter, hiuser nach §. 3 und 4), holzir, bandir (bendir), bletir, hârir. Diefe Silbe ift urfprünglich nur Bildungsmittel und der Deklination wefentlich fremd. Daneben befteht auch noch der gewöhnliche Plural. Im Mhd. und Nhd. breitet fich die Silbe —ir, —er noch weiter aus: Kinder, Weiber, Dinger, Wörter, felbft auf Masculina: Götter, Geifter.

3) Zur III. Dekl. gehören nur zwei Wörter: vihu, viho und witu, wito (Holz). Die Dekl. kommt der von sunu nahe, ift aber nicht mehr in allen Formen belegbar und im Abfterben begriffen.

§. 29. Allgemeines über die Deklination des fchwachen Subftantivs.

Jedes der drei Gefchlechter hat nur Eine Deklination; beim Masc. und Neutr. sing. herrfcht die Flexion -in (en) vor, beim Fem. -ûn (un, on, en). Der Plural ift in allen drei Gefchlechtern gleich.

§. 30. Deklination des fchwachen Masculinums.

Sing.	Nom.	has-o	Plur.	Nom.	has-un
	Gen.	has-in		Gen.	has-ônô(ôn)
	Dat.	has-in		Dat.	has-ôm(ôn)
	Acc.	has-un		Acc.	has-un.

Anmerkungen.

1) Das i der Flexion erzeugt keinen Umlaut, es hat vielleicht urſprünglich a gelautet.

2) Die Wörter mit dem Bildungs —i (j, ë) verlieren dieſes in den ſpäteren Denkmälern: willjo, willëo, willo.

§. 31. Deklination des ſchwachen Femininums.

Sing.	Nom.	zung-a	Plur.	Nom.	zung-ûn
	Gen.	zung-ûʟ		Gen.	zung-ônô(ôn)
	Dat.	zung-ûn		Dat.	zung-ôm(ôn)
	Acc.	zung-ûn		Acc.	zung-ûn

Anmerkungen.

1) Einzelne Feminina ſchwanken zwiſchen ſchwacher und ſtarkerFlexion; ſo findet ſich zungô als dat. sing.

2) Auch hier haben manche Wörter ein Bildungs-i (j, ë) zwiſchen Wurzel und Flexion, welches aber bald wegfällt: redja, reda.

3) Über eine Anzahl Feminina auf i (în), welche urſprünglich konſonantiſche, alſo ſchwache Dekl. gehabt zu haben ſcheinen, ſ. unregelmäßige Hauptwörter §. 34.

§. 32. Deklination des ſchwachen Neutrums.

Sing.	Nom.	hërz-a	Plur.	Nom.	hërz-ûn
	Gen.	hërz-in		Gen.	hërz-ônô(ôn)
	Dat.	hërz-in		Dat.	hërz-ôm(ôn)
	Acc.	hërz-a		Acc.	hërz-ûn

Anm. Nur 3 Wörter gehören dieſer Dekl. an: hërza, ouga, ôra, und dieſe zeigen zuweilen auch ſtarke Flexionsformen.

§. 33. Deklination der Eigennamen.

Die Dekl. der Eigennamen läßt ſich nicht in allen Formen belegen und muß alſo zum Teil nach Analogieen vermutet werden. Auch die Eigennamen werden entweder ſtark oder ſchwach dekliniert.

Für das ſtarke Masculinum gilt folgendes Paradigma: nom. Hludwîg, gen. Hludwîges, dat. Hludwîge, acc. Hludwîgan und Hludwîg. Die ſtarken Völkernamen, wie Swâb, Alaman, Langbard, During, gehen ebenſo, und im Plural: Swâbâ, Swâbô, Swâbum, Swâbâ. Ebenſo Hûni, gen. Hûn(j)es, gen. plur. Hunjô, Hûnëô. Ebenſo manche fremde Namen: Petrus, Petruſes, bei welchen jedoch die fremde (lateiniſche) Endung auch oft wegfällt: Krist, Kristes.

Für das ftarke Femininum ift als Norm zu vermuten: nom. Rôma, gen. Rômô(â), dat. Rômô(u), acc. Rôma.

Vom ftarken Neutrum zeigt fich eine Flexion nur im gen. z. B. Bethlêmes.

Für das fchwache Maskulinum: nom. Brûno, gen. Brûnin, dat. Brûnin, acc. Brûnun. Ebenfo gehen die fchwachen Völkernamen Franko, Sahso, Judëo (Judo): sing. Franko, Frankin, Frankin, Frankun; plur. Frankun, Frankônô, Frankôm, Frankun.

Für das fchwache Femininum: nom. Maria, Marja, gen. Marjûn, dat. Marjûn. acc. Marjûn.

§. 34. Unregelmäßigkeiten in der Deklination der Hauptwörter.

Die Unregelmäßigkeiten laffen fich im Wefentlichen auf zwei Erfcheinungen zurückführen 1) manche — fehr gebräuchliche — Wörter haben die Flexionszeichen verloren, 2) ftarke und fchwache Formen mifchen fich. Es können auch wohl beide Erfcheinungen zufammentreffen.

1) vatar, bruodar, muotar, swëstar, laffen im Sing. gewöhnlich die Flexion wegfallen. Nur vatar behält fie auch bei: vateres, vatere, vateran. Der Plural von vatar, bruodar, muotar, swëstar hat entweder ftarke Flexion nach dem Paradigma tag oder fehlt die Flexion. Der Plural von tohtar weist ftarke und fchwache Formen auf, z. B. nom. plur. tohterâ und tohterûn.

2) man, gen. mannes, man; dat. manne, man; acc. mannan, man. Plur. nom. man; gen. mannô; dat. mannum, mannin, mannen; acc. man.

3) naht und burg find ftarke Feminina, gehen nach kraft, laffen aber die Flexionsendung -i auch wegfallen. Überdieß hat naht im gen. sing. neben nahti, naht auch nahtes.

4) Wörter auf î und în.

a) Eine bedeutende Anzahl von Hauptwörtern auf î ift aus Adjektiven gebildet und weiblichen Gefchlechts. Nach der Analogie des goth. managei, manageins, managein, plur. manageins, manageinô, manageim, manageins wäre für das Ahd. als normale Flexion zu vermuten: managî, managîn und fofort, alfo konfonantifche und fchwache Flexion. Es findet aber eine doppelte Abweichung ftatt und wir können darnach diefe Feminina in 2 Gruppen teilen. Die erfte Gruppe läßt das n ganz wegfallen und führt die Endung î durch alle Cafus durch, wird alfo fcheinbar ftark. Die zweite Gruppe hat neben diefer Flexion auf î noch eine andere, in welcher die Endung n beibehalten und fogar in den nom. sing. eingeführt ift; doch ift die Flexion î auch bei diefer Gruppe häufiger, befonders im Sing.

		1. Gruppe.	2. Gruppe.	
Sing.	nom.	guatî	managî	managîn
	gen.	guatî	managî	managîn
	dat.	guatî	managî	managîn
	acc.	guatî	managî	managîn
Plur.	nom.	guatî	managî	managîn (auch -ina)
	gen.	?	?	managînô
	dat.	guatim (in)	managim (in)	managim (auch -inum)
	acc.	guatî	managî	managin (auch -ina)

Zur erften Gruppe gehören z. B. guatî, altî, huldî, miltî, reinî, rihtî, girihtî, slihtî, fruotî, suozi, ziarî, unkiuskî u. a. a. Zur zweiten: managî und managîn; kaltî und kaltîn; sterkî und sterkîn; scônî und -în; guollîchî und -în; feftî und -în; witî und -în; lentî und -în; hôhî, tiufî und vielleicht auch hôhîn, tiufîn.

b) Einige Feminina find aus masc. Hauptwörtern entftanden, haben nur -îa und gehen nach managîn. So kuningîn, esilîn, henîn, lewîn, forasagîn. Daneben exiftieren aber auch die ftarken Feminina I. decl. kuninginna (-ina), esilinna, heninna, lewina.

c) Einige Feminina find aus fchwachen Verben entftanden, haben vorzugsweife î, felten în. Daneben exiftieren aber auch andere Formen mit regelmäßiger Flexion: fo toufî, daneben toufîn, toufa und touf; galoubî, galoubîn, galouba und galoubo; mendî und mendîn.

d) Die ahd. Deminutiva endigen meift auf ili (ilî?): kindili, landili, bahhili, steinili, bruftili, hûsili, ougili von kind, land, bach, ftein, bruft, ouga. Sie haben die Flexion des ftarken Neutrums, fügen jedoch in den obliquen Cafibus ein -n ein und deklinieren alfo: sing. kindili, kindilines, kindiline, kindili; plur. kindili, kindilinô, kindilinum, kindili.

B. Das Adjektiv.

§. 35. Allgemeines über die Deklination des Adjektivs.

Jedes Adjektiv kann ftark und fchwach, uud kann als masculinum, femininum und neutrum dekliniert werden. Es giebt im Ahd. nur noch Eine ftarke Dekl. des Adjektivs, fie hat einige Aehnlichkeit mit der I. ſtarken Dekl. des Subſtantivs. Noch mehr ſtimmt die ſchwache Dekl. des Adjectivs mit der des ſchwachen Subſtantivs überein. Daß ein Teil der Adjektiva zwiſchen Wurzel und Flexion den Bildungsvokal i (j) einſchiebt, hat auf die eigentliche Flexion keinen Einfluß; es ſchreibt sich aber wohl von dieſen Adjektiven her, daß auch bei allen andern im nom. sing. fem. und im nom. und acc. plur. neutr. neben der Form u die Form ju oder iu vorkommt und ſogar vorherrſcht.

§. 36. Deklination des ſtarken Adjektivs.

		Masc.	Fem.	Neutr.
Sing.	nom.	plint-êr	plint-u (-ju, -iu)	plint-aʒ
	gen.	plint-es	plint-êrâ	plint-es
	dat.	plint-emu	plint-êru	plint-emu
	acc.	plint-an	plint-a	plint-aʒ
	instr.	plin-tû	—	
Plur.	nom.	plint-ê	plint-ô	plint-u (-ju, -iu)
	gen.	plint-êrô	plint-êrô	plint-êrô
	dat.	plint-êm	plint-êm	plint-êm
	acc.	plint-ê	plint-ô	plint-u (-ju, -iu)

Anmerkungen.

1) Nebenformen: Gen. fem. sing. -ero, auch -eru. Dat. fem. sing. -ero, auch -era. Für plintê auch plintâ: gelîmidâ, arstorbanâ, sînâ u. ſ. f.

2) Die Flexionsendung kann wegfallen im Nom. sing. aller Geſchlechter, ſowie im Acc. sing. neutr., alſo plint ſtatt plintêr, plintju, plintaz.

3) Die Adjektiva mit dem Bildungs —i haben beim Wegfall der Flexionsendung gewöhnlich die Endung i, z. B. miti, mitti für mitjêr, mitju, mitjaz. So skôni, kuoni, kleini, reini, kûski, gemeinî, vremidi u. ſ. w. Selten erhält ſich das i in andern Flexionen, außer in den Formen —ju, —iu.

4) Auch das Part. præt. nimmt beim Wegfall der Flexion ein —i an: gëbanti für gëbantêr, gëbantiu, gëbantaʒ.

§- 37. Deklination des ſchwachen Adjektivs.

Sing.	nom.	plint-o	plint-a	plint-a
	gen.	plint-in	plint-ûn	plint-in
	dat.	plint-in	plint-ûn	plint-in
	acc.	plint-un	plint-ûn	plint-a
Plur.	nom.	plint-un	plint-ûn	plint-ûn
	gen.	plint-ônô	plint-ônô	plint-ônô
	dat.	plint-ôm	plint-ôm	plint-ôm
	acc.	plint-un	plint-ûn	plint-ûn

Anmerkungen.

1) N. fetzt im Dat. plur. aller Gefchlechter blintên.

2) Das Bildungs —i wird meift affimiliert oder ganz weggeworfen: mitjo—mitto; doch exiftirt es auch noch in der Form von ë: mârjo—marëo —mâro.

§. 38. Gebrauch der ftarken und fchwachen Flexion des Adjektivs.

Das attributive Adjektiv wird gewöhnlich in fchwacher Form gefetzt, wenn es von dem beftimmten Artikel begleitet ift: der mahtîgo kunink; Ludowîg ther snello. So auch, wenn das Adjektiv fubftantivifch gebraucht wird: der mahtîgo, der guato. Bei Verbindung mehrerer attributiven Adjektive kann jedoch das dem Artikel ferner ftehende auch ftarke Form annehmen. Im Vokativ fteht das Adjektiv in fchwacher Form: chindô liopôstûn! Kot almahtîgo!

Ohne beftimmten Artikel hat das attributive Adjektiv in der Regel ftarke Form: unsar brôt tagalîhhaჳ, ein man altêr. Im Nom. sing. kann die Flexion wegfallen: manag man, manag guot.

Das prädikative Adjektiv hat ftarke und häufig auch vollftändige Flexion; fo Otfried: sîn sun was filu siechêr. Quad funti ganzan sînan sun. Thô ward er ganzêr gâhûn. Gisah druhtin einan man blintan geboranan. Aber die Flexion fällt auch fchon weg: iჳ was filu skôni.

§. 39. Steigerung des Adjektivs.

Der Komparativ des Adjektivs wird im Ahd. durch Anfügung von -ôr oder -ir an den Stamm gebildet. Die Flexion ift nur fchwach: plintôro, -ôra, -ôra; pittarôro, -ôra, -ôra; altiro, -ira, -ira; hôhiro, -ira, -ira. Wann ôr und wann ir anzuwenden fei, darüber läßt fich keine allgemeine Regel geben. Manche Adjectiva haben beide Formen: jungôro und jungiro; hêrôro und hêriro, hêrero, zufammengezogen herro.

Der Superlativ wird durch Anfügung von -ôst oder -ist gebildet. Die Flexion ift ftark und fchwach: plintôstêr, -u, -aჳ; plintôsto, -a, -a; altistêr, mârister etc. Einige fchwanken zwifchen -ôst und -ist: hartôstêr und hartistêr; hôhôstêr und hôhistêr. — Nach einem gen. plur. zieht der Superlativ fchwache Form vor: mannô miltisto, herjô meista.

Anm. 1. Das **i** in —ir und —ist kann Umlaut (des kurzen **a** in der Wurzel bewirken: alt, eltir, eltist. Das **ô** in —ôr und —ôst kann von dem folgenden Flexionsvokal affimiliert werden: plintôra—plintara.

Anm. 2. Unregelmäßig ift die Steigerung in dem Adjectivum mihil, mêr, meist; in dem Adverbium vilu, mêr, meist; in dem Adj. guot, bezir, bezist (best); Adv. wëla, baz, bezist; in dem Adj. luzil, minnir (adv. min), minnist.

C. Das Zahlwort.

§. 40. Cardinalzahlen.

Die Cardinalzahlen deklinieren entweder ftark oder gar nicht. Nur ein läßt auch fchwache Formen zu.

Die Zahlwörter von 1—10 find einfach gebildet, die folgenden durch Zufammenfetzung.

1. einêr, einu (einiu), einaz dekliniert wie das Adjektivum.

2. zwênê, zwô (zwâ), zwei. Gen. zweiô, adjektivifch zweiêrô. Dat. zweim, zwêm. Akk. wie Nom.

3. driê (drî), driô (driâ), driu. Gen. driô, adjektivifch driêrô. Dat. drim (drin).

4. fior, vior. Flektiert: Nom. und Acc. fiori, fiori, fioru. Gen. fiorzô, fiorô. Dat. fiorim.

5. fimf, finf, auch funf. Flektiert: Nom. und Acc. fimvi, fimvi, fimvju. Gen. finvô. Dat. fimvim.

6. sëhs. Flektiert: Nom. und Acc. sëhsi, sëhsi, sëhsu. Gen. sëhsô. Dat. sëhsim.

7. sibun. Flektiert: Nom. und Acc. sibuni, sibuni, sibunju. Gen. sibunô. Dat. sibunim, sibinim.

8. ahtô. Flektiert: Dat. ahtowen.

9. niun. Flektiert: Nom. und Acc. niuni, niuni, niunju. Gen. niunô.

10. zëhan, auch zëhun, zëhen. Flektiert: Nom. und Acc. zëhani, zëhani, zëhinu (zêniu). Gen. zêenô. Dat. zênen.

11 und 12. Diefe Zahlen werden im Deutfchen nicht durch Zufammenfetzung mit 10 gebildet, wie in den meiften andern Sprachen, fondern durch die Silbe -lif: einlif, zwelif. Flektiert: Nom. und Acc. einlivi. Dat. einlivim. Nom. und Acc. zwelivi. Gen. zwelivô. Dat. zwelivim.

13—19 werden mit zëhan gebildet, z. B. fimfzëhan oder fimfzëhani, auch fimvi zëhani.

20—100 werden mit zug (zog, zig, zeg) gebildet. Zug bedeutet eine Anzahl von 10, griech. δέκας, goth. tigus. Es bleibt meiſt unflektiert, wie auch die vorhergehende Zahl: zweinzug oder zweinzuge, drîzug, viorzug, fimfzug, sëhszug, sîbunzug, ahtozug, niunzug, zëhanzug. Für zëhanzug auch das ſtarke neutr. hunt, einhunt, und das davon abgeleitete hundert. In früherer ahd. Zeit wurden die Zahlen von 70—100 mit zô gebildet, welches wie zug eine Dekade bedeutete: sibunzô, ahtozô, zëhanzô.

200—900 werden mit hunt als ſtarkem Subſtantiv im neutr. plur. gebildet: zweihunt, driuhunt, niunhunt.

1000. thûsund, dûsunt, dûsint. Flektiert: Nom. und Acc. dûsunta. Dat. dûsonton und dûsuntin. 2000 = zweidûsunt, 3000 = driudûsunt u. ſ. w.

§. 41. Ordinalzahlen.

Die Ordinalzahlen werden aus den Cardinalzahlen gebildet, mit Ausnahme der Ein- und Zweizahl. Die Ordinalien, mit Ausnahme von andar, deklinieren im Ahd. in der Regel nur ſchwach.

1. êristo, -a, -a. Unflektierter Nom. êrist, auch vurist. Auch ein im Gegenſatz zu andar.

2. andarêr, -ru, -raȝ.

3. dritto, -a, -a. 4. fiordo. 5. fimfto. 6. sëhsto. 7. sîbunto. 8. ahtodo. 9. niunto. 10. zëhanto. 11. einlifto. 12. zwelifto.

13—19. Beide verbundenen Zahlen ſtehen in der Ordinalform: doch wird die erſte, die auf o oder a je nach dem Geſchlecht endigt, nicht weiter dekliniert: dritto zëhanto, fiordo zëhanto; fimftozëhanto; fimftazëhantin jâre.

20—200 werden durch das Superlativſuffix -ôst gebildet: zweinzugôsto, drîzugôsto, fiorzugôsto, fimfzugôsto, sëhszugôsto, sibunzugôsto, ahtozugôsto, niunzugôsto. Der fünfunddreißigſte heißt fimfto drîzugôsto oder drizugôsto fimfto.

Pêdê, pêdô, pêdiu (peidiu) = alle zwei, beide, dekliniert wie ſtarkes Adj. Gen. pêdêrô. Dat. pêdêm.

D. Das Fürwort.

§. 42. Das persönliche Fürwort.

Das perſönliche Fürwort hat drei Perſonen. Die zwei erſten Perſonen (ich, du) haben kein Geſchlecht. Für die dritte Perſon gibt es zweierlei Formen 1) eine reflexive, die ebenfalls ungeſchlechtig iſt; ſie kann keinen Nominativ haben; 2) eine nicht reflexive, die aller Geſchlechter und vollſtändiger Deklination fähig iſt.

Ungeſchlechtiges perſönliches Fürwort.

		1. Perſon	2. Perſon	3. Perſon.
Sing.	Nom.	ih	dû, du	—
	Gen.	mîn	dîn	sîn
	Dat.	mir	dir	—
	Akk.	mih	dih	sih
Plur.	Nom.	wîr, wir	îr, ir	—
	Gen.	unsar	iwar, iuwar	—
	Dat.	uns	iu (ëu)	—
	Akk.	unsih (uns)	iwih, iuwih (iuh, ëuh)	sih

Von Dualformen iſt nur der Gen. unkar belegbar; die andern ſind untergegangen.

Geſchlechtiges perſönliches Fürwort der dritten Perſon.

		Masc.	Fem.	Neutr.
Sing.	Nom.	ir, ër	siu (sia, si)	iz, ëz
	Gen.	—	irâ (irô, iru)	is, ës
	Dat.	imu	iru (irô)	imu
	Akk.	inan, in	sia	iz, ëz
Plur.	Nom.	siê (sê, sî)	siô	siu
	Gen.	irô	irô	irô
	Dat.	im, in	im	im
	Akk.	siê	siô	siu

Anm. 1. Nebenformen: für ër auch hër und hie, dem Niederdeutſchen ſich nähernd. Für im, in (Dat. plur.) auch inen.

Anm. 2. Der Gen. sîn gilt nur für Masc. und Neutrum. Sih iſt blos Akkuſativ; erſt im Nhd. gilt sich auch für den Dativ. Dem reflexiven Pron. 3. pers. mangeln demnach außer dem notwendig fehlenden Nom. im Ahd. folgende Formen: Gen. sing. fem., Gen. plur. aller Geſchlechter, Dat. sing. und plur. aller Geſchlechter. Alle dieſe fehlenden Formen des reflexiven Pron. müſſen erſetzt werden durch die Formen des geſchlechtigen (unreflexiven) Pron. 3. pers.: hapêt in imo bedeutet nicht blos = habet in eo, ſondern auch = habet in se. Sie quâtun unter im = dixerunt intra se. Sie zilôtun irô = ſie beeiferten ſich; dagegen ër zilôta sin = er beeiferte ſich.

Anm. 3. Auch der Gen. sing. masc. von ër fehlt; er wird erfetzt durch sîn, das alfo hier unreflexiv gebraucht wird: odho wir sculim sîn bîdan = oder ob wir ihn erwarten follen. Korôn wolta sîn (ejus) God; magaczogo ward hër sîn (ejus).

Anm. 4. Ein reflexives perfönliches Fürwort ift eigentlich auch selb, selp, mit Flexion ftark selbêr, selbiu, selbaz, fchwach selbo, selba, selba.

§. 43. Das poffeffive Fürwort.

Aus den Gen. sing. des perfönlichen ungefchlechtigen Fürworts mîn, dîn, sîn entftehen die Poffeffiva mînêr, dînêr, sînêr, mit Wegfall der Flexion im Nom. mîn, dîn, sîn. Aus den Gen. plur. unsar, iwar entftehen die Poffeffiva unsarêr, iwarêr (unsar, iwar), wofür auch unsêr (unsu, unsaz) und iwêr (iwu, iwaz). Die Poffeffiva werden adjektivifch gebraucht und dekliniert, aber nur ftark.

§. 44. Über die Poffeffiva der dritten Perfon (fein und ihr).

Vor allem ift feftzuhalten, daß sînêr (sîn) feiner Natur nach reflexiv ift und daß im Ahd. ein anderes Poffeffivum der der 3. Perfon (gleich dem nhd. ihr, ihre, ihr) noch nicht exiftiert. Daraus folgt:

1) In unreflexiven Fällen wird der Poffeffivbegriff der 3. Perfon in der Regel durch die vorhandenen Genitive von ër, siu, iz ausgedrückt (wie im Lateinifchen durch den Gen. von is, ea, id), z. B. ih êrên irâ fatar = colo patrem ejus (filiæ); ih êrên irô fatar = colo patrem eorum, earum. Eine Ausnahme hiervon f. unten 5).

2) Aber auch in den reflexiven Fällen ift sînêr durchaus nicht immer anzuwenden. Es gilt nur für die Singularbeziehung; für die Pluralbeziehung werden wiederum die Genitive gebraucht: suni êrênt irô fatar = filii colunt patrem suum. Laz tôtê bigraban irô tôten = mortuos suos.

3) Aber sînêr gilt nicht einmal für die ganze Singularbeziehung. Es kann fich nur auf ein Masc. und Neutr. sing. zurückbeziehen: der sunu (daz kind) êrêt sînan fatar = filius colit patrem suum. Geht dagegen die Reflexion auf ein Femininum, fo muß wiederum der Gen. (sing. fem.) des unreflexiven perfönlichen Fürworts aushelfen: tohtar êrêt fatar irâ = filia colit patrem suum.

4) Für alle diefe Fälle gebraucht die heutige Sprache ein neues Poffeffiv: ihr, ihre, ihr, das aus dem Genitiv sing. fem.

irâ und aus den Gen. plur. irô entſtanden iſt. Dieſes Poſſeſſiv
kam erſt ſeit dem 13., mehr noch ſeit dem 14. Jahrhundert in
der deutſchen Sprache auf.

5) Während ſinêr nicht für alle. reflexiven Fälle ausreicht,
wo es an ſeinem Platze wäre, wird es dagegen in einem beſtimmten Falle auch unreflexiv gebraucht: ſtatt des fehlenden
Gen. sing. maſc. von ĕr durchaus und ſtatt des Gen. sing. neutr.
is, es, wenn dieſes attributiv bei einem Hauptwort ſtünde: ih
êrên fatar ſînan = colo patrem ejus, eines männlichen oder
neutralen Weſens, eines Kindes.

§. 45. Demonſtratives Fürwort.

Es giebt im Ahd. drei demonſtrative Fürwörter: dĕr (welches zugleich beſtimmter Artikel iſt); dĕsêr und jĕnêr. Ein
viertes hat nur einige Spuren zurückgelaſſen.

1. Demonſtrativ : dêr.

		Maſc.	Fem.	Neutr.
Sing.	Nom.	dĕr	diu	daʒ
	Gen.	dĕs	dĕrâ (dĕrô, dĕru)	dĕs
	Dat.	dĕmu	dĕru (dĕrô, dĕrâ)	dĕmu
	Akk.	dĕn	dia	daʒ
	Inſtr.	—	—	diû (dĕo, du)
Plur.	Nom.	diê	diô	diu
	Gen.	dĕrô	dĕrô	dĕrô
	Dat.	dĕm	dêm	dêm
	Akk.	diê	diô	diu

Anm. 1. Nebenformen: für thĕr, dĕr auch die niederdeutſche Form
thie. Für diê—dê. Für diu (Plur. neutr.) auch dei.

Anm. 2. Urſprünglich war dĕr reines Demonſtrativ, gleichbedeutend
mit ĕr. Dieſe Bedeutung behält es auch bei; zugleich aber wird es nach und
nach der gewöhnliche Begleiter des Nomens, mit gelinder, kaum fühlbarer
Demonſtration, d. h. es wird beſtimmter Artikel. In der älteſten Sprache
exiſtirte kein Artikel.

Anm. 3. Der beſtimmte Artikel tritt ſowohl zu dem Subſtantiv als zu
dem Adjektiv; bei letzterem ruft er die ſchwache Form hervor. Er ſteht in
der Regel *vor* den Nominibus, die er begleitet, kann jedoch auch *zwiſchen*
Subſtantiv und Adjektiv ſtehen: der heilago geist und geist der heilago.

Anm. 4. Der beſtimmte Artikel kann auch bei dem adjektiviſchen
Poſſeſſiv ſtehen: O. thie forasagon ſînê; thaʒ mînaʒ bluat; thaʒ suaʒa liabaʒ
ſin. Ebenſo vor den Genitiven des perſönlichen Pronomens: ther irâ sun;
thaʒ irâ lîp.

2. Demonstrativ: dësêr,

wird im Wefentlichen wie das ftarke Adjectiv dekliniert, auch mit denfelben Abweichungen.

		Masc.	Fem.	Neutr.
Sing.	Nom.	dësêr	dësju	diz
	Gen.	dëses	dësêrâ (-ô, -u)	dëses
	Dat.	dësemu	dësêru (-ô, -â)	dësemu
	Akk.	dësan	dësa	diz
	Inftr.	—	—	dësjû
Plur.	Nom.	dësê	dësô	dësju
	Gen.	dësêrô	dësêrô	dësêrô
	Dat.	dësêm	dësêm	dësêm
	Akk.	dësê	dësô	dësju

Anm. 1. Notker hat in der Wurzel i für ë: disêr, disju, diz. Auch O. gebraucht in einigen Fällen i. Gewöhnlich ift aber i nur in diz und fchwankend im Inftr. dësjû, dësû, disû.

Anm. 2. Anomale Formen find: für dësjn — deisu; für diz im Nom. dizi. Einige Schriftfteller affimilieren das s der Wurzel zu r, fobald die Flexion ein r hat, fo O. thërêr, thërêrâ, thërêru, thërêrô. In denfelben Fällen gebraucht N. die Form dirrô.

3. Demonftrativ: jenêr.

Andere Formen gënêr, ënêr. Es dekliniert ganz wie plintêr, kommt aber felten vor, in den älteften Quellen gar nicht.

4. Demonftrativ: hir?

In der älteften Sprache beftand noch ein viertes Demonftrativ, das goth. his, ahd. hir gelautet haben mag. Von diefem haben fich im Ahd. folgende Spuren erhalten: hiutû aus hiû tagû = an diefem Tage, heute, hodie; hiurû aus hiû jarû = in diefem Jahre, heuer; hînaht, wohl aus hia naht = in diefer Nacht, alem. hinächt. Die Partikeln hëra, hiar, hina, hinana.

§. 46. Interrogatives Fürwort.

Im Ahd. finden fich drei interrogative Fürwörter:

1) hwër, wër wird nur im Masc. und Neutr. sing. gebraucht. Es bedeutet: wer überhaupt? quis?

		Mafc.	Neutr.
Sing.	Nom.	hwër	hwaz
	Gen.	hwës	hwës
	Dat.	hwëmu	hwëmu
	Akk.	hwëpan (hwën)	hwaz
	Inftr.	—	hwiû (wiû, hiû)

Das fragende waȝ, auch wër hat häufig den Gen. bei fich:
waȝ thionôstes = welchen Dienft? waȝ wortô = welches Wort?
wër mannô = welcher Mann?

2) hwëdar, wëdar = wer von zweien? uter? dekliniert
adjektivifch.

3) hwëlîhhêr, ohne Flexion hwëlih, wëlih = was für einer?
qualis? dekliniert adjektivisch und ift im Ahd. nur Interrogativ.

§. 47. Relatives Fürwort.

Für das Relativum gibt es in den deutfchen Sprachen
kein eigenes Wort. Im Ahd. wird es durch dër, diu, daȝ ausgedrückt, woran urfprünglich vielleicht das Suffix -i angehängt
wurde, wie im Goth. -ei. — „Ich der, du der, wir die, ihr die" werden auch blos durch die perfönlichen Fürwörter ih, du, wir, ir ausgedrückt, z. B. fatar unsar, du pist in himile = der du im Himmel bift. Kot heilac, du himil inti ërda gaworahtôs = der du
Himmel und Erde gefchaffen haft.

§, 48. Unbeftimmte Fürwörter.

Die Cardinalzahl einêr, einiu, einaȝ, ohne Flexion ein,
nimmt auch die Bedeutung eines unbeftimmten Fürworts an =
irgend ein, und die des unbeftimmten Artikels. Doch ift der
unbeftimmte Artikel im Ahd. noch wenig gebräuchlich; im
Goth. befteht er gar nicht.

Sumêr, sumiu, sumaȝ = einer, ein gewiffer. Sum — sum,
sum — andar, eia — andar = der eine — der andere.

Man als Plur. = die Menfchen, die Leute, wird fchon im
Ahd. auch als unbeftimmtes Fürwort gebraucht, urfprünglich
wohl mit dem Plur. des Verbs, z. B. O. thaȝ man sagêtun;
dann aber auch als unperfönlicher Sing., fo fchon im Hildebr.:
mit gêru scal man gëba infâhan; dar man mih êo scerita. Es
ift meift auf den Nom. eingefchränkt.

Häufiger als man ift êoman, ioman, Gen. iomannes, Dat.
iomanne, Acc. iomannan, = jemand, irgend einer. Jowiht =
etwas. Diefen ftehen gegenüber nêoman, nioman = niemand;
nêowiht, niowiht = nichts. — Der Begriff von aliquis, aliquid
entfteht auch durch Vorfetzung von eddo, eddes vor wër und
waȝ: eddewër, eddeswër, eddewaȝ, etwaȝ.

Andere zählende Pronominalausdrücke find: einag, einîg,
dihein, diheinîg = ullus; ni — einîg, nihein, nohein (mhd. ne

— kein) = nullus, kein; giwëlîh, iogalîh, êogalîh, iogawëlîh = jeglicher, quisque; iowëdar, êogawëdar = jeder von beiden; sumelîh = mancher.

E. Das Adverb.

§. 49. Überficht.

Die Adverbia find entftanden aus Nennwörtern, alfo aus Subftantiven, Adjektiven, Zahlwörtern und Fürwörtern. Das Nennwort hat fich in einer gewiffen unveränderlichen Form, in einem unmittelbaren oder mittelbaren Cafus, fixiert und ift fo Adverb geworden. Bei einigen Adverbien ift die Abftammung dunkel. Manche find zugleich Präpofitionen oder Conjunctionen.

§. 50. Adverbien, die aus Hauptwörtern entftanden find.

1. Aus Hauptwörtern im unmittelbaren Cafus, welche zum Teil mit Fürwörtern oder Adjektiven verbunden find:

Genitive: tages; nahtes; winteres; des sindes (des Weges, dahin); elilentes (in der Fremde); dankes (willig, gerne); kurzêrô wortô (kurz); io zîtô (immer); zwîer wîsôn (auf zweierlei Art).

Dative: heime, hême; nôti (gar fehr); simblum (immer); stontum (hier und da); hwîlôm, wîlôm, wîlôn (damals, einft); thên meinôn (nach meiner Meinung).

Akkufative: allan tag (täglich); sâr dia hwîla, sâr io dia hwîla, in dia hwîla, (damals); iu wîla (einft); alla wîla (in einem fort); hînaht; drittun stunt (zum drittenmal); thia meina (nach meiner Meinung); einîg wîs (auf irgend eine Art); ander wîs (auf andere Art); io, êo, nio, nêo, iowiht, niowiht.

Inftrument. hiutû; hiurû; thiu mëʒû (quemadmodum).

2) Aus Hauptwörtern im mittelbaren Cafus:

Dative: in gâhî, in gâhûn, in alagâhûn (eilends, plötzlich); in stâtî (fogleich); duruh nôt (notwendig); in nôti, bî nôti, zi nôti (mit Eifer, mit Gewalt, gar fehr); bî rehte (mit Recht); in wâri, in alawâri, in wâre, zi wâre, zi wâru (in Wahrheit, woraus unfer zwar); in festi, sâr in festi, in alafesti, mit festi (ficherlich, gewiß); in rihti, in girihti (recht, richtig); in nâhi, in alanâhi (nahe); in gagani, zi gagane, bî gagane (entgegen); in frônô (herrlich); bi manne (Mann für Mann); bi barne (Kind

für Kind); bi jâre (Jahr für Jahr); bi huldî (huldvoll); bi nemin (namentlich). Pluraldative: in êwôn (ewig); in wârôn, zi
wârôn; zi stunton; inhanton, ze hanton; in den wîlon u. f. w.

Akkufative: in morgan (morgens); in wâr, in alawâr, in
wâr mîn, in mîn wâr, in wâra, in alawâra; in nôt, in alanôt;
in thia wîla; in, bi thia meina; in thësa wîs, in thësa wîsûn,
in andara wîs; ingagan; ubar maht (über Vermögen); ubar
tag (täglich); âna wân; âna zwîval; âna bâga (unftreitig) u. f. w.

§. 51. Adverbien, die aus Adjektiven entftanden find.

1) Aus Adjektiven im unmittelbaren Cafus:
Genitive: alles (durchaus); nalles, nales (durchaus nicht);
ales, alles (fonft, aliter); eines (einmal); anderes, anderes wio,
ales wio (anders, anders wie); gâhes (fchnell); inwërtes, ûʒwër-
tes, heimwërtes (inn-, aus-, heimwärts); frammordes für fram-
wërtes (vorwärts) u. f. w.
Akkufative (vielleicht zum Teil Nominative): vilu, meist,
vër, nâh, êr, sîd, forn, êwîn; aftarwert; heimort für heimwert;
allaʒ (immer, durchaus); gâhûn (eilends) u. f. w.
2) Aus Adjektiven im mittelbaren Cafus: untar zwiskêm
(in der Mitte zweier, zwifchen); ubar al; ubar lang; ubar un-
lang; ubar lût; in thrâti, in alathrâti (plötzlich, alsbald) u. f. w.
3) Faft aus jedem Adjektiv kann durch Anfügung eines o
(ô?) an die Endung ein Adverb gebildet werden: argo, follo,
gërno, hôho, drâto, lango, rëhto, baldo, lûto, fërro, snello, wîto,
gawisso, ëbano, offano, tougalo, luzilo, emezîgo, êwîgo, gernlîhho, harmlîhho u. f. w. Diefes o fchwächt fich mhd. in e ab;
nhd. erlifcht es ganz, nur in lange erhält es fich.

§. 52. Adverbien, die aus Zahlwörtern entftanden find.

Aus den drei erften Cardinalzahlen werden gebildet: eines,
eins (einmal, einft); zwiro, auch zwirer, zwiron, zwiront (zweimal);
driror (dreimal). Die folgenden Zahladverbien müffen um-
fchrieben werden, was auch bei den drei erften gefchehen kann.
Die Umfchreibung gefchieht mit dem weiblichen Subftantiv
stunta, stunt (= Mal) im Akk. oder Dativ, z. B. drio, stunt,
dristunt, dria stunta, drin stunton = dreimal; drittun stunt =
zum drittenmal u. f. w. Andere aus Zahlwörtern oder zählen-
den Adjektiven entftandene Adverbia find z. B. in zwei, aʒ
êrist, aʒ jungist, zem êresten u. f. w.

§. 53. Adverbien, die aus Fürwörtern entſtanden ſind.

Manche dieſer Pronominaladverbien ſind deutlich aus einem unmittelbaren oder mittelbaren Caſus des Fürworts entſtanden; bei andern iſt zwar die Verwandtſchaft mit' einem Fürwort nicht zweifelhaft, ohne daß jedoch ihre Form auf einen Caſus des Fürworts zurückgeführt werden könnte.

Die meiſten der folgenden pronominalen Adverbien ſind Partikeln, d. h. ſolche Adverbien, welche keinen beſtimmten Inhalt haben, ſondern nur eine Beziehung und Richtung im Allgemeinen angeben. Viele werden als Präpoſitionen und Conjunktionen gebraucht.

1) Den Stämmen der demonſtrativen Fürwörter goth. sa, sô, ·thata, ahd. der, diu, daʒ und ahd. hir ſcheinen anzugehören die Adverbien: sô, sôsô, sama sô, alsô; sus; sâr; daʒ, bîdaʒ, ubardaʒ, duruhdaʒ, umbidaʒ; êdes, aftardes, anades; dô; danna; danta; dâr und die Zuſammensetzungen mit dâr: dârubari, dâruntari, dârana, dârin, dârûf, dârûʒ, dârwidar, dârmit u. ſ. w.; dara und die Zuſammenſetzungen dara aftar, dara widar, dara ubari u. ſ. w.; darasun; darot, dorot, doret; dana, danana, danân, dannân; diû, des diû; bidiû, mittiû, after diû, fora diû, êr diû; doh; hëra, hara; hiar; hina, hinana, hinân, hinnân; hërot; hint, hintar, hintana.

2) Dem Interrogativum wër gehören an: waʒ (warum?); wenne, wanne; iowanne; niowanne; wanta; bidiû wanta; wâr, iogiwâr; iogowerſ; wara, warot, warasun; wanana, wanân; wiû, hiû; ziwiû, zihiû, ziû; wiêo, wio, wê.

3) Dem Interrogativ wëdar gehören an die Partikeln: wëdar; diû widarû; doh diûwidarû.

Über die Bedeutung der einzelnen Pronominaladverbien ſ. das Wörterbuch. Einigen werden wir unter den Conjunctionen wiederum begegnen. Hier merken wir nur an, daß viele Pronominaladverbien ſich gegenſeitig in Form und Bedeutung entſprechen, d. h. Correlativa ſind. So die folgenden Ortsadverbia:

a) Interrogativa.   b) Demonstrativa, c) Demonſtrativa.
zugleich Relativa.

1. Reihe: wâr = ubi?   dâr = ibi, ubi   hiar = hic
2. Reihe: wara, warot = quo? dara, darot = eo, quo hëra, herot = huc.
3. Reihe: wanana = unde?   danana = inde, unde hinana = hinc

Für die relative Beziehung exiſtieren im Deutſchen keine' eigenen Formen und es werden dafür die demonſtrativen Par-

tikeln unter b) gebraucht, teilweife aber auch schon die inter-
rogativen, was später allgemein wird.

§. 54. Weitere Adverbialbildungen.

1) Manche Adverbialpartikeln laffen fich nicht auf ein
Nomen zurückführen; fo die folgenden Adverbien des Orts und
der Zeit: ûz, ûf, zuo, sîd, nidar, aba, oba, widar, ana, bî, furi,
fora, fram, in (în) u. f. w. Die meiften find zugleich Präpofitionen. — Das gewöhnliche Adverb der Verneinung ift ni, ne,
welches oft verdoppelt wird.

2) Einige Adverbien der Himmelsgegend werden aus Nominibus mit der Endung -ar gebildet; fie bedeuten ein *wohin*:
ôstar, wëstar, nordar, sundar = nach Often hin, nach Weften
hin u. f. w.

3) Diefen entfprechen andere Adverbien der Himmelsgegend
mit der Endung ana; fie bedeuten ein *woher*, erfatzweife wohl
auch ein *wo*: ôstana, wëstana, nordana, sundana = von Often
und im Often u. f. f.

4) Auch an Partikeln des Orts wird -ana gehängt, wodurch
weitere Ortsadverbien entftehen; außer den fchon genannten
wauana, danana, hinana, hintana gehören hierher: innana, ûz-
ana, obana, nidana, forana.

5) Einige Adverbien werden auf -nt gebildet: hinont, ënont,
samant, mittunt, wîlont.

6) Einige auf -ingun (aus Adjektiven): blintilingun, hâlin-
gun, gâhingun, ftalingun.

7) Aus dem Verbnm werden im Deutfchen im Allgemeinen
keine Adverbien gebildet; nur das Adv. wëla, wola fcheint zu
wëllan zu gehören. Dagegen werden einige Verbalausdrücke
durch häufigen Gebrauch abftrakt und können adverbialiter angewandt werden: ih wânju, wân ih, wânu = denk ich, mein' ich.

Vierter Abfchnitt.

Verbindungswörter.

§. 55. Überficht.

Als Verbindungswörter gebraucht die Sprache Präpositionen
und Conjunctionen. Jene dienen zur Verbindung von Satz-

teilen mit Satzteilen, diefe verbinden auch Satzteile mit Satzteilen, meift aber Sätze mit Sätzen.

A. *Präpositionen.*
§. 56.

Präpofitionen ftehen vor einem Nomen, deffen Cafus fie
regieren; im Verein mit diefem Cafus bezeichnen fie das Verhältnis des Nomens. Die meiften deutfchen Präpofitionen regieren den Akkufativ, andere den Inftrumentalis, wofür fpäter
der Dativ eintritt; wenige regieren urfprünglich den Dativ, die
wenigsten den Genitiv. Übrigens liegt die Rektionskraft nicht
in den Präpositionen allein, fondern fie wird durch das Verbum
des Satzes mitbedingt; daher regieren viele Präpositionen zwei
oder drei Cafus. Die *Bewegung* pflegt durch den Akkufativ,
die *Ruhe* durch den Inftrumentalis (Dativ) ausgedrückt zu
werden.

Die meiften Präpofitionen bezeichnen urfprünglich ein Verhältnis des Raumes, dann ein Verhältnis der Zeit; weiter geht
die Bedeutung auf unsinnliche, abftrakte Verhältnisse über:
Grund, Folge, Urfache, Wirkung, Mittel, Zweck, Art und
Weife, Urfprung, Stoff, Begleitung, Rangordnung u. f. w.

Das Nähere über Rektion und Bedeutung der einzelnen
Präpofitionen f. im Wörterbuch. Wir geben hier nur eine
Überficht der ahd. Präpofitionen nach ihrer Form, wobei wir
einfache, abgeleitete und zufammengefetzte unterfcheiden:

1. Einfache Präpp. find: in; ana; ar (ir, ur, er); aʒ (iʒ);
aba; oba; ûf; bî; zi (za); zuo; furi; fora; nâh; miti; sîd.

2) Abgeleitete: aftar; ubar; obar; nidar; widar; untar;
hintar; ûʒar; âna, âno; duruh.

3) Zufammengefetzte: umbi; unzi; ûfana, ûfân; ûʒʒana,
ûʒʒân; ânân (für anaanâ); fona; bifora; bifuri; bûʒân (bi ûʒan);
inëpan; inin; zuoze.

4) Einige fpätere Präpp. find aus Nominibus entftanden:
gagan, ingagan, ingegin; halbûn, halben, z. B. mîna halbûn =
von meinetwegen. Aus untar zwiskêm = in der Mitte zweier
ift fpäter zwifchen entftanden.

B. *Conjunctionen.*
§. 57.

Die deutfche Grammatik nennt diejenigen Conjunctionen,
welche einen Satz (oder Satzteil) dem andern beiordnen, *Binde-*

wörter; diejenigen dagegen, welche einen Satz dem andern unterordnen, nennt fie *Fügewörter.*

§. 57. Bindewörter.

1) Das einfachfte und gewöhnlichfte Bindewort ift und. Hiefür gebraucht die ältefte Sprache joh, daneben aber auch anti, inti, enti, unti, unta, unte.

2) Für etiam, quoque haben mehrere der frühesten ahd. Quellen kein eigenes Wort und geben es durch andere Partikeln: sô sama (desgleichen), inti, joh; andere haben auh, ouh, das allmählig allgemein wird.

3) Als gegenüberftellende Bindewörter kommen vor: joh — joh = fowohl — als auch; nieht — nuba (nobe) = nicht — fondern; nieht ein — nube joh = nicht allein — fondern auch. Verneinende Gegenüberftellung (weder — noch) wird durch nôh (aus ni uh), durch ni — noh, noh — noh, auch durch newëder — noh bezeichnet. Für noh gilt auch nih oder nî. In der Regel wird dem noh die Negation ni beigefetzt, es wird alfo doppelt negiert: noh mâno ni liuhta noh der mareosêo. Noh bedeutet aber auch blos = und nicht, auch nicht, neque. Für aut, vel, sive wird ëdo, ëddo gebraucht, welches auch die Formen ërdo, odo, ode, oder, alde, alder annimmt.

4) Für die Entgegenfetzung (sed, at, vero, autem) werden mehrere Bindewörter gebraucht: danne, dô bezeichnen den gelindeften Gegenfatz; afar, avar, avur, aber einen etwas ftärkeren. In älteren Denkmäler wird autem, vero oft überfetzt durch gáwisso, das aber noch häufiger für igitur, itaque, enim fteht. Die ftärkfte Entgegenfetzung liegt in den Partikeln oh, ûʒoh, ûʒân = aber, fondern, auch nibu, noba.
Seit dem 9. Jahrhundert verlieren sich letztere Partikeln und es tritt für fie avar, nach einer Negation sundar, suntar ein.

5) Die Erläuterung und Begründung (nam, enim, denn, nämlich) wird durch danta, wanta, auch gern durch gawisso (gewißlich, ficherlich) oder wârlího eingeleitet.

6) Die reine Folgerung (ergo, itaque, igitur, daher, deshalb, dadurch) durch danna, danne, denne, dan; danana, dannân; danta; ferner durch nu, avur, nu avur, sîd, bîdiû nu, inunu, duruh daʒ, auch durch gawisso.

7) Für die widerfprechende Folgerung (tamen, verumtamen) wird gebraucht doh, iodoh; doh widaru, aber doh, oh. Alle diefe antworten auf die Fügewörter der Einräumung.

§. 59. Fügewörter.

1) Den Fragewörtern wër, waʒ, welîhhêr wird íô vorgeſetzt, meiſt auch zugleich nachgeſetzt, wodurch Fügewörter
des Subſtantivſatzes entſtehen: sô wër, sô wër sô, sô welîhhêr,
sô waʒ sô = wer nur immer, was nur immer.

2) Der Subſtantivſatz, der den Inhalt eines Empfindens,
Denkens, Wiſſens, Sagens enthält, (der Inhaltſatz) wird eingeleitet durch daʒ, welchem der Ind. oder Conj. folgt. Dieſes
daʒ wird auch oft ausgelaſſen, z. B. ih weiʒ, hër imos lônôt =
daß er ihm dafür lohnt.

Der Inhaltſatz kann aber auch die Conſtruction des Acc.
cum Inf. haben, nicht blos bei Überſetzungen, wo es als
sclaviſche Nachbildung des Lateiniſchen erſcheinen könnte, ſondern auch bei ſelbſtändigen Dichtern und Schriftſtellern, z. B.
O. quid thesê steinâ zi brôte wërdan = ſage, daß dieſe Steine
zu Brote werden. Ih irkanta thia kraft faran fona mir = ich
erkannte, daß dieſe Kraft von mir ausgehe. Im Mhd. iſt dieſe
Conſtruction ſchon ſelten.

Die abhängige Verbalfrage (num, ob) wird eingeleitet durch
ibu (ibi, ubi, oba, obe) ſ. nro. 9. Die abhängige Doppel-
verbalfrage durch ube — alde = ob — oder.

3) Ein Verhältnis des Raumes (Adverbſatz des Raumes)
wird ausgedrückt durch sô wâr sô = wo nur immer; sô wara
sô = wohin nur immer.

4) Die Verhältniſſe der Zeit werden durch mancherlei
Fügewörter bezeichnet: dô (duo), danna, danne, denne, sô, sôsô, alsô, alse = quum, als, wenn; sâr sô, sâr = ſobald als;
êr = ehe, bis sq. Conj. Beſonders werden durch die Verbiu-
dung von daʒ oder diû mit Präpoſitionen Fügewörter der Zeit
gebildet, die zum Teil auch für abſtraktere Verhältniſſe, z. B.
des Grundes, der Rückſicht etc., gelten: bi daʒ = als, da;
unzi daʒ, unzi = bis, ſo lange als, während; êr diû = ehe;
in diû (daʒ), innan diû (daʒ) = während, indem, inſofern; mit-
diû, mittiû = als, da, während; aftar diû, nâh diû = nachdem;
fona diû, fone des = ſeitdem; diu zît daʒ, die wîle daʒ = ſo
lange als, während; dia wîla unzi = ſo lange als, bis u. a. a.

5) Ein Verhältnis der Art und Weiſe, der Vergleichung
und des Maßes (sicut, velut, wie, als) wird ausgedrückt durch
die Fügewörter sô, sôsô, alsô, sama, alsama, sôsama, êosô =
velut, sicut; diû mëʒu = quemadmodum; sô fram sô = ſoweit
als; sô wîo sô = wie nur immer. Nach Comparativen wird

das kleinere Glied der Vergleichung stets durch danna, danne, denne, dan eingeleitet: mêr than Jacob = mehr als Jakob. Wenn ein Verbum folgt, fo fteht diefes gern im Conjunctiv.

6) Das Verhältnis des Grundes und der Urfache (queniam, quia, weil) bezeichnen die Fügewörter: bi daʒ, bi diû daʒ, bi, diû wanta, bi diû; danna, wanta, auch danta; duruh daʒ — daʒ, duruh daʒ wanta; sîd, sît = fintemal; nû, nn = da temporal und kaufal.

7) Ein Verhältnis der Folge (quapropter, weshalb, woher, wodurch, wovon, wozu, fo daß): fora diû, za diû, danana (danân, dannân), daʒ, sô daʒ.

8) Ein Verhältnis der Abficht, des Zweckes (ut, daß, damit) drücken aus: daʒ, duruh daʒ — daʒ, zi diû — daʒ = damit; ni = daß nicht, damit nicht; nio = damit nicht etwa. Meift folgt der Conjunctiv: waʒ tuomês, thaʒ wir wirkêmês?

9) Verhältnis der Bedingung (si, wenn): ibu, ibi, ubi, oba, obe (= engl. if). Auch: sô, sôsô und sô wîo sô. Verneinende Bedingung und Ausnahme: nibu, nibi, nubi, nuba, noba, nubenisi; auch: ni = wenn nicht, es fei denn daß sq. Conj.; ni sî daʒ, iz ne sî daʒ, ni sî = es fei denn daß; ni wâri = es wäre denn daß.

10) Für das Verhältniß der Einräumung (etsi, licet, quamquam, obgleich, wenn auch) wird gebraucht: doh, doh doh, auch: doh diûwidarû, sô wîo sô, sô wîo, swie doh mit folgendem doh, iodoh, sô, diûwidarû.

III.

Althochdeutſche Sprachdenkmale.

Erſter Abſchnitt.

Siebentes und achtes Jahrhundert.

I. Zwei Zauberſprüche aus heidniſcher Zeit.

Literaturgeſch. 13. Wack. IX. Feuſſner 11.

1. Zauberſpruch über die Feſseln eines Kriegsgefangenen.

*E*iris sâ𝔷un *i*disi,	sâ𝔷un hera duoder[1]),
sumâ *h*apt *h*eptidun,	sumâ *h*eri lezidun,
sumâ *c*lûbôdun	umbi *c*uniowidi.[2])
*i*nsprinc[3]) haptbandun,	*i*nvar vîgandun.

2. Zauberſpruch über den verrenkten Fuß eines Pferdes.

5 *Ph*ol ende Wôdan	*v*uorun 𝔷i holza,
du wart demo Balderes *v*olon	sîn *v*uo𝔷 birenkit:
thu biguolen *S*inthgunt,	*S*unna erâ *s*uister,
thu biguolen *F*rîja,[4])	*V*olla erâ *s*uister,
thu biguolen *W*ôdan,	sô he *w*ola conda,
10 sôse *b*ênrenkî,	sôse *b*luotrenkî,
sôse lidirenkî;	......................[5])
*b*ên 𝔷i *b*êna,	*b*luot 𝔷i *b*luoda ,
*l*id 𝔷i ge*l*iden,	sôse ge*l*îmidâ sîn.

---

1) hera duoder verändert Feuſſner in êra duondi = ihr Geſchäft verrichtend. 2) Hdſchr. cuoniowidi. F. ſetzt cunniô widî. 3) F. ſetzt inſliuh, um Alliteration mit invar herzuſtellen. 4) Grimm und F. leſen Frûa. Wack. Frîja, weil die Hdſchr. eher ii als u. Für Frîia, Frîja ſpricht auch die Verwandtſchaft mit Volla, ſ. Wörterb. 5) F. fügt hier ein die Halbzeile: sus gilîcho râmê nû = dem gleich (ebenſo) füge ſich nun —.

II. Das Lied von Hildebrand und Hadubrand.

Literaturgefch. 13. Wack. 68. Feuffner 7.

Ik gihôrta dhat seggen,
.... [1])
Hiltibraht enti Hadhubrant
Sunufatarungôs [2])
5 garutun sê irô gûdhamun,
helidôs, ubar hringâ, [3])
Hiltibraht gimahalta [4])
ferahes frôtôro —
fôhêm uuortum,
10 fireô in folche:
chûd mî, huelîhhes chunnes [6])
ibu du mi aenan sagês,
chind, in chunincrîche
Hadubraht gimahalta,
15 „dat sagêtun mî
altê anti frôtê,
dat Hiltibrant hætti mîn
forn her ostar gihueit,
hina miti Theotrîhhe
20 her furlæt in lânte
prût in bûre,
arbeolaosa her læt
sîd Dêtrîhhe
fater êres [13]) mînes.
25 her uuas Otachre
deganô dechisto,
darbâ gistôntun. [15])
her uuas êo folches at ente,

dhat sih urhêttun
ænon muotin
untar herjun tuêm.
irô saro rihtun,
gurtun sih irô suert ana,
dô siê tô derô hiltju ritun.
— her was hêrôro man,
her fragên gistuont
huer [5]) sîn fater uuâri
tuo framchunft, quad her, dîna
eddo huelîhhes chnuosles [7]) du sîs.
ik mî dê ôdrê wêt.
chûd ist mî [8]) al irmindeot.“
Hiltibrantes sunu:
ûserê [9]) liuti,
dea êr hina uuârun, [10])
fater, ih heittu Hadubrant.
flôh her Otachres nîd,
enti sînerô deganô filu.
luttila sitten
barn unuuahsan,
aftar sîna deot. [11])
darbâ gistuontun [12])
dat uuas sô friuntlaos man,
ummett irri, [14])
unti Dêotrîhhe

imo uuas êo fehta ti leop;

---

1) F. fügt hier eine Halbzeile ein: ænon dê tuênê man = allein die zwei Männer. 2) Hdfchr. sunu fatarungo. F. liest untar herjun tuêm sunufatarungô = zwifchen den zwei Heeren des Sohnes und des Vaters, und beginnt mit irô eine neue Periode. 3) Hdfchr. ringa. 4) Hdfchr. hiltibraht gimahalta heribrantes suan. 5) Hdfchr. auer. 6) Ergänzung von F., ebenfo die andern kleiner gedruckten Ergänzungen. 7) Hdf. uuelîhhes cnnosles. 8) Hdfchr. mîn. 9) F. verbeffert: sus êr liuti = fo verzeiten Leute. 10) F. lieft hina uuârun, von hina varan = fterben. 11) So verbeffert F. Die Hdfchr. hat: arbeolaosa heræt ostar hina det. Wackern. lieft: arbeolaosa — her ræt ôstar hina. 12) Hdfchr. gistuontum. 13) Hdfchr. faterores. W. lieft fateres. 14) Hdfchr. ummettirri. W. ummet tiuri. 15) F. lieft als Eine Halbzeile: unti Deotrihhe darbâ gistuntun.

chûd uuas her duruh chôni   chônnêm mannum.
ni uuânju ih, iu ljb habbê   der uuas dâr leobêr fater mîn,
Hiltibrant, der reccheo hêr,   Heribrantes sunu."
"Wêsttu [1], irmingot, quad Hiltibraht,   obana ab hevane,
5 dat du nêo dana halt   dinc ni gileitôs
mit sus sippan man [2],   sô ih selbo dir bim?"
uuant her dô ar arme   uuuntanê bougâ
cheisuringû gitân,   sô imo sê der chuning gap,
Hûneô truhtin: "dat ih dir it nu bi huldi gibu."
10 Hadubraht gimâlta,   Hiltibrantes sunu:
"mit gêrû scal man   geba infâhan,
ort uuidar orte.   du bist dir, altêr Hûn,
ummet spâhêr,   spenis mih mit dînêm
uuortun [3], uuili mih   dînû sperû uuerpan.
15 pist alsô gialtêt man,   sô du êuuîn inuuit fôrtôs.
dat sagêtun mî   sêolîdantê
uuestar ubar uuentilsæo,   dat inan [4] uuîc furnam:
tôt ist Hiltibrant,   Heribrantes suno."
Hiltibraht gimahalta [5]:   "uuela gisihu ih in dînêm hrustim [5],
20 dat du habês hême   hêrron gotan,
dat du noh bi desemo rîche   reccheo ni uuurti. [6]
uuelaga nu, uualtant got,   quad Hiltibrant [7], uuêuuurt skihit.
ih uuallôta sumarô   enti uuintrô sehstic ur lante [8],
dâr man mih êo scerita   in folc sceotanterô,
25 sô man mir at ænîgeru burc [9]   banun ni gifasta:
nu scal mih suâsat chind   suuertû hàuuuan,
bretôn mit sînû billjû,   eddo ih imo ti banin uuerdan.
doh maht du nu aodlîhho,   ibu dir dîn ellen taoc,
in sus hêremo man   hrustî giuuinnan,
30 rauba bihrahanen [10],   ibu du dâr ênîc reht habês. [11]
der sî doh nu argôsto,   quad Hiltibrant [12], ôstarliutô,
der dir nu uuîges uuarnê,   nu dih es sô uuel lustit.

---

1) Hdfchr. uu::ttu. Auf dem Raum, der erlofchen ift, haben zwei Buchftaben Platz, wofür F. êd vorfchlägt. 2) Hdfchr. mit sus sippan man dinc ni gileitôs. 3) Wack. lieft: spenis mih..... — mit dînêm uuortun, uuili mih —. 4) Wack. lieft: man. 5) Hdfchr. Hiltibraht gimahalta, Heribrantes suno. W. lieft: Hiltibraht gimahalta — Heribrantes suno: — "uuela gisihu ih — in dînêm hrustim — etc. 6) W. nimmt hier eine Lücke an. 7) quad Hiltibrant ftreicht W. 8) ur lante ftreicht W. 9) Hdfchr. at burc ænîgeru. 10) W. verändert birahanen. 11) W. nimmt hier eine Lücke an. 12) quad Hiltibrant ftreicht W.

gûdea gimeinûn　　　niusê dê *môttî*,
*h*uuerdar sih dero *h*regilô　　hiutû *h*ruomen muotti [1]),
erdo deserô *b*runnônô　　*b*êderô waltan. [2])
Dô lættun sê *æ*rist　　*a*skim scrîtan,
5 *s*carpên scûrim,　　dat in dêm *s*ciltim stônt.
dô *st*ôptun tô samane　　*st*aimbort chludun [2]),
*h*evuuun *h*armlîcco　　*h*uîttê scilti,
unti im irô *l*intûn　　*l*uttilô uuurtun
gi*uu*igan miti *uu*âpnum [3])　　. . . . .

III. Abrenuntiatio diaboli,
eine niederdeutſche Abſchwörungsformel.

Literaturgeſch. 24. Maſſmann, die deutſchen Abſchwörungs- u. ſ. w. formeln. S. 67.

10 Forsachistu diobolæ?
et resp. ec forsacho diabolæ.
end allum diobol geldae?
respon. end ec forsacho allum diobol geldæ.
end allum dioboles uuercum?
15 resp. end ec forsacho allum dioboles uuercum and uuordum,
thunaer ende uuôden ende saxnôte ende allêm thêm unholdum,
thê hira genôtas sint.

IV. Ein chriſtliches Glaubensbekenntnis
in oberdeutſcher Sprache.

Literaturg. 24. Maſsmann, a. a. O. Seite 71.

Kilaubu in kot, fater almahtîcun, kiscaf himiles enti erdâ.
Enti in iehsum christ, sun sînan ainacun, unseran truhtin, der
20 inphangan ist fona uuîhemu keiste, kiporan fona Mariûn, macadi
êuuîkêru; kimartrôt in kiuualtiu [4]) Pilates, in crûci pislacan,
tôt enti picraban, stehic [5]) in uuizzi, in drittin take erstoont
fona tôdên, stehic [5]) in himil, sizit az zesuûn kotes, fateres al-
mahtîkin, dhana chumftîc ist, sônen qhuuekhê enti tôtê. Kilaubu
25 in uuîhan keist, in uuîha khirihhûn catholica, uuîhêrô kemeinitha,
urlâz suntîgêrô, fleisces urstôdalî [6]) inti liip ôuuîkan. Amen.

---

1) Hdſchr. uuerdar sih dero hiuta hregilo hrumen muotti. F. liest statt
hruomen — hrûmen. 2) So die Handſchr. W. liest als Ein Wort staimbort-
chludun, weiß aber chludun nicht zu erklären, vielleicht nom. plur. von staim-
bortchludo = die Steinſchildſpalter? F. ſchlägt vor zu leſen : dô stôptun tô
samane, — staimbort chlûbôtun = dann ſprengten ſie zuſammen, — ſpalteten
den Steinbeſatz. 3) Hdſchr. ni tî uuambnum. 4) für kiuualti? 5) für stheic
oder steihc = steic. 6) für urstôdani?

V. Aus Keros Interlinearverſion der Benedictinerregel. [1]

(Literaturgeſch. 23. Hattemer, Denkmale, I. Band.)

Caput II. Qualis debeat esse abbas.

Abba, qui preesse dignus est monasterio, semper meminere debet, quod dicitur, et nomen maioris factis implere. Christi 5 enim agere uices in monasterio creditur, quando ipsius uocatur pronomine, dicente apostulo: accepistis spiritum adoptionis filiorum, in quo clamamus: abba 10 pater. Ideoque abbas nihil extra præceptum domini, quod absit, debet aut docere aut constituere uel iubere; sed iussio ejus uel doctrina fermentum diuinæ ius-15 titiæ in discipulorum mentibus conspergatur.

Memor sit semper abbas, quia doctriris [4]) sue uel discipulorum obœdienciæ utrarumque rerum 20 in tremendo iudicio dei facienda erit discussio; sciatque abbas, culpæ pastoris incumbere, quicquid in ouibus paterfamilias utilitatis eius minus poterit in-25 ueniri. — — —

Ergo cum aliquis suscepit nomen abbatis, duplici debet doctrina suis preesse discipulis, 30 id est: omnia bona et sancta factis amplius quam uerbis ostendat; et capacibus discipulis mandata domini uerbis propo-

Abba, der fora vvesan vvirdigêr ist munistres, simblum kehunkan [2]) scal, daʒ ist keqhuetan, indi nemiu mêririn tâtim erfullan. Christes kevvisso tuan vvehsal in munistre ist kelaubit, denne er selbo [3]) ist genemmit pinemin, qhædentamv potin: entfiangut âtum ze-uunske chindô, in demu harêmees: faterlîh fater. Enti pidiû neovveht ûʒʒana pibote truhtines, daʒ fer sii, seuli edo lêrran edo kesezzan edo kepeotan; ûʒʒan kipot sînaʒ edo lêra deismin des cotchundin rehtes in discônô muatum si kesprengit.

Kehuctîc sii simblum ahbas, daʒ derâ sînêrâ lêrâ edo discônô hôrsamii indi peidêrô rachônô in derâ forahtlîhhun suanu cotes zetuenne ist kesuahhida; indi uuiʒʒi abbas, suntâ [5]) hirtes anahlînênti [6]), sô hvuaʒ sô in scaffum fater hîuuiskes piderbii sînêrâ mîn megi findan. — —

Kevvisso denne eddesuuelhêr intfâhit namun abbatis, zuuîfalda [7]) scal lêra [7]) sînêm fora vvesan discôm, daʒ ist: allivcuativ indi vvîhiv tâtim meer denne vvortum keaucke; indi farstantanteem discoom pibot

---

1) in der Handſchrift ſteht die deutſche Ueberſetzung zwiſchen den Zeſſen, je über einem lateiniſchen Wort das entſprechende deutſche. Wir trennen nach Hattemers Vorgang den lateiniſchen Text und die deutſche Ueberſetzung. 2) für kehuckan? 3) miſsverſtändliche Ueberſetzung von ipsius. 4) für doctrinæ? 5) für suntu, dat.? 6) für anahlînên, 7) ſcheint für zuuîfaldêru — lêru.

nere, duris corde uero et sim-
plicioribus factis suis diuina pre-
cepta demonstrare. Omnia uero,
quæ discipulis docuerit esse con-
5 traria, in suis factis indicet non
agenda, ne aliis prædicans ipse
reprobus inueniatur, ne quando
illi dicat deus peccanti: quare
tu enarras iusticias meas et ad-
10 sumis testamentum meum per
os tuum? tu uero odisti disciplinam meam et projecisti ser-
mones meos post te; et qui in
fratris tui oculo festucam uide-
15 bas, in tuo trabem non uidisti.

Non ab eo persona in mo-
nasterio discernatur; non unus
plus ametur quam alius, nisi
quem in bonis actibus aut obœ-
dientia inuenerit meliorem; non
proponatur ingenuus ex ser-
uitio conuertenti, nisi alia rationabilis causa existat, — — —
quia siue seruus siue liber omnes in christo unum sumus et
sub uno domino æqualem serui-
tutis militiam baiolamus, quia
non est apud deum personarum
acceptio. Solummodo in hac
parte apud ipsum discernimus 3),
si meliores ab aliis in operibus
bonis et humiles inueniamur;
ergo æqualia sit ab eo omnibus
caritas; una prebeatur in omnibus secundum merita disciplinæ.

truhtines uuortum furikisezzan,
herteem herzin kevvisso indi
einfaltlîhhêrô 1) tâtim sînêm cot-
chundiv pibot keauckan. Alliu
kevvisso, dei discoom lêrit vvesan vvidaruuartiv, in sîneem tâtim chundit 2) nalles zetuenne,
ni andreem forasagenti er far-
farchoraneer sî fundan, mîn
huuenne imv qhuede cot suntôn-
temv: huuanta du errahhôs reht
mîniv indi zuanimis êuua mîna
duruh mund dînan? du ke-
vvisso fîêtôs egii mîna indi far-
uurfi vvort mîniu after dih; indi
du in pruader dînes augin halm
kesâhi, in dînemv kepret ni kisâhi.

Nalles fona imv heit in munistre sî kisceidan; nalles einêr
meer sî keminnoot, denne aud-
rêr, ûʒʒan den in cuateem tâtim
edo hôrsamii finde peʒʒirun;
nalles furi sî keseʒʒit frîgêr er
deonôsti kehuuarbantemu, ûʒʒan
andriu redihaftiv rahha sî, — —
danta edo scalch edo frîêr allê
in uuîhemu.... ein pirumês îndi
untar einemv truhtine ebanlîhho
des deonôstes chamfbeit tragamês,
danta nist mit cotan heiteo antfangida. Einumeʒʒv in desemu
teile mit imu pirumês kisceidan,
ibu peʒʒirun fona 4) andreem in
uuerchum euateem indi diomuate
pirumês funtan. Kevvisso eban
sii fona imu allecm minna, einiu
sî kekeban in alleem after ke-
uurahti derâ ekii.

---

1) für einfaltlihhêm. 2) für chunde. 3) für discerpimur? 4) für fora?

In doctrina sua namque abbas
apostolicam debet semper illam
formam seruare, in qua dicit:
argue, obsecra, increpa, id est
5 miscens temporibus tempora, ter-
roribus blandimenta dirum ma-
gistri, pium patris ostendat affectum; id est indisciplinatos et
inquietos debet durius arguere,
10 oboedientes autem et mites et
pacientes, ut melius proficiscant,
obsecrare. — — — — — —

Et honestiores quidem atque
15 intelligibiles animos prima uel
secunda admonitione uerbis cor-
ripiat, inprobos autem et duros
ac superbos uel inoboedientes
uerberum uel corporis castiga-
20 tione in ipso initio peccati coër-
ceat, sciens scriptum: „stultus
uerbis non corregitur,“ et iterum:
„percute filium tuum uirga et
liberabis animam ejus a morte.“
25

Meminere debet semper abbas,
quod est meminere, quod dicitur,
et scire, quia cui plus commit-
30 titur plus ab eo exigitur; sciatque, quam dificilem et arduam
rem suscepit, regere animas et
multorum seruire moribus; et
alium quidem blandimentis, alium
35 uero increpationibus, alium sua-
sionibus, et secundum uniuscujus-
que qualitatem uel intelligentiam
ita se omnibus conformet et ap-
tet. Et non solum detrimentum
40 gregis sibi commissi non patia-
tur, uerum etiam in augmenta-

In lêrv sînêru kevvisso abbas
potolîha scal simblum daʒ pilidi
haltan, in demu qhuidit: dreuui,
pisuueri, refsi, daʒ ist miskenti
cîtum cîti, ekisôm slehtin crim-
mii des meistres, êrhaftii des
fateres keaucke minna; daʒ ist
vnekihafteem indi vnstilleem scal
hartôr drauuen; hôrsamêm kevvisso indi mitivvareem indi dulti-
geem, daʒ in peʒʒira framkan-
geen, pisuuerran. — — — —

Indi eervvirdigôron kevvisso
indi farstantantlîhhê muatû êris-
tûn edo andrêrâ zuamanungu
vuortum kehuuinge, vnkiuuârêm
kevvisso indi herteem indi ubar-
muatê edo unhôrsamê filloom
edo des lîhhamin rafsungu in
demu selbin anakin derâ suntâ
keduuinge, vviʒʒanti kescriban:
„unfruatêr vuortum nist kerih-
tit,“ indi auur: „slah chind dînaʒ
kertû indi erloosis sêla sîna fona tode.
Kehuckan scal simblum abbas,
daʒ ist kehuckenti, daʒ ist ke-
qhuuetan, indi uuiʒʒan, daʒ demu
meer ist pifolahan meer fona
imv uuirdit ersvahhit; indi uuiʒʒi,
huueo vnsemfta indi uuidarpir-
kiga racha intfianc, ze kerihtanne
sêla indi manakêrô deonôn sitim;
indi einlîhhan kevvisso slehti-
doom, einlîhhan kevvisso raf-
sungoom, einlîhhan kespenstim
indi after eocouuelîhhes huuia-
lîhii edo farstantida sô sih alleem kepilide indi kemahhôe.
Indi nalles einin unfroma des

tione boni gregis gaudeat, ante
omnia ne dissimulans aut parui
pendens salutem animarum sibi
commissarum. Non plus gerat
5 sollicitudinem de rebus transi-
toriis et terrenis atque caducis,
sed semper cogitet, quia animas
suscepit regendas, de quibus
rationem redditus²) est. — —
10 — — — — — — — — —

chortres imv pifolahanes ni si
kedoleet, uuâr¹) kevvisso in
auhhungu des cuatin chortrés
mende; fora allû mîn altinônti
edo luzzil mezzinti heilii sêlônô
imv pifolahanérô. Nalles meer
tue soragûn fona rahhoom zefa-
rantlîhheem indi erdlîhheem indi
zerîsenteem, ûzzan simblum den-
che, daz sêlô intfianc zerihtenne,
fona diem rediûn erkebantêr
ist. — — — — — — —

Caput III. De adlibendis ad consilium fratribus.
Fona tuenne ze kerâtte pruaderô.

15 Quoties aliqua precipua agenda
sunt in monasterio, conuocet abbas omnem congregationem, et
dicat ipse, unde agitur; et audi-
ens consilium fratrum tractet
20 apud se, et quod utilius iudica-
verit, faciat. Ideo autem omnes
ad consilium uocari diximus,
quia sepe iuniori dominus reue-
lat, quod melius est.
25
Sic autem dent fratres consilium, cum omni humilitatis
subiectione, ut non praesumant
procaciter defendere, quod eis
30 uisum fuerit, et magis in abbatis
pendat arbitrio, ut, quod salub-
rius esse iudicauerit, ei cuncti
oboediant. Sed sicut discipulos
conuenit oboedire magistro, ita
35 et ipsum prouide et iuste con-
cedet³) cuncta disponere.
In omnibus igitur omnes ma-
gistram sequantur regulam ne-

Sô ofto sô eddeslîhhiu diu
meistûn zetuenne sint in munistre, vvîsse abbas eocouuelîhhêru
samanungu, indî qhuuede er,
huuanan ist ketaan; indi hoorrentî
kirâti pruaderô trahtôe mit sih,
indi daz piderbôrin suanit, tue.
Pidiû kevvisso allê ze kerâte
vvîssan qhuedamees, danta ofto
iuugirin truhtin int-rîhhit, daz
pezzira ist.
Sô kevvisso kebeen fratres
kerâti, mit eocouuelîhhêrâ deoheit
vntaruuorfanii, daz nalles erpal-
deen vvelîhho scirmeen, daz im
kedûht ist, indi meer in abbatis
hangeet selbsauna, sô, daz heil-
lîhhoor vvesan suanit, imu allê
hoorreen; ûzzan sô discoom ke-
rîsit hoorreen demu meistre, sô
ioh imu forakesehantlîhho indi
rehto kelimfit alliu kesezzan.
In allêem anur allê derô meist-
rûn sîn kefolgeet rehtungu indi

---

1) uuâr wörtliche Übersetzung von verum. 2) für redditurus. 3) für debet?

que ab ea tenere [1]) declinetur a
quoquam; nullus in monasterio
proprii sequatur cordis uoluntatem, neque præsumat quisquam
5 cum abbate suo proterue infra
aut foras monasterii contendere;
quod si præsumpserit, regulari
disciplinæ subiaceat.

Ipse tamen abbas cum timore
10 dei et obseruatione regulæ omnia faciat, sciens, se procul
dubio de omnibus iudiciis suis
æquissimo iudici deo rationem
redditurum.

15 Si qua uero minora agenda
sunt in monasterii utilitatibus,
seniorum tantum utatur consilio,
sicut scriptum est: omnia faç
cum consilio et post factum non
20 peniteberis.

noh fona iru sinde [1]) sî kehneigit
fona einîgêru[2]); niheiner in munistre eikanes sî kefolgeet herzin uuillin, indi-noh erpaldee
einiic mit abbate sînemv frafal-
lîhho innana edo uȝȝaan munistres flîȝȝan; daȝ ibv erpaldeet,
deru rehtlîhhûn ekii vntar licke.

Er duuidaro abbas mit forah-
tûn cotes indi pihaltidu rehtungu
alliu tue, vviȝȝanti, siħ âno zuî-
fal fona alleem suanoom sîneem
demu ebanôstin suanârre cote
rediûn kebantan.

Ibv hnuelîhhiv kevvisso min-
nirun zetuanne sint in munistres
piderbidoom, hêrôstônô sô brûh-
he kerâttes, sô kescriban ist:
alliu tua mit kirâtidâ indi after
tâtim ni hrivôês.

VI. Aus der Übersetzung des Evangeliums Matthæi.
Literaturgeſch. 23. Wackern. 45. Fragmenta theotisca, ed. II. cur. Massmann.
Vindob. 1841.

Matth. 22.

1. Et respondens Iesus dixit
iterum in parabolis eis, dicens:
2. „Simile factum est regnum
cælorum homini regi, qui fecit
25 nuptias filio suo. 3. et misit
servos suos, vocare invitatos ad
nuptias; et nolebant venire. 4.
Iterum misit alios servos dicens:
„Dicite invitatis: ecce prandium
30 meum paravi, tauri mei et altilia
occisa suut, et omnia paravi:
venite ad nuptias.“ 5. Illi autem
neglexerunt, et abierunt, alius

Enti antuurta im iesus auuar
in bîuuortum, quad: 2. „Kalîh
ist katân himilôrîbhî man chuninge, der frumita brûthlauft
sînemo sune. 3. enti sentita sînê
scalchâ, halôn deâ kaladôtun za
demo brûthlaufte; enti ni uuel-
tun queman. 4. Auuar sentita
andrê scalchâ, quad: Sagêt dêm
keladôtôm: see . . . .
farri mînê enti daȝ hôhista sintun arslagan, enti elliu karauuita:
quemet za brûthlaufte.“ 5. Siê

---

1) In der Handſchrift verbeſſert: temere. Der Überſetzer ſcheint tanore
zu verſtehen. 2) für einigemu.

in villam suam, alius vero ad suam negotiationem; 6. reliqui vero tenuerunt servos ejus et contumeliis affectos occiderunt. 5 7. Rex autem cum audisset, iratus est; et missis exercitibus suis perdidit homicidas illos, et civitatem illorum succendit. 8. Tunc ait servis suis: „nuptiæ quidem 10 paratæ sunt, sed qui invitati erant, non fuerunt digni. 9. ite ergo ad exitus viarum, et quoscunque inveneritis, vocate ad nuptias." 10. Et egressi servi 15 eius in vias, congregaverunt omnes, quos invenerunt, malos et bonos; et impletæ sunt nuptiæ discumbentium. 11. Intravit autem rex, ut videret discumbentes, 20 et vidit ibi hominem non vestitum veste nuptiali. et ait illi: „amice, quomodo huc intrasti, non habens vestem nuptialem?" At ille obmutuit. 12. Tunc dixit 25 rex ministris . . . .

30

des auuar ni rôhhitun, enti fuorun im, sum in sîn dorf, sum auh za sînemo caufe; 6. andrê auh sumê kafêngun deâ sînê scalchâ enti deâ gahôntê arslôgun. 7. Der chuninc duo sô ær iz kahôrta, uuart arbolgan, enti santa sîniu heri, forlôrta deâ manslagun enti forbrennita irô burc. 8. Duo quad sînêm scalchum: „brûthlauft ist gauuisso garo, oh deâ kaladôtê uuârun, ni uuârun es uirdigê. 9. ferit auuar ûz in daz kalaz derô uuegô, enti sô huuenan sô ir findêt, ladôt za brûthlaufte." 10. Enti fuorun ûz sînê scalchâ in deâ uuegâ, enti kasamnôtun allê, sô huuelîhhê sô siê funtun, ubilê ioh guotê; enti uuarth arfullit des brûthlauftes kastuoli. 11. Kênc in der chuninc, daz sâhi deâ sizzentun, enti kasah dâr mannan ungaueritan brûthlauftîges kauuâtes. enti quad imo: „friunt, hueo quâmi du hera in? ni habêst brûthlauftîc kauuâti." Enti ær arstummita. Duo quad der chuninc dêm ambahtum . . . .

Matth. 24.

29. „Statim autem post tribulationem dierum illorum sol obscurabitur, et luna non dabit lumen suum, et stellæ cadent de 35 coelo et virtutes coelorum commovebuntur. 30. Et tunc parebit signum filii hominis in coelo. Et tunc plangent omnes tribus

„Saar auh after dêm arbeitim derô tagô sunna ghifinstrit, enti mâno ni gibit siin leoht, enti sternâ fallant fona himile, enti diu himilô megin sih hruorent. 30. Enti danne schînant zeihhan mannes sunes in himile. Enti danne uuoffent elliu særda folc,

terræ, ,et videbunt filium hominis venientem in nubibus coeli
cum virtute multa et maiestate.
31. Et mittet angelos suos cum
5 tuba et voce magna; et congre-
gabunt electos eius a quatuor
ventis, a summis coelorum usque
ad terminos eorum. 32. Ab ar-
bore autem fici discite parabo-
10 lam: .cum jam ramus eius tener
fuerit et folia nata, scitis, quia
prope est æstas. 33. Ita et vos
cum hæc omnia videritis, scitote,
quia prope est in januis. 34. Amen
15 dico vobis, quia generatio hæc
non præteribit, donec omnia
hæc fiant. 35. Coelum et terræ
transibunt: verba autem mea
non præteribunt.“
20

enti kasehant mannes sunu que-
.mantan in himiles uuolcnum mit
mihhilû meginû enti almahtigîn.
31. Enti sentit sînê angilâ mit
trumbôn enti mihhilêru stimnu;
enti kasamnôt sînê kachoranê
fona feor uuintun enti fona himilô hôhistin untaz derô mareha.
32. Fona fiicbaume danne chun-
net bîuurti: saar sô sîn ast mu-
ruuui uuirdit enti lauph ûph
gengit, uuizut, daz danne nâh
ist sumere. 33. Sô auh danne
ir diz al kisehet, uuizit danne,
daz iu az selbêm turin ist. 34.
Uuâr iu sagêm, daz diz manchunni ni zaferit, êr danne diz
al uuirdit. 35. Himil enti erda
zafarant; mîniu uuort auuar iu
bilîbant.“

VII. Exhortatio ad plebem christianam.

Literaturgeſch. 24. Wack. Leſeb. 51. Maßmann 15Q. Im Weſentlichen nach der Münchner Hdſchr.

Audite, filii...., regulam fideï,
quam in corde memoriter habere
debetis, qui christianum nomen
accepistis, quod est vestræ indi-
25 cium christianitatis, a domino
inspiratum, ab apostolis institu-
tum. Cujus utique fidei pauca verba sunt; sed magna in ea conclu-
duntur mysteria. Sanctus etenim
30 spiritus magistris ecclesiæ, sanctis apostolis, ista dictavit verba
tali breuitate, ut quod omnibus
credendum est christianis sem-
perque profitendum, omnes pos-
35 sent intelligere et memoriter re-

Hlosêt ir, chindô liupôstûn,
rihtida therâ galaupâ, the [1] ir
in herzin kahuctlîcho hapên sculut, ir den christânun namun
intfangan eigut, thaz ist chundida iuuerêrâ christanheiti, fona
demo truhtine innan gaplâsan,
fona sîn selpes jungirôn kasezzit. Therâ galaupâ gauuisso fô-
hiu uuort sint: ûzan drâto mi-
chilu garûni dâr inne sint piuan-
gan. Uuîho âtum gauuisso dêm
meistrum therâ christânheiti, dêm
uuîhôm potôm sînêm, theisu
uuort tihtôta suslîhêrâ churt-

---

1) für thia, thie.

tinere. Quomodo enim se christianum dicit, qui pauca verba
fidei, qua[1] saluandus est, etiam
et orationis dominicæ, quod ipse
5 dominus ad orationem constituit,
neque discere neque uult in me-
moria retinere? Vel quomodo
pro alio fidei sponsor existat,
qui ipse hanc fidem nescit? Ideo-
10 que nosse debetis, filioli mei,
quia donec unusquisque vestrum
eandem fidem filiolum suum ad
intellegendum docuerit, quem de
baptismo exciperit, reus est fidei[2]
15 sponsionis, et qui hanc filiolum
suum docere neglexerit, in die
judicii rationem redditurus erit.
Nunc igitur omnis, qui christianus esse voluerit, hanc fidem et
20 orationem dominicam omni festi-
natione studeat discere et eos,
quos de fonte exceperit, edocere,
ne ante tribunal Christi cogatur
rationem exsoluere, quia dei
25 jussio est et salus nostra et dominationis nostræ mandatum, nec
aliter possumus veniam consequi
delictorum.

30

35

nassí, zadiû allêm christânêm za
galaupjan ist, jâ auh simplun za
pigehan, thaz mahtîn allê far-
stantan jâ in gahucti gahapên.
In huuêo chuidit sih ther man
christânan, ther theisu fôhûn
uuort therâ galaupâ, therâ er
gaheilit scal sîn, jâ derâ er ga-
nesan scal, jâ auh thei uuort
thes frônô gapetes, thei der truhtin selpo za pete gasazta: uuêo
mag er christâni sîn, ther dei
lirnên ni uuili noh in sînêrâ ga-
hukti hapên? Odo uuêo mak
ther furi andran therâ galaupâ
purgio sîn odo furi andran gaheizan, ther the galaupa noh
imo ni uueiz? Pi diû sculut ir
uuizzan, chindilî mîniu, uuanta
êo unzi thaz iuuer êogalîhêr the
selpûn galaupa sînan fillol kalêrit za farnemanne, then er ur
deru tauffî intfâhit, thaz er sculdîg ist uuidar got thes gaheizes,
jâ der de sînan fillol lêran far-
sûmit, za suonutagin redja urgeban scal. Nu allêrô mannô
galîh, ther christâni sîn uuelle,
the galaupa jâ auh thaz frônô
gapet allêru zilungu illê galirnên, ja auh thê galêran, thê er
ur tauffi intfâhe, thaz er za suo-
nutage ni uuerde ganôtit redja
urgeban: uuanta iz ist kotes
kapot, jâ daz ist unsar heilî, jâ
unsares hêrrin gapot, noh uuir
ander uufs ni magun unsêrô
suntjônô antlâz kauuinnan.

---

1) Handf. qui, vielleicht für quibus, quis, bezüglich auf verba? 2) die
Münchner Handf. trennt fi dei oder si dei, daher in der Übersetzung widar got.

VIII. Überſetzung und Auslegung des Vaterunſer.

Literaturgeſch. 24. Wack. 53. Maßmann S. 151.

Pater noster, qui es in coelis. Fater unser, dû pist in himi-
lum. Mihhil gôtlîch ist, daʒ der man den almahtîgun truhtîn
sînan fater uuesan quidit. karîsit denne, daʒ allêrô manno uuelîh sih selpan des uuirdîcan getuoe, cotes sune ze uuesan.

5 Sanctificetúr nomen tuum. Kauuîbit sî namo dîn. Nist uns
des duruft, daʒ uuir des dikkêm, daʒ der sîn namo kauuîbit
uuerda, der êo uuas uuîh enti êo iʃt: ûʒʒan des dikkamês, daʒ
der sîn namo in uns kauuîbit uuerda, enti de uuîhnassî, de uuir
in deru tauſî fona imo intfêngun, daʒ uuir ze demu suonotakin
10 furi inan kahaltana pringan muoʒîn.

Adveniat regnum tuum. Piqhueme rîhhi dîn. Sîn rîchi
uuas êo enti êo ist: ûʒʒan des dikkamês, daʒ daʒ sîn rîchi uns
piqhueme, enti er in uns rîchisôja, nalles der tiuval, enti sîn
uuillo in uns uualte, nalles des tiuuales kaspanst.

15 Fiat voluntas tua etc. Uuesa din uuillo, sama sô in himile
ist, sama in erdu. Daʒ nu sô unpilipono enti sô êrlîcho, sôsô
dê engilâ in demu himile dînan uuillun arfullant, des meʒʒes
uuir inan arfullan muoʒʒîn.

Panem nostrum quotidianum da nobis hodie. Pilipi unsraʒ
20 emiʒʒîgaʒ kip uns êogauuanna. In desêm uuortum sint allô
unsrô lîcmiscûn durufti pifankan. Nû avar, êuuîgo, forkip uns,
truhtin, den dînan lîchamun enti dîn pluot, daʒ uuir fona demu
altâre intfâhamês, daʒ iʒ uns za êuuîgêrâ heilî enti za êuuî-
kemo lîpe piqhueme nalles za uuiʒʒe, enti dîn anst enti dîno
25 minna in uns follîcho kahalt.

Et dimitte nobis debita nostra, sicut et nos dimittimus debi-
toribus nòstris. Enti flâʒ uns unsrô sculdi, sama sô uuir flâʒ-
ʒamês unsrêm scolôm. Makannôtduruft allêrô mannô uuelîhhemo, sih selpan desêm uuortum za pidenchennæ, daʒ allêrô
30 mannô uuelîh sînemu kanôʒ enti sînemu pruoder er allemu
hugiu enti hercin sînô missidâti flâʒʒe, daʒ imu der truhtîn sama deô sînô flâʒe; danna ...... [1]) er demu sînemu kanôʒʒe flâʒan
ni uuili, danna er qhuidit: „flâʒ uns, sama sô uuir flâʒamês.“

Et ne nos inducas in temptationem. Enti ni princ unsih
35 inin chorunka. Ni flâʒ unsic, truhtin, den tiuval sô fram gachorôn, sôsô sîn uuillo sî, ûʒʒan sôsô uuir mit dînêrâ anst enti
mit dînêm ganâdin ubaruuêhan mekîn.

---

1) zu ergänzen iſt etwa: töricht iſt (wäre), daß —.

Sed libera nos a malo. Uʒʒan kaneri unsih fona allêm
suntôn, kalitanêm enti antuuartêm enti cumftîchêm. amen.

IX. Aus der Interlinearverfion der Hymnen des heil. Ambrofius.
Literaturgefch. 28. Wackern. 59. Jacob Grimm, hymnorum veteris ecclesiae
interpretatio theotisca p. 72.

Hymnus 26. Te deum.

	Te deum laudamus.	thih cot lopêmês,
	te dominum confitemur.	thih truhtnan gehemês,
5	te aeternum patrem	thih êuuîgan fater
	omnis terra veneratur.	êokiuuelîh erda uuirdit êrêt. 1)
	Tibi omnes angeli, tibi coeli	thir allê engilâ, thir himilâ
	et universae potestates,	inti allô kiuualtidô,
	tibi cherubim et seraphim	thir cherubim inti seraphim
10	incessabili voce proclamant.	unbilibanlîchêru stimmô for-harênt;
	Sanctus, sanctus, sanctus	uuîhêr, uuîhêr, uuîhêr
	dominus deus sabaoth!	truhtin cot hêrro!
	pleni sunt coeli et terra	folliu 2) sint himilâ inti erda
	maiestate gloriae tuae.	therâ meginchrefti tiurîdâ thînêrâ.
15	Te gloriosus apostolorum chorus,	thih tiurlîchêr potônô cart,
	te prophetarum laudabilis nu-merus,	thih uuîʒagônô loplîchiu ruava,
	te martyrum candidatus	thih urchundônô kascônnôt
	laudat exercitus.	lobôt heri.
	Te per orbem terrarum	thih thurah umbiuurft erdônô
20	sancta confitetur ecclesia,	uuîhiu gihit samanunga,
	patrem immensae maiestatis,	fater ungimeʒenêrâ meginchrefti,
	venerandum tuum verum uni-cum filium,	erhaftan thînan uuârran einagun sun,
	sanctum quoque paracletum spi-ritum.	uuîhan auh trôst âtum.
	Te rex gloriae Christus,	thu chuninc therâ tiurîdâ christ,
25	tu patris sempiternus es filius,	thu fateres simblîgêr pist sun,
	tu ad liberandum suscepisti ho-minem,	thu za arlôsanne antfingi mannan,
	nec horristui virginis uterum.	ni leitlîchêtôs therâ magidi ref.

---

1) Der Überfetzer fetzt hie und da zwei deutfche Ausdrücke. 2) das
neutr. folliu bezieht fich auf das masc. himilâ und auf das fem. erda.

Tu devicto   thu kerihtemo ubaruunnomo [1]
mortis aculeo   tôdes angule
aperuisti credentibus   intâti calaupentêm
regna cælorum.   rîchi himilô.

5 Tu ad dexteram dei sedes   thu za zesuuôn cotes sizis
in gloria patris.   in tiuridu fateres.
judex crederis esse venturus.   suanâri kelaupanne [2]) pist uuesan
                                              chumftigêr.

Te ergo quæsumus: thih avur pittemês:
tuis famulia subveni,   thînêm schalchun hilf,
10 quos pretioso sanguine redemisti. theâ tiuremo pluate archauftôs.

Aeterna fac cum sanctis tuis   êuuîgêrô tua mit uuîhêm thînêm
gloria munerari.   tiuridu lônôt. [3])

Salvum fac populum tuum, do-   kehaltan tua folch liut thînaz,
        mine,   truhtin,
et benedic hæreditati tuæ,   inti benedic erbe thînemu,
15 et rege eos et extolle illos   inti rihti siê inti erheyi siê
usque in æternum,   unzi in êuuîn.

Per singulos dies benedicimus   thurah einluzê tagâ uuela que-
        te,   demês thih,
et laudamus nomen tuum   inti lobômês namun thînan
in seculum et in seculum seculi.   in uueralt inti in uueralt uueralti. [4])

20 Dignare, domine, die isto   kiuuerdô, truhtin, tagé desâmo
sine peccato nos custodire.   âna sunta unsih kihaltan.

Miserere nostri, domine,   miserere unser, truhtin,
miserere nostri.   miserere unser.

Fiat misericordia tua super nos   sî . . . . [5]) thîniu ubar unsih,
25 quemadmodum speravimus in te.   thiû mezû uuântumês in thih.

In te, domine, speravi: in thih, truhtin, uuânta:
non confundar in æternum.   ni sî kiscentit in êuuin.

1) für ubarwunnanemo. 2) für za kelaupanne. 3) für lônôt wêsan. 4) die
Hdf. hat dreimal nueralti, 5) etwa: miltida.

X. Das Wessobrunner Gebet.

Literaturgefch. 4. Wack. 67. Feuffner 14.

(Die Ergänzungen find nach Feuffner eingefchoben.)

Dat gafregin ih mit firahim   firiuuizzô meista
dat ero ni uuas noh ûfhimil   in anaginne,
noh paum noh pereg ni uuas,[1]   noh plômo noh gafildi,
ni sterro nohheinig,   noh sunna ni scein,[1]
5 noh mâno ni liuhta   noh der mareoseô.
dô dâr niuuiht ni uuas   enteô ni uuenteô,
enti dô uuas der eino   almahtîco cot,
mannô miltisto;   enti dâr tuârun auh manakê
mit inan cootlîhhê geistâ.

10   [2] Enti cot heilac, cot almahtîco, du himil enti erda gauuorahtôs, enti du mannum sô manac coot forgâpi, forgíp mir in dîno ganâda rehta galaupa enti côtan uuilleon, uuîstôm enti spâhida, enti craft, tiuflun za uuidarstantanne enti arc za piuuîsanne enti dînan uuilleon za ganurchanne.

Zweiter Abfchnitt.

Neuntes Jahrhundert.

XI. Eid der Könige und der Völker zu Strassburg 842.

Literaturgefch. 28. Wack. 75. Maßmann S. 180, aus Nithardi hiftoriarum lib. III, cap. V.

15   Ergo XVI kalend. marcii Lodhuwicus et Karolus in civitate, quæ ólim Argentaria vocabatur, nunc autem Strazburg vulgo dicitur, convenerunt, et sacramenta, quæ supter notata sunt, Lodhuwicus romana, Karolus vera teudisca lingua juraverunt. Ac sic ante sacramentum circumfusam plebem alter
20 teudisca, alter romana lingua alloquuti sunt. Lodhuwicus autem, qui major natu, prior exorsus sic coepit: „Quoties Lodharius me et hunc fratrem meum" etc. Cumque Karolus hæc eadem verba romana lingua perorasset, Lodhuvicus, quoniam major natu erat, prior hæc deinde se servaturum testatus est:
25 Pro deo amur et pro christian poplo et nostro commun saluament, dist di in auant, in quant deus savir et podir me dunat, si saluarai eo cist meon fradre Karlo et in adjudha et in cadha-

---

1) Handfchrift: noh paum noh pereg. niuuas. ni noh heinig noh sunna ni stein. 2) Feußner und andere nehmen auch diefen Abfchnitt als metrifch. Jedenfalls enthält er viele Stabreime.

una cosa, si cum om per dreit son fradra saluar dist, in o
quid il mi altresi fazet, et ab Ludher nul plaid nunquam prin-
drai, qui meon uol cist meon fradre Karle in damno sit.[1])

Quod cum Lodhuvicus explesset, Karolus teudisca lingua
sic hæc eadem verba testatus est:

5   In godes minnâ ind in thes christiânes folches ind unser
bêdhêrô gehaltnissi, fon thesemo dage frammordes, sô fram sô
mir got geuuizci indi mahd furgibit, sô haldih tesan mînan
bruodher, sôsô man mit rehtû sînan bruodher scal, in thiû thaz
er mig sô sama duo, indi mit Ludheren in nohheiniu thing ne
10 gegangu, the mînan willon imo ce scadhen werdhên.

Sacramentum autem, quod utrorumque populus quique
propria lingua testatus est, romana lingua sic se habet:

Si Lodhuvigs sagrament, que son fradre Karlo jurat, con-
seruat, et Karlus, meos sendra, da suo part non lo stanit, si io
15 returnar non lint pois: ne io ne neuls, cui eo returnar int pois,
in nulla ajudha contra Lodhuwig nun li iver.[2])

Teudisca autem lingua:

Oba Karl then eid, then er sinemo bruodher Ludhuwîge
gesuor, geleistit, indi Ludhuwig, mîn hêrro, then er imo ge-
20 suor, forbrihchit, ob ih inan es irwenden ne mag: noh ih, noh
therô nohhein, then ih es irwenden mag, widhar Karle imo ze
follusti ne wirdhu.

Quibus peractis Lodhuwicus Renotenus per Spiram et
Karolus juxta Wasagum per Wizzûnburg Warmatiam iter
25 direxit.

<hr>

1) Wort für Wort ins Lateinische übersetzt, heißt dieß: Pro dei amore
et pro christiani populi et nostro communi salvamento, de isto die in ab ante
(= in futurum), in quantum deus sapere et posse mihi donat, sic salvare
habeo (= salvabo) ego ecce istum meum fratrem Carolum et in adjutamento
et in usque ad unam omni (unaquaque) causa, sic cum (= sicut) homo per direc-
tum (= jure) suum fratrem salvare debet, in hoc quod ille mihi alterum sic
(= idem) faciat, et ab Ludhero nullum placitun nunquam prehendam, quod
meum velle (= ex mea voluntate) ecce isti meo fratri Carolo in damno sit.
2) Lateinisch: Si Lodhuwicus sacramentum, quod suo fratri Carolo jurat, con-
servat et (si) Carolus, meus senior, de sua parte non illum (illud) stanit (= stare sinit),
si ego retornare non illum inde possum: nec ego nec nullus (= ullus), quem
ego retornare inde possum, in nullo adjutamento contra Lodhuwicum non
illi ero.

XII. Vom jüngsten Gerichte (Mufpilli).

Literaturgefch. 29. Schmeller, Mufpilli. Wackern. 69. Feuffner 15.

(Die Ergänzungen nach Feuffner find klein gedruckt.)

Wola ist durft mihhil   allêrô mannô uuelîhhemo,
der dâr hiar in uuerolti   kiuuerkôta upilo,
daʒ er kâhe zi kinésanne   duruh kotes kinâdâ
enti rette sêla sîna   at Satanâses henti,
5 êr sîn tac piqueme,   daʒ er touujan scal.
uuanta sâr sô sih diu sêla   in den sind arhevit
enti si den lîhhamun   likkan lâʒʒit,
sô quimit ein heri   fona himilzungalon,
daʒ andar fona pehhe :   dâr pâgant siu umpi.
10 sorgên mac diu sêla   unzi diu suona argêt,
za uuederemo herje   si gihalôt uuerde.
uuanta ipu sia daʒ satanazses   kisindi kiuuinnit,
daʒ leitit sia sâr   dâr iru leid uuirdit,
in fuir enti in finstrî;   dagi ist rehto ¹) virinlîh ding.
15 upi sia avar gihalônt diê,   diê dâr fona himile quemant,
enti si derô engilô   eigan uuirdit :   diê pringent sia sâr   ûf in himilô rîhhi, ²)
dârî ist lîp âno tôd,   lioht âno finstrî,
selida âno sorgûn;   dar nist nêo man siuh.

20 Denne der man in paradîsû   pû kiuuinnit, ³)
hûs in himile,   dâr quimit imo hilfa kinuok.
pidiû ist durft mihhil   allêrô mannô uuelîhhemo, ⁴)
. . . .   daʒ in es sîn muot kispane,
daʒ er kotes uuillun   kerno tuo,
25 enti hellâ fuir   harto uuîse,
pehhes pîna,   dâr piutit der satanaʒ altist,
heizʒan lauc. ⁵)   sô mac huckan za diû,
sorgên drâto,   der sih suntîgan uueiʒ.
nuê demo in vinstrî scal   sînô virinâ stuen,
30 prinnan in pehhe.   daʒ ist rehto paluuîc dink,
daʒ der man harêt ze gote   enti imo hilfa ni quimit.
piuuânit sih kinâda   diu uuênaga sêla :

---

1) Hdfchr. ret, Schmeller reht, Wack. und Feuffner rehto. 2) F. verbeffert : ûf in paradîsi, letzteres alliterierend auf pringent. 3) F. ftellt die Zeile fo: denne in paradîsû pû kiuuinnit der man. 4) F. läßt diefe Halbzeile weg und alliteriert : mihhil — muot. 5) F. verbeffert : dâr piutit der satanaʒ hartost heiʒʒan lauc.

ni ist in kihuotin himilisken gote,1)
nuanta hiar in uuerolti after ni uuerkôta.2)

Sô denne der mahtîgo khuninc daz mahal kipannit,
dara scal queman chunnô kilîhhaz:
5 denne ni kitar parnô nohhein den pan furisizzan,
ni allêrô mannô uuelîh ze demo mahale sculi.
dâr scal er vora demo rîhhe az rahhu stantan,
pî daz er in uuerolti kiuuerkôt hapêta.3)
daz hôrtih rahhôn dia uueroltrehtuuîson,
10 daz sculi der antichristo mit Êliase pâgan.
der uuarch ist kiuuâfanit, denne uuirdit untar in uuîc arhapan.
khenfun sint sô kreftîc, diu kôsa ist sô mihhil.
Êlîas strîtit pî den êuuîgon lîp,
uuili denêrh nrneôtk daz rîhhi kistarkan;
15 pidiû scal imo helfan, der himiles kiuualtit.
der antichristo stêt pî demo altfîante,
stêt pî demo satanâse, der inan farsenkan scal.
pidiû scal er in deru uuîcsteti uuunt pivallan4)
enti in demo sinde sigalôs uuerdan.
20 doh uuânit des vilo gotmannô, daz Êlîas [in demo uuîge]
aruuartit uuerde.5)

sâr sô daz Êlîases pluot in erda kitriufit.
sô inprinnant diê pergâ, poum ni kistentit
einîc in erdu, ahâ artruknênt,
muor varsuuilhit sih, suilizôt lougjû der himil,
25 mâno vallit, prinnit mittilagart,
stein ni kistentit.6) verit denne stuatago in lant,
verit mit diû vuirû virihô uuîsôn,
dâr ni mac denne mâk andremo vora demo muspille helfan.

Denne daz preita uuasal allaz varprennit,7)
30 enti vuir enti luft iz allaz arfurpit:

---

1) F. stellt gote himilisken. 2) F. verbessert diese Halbzeile: si dara
after ni uuerkôta. 3) so F. — Handschr. und Schmeller: kiuuerkôta hapêta.
Wack. kiuuerkôt hapêt. 4) F. stellt: pidiû er in deru uuîcsteti uuunt scal pivallan.
5) F. läßt die Worte: in demo uuîge aus, um Eine Langzeile herzustellen.
Wack. liest in zwei Langzeilen:
    doh uuânit des vîla ... gotmanno,
    daz Êlîas in demo uuîge aruua....
6) Handschr. u. Schm. stein ni kistentit einikin erdu. / Verit denne stuatago in lantatu.
Wack. stein ni kistentit. denne stuatago in lant etc. 7) Handschr. u. Schm. varprinnit.

uuâr ist denne diu marha, dâr man   dâr eo mit sînên mâgon piec?
diu marha 1) ist farprunnan,   diu sêla stêt pidwungan, 2)
ni uueiz, mit uuiu puoze: sâr verit si za uuîze.
pidiu ist demo manne sô guot,   denner ze demo mahale quimit,
5 daz er rahhôno uuelîhha   rehto arteile.
denne ni darf er sorgên,   denne er ze deru suonu quimit.
ni uueiz der uuênago man   uuielîhhan urteil er habêt,
denne er mit dên miatôn   marrit daz rehta,
daz der tiuval dar pî   kitarnit stentit,
10 der hapêt in ruova   rahhôno uuelîhha,
daz der man êr enti sîd   upiles kifrumita,
dâz er iz allaz kisagêt,   denne er ze deru suonu quimit.
ni scolta sîd mannô nohhein 3)   miatôn intfâhan.

Sô daz himilisca horn   hiklûtit uuirdit
15 enti sih der in den sind arhevit,   der dâr suonnan scal
    enti arteillan scal   tôtên enti lepêntên 4):
denne hevit sih mit imo   herjô meista;
daz ist allaz sô pald,   daz imo nioman kipâgan ni mak.
denne verit er ze deru mahalsteti   deru dâr kimarchôt ist.
20 dâr uuirdit diu suona   dia man dâr io sagêta.
denne varant engilâ   upar dio marhâ,
uuechant deotâ,   uuîssant ze dinge.
denne scal manno gilîh   fona deru moltu arstên,
sih lôssan ar lêuuô vaggôn 5):   scal imo avar sîn lîp piqueman,
25 daz er sîn reht allaz   kirahhôn muozzi
enti imo after sînên tâtin   arteilit uuerde.
denne der gisizzit,   der dâr suonnan scal
    enti arteillan scal   tôtên enti quekkên:
denne stêt dâr umpi   engilô menigî,
30 guotêrô gomênô   guot sô mihhil. 6)
dara quimit ze deru rihtungu 7)   sô vilo, dia dâr arstênt,
sô dâr mannô nohhein   uuiht pimidan ni mak.

---

1) F. verbessert stat, alliterierend mit sêla. 2) Hdfchr. u. Schm. pidungan. 3) Hdfchr. wiederholt mannô nohhein. 4) Handschr. und Schm. der dâr suonnan scal tôtên enti lepêntên. Wack. läßt tôtên enti lepêntên weg. 5) Hdfchr. lôssan sih ar derô lêuuô vaggôn. 6) Hdfchr. guo tero gomono gr[illegible]. Schm. liest: guotêrô gomênô girust sô mihhil. 7) F. verbessert suonsteti, alliterierend mit arstênt.

dâr scal denne hant sprehhan, [1]   houbit sagên, [1]
allêrô lidô uuelîh   unzi in den lusigân vinger,
uuaz er untar desên mannun   mordes kifrumita.
dâr ni ist êo sô listîc man,   der dâr ionuiht arliugan megi,
5 daz er kitarnan megi   sitô dehheina,
niz al fora demu khuninge   kikhundit uuerde,
ûzzan er iz mit alamusanu   furgulti êr allaz
enti mit fastûn   diô virinâ kipuazta. [2]
denne suntîc nist, der kipuazzit hapêt,   denner ze deru suenu quimit;
10 uuirdit denne furi kitragan   daz frônô chrûci,
dâr der hêlîgo christ   ana arhangan uuard.
denne augit er diô mâsûn,   diô er in deru mennisku intfiang,
dia er duruh deses mancunnes . . . .

XIII. Aus der Übersetzung der sog. Tatian'schen Evangelienharmonie.

Literaturgefch. 28. — Schmeller, Ammonii Alexandrini, quae et Tatiani dicitur, harmonia evangeliorum. Vindob. 1841.

Cap. VIII. Stella et adventus magorum. Matth. 2.

Mitthiû ther Heilant giboran uuard in Bethleem Judenô
15 burgi in tagon Herodes thes kuninges, senu thô magi ôstana
quâmun zi Hierusalem sus quedante: „Uuâr ist ther thie giboran ist Judenô cuning? uuir gisâhumês sînan sterron in
ôstarlante, inti quâmumês înan zi betonne."

Thô thaz gihôrta Herodes ther kuning, uuard gitruobit
20 inti al Hierusalem mit imo. inti gisamanôta then hêrduom
therô biscofô inti thiê gilêrton thes folkes, eisgôta fon in, uuâr
Christ giboran uuâri. Siê thô quâdun imo: „in Bethleem, Judenô burgi. sô ist giscriban thuruh then uuizagon: Thu Bethleem, Judenô erda, nio in altere bist thu minnista in thên
25 hêriston Judenô, [3] uuanta fon thir quimit tuomo, ther rihtit
mîn folc Israhel." Tho Herodes, tougolo gihalôten magin [4]),
gernlîcho lernêta fon in thie zît des sterren, ther sih in araugta. inti santa sie in Bethleem sus quedanti: „faret inti fragêt
gernilîcho fon themo kinde. thanne ir iz findet, thanne cundet
30 iz mir, thaz ih thara queme inti betô inan.

---

1) F. verfetzt sprehhan und sagên. 2) F. verbeffert kipuazti. 3) in principibus Juda. 4) clam vocatis Magis.

Thô siê gihôrtun then cuning, fuorun. sênu thô sterro,
then siê gisâhun in ostarlante, forafuor siê, unz her quêmenti
stuont oba thâr thie kneht uuas. Siê thô gisehentê then sterron gifâhun mihhilemo gifehen thrâto.[1]) inti ingangantê in hûs
5 fundun then kneht mit Mariûn, sînero muoter, inti nidarfallentê
betôtun inan. inti gioffonôtên irô tresofaʒʒon brâhtun imo geba,
gold inti uuîhrouh inti myrrûn. Inti inphanganemo antuuurte[2])
in troume, thaʒ siê ni uuurbîn zi Herode, thuruh anderan uueg
uuurbun zi irô lantsceffi.

Cap. IX. Fuga Christi in Aegyptum. Matth. 2.

10 Thô siê thanân fuorun, girado gotes engil araugta sih
Josebe in troume sus quedanti: „Arstant inti nim thaʒ thegankind inti sîna muoter, inti fliuh in Aegyptum, inti uuis thâr
unzan ih dir quedê; uuanta zuouuart ist, thaʒ Herodes suochit
then kneht zi forliosenne.“ Her thô arstantanti nam then
15 kneht inti sîna muoter nahtes, inti fuor in Aegyptum, inti uuas
thâr unzan hinafart Herodes. Thaʒ uuurdi gifullit, thaʒ giquetan uuas fon truhtine thuruh then uuîʒʒagon sus quedantan:
fon Aegyptin gihalôta ih mînan sun.“

Cap. X. Infanticidium Herodis. Matth. 2.

Thô Herodes gisah, uuanta her bitrogan uuas[3]) fon thên
20 magin, balg sih harto inti sententi arsluog allê thiê knehtâ,
thiê thâr uuârun in Bethleem inti in allên irâ markôn, zuuî-
jârigu inti innan thes,[4]) after thero zîti, thaʒ[5]) her suohta fon
thên magin. Thô uuard gifullit, thaʒ thâr giquetan uuas thuruh
Hieremiam then uuîʒʒagon, sus quedantan: „stemna in hôhî gi-
25 hôrit uuard mihiles uuuoftes inti weinônnes, Rachel uuiof
irâ suni inti ni uuolta sih fluobiren, uuanta siê ni uuârun.“

Cap. XI. Reditus Christi ex Aegypto et habitatio in Nazareth.
Matth. 2.

Thô Herod arstarb, arougta sih truhtines engil in troume
Josebe in Aegypto, sus quedanti: „arstant inti nim then kneht

---

1) gavisi sunt gaudio magno valde. 2) responso accepto. 3) quoniam
illusus esset. 4) et infra follte überfetzt fein untar themo. Der Überfetzer
fcheint intra gelefen zu haben. 5) secundum tempus, quod follte überfetzt
fein after thero zíti, this —

inti sîna muoter inti far in erda Israhel; uuanta arstorbanâ
sint thie thâr suohtun thes knehtes sêla. Her thô arstantanti
nam then kneht inti sîna muoter inti quam zi erdu Israhel.
Thô her gihôrta, thaȥ Archelaus rîchisôta in Judeôn [1] after
Herode, sinemo fater, forhta imo thara faren. Inti gimanôt in
troume fuor in teil Galileæ: inti thô her thara quam, artôta in
theru burgi, thiu thâr ist giheiȥȥan Nazareth. Zi thiu thaȥ gifullit uuurdi thaȥ giquetan uuas thuruh thie uuîȥȥagon: „uuanta
her Nazareus uuirdit ginemnit.“

Cap. XII. Christi duodecennis disputatio in templo Hiero-
solymitano. Luc. 2.

Ther kneht uuârlîcho uuuohs inti strangêta, fol spâhidu [2]),
inti gotes geba uuas in imo. inti fuorun sîne eldiron giâro in
Hierusalem in itmâlemo tage ôstrônô. Inti mitthiû her uuard
giuuortan zwelif iârô, in ûfstîgantên [3] zi Hierusalem after thero
giuuonu thes itmâlen tages, gifultên tagon [4]) mitthiû siê heim
uuurbun, wonêta ther kneht heilant [5]) in Hierusalem, inti ni
forstuontun thaȥ sinê eldiron; uuântun in uuesan [6]) in thero
samantferti, quâmun eines tages weg, inti suohtun inan untar
sînên mâgon inti sînên kundôn. inti inan ni findantê fuorun
uuidar zi Hierusalem, inan suochentê. Uuard thô after thrîn
tagon fundun inan in themo temple, sizzantan untar
mittên thên lêrarin, hôrantan thiê inti fragêntan. Arquâmun
thô allê, thiê inan gihôrtun, ubar sînan uuîstuom inti sîn ant-
tuuurti, inti sehentê uuuntorôtun. Thô quad sîn muoter zi
imo: „Sun, ziu tâti thu uns sô? ih inti thîn fater sêrentê suoh-
tumês thih.“ Inti her quad zi in: „Uuaȥ ist thaȥ ir mih suohtut? ni uuestut ir, thaȥ in thên, thiu mînes fater sint, [7]) gilimphit mir uuesan?“ Inti siê ni forstuontun thaȥ uuort, thaȥ her
sprah zi in, inti nidarstîganti mit in quam zi Nazareth, inti uuas
in untarthiutit. Inti sîn muoter bihielt allu thisu uuort in irâ
herzen. inti ther heilant thêh in spâhidu inti in altere inti in
gebu [8]) mit gote inti mit mannon.

---

1) in Judæa. 2) plenus sapientia; angemeſſener wäre im Deutſchen
fol ſpâhida. 3) ascendentibus illis. 4) consummatisque diebus. 5) puer Jesus.
6) æstimantes illum esse. 7) in his, quæ patris mei sunt. 8) gratia.

Cap. XV. Christus a Diabolo in deserto tentatus. Matth. 4. Luc. 4. Marc. 1.

Thô ther Heilant uuas gileitit in vvuostinna fon themo geiste, thaz her vvurdi gikostôt fon themo diuuale. Inti mit thiu her thô fastêta fiorzug tagô inti fiorzug nahtô, after thiû hungirita inan. Gieng thô zuo imo ther kostâri inti quad imo: „oba thu gotes sun sîs, quid, thaz these steinâ zi brôte uuerdên." Her antlingôta inti quad: „Iz ist giscriban, thaz in theme einen brôte [1] ni lebêt ther man, ûzouh fon iogiuuelîhemo uuorte, thaz thâr framquimit fon gotes munde." Thô nam inan ther diuual in thia heilagûn burg, inti gisazta inan ubar obanentiga thekkî [2] thes tempales inti quad imo: oba thu gotes sun sîs, senti thih thanne hera nidar; iz ist giscriban, thaz her sînên engilon gibiote fon thir, [3] thaz sie mit irô hanton thih nëmên, zi thiû thaz thu ni bispurnês in steine thînan fuoz." Thô quad imo ther Heilant: „ouh ist giscriban, thaz thu ni costôs truhtin, got thînan." Abur nam inan ther diuual thô in hôhan berg thrâto, inti araugta imo allu thisu erdrîchu, inti irô diurida, inti quad imo: „thisu allu gibu ih thir, oba thu nidar fallenti betôs mih." Thô quad imo ther Heilant: „far, Satanas! iz ist giscriban, thaz thu truhtin, got thînan, betôs inti imi einemo thionôs." Inti gientôtero allero theru costungu, [4] thô furliez in ther diuual zi sihuuelîheru zîti. [5] uuas her thô mit uuildirun. [6] giengun thô zuo gotes engilâ inti ambahtitun imo.

Cap. XXII. Peragratio Christi per totam Galilæam. Numerus discipulorum. Concio Christi in monte de beatudinibus. Matth. 4 und 5. Luc. 4 und 6. Marc. 3.

Inti umbigieng ther Heilant alla Galiléam, lêrenti in irô samanungun inti predigônti gotspel rîhhes, inti heilta iogiuuelîhha suht inti iogiuuelîhha ummaht in themo folke. Inti argieng sin liumunt in alla Syria, inti brâhtun imo allê ubil habantê [7] inti mit messalîhhen suhtin inti mit uuîzzirû bifanganê, inti thie thâr habêtun diuual, inti mânôdsioche inti bettisiohhe, inti giheilta sie. Inti folgêtun imo managê menigî fon Galilea inti

---

1) in solo pane. 2) supra pinnaculum. 3) mandavit de te. 4) et consummata omni tentatione. 5) usque ad tempus. 6) [illegible] diorum. 7) omnes male habentes.

fon Decapoli, inti fon Hierusalem inti fon Judeôn, Inti fon ubar
Jordanen. Inti bihabêtun man, thaʒ fon in ni aruuʒi. then
quad her: „uuanta ouh andrên burgin gilimphit mir ʒi got-
spellônne gotes rîhhi, uuanta bi thiû bin ih gisentit.“

5 Mit thiû her gisah thie menigî, steig ufan berg. mit thiû
her gisaʒ, giholôta thiê zi imo, thiê her uuolta, inti quâmun
ʒi imo. inti teta, thaʒ uuârun zuelivi mit imo, thie namta her
boton. Simonem, then her andaremo namen hieʒ·Petrum, inti
Andream, sînan bruoder. inti Jacobum, Zebedeoen sun, inti
10 Johannem, Jacobes bruoder, thên scuof her namon, thaʒ sîe
hieʒʒin Boanerges, thaʒ ist arrekit thonares kind. Philippum
inti Bartholomeum, Matheum inti Thomam, Jacobum Alpheen
sun, inti Simonem, thie thâr ist giheiʒan Zelotes, inti Judam
Jacobes bruoder, inti Judam anderemo namen Scarioth, ther
15 uuas meldâri.

Inti giengun thô zi imo sînê iungiron, inti ufarhabanên
sînên ougôn in sie [1] intteta sînan mund, inti lêrta sie sus quedanti:

„Sâligê sint, thie thâr armê sint in geiste, uuanta therô ist
20 gotes rîhhi. Sâligê sint manduuarê, [2] uuanta thie bisizzent
erda. Sâligê sint, thie thâr vvuofent, uuanta thie uuerdent gifluobrit. Sâligê sint, thie thâr hungerent inti thurstent reht, [3]
uuanta thie uuerdent gisatôtê. Sâligê sint, thie thâr sint milt-
herzê, uuanta sie folgênt miltidûn. Sâligê sint, thie thar sint
25 sûberê in herzôn, uuanta thie gisehent got. Sâligê sint, thie
thâr sint sibbisamê, uuanta sie gotes barn sint ginennit. Sâligê
sint, thie thâr âhtnessî sint tholenti thuruh reht, uuanta irô ist
himilô rîhhi. Sâligê birut ir, mit thiû iu fluohhônt inti haʒʒônt
iuuih man, inti âhtênt iuuuar, inti quedent al ubil uuidar iu
30 liogentê, mit thiu sie iuuih ziskeident, inti itiuuiʒʒônt, inti aruuer-
phent iuuuaran namon sama sô ubil thuruh then mannes sun.
Giuehet in themo tage inti blîdet, uuanta bithiû iuuar mieta
ist ginuhtsam in himilon. So âhtitun sie therô uuîzagônô, thie
thâr fora iu uuârun, irô faterâ. [4]“

Cap. XXXIII. De eleemosyna pie eroganda. Matth. 6.

35 „Uuartêt iu, thaʒ ir iuuar reht ni tuôt fora mannon, thaʒ
ir gisehan sît fon in, mîn odouuan [5] lôn ni habêt mit iuuaremo

---

1) et elevatis oculis in eos. 2) mites. 3) esuriunt et sitiunt justitiam.
4) Sic persecuti sunt prophetas, qui fuerunt ante vos, patres eorum. 5) mîn
odouuan = alioquin, ne forte.

fater, ther in himile ist. Thanne tu tuôs elimosinam, ni tuo
trumbûn singan [1]) fora thir, so thie lîhhazârâ tuont in dingon
inti in thorphon, thaz siê sîn giêrêtê fora mannon. Uuâr sagên
ih iu: sie intphiengun irô lôn. Thir tuontemo [2]) elimosinam,
5 ni uuizze iz thîn uniministra, uuaz thîn zesuua tuo, thaz thîn
elimosina sî in tougalnesse, inti thîn fater, ther iz gisihit in
tougalnesse, gelte thir."

Cap. XXXIV. De precibus hypocritis, et Deo placentibus.
Matth. 6.

„Thanne ir betôt, ni sît thanne sô sô thiê lîhhizârâ, thiê
thâr minnônt in samanungu inti in giuuiggin strâzônô stantantê
10 betôn, thaz siê sîn gisehan fon mannon. Uuâr ist, thaz ih iu
sagên: siê intphiengun irô mieta. Thanne thu, mit thiû thu
betôs, gang innan thîna camara, inti bislozanên thînên turin [3])
betô thînan fater in tougalnesse, inti thîn fater, ther gisihit in
tougalnesse, giltit thir thanne. Betôntê ni curet filu sprehan
15 sôsô thiê heidanon man, siê uuânen, thaz siê in irô filusprahhi
sîn gihôrtê. Ni curet uuârlîhho in gilîh uuesan, uuei z iuuar
fater, uues iu thurft ist, êr thanne ir inan bitet."

Thô quad ein sînerô iungirônô zi imo: „truhtin, lêri unsih
betôn, sôsô Johannes lêrta sînê iungiron."
20 Thô quad her in: „thanne ir betôt, thanne quedet sus:

Fater unser, thu thâr bist in himile, sî giheilagôt thîn
namo. queme thîn rîhhi. sî thîn uuillo, so her in himile ist,
sô sî her in erdu. unsar brôt tagalîhhaz gib uns hiutû. inti
furlâz uns unsarâ sculdi, sô uuir furlâzemes unsarên sculdigon.
25 inti ni gileitêst unsih in costunga, ûzouh arlôsi unsih fon ubile.

Oba ir furlâzet mannon irô sunta, thanne furlâzet iu iuuar
fater ther himilisco iuuarâ suntâ. Oba ir ni furlâzet mannon,
thanne ni furlâzit iu iuuar fater iuuarâ suntâ."

Cap. XLV. Nuptiæ in Cana Galileæ celebratæ. Joh 2.

In thritten tage brûtloufti gitânô uuârun in thero steti, thiu
30 hiez Canan Galileæ: thâr uuas thes Heilantes muoter. Gihalôt
uuas ouh thara ther Heilant inti sînê iungiron zi thero brûtloufti. Thô ziganganemo themo uuîne [4]) quad thes Heilantes

---

muoter zi imo: „siê ni habênt uuîn.“ Thô quad iru ther Heilant: „uuaʒ ist thih thes inti mih,[1] uuîb? noh nu ni quam mîn zît.“ Thô quad sîn muoter zi thên ambahton: „sô uuaʒ sô her iu quede, so tuot ir.“

5 Thâr uuârun steininu uuaʒʒarfaʒ sehsu gisezitu, after sûbernesse therô Judeônô, thiu bihabên mohtun einerô giuuelîh zuei meʒ odo thriu. Thô quad in ther Heilant: „fullet thiu faʒ mit uuaʒʒarû.“ Inti siê fultun siu unzan enti. Thô quad in ther Heilant: „scephet nu, inti bringet themo furistsizzentén.“ Inti siê brâhtun. Tho gicorôta ther furistsizzento thaʒ uuaʒʒar zi uuîne gitân, inti her ni uuesta, uuanân iʒ uuas; thiê ambahtâ uuestun iʒ, thie thâr scuofun thaʒ uuaʒar. Tho gihalôta then brûtigomon ther furistsizzento, inti quad imo: „iogiuuelîh man zi êrist guotan uuîn sezzit, inti mit thiû siê foltruncanê sint, thanne thaʒ thâr uuirsira ist; thu gihielti then guoton uuîn unzan nu.“

Thaʒ teta in anaginne zeichanô[2] ther Heilant in thero steti, thiu hieʒ Cana Galileæ, inti offonôta sîna diurida.

Cap. XLVI. Leprosus a Christo sanatus. Matth. 8. Marc. 1.

Thô her arsteig fon themo berge, folgêtun imo manegê
20 menigî. Sênu thô riob man quementi giboganemo kneuuo, betôta inan, sus quedenti: „truhtin, oba tu uuili, thu maht mih gisûbiren.“ Inti thenenti sîna hant biruorta inan ther Heilant, sus quedenti: „uuilla,[3] uuis sûbiri!“ Inti sliumo uuard thô giheilit sîn ruf. Thô quad imo ther Heilant: „gisih, thaʒ thu
25 iʒ niomanne ni quedês, ouh far inti giougi thih themo biscofe inti bring thie geba, thie thâr gibôt Moyses, in zi giuuiznesse.“ Her thô ûʒganganti bigonda predigôn inti maren thaʒ uuort, sô thaʒ her ni mohta giu ougazorhto gân in thie burg, ouh ûʒe în vvuostên stetin uuesan, inti quâmun zi imo iogi-
30 uuanân.

Cap. XLVII. Servus centurionis Capernaitici a Christo restitutus. Matth. 8. Luc. 7.

Mit thiû her thô ingieng in Capharnaum, gieng zi imo ein centenâri, bat inan, inti quad: „truhtin, mîn kneht ligit in

---

1) quid mihi et tibi est. 2) Hoc fecit initium signorum. 3) für willu = volo.

hûse lamêr, inti ist ubilo giuufzinot.“ Thô quad imo ther
Heilant: „ih quimu inti giheilu inan.“ Thô antlinginti ther
centenâri quad: „truhtin, ih ni bin uuirdîg, thaz thu gêst untar
mîna thekî, quid ekkorodo mit uuortû, thanne uuirdit mîn kneht
5 heil. Ih bin man untar giuuelti habenti untar mir kemphon,
inti ih quidu zi thesemo : far, inti her ferit, anderemo quidu :
quim, inti her quimit, inti mînemo scalke : tuo thiz, inti her
tuot iz.“ Thaz gihôrenti ther Heilant uuuntorôta, inti imo fol-
gentên quad: „uuâr sagên ih iu, ni fand ih sô mihilan giloubon
10 in Israhel. Ih quidu iu, thaz managê ôstana inti nuestana quement, inti sizzent mit Abrahame inti Isake inti Jacobe in himilô rîhhe; kind thesses rîhhes sint furuuorphan in thiu ûzarûn
finstarnessi, thâr ist uuoft inti zenô stridunga.“ Thô quad
ther Heilant themo centenâre : „far, inti sô thu giloubtôs, sô
15 sî thir.“ Uuard tho giheilit ther kneht in thero zîti. Uuarb
thô ther centenâri in sîn hûs, inti fand then scalc, thie thâr sioh
uuas, heilan.

Cap. LII. Tempestas maris sedata. Matth. 8. Marc. 4.

Imo stîgantemo in skef [1]) folgêtun imo sîne iungiron. Inti
mihhil giruornessi uuard thô in themo sêuue, sô thaz thaz scef
20 uuard bithekit mit thên undôn. Her thô uuas in themo scefe,
ubar houbit-phuliuui slâfenti. Sie giengun thô zuo inti uuah-
tun inan sus quedantê : „truhtin, heili unsih, uuanta uuir fur-
uuerden!“ Thô quad her in : „ziu birut ir forhtalê luciles gilouben [2])?“ Thô her arstant enti [3]) gibôt uuinte inti sêuue, inti
25 quad : „suîge inti arstumme.“ Uuard thô gitân mihhil stilnessi.
Thie man thô uuuntrôtun, sus quedantê untar zuisgên : „uuer
odo uuuolîh ist ther, ther uuinton gibiutit inti sêuue, inti siê
hôrent imo?“

Cap. LXXX. Panes et pisces multiplicati. Matth. 14. Luc. 9.
Joh. 6. Marc. 6.

Abande giuuortanemo [4]) zuogangentê thie zueliui quâdun
30 imo : „furlaz these menigî, thaz sio farento in burgi inti in thorf,
thiu thâr umbi sint, sih giuuentên, inti findên phruonta, bi thiu
uuir hier in uuuosteru steti birumês.“ Thô quad in ther Hei-

------

1) adscendente eo in naviculam. 2) quid timidi estis modicae fidei?
2) für artanstenti = surgens. 3) Vespere autem facto.

lant: „siê ni habent thurfti zi faranne, gebet ir in eʒʒan.“ Thô
antvvurtita imo Philippus : zuei hunt phendingô brot ni gimugun
in, thaʒ irô einerô giuuelih luziles uuaʒ [1]) inphâhê.“ Tho quad
her in : „vvuo managu brôt habêt ir?“ Quad imo einêr fon
5 sînên iungirôn, Andreas, bruoder Simones Petres : „hier ist ein
kneht, ther habêt fimf leibâ girstinê, inti zuênê fiscâ, noba uuas
sint thisiu untar sô managên, ni si thaʒ uuir farêmês inti coufêmês
in allo theso menigî phruonta.“ Her quad in : „bringet siê
mir hera.“

10   Inti gibôt her in, thaʒ sizzen tâtîn after gisellaskefin ûfan
gruonemo grase. inti sâʒun siê in teil thuruh zehenzuge inti
thuruh fimfzûge. Inphanganên thô fimf brôton inti zuein fiscon, [2])
scouuôta in himil inti giuuîhita siu, inti brah inti ziteilta sinên
iungirôn, thiê iungiron thô thên menigin. Inti âʒun siê allê inti
15 uuurdun gisatôtê, nâmun siê thio âleibâ zuelif birilâ therô
broccônô follê. Therô eʒentêrô uuas zala fimf thûsunta gommannô,
ûʒan uuîb inti luzilu kind.

        Inti sâr gibôt her thiê iungiron stîgan in scef, inti furi-
faran inan ubar then sêo zi Bethsaidu, unz aʒ her furlieʒi thie
20 menigî. Thie man, thô siê gisâhun, thaʒ her teta zeihhan,
quâdun: „thaʒ thesêr ist unarlîhho unîʒago, thie thar zuouuert
ist in mittelgart.“ Ther Heilant thô, sô sô her thaʒ irkanta,
thaʒ siê zuouuertê uuârun, thaʒ siê fiengîn inan inti tâtîn inan cuning, flôh ; inti furlâʒaneru thero menigî [3]) steig in berg eino betôn.

Cap. LXXXI. Petrus supra mare ambulans. Matth 14. Marc, 6.

25   Abande giuuortanemo eino uuas her thâr. Thaʒ skef in
mittemo sêuue [4]) uuas giuuorphozit mit thên undôn; uuas in
uuidaruuart uuint. In therô fiordûn uuahtu therô naht gisehenti siê uuinnentê [5]) quam zi in gangantêr oba themo sêuue,
inti uuolta furigangan siê. Inti siê gisehentê inan oba themo sêuue
30 gangantan, gitroubtê vvurdun, quedentê : thaʒ iʒ giskîn
ist [6]) inti bi forhtûn arriofun. Inti sâr thô ther Heilant sprah
in quedenti: „habêt ir beldida, ih bim iʒ, ni curet iu forhten.“
Antvvurtenti thô Petrus quad : „trohtin, ob thuʒ bist, heiʒ mih
queman zi thir ubar thisiu uuaʒʒar.“ Thara uuidar her thô

---

1) ut unusquisque modicum quid. 2) Acceptis autem quinque panibus
et duobus piscibus. 3) et dimissa turba. 4) in medio mari. 5) videns eos
laborantes. 6) quia phantasma est.

quad : „quim.“ Inti nidar stîgantêr Petrus fon themo skefe
gieng oba themo uuaȝare, thaȝ her quâmi zi themo Heilante.
Gisehenti her thô uuint mahtîgan forhta imo, inti sô her bigonda sinkan, riof quedantêr: „truhtin, heilan tuo mih.“ Inti
5 sliumo ther Heilant thenenti sina hant fieng inan inti quad imo :
„luziles gilouben, bihiû zuêhôtôs thu?“

Inti sô siê thô gistigun in skef, bilân ther uuint, inti sâr
uuas thaȝ scef zi lante, zi themo siê fuorun. Thiê thâr in themo
skefe uuârun, quâmun inti betôtun inan quedantê: „zi uuâre,
10 gotes sun bist.“

Cap. CLIX. Christi ad discipulos sermo et Paracleti promissio.
Joh. 15.

Thô quad her in: „Ih bin uuâr uuînreba, inti mîn fater
acarbigengiri ist. Jogiuuelîh uuînloub, in mir ni tragenti
uuahsmon, nimit iȝ thana, inti iogiuuelîhaȝ, thaȝ uuahsmon tregit, reinit iȝ, thaȝ iȝ uuahsmon mêr bere. Ir birut iu reinê
15 thurah thaȝ uuort, thaȝ ih iu sprah : uuonêt in mir, inti ih in
iu. Sô thaȝ uuînloub ni mac beran uuahsmon fon imo selbemo,
nibiȝ uuonê in theru uuînrebûn, sô îr, nibi ir in mir uuonêt.
Ih bin uuînreba inti ir birut uuînbletir; ther der in mir uuonêt,
inti ih in imo, ther birit mihilan uuahsmon, uuanta ûȝȝan mih
20 ni mugut ir niouuîht duon. Oba uuer in mir ni uuonêt, uuirdit
ûȝgisentit¹) sama sô uuînloub, inti thorrêt, inti lesent siu, inti
uuerphent in fuir, inti brinnent.²) Obir uuonêt in mir, inti
mînu uuort in iu uuonênt, sô uuaȝ sô ir uuollet, bittet, inti
uuirdit iu. In thiû giberehtôt ist mîn fater, thaȝ ir mihilan
25 uuahsmon bringet, inti sît gifremitê³) mînê iungiron. Sô sô
mih mîn fater minnôta, inti⁴) ih minnôta iuuuih. uuonêt in
mîneru minnu. Obir mîn bibot haltêt, thanne uuonêt ir in
mîneru minnu, sôsih mînes fater bibot bihielt, inti uuonên in
sîneru minnu.

30 Thiȝ sprah ih iu, thaȝ mîn gifeho sî gifullit. Thaȝ ist mîn
bibot, thaȝ ir iuuuih mînnôt untarzuuisgên, so ih iuuuih minnôta. Mêrun therra minna⁵) nioman habêt, thanne thaȝ uuer
sin ferah sezze furi sînê friuntâ. Ir birut mînê friuntâ, obir
thaȝ duot, thaȝ ih iu gibiutu. Ih ni quidu iû iu scalcâ, uuanta

---

1) mittetur foras. 2) et ardet sollte übersetzt sein inti brinnit. 3) et
efficiamini. 4) et = etiam. 5) Majorem hac dilectionem nemo habet.

scalc ni uueiʒ, uuaʒ duot sîn herro. Ih quidu iuuuih friuntâ,
uuanta allu, thiu ih gihôrta fon mînemo fater, tetih iu cundiu.
Noh ir mih gicurut, ûʒ ih gicôs iuuuih, inti sazta iuuuih, thaʒ
ir fuorît, thaʒ ir fruht brâhtît, inti iuuuêr fruht uuonê, thaʒ sô
5 uuaʒ sô ir bitet then fater in mînemo namen, gebe iu.

Thiz gibiutu ih iu, thaʒ ir minnôt iuuuih untarzuuisgên.
Oba thisu uueralt' iuuuih haʒʒôt, uuiʒʒit thanne, thaʒ siu mih
êr iu in haʒʒe habêta. Obir fon therru uueralti unârît, thisu
uueralt, thaʒ irâ uuas, minnôti; bi thiû uuanta ir fon uueralti
10 ni birut, oh ih ercôs iuuuih fon uueralti, bi thiû haʒʒôt iuuuih
uueralt.

Gihuget mines uuortes, thaʒ ih iu quad : nist scalc mêro
sînemo herren.[1]) Oba siê mîn âhtitun, thanne âhtent siê ouh
iuuuer; oba siê mîn uuort hieltun, thanne haltent siê iuuuer.
15 Oh thisu allu duont siê iu thuruh mînan namon, uuanta siê ni
uuiʒʒun then, ther mih santa. Obih ni quâmi inti sprâhi zi
in, thanne ni habêtîn siê sunta; nû sihhura ni habênt fou irô
suntôn. Ther de mih haʒʒôt, mînan fater haʒʒôt. Obih uuerc
ni tâti in in, thiu du nioman ander ni duot, sunta ni habêtîn.
20 Nû gisâhun inti haʒʒôtun ioh mih ioh mînan fater. Oh thaʒ
gifullit uuerde uuort, thaʒ in irô êuu giscriban ist : uuanta siê
in haʒʒe mih habêtun ungifergôt."

Thanne cumit ther fluobargeist, then ih iu sentu fon themo
fater, then geist thes uuâres, ther fon themo fater framgengit,
25 her giuuiznessi fon mir sagêt. Inti ir sagêt ouh giuuiznessi,
uuanta ir fon anaginne mit mir uuârut.

Thisu sprah ih iu, thaʒ ir ni sît bisuuihan. Uʒ fon iro
samanungu duont si iuuuih; oh cumit zît, thaʒ iogiuuelîh, ther
iuuuih erslehit, uuânit sih ambaht bringan gote. inti thisu duont
30 siê, uuanta siê ni uuestun mînan fater noh mih. Oh thisu
sprah ih iu, thanne cumit therrô zit[2]), thaʒ ir es gihuget, thaʒ
ih iʒ iu foraquad." — — — — — — — — — — — —

Cap. CLXVII. Christus coram Pilato et Herode.
Joh. 18 & 19. Luc. 23. Matth. 27.

Gieng thô Pilatus ûʒ zi in, inti quad : „uuelîhhan ruogstab
bringet ir uuidar thesan man?" Thô antlingitun siê inti quâdun
35 imo : „oba thesêr ni uuâri ubiluurhto, thanne ni saltîn uuir inan
thir. Thesan fundumês eruuerbenti unsera thiota, inti uuerên-

---

1) major domino suo. 2) ut, cum venerit hora eorum, reminiscamini,
quia ego dixi vobis.

tan then tribuz geban themo keisure, inti quedentan sih Crist
cuning uuesan.[1]“ Thô quad in Pilatus: „intfâhet ir inan, inti
after iuuuêru evvu duomet inan.“ Thô quâdun thie Judei: „uns
niat erloubit, zi alahanne einingan.“ Thaz throhtines uuort gi-
5 fullit uurdi, thaz her quad, gizeihanônti, uuelîhhemo tode uuas
sterbenti.

Ingieng thô abur in thaz thinchûs Pilatus inti gihalôta
then Heilant, inti quad imo: thu bis cuning Judeôno? Thô
antlingita ther Heilant: „fon thir selbemo quidistu thaz, oda
10 anderê thir iz quâdun fon mir?“ Thô antlingita Pilatus: „eno
bin ih Judeus? Thîn thiota inti bisgoffâ saltun thih mir, uuaz
tâti thu?“ Thô antlingita ther Heilant: „mîn rîhhi nist fon
thesemo mittilgarte; oba fon thesemo mittilgarte uuâri mîn
rîhhi, mînê ambahtâ uunnîn, thaz ih ni uurdi giselit Judein;
15 nu giuuesso nist mîn rîhhi hinân.“ Thô quad imo Pilatus:
„bistu cuning?“ Thô antlingita ther Heilant: „thu quidis,
uuanta ih cuning bin. Ih bin in thiû giboran, inti zi thiû quam
ih in mittilgart, thaz ih sagêti giuuizscaf uuâre.[2] Giuuelîh,
thie dâr ist fon uuâre, ther hôrit mîna stemma.“ Thô quad
20 imo Pilatus: „uuaz ist uuâr?“ Mit thiû her thaz quad, abur
gieng ûz zi thên Judein, inti quad zi thên hêrôstôn therô bisgoffô inti zi theru menigî: „niheininga sahha ni fant ih in
thesemo manne.“ Siê thô gimagêtun quedentê[3]): „giruorit folc,
lêrenti thurah alle Judæa, inti biginnenti fon Galileu unzan
25 hera.“ Pilatus gihôrenti Galileam, frâgêta, oba ther man uuâri
Galileus? Inti sô her thô forstuont, thaz her uuas fon Hero-
deses giuuelti, santan[4]) uuidar zi Herode, ther selbo uuas in
Hierusalem in thên tagon. Herodes gisehanemo themo Heilante
uuas thrâto ginebenti, her uuas iu gerônti fon managêru zîti
30 inan gisehan, bi thiû her gihôrta managiu fon imo, inti uuânta
sihuuelîh zeihan gisehan fon imo uuesan.[5]) Frâgêta inan managên uuorton inti her thô niouuiht antlingita imo. Stuontun
thie hêrôston therô bisgoffô inti thiê buoherâ, einrâtlîhho ruo-
genti inan. Uozzirnita inan Herodes mit sînemo herige, inti
35 bismarôta giuuâtitan mit uuîzzû giuuâtû, inti uuidarsantanan zi
Pilatuse. Inti uuârun thô giuuortan friuntâ Herodes inti Pilatus in themo tage; siê uuârun êr untarzuuisgên fiiantâ.

---

1) et dicentem, se Christum Regem esse. 2) ut testimonium perhibeam
veritati. 3) invalescebant discentes. 4) für sante in. 5) et sperabat signum
aliquod videre ab eo fieri.

Pilatus, gihalôtên thên hêrôstôn therê bisgoffô inti themo
meistarduome inti themo folke, gieng zi in ûʒ; inti quad in:
„brâhtut mir thesan man, samasô uuidaruuententan folc. Sênu
ih leitu inan iu ûʒ, thaʒ ir forstantêt, thaʒ ih in imo ni fand
5 niheininga sahha fon thên, inthêndir inan ruoget, noh Herodes;
ih santa iuuuih uuidar zi imo, inti sênu nû niouuiht uuirdîc
tode ist imo gitân. ¹) Inan gibuoʒtan forlâʒʒu.“ Riof thô al
thiu menigî quedenti: „nim thesan, hâh, hâh.“ Thô quad in
Pilatus: „intfâhet inan iu inti habêt inan; ih ni findu in imo
10 niheininga sahha.“ Thô antlingitun imo thiê Judei: „uuir habêmês êuua, inti after êuu sal her sterban, uuanta her sih
gotes sun teta.“ Mit diû thô gihôrta Pilatus thiz uuort, mêr
forhta inti ingieng abur in thas thinchûs inti quad zi themo
Heilante: „uuanân bistu?“ Ther Heilant ni gab imo nohhein
15 antuurti. Thô quad imo Pilatus: „mir ni sprihhis? ni uueist,
thaʒ ih habên giuualt thih zi erhâhanne, inti giuualt zi forlâʒʒanne?“ Thô antlingita ther Heilant: „ni habêtôs giuualt
uuidar mir eininga, nibiʒ thir gigeban uuâri fon ûfana; bi thiû
ther de mih salta thir, mêr sunta habêt.“

20   Fon thanân suohta Pilatus inan zi forlâʒʒanne. Judei riofun thô quedenti: „ob thu desan forlâʒʒis, thanne ni bistu friunt
thes keisures; allêrô giuuelîh, ther sih cuning tuot, ther uuidar-
quidit sih themo keisure.“ Pilatus mit diû her gihôrta thisu
uuort, leitta ûʒ then Heilant, inti saʒ in sînemo duomsedale
25 in theru steti, thiu dâr ist giquetan Lithostrotus, in ebreisgôn
Gabatha. Uuas thô garotag fora ôstrôn, sama sô sehsta zît,
inti quad thên Judein: „sênu iuuuêr cuning!“ Siê thô riofun:
„nim, nim, inti hâh inan!“ Thô quad in Pilatus: „iuuueran
cuning hâhu?“ Thô antlingitun thiê bisgoffâ: „uuir ni habêmês
30 cuning ni sî then keisur.“ Inti ruogtun inan thiê furiston bisgoffâ in managên. Ther Heilant ni antuurtita niouuiht. Thô
quad imo Pilatus: „ni gihôris, vvuo managu giuuizneʒʒu siê
uuidar thir quedent?“ Inti ni antlingita imo zi noheiningemo
uuorte ²), sô thaʒ uuuntarôta ther grauo thrâto.

35   Thuruh then itmâlon tag ³) uuas giuuon ther grauo zi forlâʒʒanne einan themo folke fon thên nôtbendigôn, sô uuenan
siê bâtîn. Habêta thô einan nôthaft uuîtmâran, ther de uuas

---

1) nam remisi vos ad illum et ecce, nihil dignum morte actum est
illi. 2) Et non respondit ei ad ullum verbum. 3) Per diem autem festum.

ginennit Barabbas. In thô gisamanôtên [1]) quad Pilatus: „ist
mit iu giuuona, thaʒ ih iu einan forlâʒʒe in ôstrôn. uuenan
uuollet ir, thaʒ ih iu forlâʒʒe? Barraban, oda then Heilant,
thie dâr ist ginennit Crist?“ Her uuesta, thaʒ siê thuruh abunst
5 inan saltun.

Cap. CLXVIII. Uxoris Pilati somnium. Barrabas dimissus,
Christus condemnatus. Matth. 27. Joh. 18. Luc. 23. Marc. 15.

Imo sizzentemo in themo duomsedale [2]), santa zi imo sîn
quena, quedenti: „niouuiht thir inti themo rehten; managu bin
ih thrûênti hiutû in gisiune thuruh inan.“ Ther hêrôsto thêrô
bisgoffô inti thiê alton spuonun thaʒ folc, thaʒ siê bâtin Ba-
10 rabbanes, inti thaʒ sîe then Heilant flurin. Thô antlingita ther
grafo, quad in: „uuenan uuollet ir iu fon thesên zuuein for-
lâʒʒan?“ Siê thô quâdun: „Barraban.“ Uuas ther Barabbas
lantderi, ther uuas thuruh gistrîti uuelîhaʒ gitânaʒ in burgi
inti thuruh manslaht gibuntan in karkere. Thô quad in Pilatus:
15 „uuaʒ duon ih fon themo Heilante [3]), thie dâr ist giquetan
Crist?“ Quâdun allê: „hâhe man inan.“ Thô quad in ther
grauo: „uuaʒ ubiles teta her?“ Siê riofun thô mêr, quedenti:
„hâhe man inan.“ Thô gisah Pilatus, thaʒ es niouuiht ni thêh,
oh uuas mêr ungireh, intfanganemo uuaʒʒare uuosc sîno henti
20 fora themo folke, quedenti: „untarônti bin ih fon bluote thesses
rehten. Ir gisehet.“ Thô antlingita thaʒ folc al inti quad
„sîn bluot ubar unsih inti ubar unseru kind!“

Cap. CLXXVII. Christus januis clausis discipulis apparet.
Luc. 24. Joh. 20.

Mittiû siê [4]) thisiu sprâchun, mittiû iʒ spâto uuas thes selben tages, eines sambaʒtages, inti duri uuârun bisloʒʒan, thârdâ
25 uuârun thiê jungôron thuruh Judônô forahta, quam ther Heilant,
inti stuont in mittimen sînerô iungôrônô, inti quad in: „sibba
sî iu, ih bin, ni curet iu forohtan.“ Gitruobtê inti arbruogitê
uuântun sih geist gisehan. [5]) Thô quad her in: „uuaʒ birut
ir gitruobtê, inti githankâ arstîgent in iuuueriu herzûn? Gisehet
30 mîno henti inti fuoʒi, thaʒ ih selbo bin, greifôt inti gisehet,
bidiû uuanta geist fleisg inti gibeini ni habet, sô ir mih gisehet
habên.“ Inti mittiû her thaʒ quad, araugta in henti, fuoʒi, inti

---

1) Congregatis ergo illis. 2) Sedente autem illo pro tribunali. 3)
quid ergo faciam de Jesu. 4) die Jünger. 5) Conturbati vero et perterriti
existimabant se spiritum videre.

sîta. In noh thô ni giloubentên inti uuntrôntên furi giuehen [1]),
quad: „habêt ir hier uuaʒ, thaʒ man eʒʒan megi?“ Siê thô
brâhtun imo deil girôstites fisges inti uuâba honages. Inti
mittiû her thô aʒ fora in, nam thô thia aleibbâ inti gab in.
5 Inti quad zi in: „thiz sint thiu uuort, thiu ih sprah zi iu, mittiû
ih noh thanne uuas mit iu, bidiû uuanta nôtdurft uuas zi gi-
fullanne alliu [2]), thiu dâr giscriban sint in êuu Moyseses inti
uuîʒogôn inti in selmin fon mir.“ Thô gioffonôta her in sens [3]),
thaʒ siê forstuontîn giscrîb. Inti quad in: „bidiû sô giscriban
10 ist, uuanta sô gilanf Crist trôên, inti arstantan fon tode thritten
tages, inti predigôn [4]) in sînemo namen riuuua inti ferlâʒnessi
suntônô in alla thiota, biginnentên fon Hierosolima.[5]) Ir birut
urcundon thererô inti ih sentiu giheiʒ [6]) mînes fater in iuuuih.“
Giuâhun thô uuârlîcho thie iungôron gisehenemo trohtine.
15 Thô quad her in abur: „sibba sî iu, sô mih santa ther fater,
sô sentu ih iuuuih.“ Thaʒ mittiû her quad, thô anablies inti
quad in: „intfâhent then heilagon geist; thên ir forlâʒet sunta,
thên uuerdent sio forlâʒano, inti thên ir sio bihabêt, bihabêto
sint.“

Aus Otfrieds Evangelienbuch.
Literaturgefch. 30. — Krist, herausgeg. von Graff. Königsberg 1831.

Anm. 1. Um Platz für die Hebungszeichén zu gewinnen, welche in
den Handfchriften und darnach in Graffs Ausgabe ftehen (f. oben Seite 36),
laffen wir in den Proben aus Otfried die Längezeichen weg.

Anm. 2. Die zu verfchlingenden Vokale find kurfiv gedruckt.

Anm. 3. Das erfte Gedicht Otfrieds, die Widmung an König Ludwig
den Deutfchen, ist ein Akrostichon; die Anfangsbuchstaben aller Strophen
geben zufammengeftellt die lateinifche Überfchrift: Luthouuico, orientalium u. f. w.
Ebenfo die Endbuchftaben der Strophen.

Luthouuico, orientalium regnorum regi, sit salus æterna.

20 **L**údouuig ther snéllo,   thes uuísduames fóllo,
er óstarrichi rîhtit ál,   so Fránkono kúning sca**L**.
Ubar Fránkono lant   so gengit éllu sin giuualt,
thaʒ rîhtít, so ih thir zéllu,   thiu sin giuuált ell**U**.
Thémo si famer héili   ioh sálida giméini,
25 druhtin hóhe mo thaʒ gúat   ioh freuue mo émmiʒen thaʒ
múa**T**.

---

1) Adhuc illis non credentibus et mirantibus prae gaudio. 2) quoniam
necesse est impleri omnia. 3) Tunc aperuit illis sensum. 4) praedicari. 5)
incipientibus ab Hierosolyma. 6) promissum.

Hóhe mo gimúato io allo zíti guato!

er állo stunta fréuue sih! thes thígge io mánnogiliH.

O[ó]ba 1) ih thaz iruuéllu, theih sinaz lób zellu,

zi thiú due stúnta mino, theih scribe dáti sinO,

5 U[ú]bar mino máhti so íst al thaz gidráhti.

hóh sint, so ih thir zéllu, thiu sinu thíng ellU.

Uuanta er ist édil franko, uuísero githánko,

uuísera rédinu; thaz dúit er all mit ébinU.

In sínes selbes brústi ist hérza filu fésti,

10 mánagfalto gúati: bi thiu ist sínen er gimúatI.

Cléinero githánko so íst ther selbo fránko,

so íst ther selbo édiling; ther héizit auur LúdouuiC.

Ofto in nóti er uuas in uuár, thaz biuuánkota er sár

mit gótes scirmu scíoro ioh hárto filu zíorO.

15 O[ó]ba iz uuard iouuánne in not zi féhtanne,

so uuas er ío thero rédino mit gótes kreftin óborO.

Riat gót imo ofto in nótin, in suaren árabeitin;

gigiang er in zála uuergin thár, druhtin hálf imo sáR

In nótlichen uuérkon; thes scal er góte thankon,

20 thes thánke ouh sin githígini ioh únsu smahu nídirI.

Er uns ginádon sinen ríat, thaz súlichan kúning uns gihíalt;

then spár er nu zi líbe uns állen io zi líabE.

Nu níazen uuir thio gúati ioh frídosamo zíti

sínes selbes uuérkon: thes sculun uuir góte thankoN.

25 Thes mánnilih nu gérno gináda sina férgo.

fon gót er muazi haben múnt ioh uuesan lángo gisunT.

A[á]llo ziti gúato so léb er io gimúato,

ioh bimíde io zála thero fíanto fárA.

Lángo, líobo druhtin mín, láz imo thie dága sin,

30 súaz imo sin líb al, so man gúatemo scaL.

In ímo irhugg ih thráto dauídes selbes dáto.

er selbo thúlta ouh nóti, fu manago árabeitI.

Uuant ér uuolta mán sin, thaz uuard síd filu scín,

thégan sin in uuáru in mánageru zálU.

35 Manag léid er thúlta, unz thaz tho gót gihángta,

ubaruuánt er sid thaz frám, so gotes thégane gizaM.

Riat imo io gimúato sélbo druhtin gúato,

thaz ságen ih thir in ala uuár, sélbo maht iz lésan thaR.

---

1) Wenn ein Hebungszeichen auf dem großen Anfangsbuchstaben stehen sollte, so bezeichnen wir dieß, indem wir den gleichen kleinen Buchstaben mit Hebungszeichen in Klammern beisetzen.

E[é]igun uuir thia gúati,   gilicha théganheiti
  in thésses selben múate   zi mánagemo gúatE.
Giuuísso thaʒ ni híluh thih: thúlta therer sámalih
  árabeito ginúag,   mit thulti sáma iʒ ouh firdrúaG.
5 Ni líaʒ er ímo thuruh tháʒ   in themo múate then háʒ;
  er mit thúlti, so er bigán,   al thie fíanta ubaruuáN.
Oba es íaman bigan,   thaʒ er uuidar ímo uuan,
  scírmta imo io gilícho   druhtin !fublichO,
Ríat imo io in nótin,   in suaren árabeitin,
10 gilihta imo éllu sinu iár,   thiu nan thúhtun filu suáR,
U[ú]nz er nan giléitta,   sin richimo gibréitta;
  bithiu mág er sin in áhtu   thera dauídes slahtU.
Mit so sámaliche   so quám er ouh zi ríche,
  uuas gotes drút er filu frám,   so uuard ouh thérer so gizáM.
15 Ríhta gener scóno   thie gótes liut' in fróno,
  so duit ouh thérer ubar iár,   so iʒ gote zímit, thaʒ ist uuáR,
E[é]mmiʒen zi gúate   io héilemo múate,
  fon iáre zi iáre,   thaʒ sagen ih thir ze uuárE.
Gihíalt dauid thuruh nót,   thaʒ imo drúhtin gibót,
20 ioh gifásta sinu thíng,   ouh selb thaʒ ríchi al umbirínG.
In thésemo ist ouh scínhaft,   so fram so inan láʒit thiu kraft,
  thaʒ ér ist io in nóti   gote thíonontI.
Selbaʒ ríchi sinaʒ ál   rihtit scóno so so er scál,
  ist éllenes gúates   ioh uuola quékes muateS.
25 Ia farent uuánkonti   in ánderen bi nóti
  thisu kúningrichi   ioh iro gúallichI:
Thoh habet thérer thuruh nót,   so druhtin sélbo gibót,
  thaʒ fíant uns ni gáginit,   thiz fásto binágiliT,
Símbolon bispérrit,   uns uuídaruuert ni mérrit,
30 sichur múgun sin uuir thés.   lángo niaʒ er líbeS.
A[á]llo zíti thio the sín   krist lókomo thaʒ múat sin,
  bimíde ouh allo pína,   got freuue séla sinA.
Lang sin dága sine   zi themo éuuinigen líbe,
  bimíde ouh zálono fál,   thaʒ uuir sin síchur ubaráL.
35 Uuánta thaʒ ist fúntan,   unz uuir háben nan gisúntan,
  thaʒ lében uuir, so ih méinu,   mit fréuui ioh mit héilU,
Símbolon gimúato,   ioh eigun zíti guato.
  niaʒ ér ouh mámmuntes,   ni breste in éauon imo théS.
A[á]llen sinen kíndon   si ríchiduam mit mínnon,
40 si zi góte ouh mínna   thera selbun kúninginnA.
E[é]uuiniga drútscaf   niaʒen se famer, so so ih quád,
  in hímile zi uuáre   mit lúdouuige thárE.

Themo díhton ih thiz búah; oba er hábet iro rúah
 odo er thaz giuueizit,   thaz er sa lésan heiziT:
Er híar in thesen rédion mag hóren euangélion,
 uuaz críst in then gibíate   fránkono thíotE.
5 Régula therero búachi uns zeigot hímilrichi:
 thaz niaze lúdouuig io thar thiu éuuinigun gótes iaR.
Níazan múazi thaz sin múat io, thaz éuuiniga gúat;
 thár ouh famer, druhtin mín, láz mih mit ímo siN.
A[á]llo ziti gúato léb er thar gimúato,
10 inliuhte imo ío thar uuúnna thiu éuuiniga súnnA.

Lib. I. Cap. 1. Cur scriptor hunc librum theotisce dictaverit.

Vuas líuto filu in flíze, in managemo ágaleize,
 sie thaz in scríb gikleibtin, thaz sie iro námon breittin.
Sie thés in io gilícho flizun gúallicho,
 in búachon man giméinti thio iro kúanheiti.
15 Tharána dátun sie ouh thaz dúam: óugtun iro uuísduam,
 óugtun iro kléini in thes díhtonnes reini.
Iz ist ál thuruh nót so kléino girédinot;
 iz dúnkal eigun fúntan, zisámane gibúntan,
Sie ouh in thíu gisagetin, thaz then thio búah nirsmáhetin,
20 ioh uuól er sih firuuésti, then lésan iz gilústi.
Zi thiu mág man ouh ginóto mánagero thíoto
 hiar námon nu gizéllen ioh súntar ginénnen.
Sar kríachi ioh románi iz máchont so gizámi,
 iz máchont sie al girústit so thíh es uuola lústit.
25 Sie máchont iz so réhtaz ioh so fílu sléhtaz:
 iz ist gifúagit al in éin selb so hélphantes bein.
Thie dáti man giscríbe, theist mannes lúst zi líbe.
 nim góuma thera díhta; thaz húrsgit thina dráhta.
Ist iz prósun slihti, thaz drénkit thih in ríhti;
30 odo métres kléini, theist góuma filu réini.
Sie dúent iz filu súazi ioh mézent sie thie fúazi,
 thie léngi ioh thie kúrti, theiz gilústlichaz uuúrti.
E[é]igun sie iz bithénkit, thaz síllaba in ni uuénkit.
 sie álles uuio ni rúachent, ni so thie fúazi suachent.
35 Joh állo thio zíti so záltun sie bi nóti.
 iz mízit ana bága al io súlih uuaga.
Yrfúrbent sie iz réino ioh hárto filu kléino,
 selb so mán thuruh nót sinaz kórn reinot.

Ouh selbun búah frono   irréinont sie scóno:
  thar lisist scóna gilust   ána theheiniga ákust.
Nu iʒ fílu manno inthíhit,   in sína zungun scribit,
  ioh flit er gigáhe   thaʒ sínaʒ io gihóhe:
5 Uuánana sculun fránkon   éinon thaʒ biuuánkon,
  ni sie in fréngiskon bigínneu   sie gotes lób singen?
Níst si so gisángan,   mit régulu bithuúngan,
  si hábet tho thia ríhti   in scóneru slíhti.
I[f]li thu zi nóte,   theiʒ scóno thoh gilute,
10   ioh gótes uuiʒod thánne   tharána scono hélle;
Tháʒ tharana sínge,   iʒ scóno man ginenne;
  in themo firstántnisse   uuir giháltan sin giuuísse.
Thaʒ láʒ thir uuesan súaʒi: so méʒent iʒ thie fúaʒi,
  zít ioh thiu régula;   so ist gótes selbes brédiga.
15 Uuil thú thes uuola dráhton,   thu métar uuolles áhton,
  in thína zungun uuirken dúam   ioh sconu uérs uuolles dúau:
Il io gótes uuillen   állo ziti irfúllen:
  so scribent gótes thegana   in frénkisgon thia regula.
In gótes gibotes súaʒi   laʒ gángan thine fúaʒi;
20   ni laʒ thir zít thes ingán: theist sconi vérs sar gidán.
Díhto io thaʒ zi nóti   theso séhs ziti,
  thaʒ thú thih so girústes,   in theru síbuntun giréstes.
Thaʒ krístes uuort uns ságetun   ioh drúta sine uns zélitun,
  bifora láʒu ih iʒ ál,   so ih bi réhtemen scal;
25 Uuánta sie iʒ gisúngun   hárto in édil zungun,
  mit góte iʒ allaʒ ríatun,   in uuérkon ouh gizíartun.
Theist súaʒi ioh ouh núzzi   inti lérit unsih uuízzi,
  hímiles gimácha: bi thiu ist thaʒ ánder racha.
Ziu sculun fránkon, so ih quád,   zi thiu éinen uuesan úngimah,
30   thie líutes uuíht ni duáltun,   thie uuir hiar óba zaltun?
Sie sint so sáma kuani   sélb so thie románi;
  ni thárf man thaʒ ouh rédinon,   thaʒ kríachi in thes gi-
                                        uuídaron.
Sie éigun in zi núzzi   so sámalicho uuízzi;
  in félde ioh in uuálde   so sint sie sáma balde;
35 Ríchiduam ginúagi,   ioh sint ouh fílu kuani:
  zi uuáfane snelle   so sint thie thégana alle.
Sie búent mit gizfugon   — ioh uuarun io thes giuuón —
  in gúatemo lánte: bi thíu sint sie únscante.
Iʒ ist fílu feiʒit,   hárto ist iʒ giuuéiʒit
40   mit mánagfalten éhtin: níst iʒ bi unsen fréhtin.

Zi núzze grébit man ouh thár ér inti kúphar
  ioh bi thía meina ísine steina.
Ouh thára zua fúagi sílabar ginúagi.
  ioh lésent thar in lánte góld in iro sante.
5 Sie sint fástmuate zi mánagemo guate,
  zi mánagern núzzi: thaз dúent in iro uuízzi.
Sie sint fílu redie, sih fíanton zirretinne.
  ni gidúrrun sies bigínnan: sie éigun se ubaruuúnnau.
Líut sih in nintfúarit, thaз iro lánt ruarit,
10   ni sie bíro gúati in thíonon io zi noti.
Ioh ménnisgon álle, ther sé iз ni untarfálle,
  ih uueiз iз gót uuorahta, al éigun se iro forahta.
Nist líut thaз es bigínne, thaз uuidar ín ringe:
  in éigun sie iз firméinit, mit uuáfanon gizéinit.
15 Sie lértun síe iз mit suérton, náles mit then uuórton;
  mit spéron fílu uuásso: bi thiu fórahten sie se nóh so.
Ni si thíot, thaз thes gidráhte, in thiu iз mit ín fehte,
  thoh médi iз sin ioh pérsi, núbin es thiuuírs si.
Lás ih iu in alauár in einen búachon, ih uueiз uuár,
20   sie in síbbu ioh iu áhtu sin Alexándres slahtu,
Ther uuórolti so githréuuita, mit suértu sia al gistréuuita,
  úntar sinen hánton mit fílu herten bánton.
Ioh fánd in theru rédinu, thaз fon macedóniu
  ther líut in gibúrti giskéidiner uuúrti.
25 Nist untar ín thaз thúlte, thaз kúning iro uuálte,
  in uuórolti nihéine, ni si thíe sie zugun héime;
Odo in érdringe ánder es bigínne
  in thihéinigemo thíote, thaз ubar síe gibíate.
Thes éigun sie io núzzi in snélli ioh in uuízzi.
30   nintrátent sie nihéinan unz se ínan eigun héilan.
Er ist gizál ubar ál io so édil thegan séál,
  uuíser inti kúani: thero éigun se ío ginúagi.
Uuéltit er gith́uto mánagero líuto,
  ioh zíuhit er se réine selb so síne heime.
35 Ni sínt thie ímo ouh derien, in thiu nan fránkon uuerien,
  thie snélli sine irbiten, thaз síe nan umbíriten.
Uuanta állaз thaз sies thénkent, sieз al mit góte uuirkent;
  ni dúent sies uuíht in noti ána sin girati.
Sie sint gótes uuorto flíзig fílu hárto,
40   tháз sie thaз gilérnen, thaз in thia búah zellen;

Tháʒ sie thes bigínnen,   iʒ úʒana gisíngen,
    ioh síe iʒ ouh irfúllen   mit míchilemo uuíllen.
Gidán ist es nu rédina,   thaʒ sie sint gúate thegana,
    ouh góte thiononte álle   ioh uuísduames folle.
5 Nu uuill ih scríban unser héil,   evangéliono deil,
    so uuír nu hiar bigúnnun,   in frénkisga zungun;
Thaʒ sié ni uuesen éino   thes selben ádeilo,
    ni man in íro gizungi   kristes lób sungi.
Ioh er ouh íro uuorto   gilóbot uuerde hárto,
10   ther sie zímo holota,   zi gilóubon sinen ládota.
Ist ther in íro lante   iʒ álles uuio nintstánte,
    in ánder gizúngi   firnéman iʒ ni kúnni:
Hiar hor er ío zi gúate,   uuaʒ gót imo gibíete,
    thaʒ uuír imo hiar gisúngun   in frénkisga zúngun.
15 Nu fréuuen sih es álle   so uuer so uuóla uuolle
    ioh so uuér si hold in múate   fránkono thíote:
Thaʒ uuir kríste sungun   in únsera zungun,
    ioh uuír ouh thaʒ gilébetun,   in frénkisgon nan lóbotun.

Lib. I.   Cap. 11.   Exiit edictum a Cæsare Augusto.   Luc. 2.

Uuúntar uuard tho máraʒ   ioh filu séltsanaʒ,
20   gibót iʒ ouh zi uuáru   thcr keísor fona Rúmu.
Sánt er filu uuíse   selbes bóton sine,
    so uuíto soso in uuórolti   man uuári búenti,
Thaʒ sie érdrichi záltin   ouh uuíht es io nirduáltin,
    in bríaf iʒ al ginámin   int imo es zála irgábin;
25 Thaʒ si gómman ioh uuíb,   in thíu se uuóllen haben líb,
    in thíu se tháʒ gilíaʒen,   thaʒ se érdriches níaʒen,
Júnger ióh álter,   thárana si er gizálter.
    ni si mán nihein so féigi,   ni sinan zíns eigi.
„Héime, quad, zi uuáre,   zi sinemo ált-gilare,
30   so uuíto so gisíge   ther himil ínnan then se,
Búrg ni si, thes uuénke,   noh bárn, thes io githénke,
    in félde noh in uuálde,   thaʒ es io irbálde.
Ellu uuórolt-enti   zi míneru henti,
    so uuár man sehe in uuaron   stérron odo mánon,
35 So uuara so in érdente   súnna sih biuuénte,
    al sit iʒ bríefenti   zi míneru henti.“
Tho fuarun líuti thuruh nót,   so ther kéisor gibot,
    zi éigenemo lánte   filu súorgente.

Ouh uuídorort ni uuántin,   er siro zíns gultin,
    zi nóti, thar man uuésti   thero fórdorono fésti.
Ein búrg ist thar in lánte,   thar uuarun io ginánte
    hús enti uuénti   zi édilingo hénti.
5 Bi thíu uuard, thih nu ságeta,   thaʒ Jóseph sih irbúrita;
    zi théru steti fúart er   thia drúhtines múater.
Uuant ira ánun uuarun thánana   gotes drút thegana
    fórdoron alte,   zi sálidon gizálte.
Unz síu tho thar gistúltun,   thio zíti sih irfúltun,
10   thaʒ si kínd bari   zi uuorolti éinmari.
Sún bar si tho zeíʒan,   ther uuás uns io gihéiʒan;
    sin uuás man allo uuórolti   zi gote uuúnsgenti.
Uuár sinan gibádoti   ioh uuár si nan gilégiti,
    ni uuánu thaʒ siʒ uuéssi   bi theru gástuuissi.
15 Biuuánt sinan thoh tháre   mit láchanon sáre;
    in thia kríppha sinan légita   bi nóte, thih nu ságeta.
Tho bót si mit gilústi   thio kíndisgun brústi,
    ni méid sih, suntar sie óugti,   then gotes sún sougti.
Uuóla uuard thio brústi,   thio kríst io gikústi,
20   ioh múater, thiu nan quátta   inti émmiʒigen thákta.
Uuóla thiu nan dúzta   inti in ira bárm sazta,
    scóno nan insuuébita   inti bi iru nan gilegita!
Sálig thiu nan uuátta   inti nan fándota,
    ioh thiu in bétte liget ínne   mit súlichemo kínde!
25 Sálig thiu nan uuérita,   than imo fróst derita,
    árma ioh hénti   inan hélsenti!
Er nist in érdringe,   ther ira lób irsinge,
    noh mán io so gimúati,   ther irzélle ira gúati.
Dág inan ni rínit   ouh súnna ni biscínit,
30   ther iʒ ío bibringe   thóh er es biginne.
Uuanta ira sún guato   díurit sia gimúato;
    ist ira lób ioh giuuáht,   thaʒ thu irrímen ni máht.
Múater ist siu máru   ioh thíarna thoh zi uuáru,
    si bar uns thúruhnahtin   then hímilisgen drúhtin.

Mystice.

35 Drúhtin queman uuólta,   tho man alla uuórolt zalta,
    thaʒ uuír sin al gilícho   gibriafte in hímilriche.
In kríppha man nan légita,   thar man thaʒ fíhu nerita,
    uuant er uuílit, unsih scóuuon   zi then éuuinigen góumon.

Ni uuari thó thiu giburt, tho uuurti uuórolt⋅firuuart;
 sia sátanas ginámi, ób er tho ni quámi.
Uuir uuárun in gibéntin, in uuſdaruuerten héntin,
 thu uns hélfa, druhtin, dáti zi theru óberostun noti.

Lib. 1. Cap. 12. Pastores erant in regione eadem. Luc. 2.

5 Tho uuárun thar in lánte hirta háltente,
 des fehes datun uuárta uuidar ſíanta.
Zi ín quam bóto sconi, engil scínenti,
 ioh uuúrtun sie inlíuhte fon hímilisgen líohte.
Fórahtun sie in tho gáhun, so sinan ánasahun,
10 ioh híntarquamun hárto thes gotes bóten uuorto.
Sprah ther gótes boto sár: „ih scal iu sagen uuúntar,
 iu scal sin fon góte heil, nales fórahta nihéin.
Ih scál iu sagen ímbot, gibot ther hímilisgo got;
 ouh níst, ther er gihórti so fronisg árunti.
15 Thes uuirdit uuórolt sinu zi éuuidon blídu,
 ioh ál giscaft, thiu in uuórolti thësa érdun ist ouh drétenti.
Níuuui boran habet thiz lánt then hímilisgon héilant,
 theist drúhtin krist gúater fon iúngeru múater
In Béthleem; thiuue kúninga thie uuárun alle thánana;
20 fon ín uuard ouh gibóran iu sin múater, magad scónu.
Ságen ih iu, gúate man, uuio ír nan. sculut fíndan,
 zéichan ouh gizámi thuruh thaʒ séltsani.
Zi theru búrgi faret hínana: ir fíndet, so ih iu ságeta,
 kínd níuuui boranaʒ, in krípphun gilégitaʒ.“
25 Thó quam, unz er zín tho sprah, éngilo hériscaf,
 hímilisgu ménigi, sus alle síngenti:
„In hímilriches hóhi si gote gúallichi,
 si in erdu fridu ouh állen, thie fól sin guates uuſllen!“

Mystice.

Sie kúndtun uns thia frúma frúa ioh lértun ouh thar sáng zua;
30 in hérzen ·hugi thu ínne, uuáʒ thaʒ uers sínge.
Ni láʒ thir innan thina brúst arges uuſllen gilúst,
 thaʒ er fon thír nirstríche then fridu in hímilriche.
Uuir sculun ſiaben thaʒ sáng, theist sóóni gotes ántfang,
 uuanta éngila uns zi bílíde bráhtun .iʒ fon hímile.
35 Bíscof, ther sih uuáchorot ubar krístinaʒ thíot;
 ther ſst ouh uuirdig scónes éngilo gisíunes.

Thie éngila zi himile   flugun síngante;
   in gisíhtfrono   thar zámun se scono.

Lib. I. Cap. 15. De obviatione et benedictione Symeonis. Luc. 2.

Thar uuas ein mán alter,   zi sálidon gizálter,
   er uuas thíononti thár   góte filu mánag jar.
5 Er uuas góte forahtal,   joh rehto er lébeta ubaral,
   béitota er thar súazo   thero drúhtines gihéizo.
Ther gótes geist, ther mo ána uuas,   ther gihíaz imo tház,
   thaz kríst er druagi in hénti   er sines dáges enti;
Er todes io ni kóreti,   er er then dróst habeti.
10   thiu uuíhi gotes géistes   giuuérota inan thes gihéizes.
Tho quam ther sáligo man,   in sinen dágon uuaz iz frám,
   in hús, thaz ih nu ságeta,   thar er émmizigen bétota.
Múater thiu gúata   thaz kind ouh thára fuarta,
   thar gáganta in gimúato   symeón ther gúato.
15 Ginéig er imo filu frám   joh húab inan in sinan árm,
   tho spráh ouh filu blíder   ther alto scálk siner:
„Nu lázist thu mit frídu sin,   so gihíaz mir io thaz uuórt thin,
   mit dágon íoh ginúhtin   thinan scálk, druhtin.
Uuánta thiu min óugun   nu thaz giscóuuotun,
20   thia héili, thia thu uns gárotos,   er thu uuórolt uuorahtos;
Líoht, thaz thar scínit   inti alla uuórolt rínit,
   joh gúalíchi githíuto   thérero lántliuto.“
Uuúntorota sih tho hárto   thiu múater thero uuórto,
   thiu in allen thén stunton   gispróchanu uuurtun.
25 Ioh thér thar uuas in uuáni,   thes kindes fáter uuari,
   bitháht er siu io gilícho   filu fórahtlicho.
Tho uuíhta siu ther álto   thar fórna iu ginánto,
   joh spráh ouh zi theru múater   ther fórasago gúater:
„Nim nu uuórt minez   in hérza, mágad, thinaz,
30   joh huges hárto ubar ál,   thu thíarna, théih thir ságen scal:
Thiz kínd ist untar mánne   zi mánagero falle,
   ioh then uuirstántnisse,   thie zi líbe sint giuuísse,
In zéichan filu hóbigaz;   thoh firspríchit man thaz.
   thia frúma ist hiar iróugit,   so nuémo iz ni gilóubit.
35 Drúhtin ist er gúater   joh thíarna ist ouh sin múater,
   er tod sih anauéntit,   in themo thrítten dage irsténtit.
Férit er ouh thánne   ubar hímila álle,
   ubar súnnun líoht   joh állan thesan uuórolt thíot.

Er quími̇t mit giuuélti,   sar so ist uuórolt enti,
   in uuólkon filu hóho   so scóuuon uuir nan scéno.
Mit ímo ist sin githígini   joh éngilo ménigi,
   er habet thár, ih sagen thir tháʒ,   thíng filu hébigaʒ.
5 O[ó]fan duat er tháre,   thaʒ nuir nu hélen híare ;
   ist iʒ úbil odo uuar,   unfirhólan ist iʒ thár.
Thie ungiloúbige   thia ábahont iʒ álle ,
   firspréchent io zi nóti   thio uuúntarlichun dati.
Joh uuuntot férah thinaʒ   unáfan filu uuássaʒ,
10   bítturu pina   thia selbun séla thina.
Thu sihis sún liaban   zi mártolonne zíahan,
   so ríuʒit thir thaʒ hérza   thuruh míchila smerza.
Thar sprichit ſílu mánno,   thaʒ se ér iu halun lángo,
   giborgan níd in mánne   al óugit er sih thanne."

Lib. I. Cap. 17. De stella et adventu magorum. Math. Cap. 2.

15 Nist mán nihein in uuórolti,   thaʒ sáman al irságeti,
   uuio manag uuúntar uuurti   zi theru drúhtines gibúrti.
Bi thíu thaʒ ih irduálta,   thar fórna ni gizálta,
   scál ih iʒ mit uuſllen   nu súmaʒ hiar irzéllen.
Tho drúhtin krist gibóran uuard,   thes méra ih ságen nu ni thárf,
20   thaʒ blidi uuórolt uuurti   thera sáligun gibúrti;
Thaʒ ouh gidán uuurti,   si in éuuon ni firuuúrti,
   iʒ uuás iru anan hénti :   tho dét es druhtin énti.
Tho quamun óstana in thaʒ lánt   thie írkantun súnnun fart,
   stérrono girústi ;   thaʒ uuárun iro lísti.
25 Sie éiskotun thes kíndes   sar io thés sindes,
   joh kúndtun ouh tho mári,   thaʒ er ther kúning uuari.
Uuarun frágenti,   uuar er gibóran uuurti,
   joh bátun io zi nóti,   man in iʒ zéigoti.
Sie zaltun séltsani   joh zéichan filu uuáhi,
30 ·   uuúntar filu hébigaʒ,   — uuanta er ni hórta man thaʒ —
Thaʒ io fon mágad burti   man gibóran uuurti;
   inti ouh zéichan sin scónaʒ   in hímile so scínaʒ.
Ságetun, thaʒ sie gáhun   stérron einan sáhun,
   joh dátun filu mári,   thaʒ er sín uuari.
35 „Uuir sáhun sinan stérron,   thoh uuir thera búrgi irron,
   joh quámun, thaʒ uuir bótotin,   gináda sino thígitin.
Ostar filu férro   so scéin uns ouh ther stérro:
   ist saman hiar in lánte,   es sauuiht thoh firstánte?

Gistirri záltun uuir io,   ni sáhun uuir nan ér io;
   bi thiu bírun uuir nu giéinot,   er niuuan kúning zeinot·
So scríbun uns in lánte   man in uuórolti alte.
   thaʒ ír uns ouh gizéllet,   uuio iʒ íuuo buah singent.“
5 So thísu uuort tho gáhun   then kúning anaquámun,
   híntarquam er hárto   thero sélbero uuorto.
Joh mánniliches hóubit   uuárd es thar gidrúabit,
   gihórtun úngerno,   thaʒ uuír nu niaʒen gérno.
Thie búachara ouh tho tháre   gisámanota er sare,
10   sie uuas er frágenti,   uuar kríst giboran uuurti.
Er sprah zen éuuarton   sélben thesen uuórton:
   gab ármer joh ther rícho   ántuuurti gilícho.
Thia burg nántun se sár,   in féstiʒ datun álauuar
   mit uuórton, then ér thie áltun   fórasagon záltun.
15 So er giuuísso thar bifánd,   uuar drúhtin krist gibóran uuard,
   tháht er sar in fésti   michilo únkusti.
Zi ímo er ouh tho ládota   thie uuísun man, thih ságeta,
   mit ín gistuant er thíngon   joh filu hálingon.
Thia zít éiscota er fon ín,   so ther stérro giuuon uuas qué-
                              man zin,
20   bat síe iʒ ouh birúahtin,   bi thaʒ selba kínd irsúahtin.
„Gidúet mih, quad er, ánauuart   bi thes stérren fart;
   so fáret, éiscot tháre   bi thaʒ kínd sáre.
Sin éiscot io gilícho   joh filu giuuáralicho,
   slíumo duet ouh thánne   iʒ mir zi uuíʒanne.
25 Ih uuíllu faran béton nan,   so ríat mir filu mánag man,
   thaʒ íh thar zúa githinge   joh imo ouh géba bringe.“
Lóug ther uuénego mán,   er uuánkota thar filu frám;
   er uuólta nan irthuésben   joh uns thia frúma irlesgen.
Thaʒ ímbot sie gihórtun   joh iro férti íltun,
30   yrscéin in sar tho férro   ther séltsano sterro.
Sie blídtun sih es gáhun,   sár sie nan gisáhun,
   joh filu fráuualicho   sin uuártetun gilicho.
Léit er sie tho scóno,   thar uuas thaʒ kínd frono,
   mit síneru ferti   uuas er iʒ zéigonti.
35 Thaʒ hús sie tho gisáhun   joh sar thara ín quamun,
   thar uuas ther sún guater   mit síneru muater,
Fíalun sie tho frám hald,   thes guates uuárun sie báld,
   thaʒ kínd sie thar tho bétotun   joh húldi sino thígitun.
Indátun sie tho tháre   tháʒ iro dréso sare.
40   réhtes sie githáhtun, thaʒ simo géba brahtun ⸗

Myrrun inti uuſrouh   joh gold scínantaʒ ouh,
  géba filu mára;   sie súahtun sine uuára.
Ih ságen thir thaʒ in uuára: sie móhtun bringan méra:
  thiʒ uuás sus gibari,   theiʒ géistlichaʒ uuári.
5 Kúndtun sie uns thánne,   so uuir firnémen alle,
  gilóuba in girſhti   in theru uuúntarlichun gífti:
Thaʒ er úrmari   uns éuuarto uuari,
  ouh kúning in gibúrti,   joh bunsih dót uuurti. —
Sie uuurtun sláfente   fon éngilon gimánote,
10 in dróume sie in zélitun,   then uueg sie fáran scoltun;
Thaʒ síe ouh thes ni tháhtin,   themo kúninge sih náhtin,
  noh gikúndtin thanne   thia frúma themo mánne.
Tho fúarun thie ginóʒa   ándara stráʒa
  hárto flente   zi éiginemo lánte.

Lib. I. Cap. 18. Mystice de reversione Magorum ad patriam.

15 Mánet unsih thisu fárt,   thaʒ uuír es uuesen ánauuart,
  uuir únsih ouh birúachen   int eigan lánt suachen.
Thu ni bíst es uuan ih uuís: thaʒ lánt thaʒ heiʒit páradys.
  ih meg iʒ lóbon hárto,   ni girínnit mih thero uuórto.
Thóh mir megi lídolih   sprechan uuórto gilíh,
20 ni mag ih thóh mit uuorte   thes lóbes queman zi énte.
Ni bist es ío giloubo,   sélbo thu iʒ ni scóuuo [1]);
  ni mahtu iʒ óuh noh thanne   irzellen ſomanne.
Thar ist líb ana tód,   líoht ana fínstri,
  éngillichaʒ kúnni   joh éuuinigo uuúnni.
25 Uuir eſgun iʒ firláʒan: thaʒ mugun uuir ío ríaʒan,
  joh zen ínheimon   ſo émmizigen uuéinon.
Uuir fúarun thanana nóti   thuruh úbarmuati,
  irspúan unsih so stíllo   ther unser múatuuillo.
Ni uuóltun uuir gilós sin,   harto uuégen uuir es scín:
30 nu riaʒen élilente   in frémidemo lante.
Nu ligit uns úmbitherbi   thaʒ unsar ádal erbi;
  ni níaʒen sino gúati: so duat uns úbarmuati.
Thárben uuir nu léuues   líebes filu mánages,
  joh thúlten hiar nu nóti   bíttero ziti.
35 Nu birun uuir mórnente   mit séru hiar in lánte,
  in mánagfalten uuúnton   bi únseren sunton.
A[á]rabeiti mánago   sint uns híar ſo gárauuo;
  ni uuollen héim uuison   uuir uuénegon uuéison?

---

1) für scouuos?

Uuolaga élilenti! hárto bistu hérti;
  thu bist hárto filu suár, thaჳ ságen ih thir in álauuar.
Mit árabeitin uuérbent thie héiminges thárbent.
  ih haben iჳ fúntan in mír, ni fand ih líabes uuiht in thír.
5 Ni fand in thír ih ander gúat suntar róჳagaჳ muat,
  séragaჳ herza joh mánagfalta smérza.
Ob uns in múat gigange, thaჳ unsih héim lange,
  zi thémo lante in gáhe ouh jámar gifáhe:
Farames so thíe ginoჳa ouh ándara straჳa,
10 then uuég, ther unsih uuénte zi éiginemo lánte.
Thes selben pádes suaჳi suachit réine fuaჳi:
  si thérer situ in mánne, ther thar ána gange.
Thu scalt haben gúati joh michilo ótmuati,
  in hérzen io zi nóti uuaro káritati.
15 Dua thir zi giuuúrti scono fúriburti;
  uuis hórsam ío zi gúate, ni hóri themo muate.
I[í]nnan thines hérzen kust ni láჳ thir thesa uuórolt lust;
  fliuh thia géginuuerti: so quimit thir frúma in henti.
Húgi, uuio ih thar fóra quad: thiz ist ther ánder pad;
20 gang thésan uueg, ih sagen thir éin: er giléitit thih héim.
So thú thera héimuuisti níuჳist mit gilústi,
  so bistu góte liaber, nintratist scádon niamer.

Lib. I. Cap. 25. Venit Jesus a Galilea ad Johannem, ut
  babtizaretur ab eo. Math. 3. Marc. 3. Luo. 3.

Fon themo héiminge quam kríst zi themo thínge,
  thaჳ iohánnes thar ingágenti, mit dóufu inan gibádoti.
25 Híntarquam tho slíumo ther fórasago díuro,
  álfol sprah er uuórto joh uuídorota iჳ harto.
„Drúhtin, quád er, uuio mag sín, ja bín ih smaher scálk thin,
  thaჳ thih hénti mine[1]) zi dóufenne birine?[2])
Zi thiu scalt thú mih rínan joh doufen scálk thinan;
30 uuio meg ih biuuánen thanne míh, theiჳ si min ánibaht
                                       ubar thíh?“
Zi ímo sprah tho líndo ther gótes sún selbo,
  kúndta imo, er iჳ uuólta, iჳ ouh so uuésan scolta.
„Laჳ iჳ sús thuruh gán, so uuir éigun nu gispróchan;
  uns límphit, uuir mit uuíllen gúatalih irfúllen.“

____

1) für mînð. 2) für birînên.

Slíumo er iӡ irfúlta,   so drúhtin krist uuólta.
    tho doufta er ínan thuruh nót,   so so er mo sélbo gibot.
Tho uuard hímil ofan,   then fáter hort er spréchan,
    joh zált er thar gimúati   thes selben súnes guati:
5 „Thiz íst min sún diurer,   in hérzen mir ouh líuber;
    in imo líchen ih mir ál,   theih inan súlichan gibár.
A[á]dam er firkós mih   joh sélbon ouh firlós sih;
    ih uuanu, th'érer fulle   állaӡ thaӡ ih uuflle.
Gifúar er, so er ni scólta,   joh déta, so ih ni uuólta;
10   therer uuflit avur ál,   so sun min éinigo scal."
Gisáh er queman gótes geist   fon hímilríchi, so thu uuéist,
    in kríst er sih gisídalta,   so slíum er nan gibádota.
Er uuas dúbun gilíh: tháӡ uuas so gilúmflih.
    thuruh thia íra guati   joh thaӡ mámmunti.
15 Thar nist gállun ana uuſht,   ouh bítteres nſauuiht;
    mit snábulu ni uuínnit,   ouh fúaӡin ni krímmit.
So ist ther héilego géist: thiu sconi ist al in ímo meist,
    súaӡnissi inti gúati   joh mámmunti gimúati.

Lib. I. Cap. 26. Moraliter.

Ther dóuf uns allen thíhit,   thaӡ uuáӡar theist giuuſhit,
20   sid druhtin kríst quam uns héim   int iӡ mit sinen lídin rein.
Sid ér tharinne bádota,   then brunnon réinota,
    sid uuácheta allen mánnon   thiu sálida in then úndon.
So uuer mánno so gilóufe   zi themo héilegen dóufe,
    hiar mag er lérnen ubar ál,   uuio er gilóuben scal.
25 Thu lisist. híar in alauuár: then sun then dóufta man thar,
    thar sprah ther fáter, so thu uuéist;   thia duba uuas ther
                                        gótes geist.
In dóufe, the unsih réinot   ther ginádigo got,
    so ist thisu kráft allu,   zir héilegun undu.
Thaӡ scúlun uuir gilouben   joh hárto iӡ uns gilíuben,
30   thaӡ uns in gótes uuihe   ther douf io uuóla thihe;
Tháӡ uuir gangen héile   fon thémo bade réine,
    thiu gilouba unsih ouh réhte   in thſonost sinaӡ ríhte.

Lib. II. Cap. 8. Nuptiæ factæ sunt. Joh 2.

After thíu in uuar mín   so mohtun thrí daga sin,
    so thes thrítten dages sár   so uuárd thiz, thaӡ ih ságen thar.

U[ú]abtun thar thie líuti   eino brútloufti
   themo uuírte joh theru brúti   in sáligeru zíti.
Ni uuard io in uuórolt zitin,   thiu zisámane gihítin,
   thaz sih gésto guati   súlichero rúamti,[1])
5 Thar uuas kríst guater   joh sélba ouh thiu sin múater,
   óuh man thara ládota   thie júngoron, thier tho hábeta.
Thiu hiun uuárun filu fró,   giuuerdan móhta siu es thó,
   sie habetun thár selbon kríst,   ther álles blídes fúristo ist.
Thó zigiang thes lídes   joh brást in thar thes uuínes;
10   maría thaz bihúgita   joh kríste si iz giságeta.
„Ih scal thir ságen, min kínd,   then híon filu hébig thing,
   theih míthont ouh nu uuésta: thes uuínes ist in brésta.“
Spráh tho ziru súazo   ther ira sún zeizo,
   sconen uuórton ubar ál,   so sun zi múater scal:
15 „Uuib, ih zéllu thir ein: uuaz drífit sulih zi úns zuuéin?
   ni quam min zít noh so frám,   theih óuge, uueih fon thír nam.
Sar so tház irscínit,   uuaz mih fon thír rinit,
   so ist thir állan then dag   thaz hérza filu ríuuag.
Thaz thu zi mír nu quáti   inti eina klága es dati,
20   mit gótkundlichen ráchen   scal man súlih machon.
Thiu muater hórta thaz tho thár,   si uuéssa thoh in ála uuar,
   thaz íru thiu sin gúati   nirzígi, thes siu báti.
Gibót si then sar gáhun,   then thes lídes sahun,
   so uuás so er in giquáti,   iz íagilicher dati.
25 Thar stuantun uuázarfaz,   so thár in lante sítu uuas,
   then mánnon sus iouuánne   sih zi uuásganne.
Thaz uuarun séhs kruagi,   zi thíu uuas thar ginúagi,
   tho zi thén rachon,   thio drúhtin uuólta máchon.
Thaz méz uuir ofto zéllen   joh séxtari iz nénnen,
30   nam íagilih in redinu   thrízug stunton zéhinu,
Odo zuíro zéhanzug,   thes duent búah thar gihúgt;
   uuarun stéininu thiu fáz,   siu mohtun uuéren thes thiu báz.
Gibót tho selbo drúhtin,   siu uuázares irfúltin.
   thaz dátun sie ginuurtig   unz in óbanentig.
35 Tho quád er, thaz sie scánktin,   zi themo héresten sih uuántin,
   ther thero thrío sezzo   uuas fúristo gimazzo.
Drank ér tho, so nan lústa;   er uuíht es thoh ni uuésta;
   es uuíht ni quám imo ouh in uuán,   theiz uuas fon uuá-
                               zare gidan.

---

1) für ruamtin.

Thie mán thoh, thie thar ſkánktun,   iʒ fílu uuola irkántun,
  theiʒ uuaʒar lútaraʒ uuas,   tho ſie fúltun thiu faʒ.
Then uuírt er thara ládota   joh zímo nan gihólota,
  sih harto uuúntorota ſin   bi then frónisgan uuin.
5 „Ságe mir nu, friunt mín,   uuio dati ſó bi then uuin,
  thih ſus es nu inthábetos,   so lángo nan gispáratos?
Gíbit giuuelih mánno,   ther fríunta freuuit gérno,
  ih uueiʒ, thu es ínnana bist,   then fúriston io sar zi érist.
So thie mán sih thanne iruuſunent   joh drúnkanen bigínnent,
10 so scenkit állan then dag   súlih, sos iʒ uuésan mag.
Ja gispáratos auur thú   then guaton uuín unz in nú;
  ih scál thir ouh nu ráchon,   ni drénk[1]) ih thes gimáchon.“
Thiz zéichan deta druhtin kríst   ménnisgon zi érist,
  síd er hera in uuórolt quam   joh mannes líchamon nam.
15 Er óugta sina kráft thar   joh sina gúallichi theist uuár;
  tho gilóubtun ekordí éine   thie júngoron síne.

Lib. II. Cap. 16. De VIII beatudinibus. Math. 5.

„Sálig birut ir árme,   in thiu thaʒ múat iʒ uuolle,
  in thiu ir thie ármuati   githáltet io mit gúati.
Uuanta ſuer ist, ih sagen iu tháʒ,   thaʒ hímilrichi hóhaʒ,
20 thiu uuúnna joh ouh mánag guat: bi thiu mag sih fréuuen
                                      iuer múat.
Sálige thie mílte   joh muates mámmunte,
  thie iro múates uualtent   joh bráaderscaf giháltent.
Búent ſie in uuára   érda filu mára;
  ther híar then bú biuuirbit,   er ſamer thar nirstirbit.
25 Sálig sint, zi gúate   thie róʒegemo múate.
  uuanta in firdſlot thaʒ sér   dróst filu mánager;
Joh gifréuuit in thaʒ múat   hárto filu mánag guat,
  firdſlot in thia smérza   joh rógagaʒ hérza.
Gúataliches nuáltent,   thie thúrst joh húngar thultent,
30 thie io thes réhtes gingent   joh thára zua githíngent.
Sie uuerdent óthesuuanne   mit séti es filu fólle,
  thaʒ gúates sie ginúagon   éigun unz in óuuon.
Sálig thie ármherze   joh thie ármu uuſhti smérze,
  then múat zi thiu gigánge,   thaʒ iro léid sie irbarme.

---

1) für drank.

Sie quement scíoro ana nót,   thár man in ginádot,
  thar man gihéilit iro múat   joh filu líebes giduat.
Iu ist sálida giméinit,   in thiu ir herza réinaʒ eigit;
  ir sculut mit súlichen óugon   selbon drúhtinan scouuon.
5 Ir scúlut io thes gigáhen,   mit súlichu ſuih náhen,
  mit réinidon ginuagen   zi drúhtine ſuih fúagen.
Thie frídusame ouh sálig,   thié in herzen ni éigun niheinaʒ uuíg,
  mit thíu sie thaʒ giuueiʒent,   sie gotes kínd heiʒent.
Got gíbit in zi lónon   then selbon námon sconon
10 joh dúit in thaʒ gimúati   mit thes námen guati.
Sálig thie in nóti   thultent árabeiti,
  then man bíro guati   duit ofto uuídarmuati.
Sie uuérdent filu riche   in themo hohen hímilriche,
  in thíu sie iʒ io gilícho   firdragen fráuualicho.
15 Ni dúet iu iʒ ouh zi rúachon,   oba iu thie líuti flúachon;
  ſu quimit sálida thiu mer,   thaʒ sſe so ahtent ſuer.
Thanne se zéllent thuruh mih   al úbil anan ſuih,
  thaʒ ni híluh ſuih: thaʒ líagent se ál thuruh mih.
Blídet ſuih múates   joh harto fréuuet ſuih thes,
20 ſu ist in hímile thuruh tháʒ   michil lón garauuaʒ.
Iro ánon ouh so dátun,   thero fórasagono áhtun,
  bi thiu ni láʒet iu iʒ in uuár   uuesan hárto filu suar.“

Lib. II. Cap. 20. Attendite, ne justitiam vestram faciatis
coram hominíbus. Matth. 6.

„Oba thu ármen uuihtin   duest drost mit éregrehtin,
  joh thir uuólles ana rúam   elemósyna giduan,
25 Odo uuérk guatu   joh drúhtine gimúatu
  uuólles io mit uuſllen   fora góte irfúllen:
Dúa, so ih thir zéllu,   thiu sélbun thíng ellu
  gibórgenero uuerko,   thaʒ thir es gót githanko.
Ni duas thu só, ih sagen thir éin,   lon ni hábes thu es nihéin,
30 ouh fona góte ana uuánk   so ni químit thir es thank.
Oba thu iu réht redina   thir uuírkes elemósyna,
  thir zéllu ih ein gizámi: ni duaʒ zi lútmarí.
Líchiʒera in uuara   thie duent sia lútmara,
  ófono untar mánne,   thaʒ sie se lóbon thanne.
35 Sie eigun, uuíʒit ir thaʒ,.   thár thaʒ lon állaʒ;
  ih sagen iu in álauuara: ni uuírdit in es méra.“

Lib. III. Cap. 6. Abiit Jesus trans mare Galilee. Joh. 6.

Tház ih híar nu zéllu,   thaʒ uueiʒ thiu uuórolt ellu,
  uuúntar filu máraʒ   joh thrato séltsanaʒ:
Uuio krist nam fínf leiba   joh zuene físga thara zua,
  fon thén gab follon múases   finf thúsonton mánnes.
5 Fuar drúhtin inti síne   úbar einan lántse,
  thio búah iʒ thar zéllent   joh galiléa iʒ nennent.
Bi managemo séltsane   joh uuúntoron ʼzi uuáre
  fuar ímo thar ingégini   michil uuóroltmenigi.
U[ú]nfirslagan héri in uuar   fúar ingegin ímo thar,
10   uuorolt míchil, so gizám,   uuíb inti gómman.
Nam drúhtin sine thégana   inti gíang mit in tho thánana
  in einan bérg hoho;   mit ín gisaʒ thar scóno.
Uuás iʒ ouh giuuísso   fora einen óstoron so,
  théso selbun dáti,   fóra theru uuihun zíti.
15 So er thó mit sínen óugon   then líut bigonda scóuuon,
  thia selbun ménigi gisáh,   zi phílippuser sús sprah:
„Uuar múgun uuir nu bigínnan,   mit kóufu brót giuuinnan,
  thaʒ ther líut gisaʒi,   únz er híar nu gáʒi?“
Korata er thía uuarba   thera uuéichun gilouba;
20   thoh uuést er, sos er scólta,   uuaʒ er es dúan uuolta.
Er quád, ni mohti uuérdan,   mit kóufu sie biuuérban,
  mit míchilemo scázze,   ther líut zi thiu gisíze;
Thaʒ íagilichen thánne   thoh follér múnd uuerde,
  then múnd zi thiu irréken,   thes brótes uuiht gisméken.
25 Andréas sprah tho éiner,   pétruse gilánger,
  brúader sin gimúato,   ther kristes thégan guato:
„Hiar ist knéht éiner,   ni uuéiʒ ih uuihtes hía'r mer,
  ther drégit hiar in sinan nót   finf gírstinu brot,
Ouh zuene físga thar mit: theist zi thíu thóh niuuíht,
30   thaʒ man súlih biete   themo mánagfalten thíete.“
„Dúet, quad ér tho ubarlút,   thaʒ hiar gisízze ther líut;
  unz er hiar giréstit,   thes brótes in ni brístit.“
Thar uuas in álauuari   gráses ouh gifúari,
  mámmunti ginúagaʒ;   thia buah zéllent uns tháʒ.
35 So thaʒ héri tho gisáʒ,   thaʒ brot giségonotaʒ áʒ,
  iʒ uuúahs thar théra ferti   in múnde joh in hénti.
Iʒ uuúahs in alagáhun,   thar sie alle zúasahun,
  sih mérota iʒ ginóto   zi séti thero líuto,
Zi súaʒeru gilústi,   thaʒ ín es thar ni brústi,
40   álten inti iúngen   ioh selb then uuífbon allen.

Er sélbo ouh tho giméinta,   thie físga in thar gidéilta,
  thie uuahsun óuh thuruh nót   io, so sélbaʒ thaʒ brot.
Só sie thar tho gáʒun,   thie in themo gráse saʒun,
  ioh mánnilih thar sát uuard,   so sie thes brótes giuuard:
5 Gibót tho druhtin sínen,   thaʒ uuóla sie thes gislen,
  thie líuti thes firuuásin,   thie bróamun thar gilásin,
Thaʒ sie giháltan uuurtin   ióh ouh ni firuuúrtin.
  thar lásun sie tho álle   zuélif korbi fólle.
Thie líuti thar in gáhun   thiz zéichan tho gisáhun,
10 bigóndun mit githánkon   tho drúhtine thánkon.
„Thiz, quádun, ist giuuáro   ther fórasago máro,
  mit iauuihtu álles uuio iʒ níst [1]),   ther kúnftig héra in uuó-
                                          rolt ist.“
Er múases sid gab fóllon   fiar thúsonton mánnon,
  seti síbun broto   mit físgon ouh gimúato.
15 Ioh uuard thero áleibo   thero físgo joh thero léibo
  — ni fráʒun sie iʒ állaʒ —   sibun kórbi ubar tháʒ.

Lib. IV. Cap. 4. Cum appropinquasset Hierosolimis. Math. 21.
Uuólt er tho biginnan,   zi hierusalém sinnan,
  tháʒ er thaʒ biuuúrbi,   bi únsih thar irstúrbi.
Thaʒ uuas fínf dagon ér,   er er thúlti thaʒ sér,
20 er iʒ zi thíu irgíangi,   tháʒ man nan gifíangi.
Gistúant er tho gibíatan,   uuant ér thar uuolta rítan,
  tháʒ sie thes gizílotin,   imo einan ésil holotin.
Gibot er tháʒ, ih sagen thir éin,   sinen iúngoron zuein,
  tháʒ sie sih irhúabin,   zi themo kástelle fúarin:
25 „Thar uuírdit fon iu fúntan   ein ésilin gibúntan,
  thia inbíntet ir thár   ioh brínget ouh thaʒ fúlin sar.
Ob íaman thes bigínne,   thaʒ ér iʒ iu ni hénge,
  saget thio thúrfti imo, in uuár,   so láʒit er iʒ uuésan sar.“
Fúarun sie thó iro pád   ioh funtun ál sos er giquád;
30 sie thara zúa tháhtun   ioh thaʒ fúlin bráhtun.
Namun síe tho iro uuát,   legitun thar úf in gidát,
  in mámmunti int in súaʒi   thaʒ er thar óba saʒi.
Thó fleiʒ thara ingégini   thiu míchila ménigi,
  zi kúninge sie nan quáttun   ioh imo then uuég thaktun.
35 Thaʒ dátun sie bi nóti,   thaʒ ros ni skránkoloti
  ioh iʒ ni firspúrni,   so ér thera réisa bigunni.
Ioh dátun iʒ in uuáru   zi frónisgeru éru,
  zi síneru héri: er uuás in filu díuri.

---

1) s. Wörterbuch bei alleswio.

Níat ther ío gihogeti   in álleru uuórolti,
   thaʒ kúning thihein fúari   mit súlicheru zíari,
Then io líuto dati   so scono gihéreti [1]),
   thaʒ thíonoti [2]) imo in uuáru   mit súlicheru fúaru.
5 Ther selbo líut, thaʒ ist uuár,   bréitta sina uuát thar,
   thaʒ er then uuég mit uuáti   mámmuntan gidáti;
Tháktun sie imo scíoro   then uuég thar filu zíoro,
   thes íltun sie io zi nóti   thie mán mit iro uuáti.
Sie stréuuitun, thaʒ nuas uuúntar,   then uuég thar imo súntar,
10   séltsani racha,   bréittun iro láchan.
Uuas, thémo thes gibrústi,   so bráh er sar io thie ésti,
   tháʒ er in girfhti   then uueg mit thén gislihti.
Námun sie thes góuma   inti bráchun thar thie bóuma,
   thaʒ afe sih thes gifréuuitin,   then uuég imo gistréuuitin.
15 Thar fuarun mán manage   fóra themo kúninge,
   héri ouh rédihafter   so fólgeta thar áfter.
Er reit in mítte, so gizám,   so iʒ thó zi theru réisu biquam,
   érlicho, so er uuólta   ioh selbo kúning scólta.
Húabun sie tho bóhaʒ   sáng, filu scónaʒ,
20   ímo tho gimáchaʒ   ioh filu rédihaftaʒ:
„Thu uueltis líutes manages,   dauídes sun thes kúninges,
   bist kúning ouh githíuto   therero lántliuto!
Zi uuórolti simo héili   ioh sálida giméini
   ioh frúma in gúallichi   ubar állaʒ sinaʒ ríchi!
25 Giuufhit sí er filu frám,   uuant er in gótes namen quám,
   ist kúning uns gimúato   selbo kríst ther gúato.
Héili ouh thu thia hóhi   mit théru selbun uuíhi,
   bréiti ouh thinaʒ ríchi   in thaʒ hoha hímilrichi;
Thaʒ thúnsih hiar giháltes   ioh éngilo ouh giuuáltes
30   ioh selben páradyses,   mit giuuélti thar irscínes!“
Ther selbo líut gúato   sang giméinmuato
   thésses liedes uuunna   al éinera stímna.
Thaʒ súngun io zi nóti   thie fórdorun líuti,
   thaʒ sélba ingégin ouh inquád   thiu áftera heriscaf.
35 Sie quámun mit githrénge   in thémo selben gánge
   ioh mit théru krefti   in thia búrg in girfhti.
Híntarquamun álle,   thie bíruuun [3]) thar ínne,
   in múat iʒ, uuan ih, rúarti [4])   thie selbun búrgliuti.

---

1) für gihéretin.   2) für thíonotin.   3) biruwun f. Wörterbuch unter sín
4) für rúarta.

„Uuér ist, quadun, therer mán,   ther unsih drítit hiar so frám,
    mit héri uns sus hiar engit   ioh úzar ther[1]) búrg thringit.“
Gab ántuuurti ther líut sar: „thiz ist ther fórasago, in uuár,
    fon názareth ther héilant,   ther thanana héra quam in lánt.“
5 Gíang er in thaz gótes hús,   dreip se ál thanan úz,
    ziuuárf er al bi nóti   thio iro bósheiti. —
Dáges er se lérta   ioh selbo brédigota;
    náhtes uuas io thánne   in themo óliberge.
Thaz uuas nu úngimacha   ioh égislíchu rácha:
10   siemo ínnouuo ni óndun   ioh sélidono irbóndun. —
Thie fúriston, thiz gisáhun,   es hárto hintarquámun,
    ioh ouh théro dato   fílu sprachun thráto:
„Nist únser racha, quadun, uuíht,   si frámmort uuiht ni thíhit,
    ni múaz si thihan uuánne   fora thémo selben mánne.
15 After ímo gengit,   óba man thiz gihéngit,
    bi éinera stúllu   thisu uuórolt ellu.“

Lib. IV. Cap. 7. De doctrina domini in monte ad discipulos.
Math. 24.

Gíang tho drúhtin thánana,   mit ímo ouh sine thégana,
    óugtun sie ímo innan thés   gizímbri thes húses.
Quad ér: „giuuisso ih ságen iu,   thie steina unérdent noh
                               zi thíu,
20   „thaz síe sint so úndrate,   hiar líggent al zi sáte.“
Er sáz sid thémo gánge   in themo óliberge,
    frágetun sie nan súntar,   sie uuás es filu uuúntar:
„Ságe uns, meistar, thánne,   uuío thiu zít gigánge,
    zéichan, uuio thu quéman scalt   ioh uuio thiu uuórolt
                               ouh zigát.“
25 „Góumet, quad ér, thero dáto   ioh uueset gláuue thrato,
    thaz iu ni dáron in fára   thie mánagun lúginara.
Yruuéhsit iámarlichaz thíng   úbar thesan uuórolt ring,
    in húngere int in súhti,   in uuénegeru flúhti!“
Tho zált in thiu sin gúati   thio selbun árabeiti,
30   thíe sie scoltun rínan   thuruh námon sinan;
Mánno haz ouh mánagan,   ubar síe giléganan,
    níd filu stréngan,   so frám sie iz múgun bríngan.

---

1) ther scheint für theru zu stehen, burg für burgi.

Uuío se scoltun fáhan,   zi hérizohon zíaban,
  gibúntan furi kúninga,   thie síne liobun thégana.
Det ér in dróst tho álles   thes íro tódes fálles,
  quad, théiz ni uuári bi álles uuaz[1]),   ni si thuruh sínan
                                        éinan haz.
5 „Ni sórget fora themo líute,   thár ir stet in nóte,
  in fórahtun ni uuéntet,   uuaz ir in ántuuurtet.
Ih uuísero uuórto   giuuárnon iuih hárto,
  réhtera rédina;   ir- birut míne thegana.
Ih bin sélbo zi thíu   ioh thár ouh spríchu uzar íu,
10 giuuárnon hérzen guates   ioh thráto festes múates.“
Ságet[2]) in ouh zi uuáre   fon themo éndidagen tháre,
  giuuúag in ouh ginóto   thes ántikristen zíto,
Thes githuíngnisses,   thes uuórolt thúltit thanne lés;
  giuuísso, thaz ni híluh thih,   theist zítin allen úngilih.
15 „Sie síht thanne in uuéuuen,   in árabeitin séren,
  thaz ér ni uuard io súlih fal   ouh iamer uuérdan ni scál.
Thaz kúrzit druhtin sáre   thuruh thie drúta síne,
  thuruh then góteleidon   mit sínen ginádon.
Duit máno ioh thiu súnna   mit fínstere únuuunna
20 ioh fállent ouh thie stérron   in érda filu férron.
Sih uueinot thánne thuruh thia quíst   ál thaz hiar in érdu ist.
  thúruh thio selbun grúnni   al thiz uuóroltkunni.
So séhent se mit githuínge   quéman thara zi thínge
  fon uuólkonon hérasun   then selbon ménnisgen sun.
25 Sine éngila ouh, in ala uuár,   sie blásent iro hórn thar,
  thaz déent sie io gilícho   filu kráftlicho,
Thaz síe thes thar giáfalon,   sine drúta al sámanon,
  thaz sie quémen thara zi ín,   so uuar in uuórolti sie sín.
Thaz iuer fagilih nu quít   bi thesa iúngistun zít:
30 níst ther thia gizéino;   ni si min fáter eino;
Odo iz uuizi uuórolt' man,   uuánne iz souli uuérdan,
  uuanne iz gót uuolle,   thaz uuórolt al zifálle.
Thoh uuírdit in giuuíssi   ér michil stílnissi,
  so íu uuas antar líutin   bi alten nóes zítin.
So sie thaz uuázar thar biflang,   so er érist thia arka in-
                                        gigíang,
  so gáhun quimit hérasun   ther selbo ménnisgen sun.

---

1) s. Wörterbuch bei alles.   2) für sageta.

Bi thíu sit io ginóto uuáchar filu thráto,
 uuanta ist firhólan iuih ál, uuánne druhtin quéman scal.
Oba ther mán uuesti, ther héime ist in ther [1]) fésti,
 al thaʒ úngizami, uuio ther thíob quami:
5 Er uuácheti bi nóti thanne in théru ziti,
 dribi then thíob thanana úʒ, ni liaʒi irgrában sinaʒ hús.
Bi thiu uuahtet álla thia náht, thoh er iʒ dúe ubar máht,
 thaʒ er thaʒ sín ginerie ioh ffanton biuuérie.
Duet ír ouh so, so thér dúit, uuanta ir ni uuíʒut thia zít;
10 sit uuáchar io, so ih gibót, thaʒ ir bimídet then nót!"
Ságeta er tho then líobon fón then zehen thíarnon
 bílidi biquámi ioh thárazua gizámi.
Uuio thió fínfi fuarun, thie úngiuuare uuárun,
 ni uuárun uuola uuáchar, bi thiu missigíangun sie thár;
15 Uuio uuola iʒ thén gifuar ouh thár, thio híar ío uuarun
            uuáchar,
 thes hérzen sie hiar uuíaltun ioh réino gihíaltun.
Er zálta ouh bilidi ánder, thaʒ sie sih uuárnetin thiu mér:
 uuio fuar ein mán richi in ander kúningrichi;
Uuio ér iʒ er giméinta, sinaʒ dréso deilta
20 úntar sinen scálkon zi súorglichen uuérkon;
Gibót, thaʒ sie iʒ bifóratin ióh thar ana uuórahtin
 uuúachar gizámi, únz er auur quámi.
Thie zuéne es uuola zílotun ioh uuola iʒ mérotun;
 ther thrítto uuas nihein héit thúruh sina zágaheit.
25 Er uuard firdámnot thuruh nót, thár man inan pínot,
 giuuisso réhto thuruh tháʒ, uuant er uuáchar ni uuas.
Thie ándere zuene síne gidét er filu blíde,
 gifreuuet in hárto iro múat, so guat hérero duat.
Gisázt er sie tho scóno ubar búrgi sino,
30 gideta ér se filu ríche, thaʒ in thaʒ thíonost liche.
 "Bi thíu sit io uuáchar állaʒ iuer líb hiar,
 dáges inti náhtes so thénket io thes réhtes.
Thaʒ ir thés ío gíflet, thia zála bimídet,
 ioh ío thes gigáhet, themo égisen intflíahet.
35 Tháʒ ir uuerdet uuírdig, sar so químit minaʒ thíng,
 thaʒ ir stét in ríhti in míneru gisíhti."

---

1) für theru.

    Lert er dáges ubarlút   ofono állan then líut,
      sie quámun io ginóto   zi ímo sar gizíto.
    Fuar thánne mit then knéhton   in then óliberg zen náhton
      uuas io thár ubar náht,   so hiar fóra uuard giuuáht.

Lib IV. Cap. 10. Desiderio desideravi hoc Pascha. Luc. 22.

5 Bigán tho druhtin rédinon   then sélben zuelif théganon,
      then thár umbi ínan sázun,   mit imo sáman azun:
    „Thes múases gérota ih bi thíu,   thaz ih iz ázi mit íu,
      er ih thaz uuízi thulti   ioh biuih dót uuurti.
    Ni drínku ih, rehto in uuára,   thes rébekunnes méra,
10   fon themo uuáhsmen fúrdir,   thaz gilóubet ir mir,
    Er íh iz so bithénku,   mit iu sáman auur drínku
      níuuuaz, thaz íu iz líche   in mínes fáter. riche."
    Nam er tho sélbo thaz brot,   bot in iz giséganot,
      gibót, thaz sies ázin,   ál so sie thar sázin.
15 „Ir ezet, quád er, ana uuán,   líchamon mínan,
      allen zéllu ih iu tház,   thaz éigit ir giuuíssaz.
    Nemet then kélih ouh nu zíu,   thaz drinkan déilet untar iu,
      thar drínket ir thaz minaz blúat,   thaz íu in euuon uuóla dúat.
    Iz héilit líuto uuúnta   ioh mánagero súnta,
20   iz ist mánagfaltaz thíng,   yrlósit thesan uuóroltring."

Lib. IV. Cap. 27. Quomodo clavis eum fixerunt et titulus
            Pilati. Marc. 15. Luc. 23. Joh. 19.

    Ni námun sie, thía meina,   thero uuíbo klaga góuma,
      nihéin tharzua ouh húgita   zi theru thráu, thia er in zélita.
    Léittun sie ouh tho tháre   scachara úrmare
      zuéne zi themo uuíze,   thie stálun er zi flíze-
25 Ih uuéiz, sie thaz ouh nuóltun,   mit súntigon nan záltun,
      mit thén uuurti ouh firméinit,   so alt giscríb úns zéinit.
    In thaz krúzi sie nan nágaltun,   so síe iz zi thiu giaítotun,
      mit fúazin ioh bi hánton   mit thráto herten bánton.
    Yrhúabun sie úf, in alauuár,   then kuning hímiliagan thár,
30   then kéisor mit then máhtin,   sélbon unsan drúhtin.
    Er uuás thar mit giuuélti,   thóh er súlih thúlti,
      bi únsih er iz thóleta,   so ih hiar fóra zelita.
    Mit théru diurun líchi   so lost er uuórolt richi,
      ménnisgon ouh álle   mit sínes todes fálle.

Bi unsih góʒ er hiar sin blúat,   thaʒ iamer ánder ni dúat,
   er détaʒ hiar nu fésti,   thaʒ gúates uns ni brústi.
Sie dátun, so ih ʒélita,   in thaʒ krúzi man nan nágalta,
   so sie tho fástos [1]) móhtun,   ioh thar nan úfirrihtun.
5 Tho ʒéintun uuóroltenti   sínes selben hénti,
   thaʒ hóubit hímilisga múnt,   thia fúaʒi ouh thesan érdgrunt.
Thaʒ uuás sin al, in uuára,   úmbikirg in fíara,
   óbana ioh nídana;   so uuóla thie sine thégana!
Pilátus huab giscríbana   sínes selbes rédina
10   úbar sinaʒ hóubit,   thaʒ uuórolt al gilóubit:
„Héilant ther uuáro,   fon náʒareth ther máro
   ist kúning er githíuto   iúdisgero líuto.“
Tho quatun thie éuuarton: ni scríb iʒ so then uuórton;
   scríb, thaʒ er iʒ quáti   ioh sulih sélbo marti.“
15 Tho gab er ántuuurti,   quad, álles uuio iʒ ni uuúrti [2]);
   „thaʒ ih scréib, in alauuár,   thaʒ stéit imo giscríban thar.“

Lib. IV. Cap. 32. Stabat autem juxta crucem Jesu mater
ejus. Joh 19.

Múater sin thiu gúata   thiz allaʒ scóuuota,
   théso selbun quísti   thio rúartun iro brústi
Róʒagemo múate;   ioh uuárd uns iʒ zi gúate,
20   ni móht iʒ sin in ánder,   ni sia rúarti thaʒ sér.
Sin drút ouh stuant thar éiner   mit thíarnuduamu réiner,
   er gibúrita ouh tho thár   ioh sáh imo thaʒ iámar.
Thúruh thio sino gúati   thó in therera nóti
   bifalah ther sún guater   thémo sina múater,
25 Thaʒ er sia zi ímo nami,   si dróstolos ni uuári,
   in ira kíndes uuehsal   sia bisórgeti ubar ál.
Bisórgeta er thia múater   thar so hángenter.
   uuir sin gibót ouh uuírken   inti bi únsa muater thénken ׀

Lib. V. Cap. 4. De resurrectione domini vespere sabbati.

Thuruh thes krúzes kréfti   ioh selben krístes mahti
30   so quéme mir frámmort nu in múat,   uuíer fon themo grábe
                              irstuant.
Ioh uuío nan fríuntilih gisáh,   ouh mit then iúngoron sprah,
   uuio hárto er thie gifréuuita   ioh gúatilih in ságeta.

---

1) für fastốst = ſo feſt sie konnten. 2) ſagte, anders (geſchrieben)
würde es nicht.

Al thiz úngirati   ioh thie égislichun dáti,
   thaʒ uuir hiar fóra quatun,   in fríadag sie iʒ dátun.
In mórgan uuas, in uuára,   thero óstorono fíra,
   uuas ouh thes dáges diuri   thar hárto filu mári.
5 Thes súnnun abandes sár   irhúabun sih thiu uuíb, in uuar,
   ni dátun sies tho bítun,   zi themo grábe se iltun.
Uuanu, ſagilih tho ílti   thuruh thio spatun zíti,
   thaʒ thiu fíra irduálta,   thia mínna iʒ in irfúlta.
Drúagun se iro sálbun   · mit in sar thía uuarbun,   ·
10   líobemo mánne,   krist zi sálbonne.
Joh giangun áhtonti,   thaʒ uuésan thaʒ ni móhti,
   thaʒ síe¹) thes steines búrdin   fon themo grábe iruullin.
Sie tháhtun, thaʒ sie irbátin   thie mán, thie thaʒ gidátin;
   uuas ſro kraft zi nídiri   ingegin thes stéines hébigi.
15 Thes gánges sie iltun gáhun   ioh thaʒ gráb gisáhun:
   in míchilan únuuan   thaʒ ketti fúntun indan.
Tho uuard sar thía uuila   michil érdbiba,
   hárto michil égiso,   bi thiu hintarquámun se só.
Sih scútita io gilícho   thiu erda kráftlicho,
20   ioh si slíumo thar irgáb   thaʒ dréso, thar in íru lag.
Quam éngil ein in gáhi   fon hímilriches hóhi,
   er uualzta thána sar then stéin,   so er nan érist biréin;
Ni thaʒ er thara giſlti,   thaʒ er then uuég girumti,
   suntar man irknáti   thio séltsano dáti;
25 Ioh ouh mán thaʒ uuéstin,   thaʒ kríst stuant ir then réstin;
   gisiunes árumi er gáb   in thaʒ ſtala gráb.
Gisíuni sin uuas, uuúnna,   so scónaʒ io so súnna,
   in uuſʒes snéuuen farauui   so uuás al sin gigárauui.
Tho híntarquamun nóti   thár in alathráti
30   ioh fórahtun in tho gáhun,   thie thes grábes sahun.
Sie uuúrtun selb so dóte   in thémo selben nóte.
   ther éngil bi einen líbon²)   spráh tho sar zen uuſbon:
„Uuib, ih spríchu thara zi ſu,   uuiht ni fórahtet ir iu,
   drof nintuuérfet iuer múat,   ir quamut héra thuruh gúat.
35 Uuio mag uuésan thaʒ io só,   thaʒ únser iuih égiso?
   ia bírun uuir, in uuára,   iu éigene gibúra.
Ih nueiʒ iua hérafart,   ir súachet unsan héilant,
   then these líuti irsluagun   ioh híar nan ouh bigrúabun;

---

1) für siu (neutr.) oder siô (fem.) 2) ſ. líba im Wörterb.

Thén sie hıar gidóttun,   mit kruze mártolotun,
  in thémo sie sih ráchun,   mit iro spéron stachun.
Ir ni thúrfut in uuár,   ni éigut ir sin uuíht hiar,
  er uuihtes úngidan ni líaȝ,   so so er sélbo gihiaȝ.
5 Er ist fon héllu iruuúntan   ioh úf fon tóde irstantan;
  ni thúrfut ir nan ríaȝan,   ia uuás inȝ er gihéiȝan.
Er nam in tódes riche   sigi kráftliche,
  mit ſmo er mer ni fíhtit   ioh fúrdir sih ní irríhtit.
Ih zéllu iu ouh scono líubi: ¹)   thar nám er sin giróubi,
10   sid er nan thár ubaruuánt   ioh leitta in ánderaȝ lant,
In himil gúallichi,   sines sélbes richi,
  kráftlicho filu frám,   so imo sélben gizam,
So imo sélben gizam,   al thaȝ er tóde ginam;
  giloubet uuórtes mines,   ni liaȝ uuíht er thar thes sínes.
15 I[ſ]agilih hiar séhan mag,   uuar ther líchamo lag,
  uuar ínan ouh gibúrgun   thie mán, thie thaȝ biuuúrbun.
Nu scúlut ir sar io giſlen   zi then iúngoron sinen,
  mit blídlichemo uuíllen   thiu minu uuórt in zellen.
Ni due ouh pétrus nu thaȝ mín,   ni er sih fúage thara zín.
20   gifreuuet állen in thaȝ múat,   uuant er fon tóde hiutu
                                                        irstúant.
In múat in iȝ ni láȝen   ouh uuíht inan ni ríaȝen,
  ni thúrfun sie in uuar mín,   er sprichit scíoro mit in."

Lib. V. Cap. 11. Stetit Jesus in medio discipulorum
                suorum. Joh. 20.

Uuarun thie iúngoron tho   bi fórahtun thero iúdeono
  thuruh míchila not   in einaȝ hús gisamanot.
25 Then búachon maht thar uuárten: dúron so bispárten
  stúant er nntar mitten   thes sélben dages thrítten.
Ni zemo ántdagen mín   quam er áuur sama zi in;
  uuanta ih ságen thir in uuár: sie uuárum auur sáman
                                                        thar.
Sie flúhun ouh then selbon nót   ioh er in frídu sar irbót,
30   gab frídu, so ih thir rédinon,   then sinen drúttheganon.

----

1) Graff liest: scônô liubî = gratos amores. Reimnitz: scôno liubi =
etwas angenehm liebes.

Ouh blías er sie ána, so thu uuéist, then selbon héilegon géist,
   thia selbun kráft sina; thaʒ gihíaʒ er in iu uuíla.
„So uuémo ir, quad, gihéiʒet, ir súnta mo biláʒet,
   giuuisso uuíʒit ana uuán: ist mína halbun sar gidán.
5 Then ír iʒ auur uuíʒet, in súnta ni biláʒet,
   theist ouh fésti ubar ál ána theheinig zuíual.“
Firgáb in thaʒ zi rúame, theiʒ uuari in íro duame,
   thaʒ sies álles uuialtin, so uuío so sieʒ giríatin;
Thaʒ sies uuíaltin filu frám so gotes théganon gizám,
10   ioh sar io in théru fristi iʒ uuári filu fésti.
Tho nuúrtun sie gidrúabte zuíualemo múate,
   ni gilóubtun thesa rédina thuruh thes hérzen freuuida.
Ni dét er thes tho bíta, hiaʒ rúaren sina síta,
   sie hénti ouh sino rúartin, thaʒ sie ni zuíuolotin.
15 Thaʒ deta drúhtin thuruh tháʒ, uuant er giuuúntoter uuas,
   thaʒ sie álles uuio ni dátin, bi thíu nan thoh irknátin.
Uuant ér uuard thar giuuáro giuuúntot filu suáro.
   zi férche gistóchan: iʒ uuard thoh sid giróchan.
Sie ouh tho so dátun ioh noh tho zuíuolotun;
20   uuas in thaʒ hérza filu fró, bi thiu uuúntarotum sie sih só.
So gibúrit mánne, thara er so gínget thanne,
   gisihit thaʒ súaʒa líabaʒ sín, thoh fórahtit theiʒ ni mégi sin:
Súlih hiar ouh rúarta thie selbun krístes druta,
   sie hábetun nan in hánton hérzon zuíuolonton;
25 Híaʒ er imo thánne geban zi éʒanne;
   noh uuarun zuíuilinc thie selbun drúta sine.
Sus lókota er mit minnon thie drutménnisgon,
   sus io thésen datin, tháʒ sie nan irknátin;
Thaʒ fón in uuurtï fúntan, thaʒ ér uuas selbo irstántan,
30   ioh sie giuuísso ouh uuéstin, thaʒ ér stuant fon then réstin.
Uuanta iʒ mag man uuíʒan, ther the uuilit éʒan,
   thaʒ inan líb ruarit ioh líchamon fuarit.
Aʒ er fora in tho tháre, thaʒ uuéstin sie zi uuáre,
   thaʒ er thaʒ férah habeta, in líchamen lebeta.
35 Tho nám er, thaʒ er léibta, mit thíu er in ouh tho líubta,
   gáb in thaʒ zi súaʒi, thaʒ iagilih thes áʒi.
Mánota er sie tho álles thes éreren thínges,
   thaʒ er gizálta iʒ allaʒ ín, unz er ér iu uuas mit ín.
Er deta in ófan állaʒ thaʒ giscríb follaʒ,
40   mérota in thie uuíʒzi, ménnisgon zi núzzi:

Thaʒ ſagilih firnámi   thar ána thaʒ gizámi,
     thaʒ drúhtin thiz so uuólta   ioh sús ouh uuésan scolta.

Lib. V. Cap. 17. Igitur qui convenerant interrogabant eum
          et reliqua. Actor. 1, 6.

Sie thíz al tho firnámun,   thie thara zi ímo quamun,
     tho frágetun nan giméino   ioh hárto filu kléino:
5 „Uuil thu thaʒ ríchi, druhtin,   mit thínes selbes máhtin
     irséʒen thesen liutin   nu sar in thésen zitin?“
  „Nist iu, quad er, noh mánne   thaʒ zi uuíʒanne,
     thaʒ min fáter so githuáng   inti ínnan sinaʒ dréso barg,
  Theiʒ hiar in uuórolt fristi   mán nihein ni uuésti,
10   zi uuíʒanne iʒ firbári,   uuár thiu zit uuari.
  Thoh quément iu thio máhti,   giuualt ioh gótes kreſti;
     thio gíbit iu mit mir méist   ther selbo héilogo geist.
  So birut mir úrkundon   mit míchilen redinon,
     mit kréftigera hénti   in ellu uuórolt enti.“
15 Yrhúab er sih, so er thaʒ gispráh,   thar sin githígini iʒ gisáh,
     ioh fuar, sos ímo selben zám,   zi sinemo fáter, thanana
                                                  er quám,
  Zi sin selbes ríche, so gizam,   sid ér in tode sígu nam,
     in lúfte filu scóno,   ther gotes sún trono.
  Ther nist in ála uuari,   ther er thia stráʒa fuari,
20   ther ér io thaʒ gídáti,   then selbẹn uuég gidrati.
  Er fúar ouh sama herasun,   uuant er ist thíarnun sun;
     nist man in ála uuari,   ther er so héra quami.
  Firliaʒ er thia érda ouh thuruh tháʒ,   uuanta uuírdig si ni
                                                  uuás
          bira míssodati,   thaʒ er sia fúrdir drati.
25 Sie híntarquamun gáhun   ioh sie after ímo sahun,
     sie uuuntorotụn hárto   súlichero férto.
  Thia súnnun ioh then mánon   so úbar fuar er gáhon,
     ioh állan thesan uuóroltring,   ni gisah man ér io sulih
                                                  thíng;
  Sar zi théru stullu   thiu zuelif zéichan ellu
30   io sar bi thémo thinge   in themo úahalden ríngé;
  Ubar thaʒ síbunstirri   ioh ther uuágano gistelli,
     then drachon nſauuihtes min,   ther sih thar uuíntit untar in;
                                                  12*

Satúrnum ouh then drágon,   polónan ouh then stétigon,
   then thu in bérahtera naht   so kúmo thar giséhan maht.
Iჳ ist zi láng manne   sus al zi nénnenne,
   al thaz séltsani   thes hímiles gimali.
5 Thoh nist nihéin sterro,   ni er úbarfuari ferro,
   quédan man iჳ uuóla muaჳ,   alle drát er se untar fuaჳ.
Kápfetun sie lángo   — uuas uuúntar sie thero thíngo —
   mit hánton oba then óugon,   thaჳ báჳ sie mohtin scóuuon.
Sie irlúagatun nan kúmo   zi iúngist filu rúmo;
10   thar uuolkono óbanentig ist,   thar sáhun sie nan náhist.

XV.   Lied vom heiligen Petrus.

Literaturgesch. 38.   Wack. 103.   Massmann 172.

Unsar trohtin hât farsalt   sante Pêtre giuualt,
   daჳ er mac ginerjan   ze imo dingênten man.
   kyrie eleyson,   christe eleyson!
Er hapêt ouh mit vuortun   himilrîches portûn.
15   dar in mach er skerjan   den er uuili nerjan.
   kirie eleison,   christe eleison!
Pittêmês den gotes trût   allê samant uparlût,
   daჳ er uns firtânên   giuuerdô ginadên!
   kirie eleyson,   christe eleison!

XVI. Christus und die Samariterin.

Literaturgesoh. 38.   Wack. 103.   Hoffmanns Fundgruben I, 2.

20 Lesan vuir thaჳ fuori   ther heilant fartmuodi.
   ze untarne, vuiჳჳun thaჳ,   er zeïnen brunnon kisaჳ.
Quam fone samarjô   ein quëna sârio,
   scephan thaჳ vuaჳჳer.   thanna noh sô saჳ er.
Vuurbon sînâ theganâ   be sîna lîpleita.
25   bat er sih ketrencan   daჳ vîp, thaჳ ther thara quam.

„Biuuaӡ kerôst thu, guot man,   daӡ ih thir geba trinkan?
    jâ ne nieӡant, vuiӡӡe christ,   thiê judon vnsera vuist.“
„Uuîp, obe thu vuissîs,   vuielîh gotes gift ist,
    vnte den ercantîs,   mit themo du kôsôtîs,
5   tu bâtîs dir unnen   sînes kekprunnen.“
„Disiu buzza ist sô tiuf,   ze dero ih heimina liuf;
    noh tu ne habis kiscirres,   daӡ thu thes kiscepbês:
vuâr maht thu guot man   neman quecprunnan?
    ne bistu liuten kelop   mêr than jâcob?
10 ther gab uns . . . . [1]) brunnan,   tranc ernan joh sînâ man;
    sîniu smalenôӡӡer   nuӡӡun thaӡ vuaӡӡer.“
„Ther trinkit thiz vuaӡӡer,   be demo durstit in iamêr;
    der afar trinchit daӡ mîn,   then lâӡit der durst sîn.
    : : : : : : [2]) got imon pruston .   in êuuôn mit luston.“
15 „Hêrro, ih thicho ze dir,   thaӡ vuaӡӡer gâbîst du mir,
    daӡ ih mêr ubar tac   ne liufi hera durstac.“
„Vuîb, tuo dih anne uært,   hole herra dînen uirt.“
    siu quat sus libiti,   commen ne hebiti.
„Vueiӡ ih daӡ du uâr segist,   daӡ du commen ne hebist:
20   du hebitôs her fînfe   dir zi uolleiste;
    des mahtu sichur sîn: nu hebist ênin, der nis dîn.“
„Hêrro, in thir uuigit scîn,   daӡ thu maht . . . . [3])
    for uns êr giboranâ   betôtun hiar in berega.
Unser altmâgâ   suohtan hia genâda,
25   thoh ir sagant kicorana   thia bita in hjerosol . . . . . [4])

XVII. Lied auf den Sieg König Ludwigs III. bei Saucourt 881.

Literaturgesch. 39. ⟩ Wackern. 105. Hoffmann et Willems, Elnonensia.
Monuments des langues romane et tudesque etc. Zweite Ausgabe.
Mainz 1845. S. 7.

Einan kuning uueiӡ ih,   heizsit her hluduîg,
    ther gerno gode thionôt: ih uueiӡ her imos lônôt.

---

[1]) zu ergänzen: thesan. [2]) zu ergäuzen etwa: es ergötzt. [3]) zu ergänzen: krist sîn oder forasago sîn. [4]) hjerosolima. Der Schluss fehlt.

Kind uuarth her faterlôs,   ther uuarth imo sâr buoʒ:
  holôda inan truhtin,   · magacʒogo uuarth her sîn.
Gab her imo dugidi,   frônisc githigini,
  stual hier in urankôn: sô brûche her es lango!
5 Thaʒ gideilder thanne   sâr mit karlemanne,
  bruoder sînemo,   thia czala uuunniônô.
Sô thaʒ uuarth al gendiôt: korôn uuolda sîn god,
  ob her arbeìdi   so iung tholôn mahti.
Lietz her heidinê man   obar sêo lîdan,
10   thiot urancônô   manôn sundiônô.
Sumê sâr uerloranê   uuurdun, sumerkoranê; [1]
  haranscara tholôta   ther êr misselebêta.
Ther ther thanne thiob uuas   inder thanana ginas:
  nam sînâ uaston,   sîdh uuarth her guot man. [2]
15 Sum uuas luginâri,   sum skâchâri,
  sum fol lôses: inder gibuoʒta sih thes.
Kuning unas eruirrit,   thaʒ rîchi al girrit,
  uuas erbolgan krist: leidhôr thes ingald iʒ.
Thoh erbarmêdes god,   uuisser alla thia nôt,
20   hieʒ her hluduîgan   tharot sâr rîtan.
„Hluduîg, kuning mîn,   · hilph mînân liutin,
  heigun sa northman   harto biduuungan.“
Thanne sprah hluduîg: „hêrro sô duon ih
  — dôt ni rette mir iʒ —   al thaʒ thu gibiudist.“
25 Tho nam her godes urlûb,   huob her gundfanon ûf,
  reit her thara in urankôn   ingagan northmannon.
Gode thancôdun,   thê sîn ⸱beidôdun,
  quâdhun al: „frômîn, [3]   so lango beidôn uuir thîn.“
Thanne sprah lûto   hluduîg ther guoto:
30   „trôstet hiu gisellion,   mînê nôtstallon.
Hera santa mih god   ioh mir selbo gibôd,
  ob hiu rât thûhti,   thaʒ ih hier geuuhti,
  mih selbon ni sparôti,   uncih hiu gineriti.
Nu uuillih thaʒ mir uolgôn   allê godes holdon.
35   giskerit ist thiu hier uuist   sô lango sô uuili krist.
  uuili ħer unsa hina uarth: therô habêt her giuualt.

---

1) für sumê erkoranô.   2) Man kann auch interpungieren: inder
thanana ginas, nam ·sîna uaston: sîdh uuarth her guot man.   3) für
frô mîn.

Sô uuer sô hier in ellian　　　giduot godes uuillion,
　　quimit he gisund ûʒ:　　　ih gilônôn imoʒ.
　　bilîbit her thâr inne:　　　sînemo kunnie.“
Tho nam her skild indi sper,　　ellianlîcho reit her,
5　　uuolder uuâr errahchôn　　sînâ [1]) uuidarsahchon.
Thô ni uuas iʒ buro lang:　　　fand her thia northman.
　　gode lob sagêda,　　her sihit, thes her gerêda.
Ther kuning reit kuono,　　sang lioth frânô [2])
　　ioh allê saman sungun:　　„kyrrie leison!“
10 Sang uuas gisungan,　　uuîg uuas bigunnan,
　　bluot scein in uuangôn,　　spilôdun ther [3]) urankon.
Thâr uaht thegenô gelîh,　　nichein sôsô hluduîg,
　　snel indi kuoni,　　thaʒ uuas imo gekunni.
Suman thuruh skluog her,　　suman thuruh stah her;
15　　her skancta cehanton　　sînân flanton
　　bitteres lîdes:　　sô uuê hin hio thes lîbes !
Gilobôt sî thiu godes kraft:　　hluduîg uuarth sigihaft,
　　iah [4]) allên heiligôn thank:　　sîn uuarth ther sigikampf.
. . . uolar abur hluduîg, [5])　　kuning uuîgsalig,
20　　garo sô ser hio uuas　　sô uuâr sô ses thurft uuas.
　　gihalde inan truhtin　　bi sînân êrgrehtin!

XVIII. Christliches Gebet.

Literaturgesch. 39.　Wack. 109.　Massmann 172.

Deus, cui proprium est　　　Got, thir eigenhaf ist,
misereri semper et parcere,　　thaʒ io genâthih bist,
suscipe deprecationem nostram,　　intfaa gebet [6]) unsar.
25 — — — — — — — — —　　thes bethurfun uuir sâr,

Ut quos catena　　　thaʒ uns thiô ketinun
delictorum constringit,　　bindent therô sundun, [7])
miseratio tuæ　　　thînerô mildô
pietatis absolvat.　　genâd intbinde haldo. [8])

---

1) W. schlägt vor: sînân für sînên u. übersetzt: er wollte die Wahrheit sagen
seinen Widersachern.　Reimnitz übersetzt: er wollte irgendwo auskundschaften
seine Feinde. 2) für frônô. 3) für thâr? 4) für joh = und? Oder jah =
sagte? 5) vielleicht: Nu fuar abur hluduîg. 6) Wack. geba. 7) für sundônô,
sundôn. 8) Wack. baldo.

Dritter Abſchnitt.

Zehntes und eilftes Jahrhundert.

XIX. De Heinrico.

Literaturgesch. 46.   Ranke, Jahrbücher I. B. 2. Abth. S. 97.

Nunc almus assis filius
benignus fautor mihi,
de quodam duce,
qui cum dignitate

5 Intrans nempe nuntius
„cur sedes, infit, Otdo,
hic adest Heinrîch,
dignum tibi fore

Tunc surrexit Otdo,
10 perrexit illi obviam
et excepit illum

Primitus quoque dixit:
ambo vos æquivoci,
nec non et sotii,

15 Dato responso
conjunxere manus.
petierunt ambo

Oramine facto
duxit in concilium
20 et omisit illi
praterquam regale,

therô êwigerô thiernûn, [1]
thaȝ ig iȝ côsân muoȝi
themo hêron Heinrîche,
therô Beiarô rîche bewarôde.

then keisar manôda her thus:
ther unsar keisar guodo?
bruother hera [2] kuniglîch,
thir selve moȝe sine. [5]“

ther unsar keisar guodo,
inde vilo manig man,
mit michilôn êrôn.

„willicumo Heinrîch,
bêthiu goda endi mî,
willicumo sîd gî mî.“

fane Heinrîche sô scôno,
her leida inan in thaȝ godes hûs:
therô godes genâthônô.

intfieng ena aver Otdo,
mit michelôn êrôn,
sô waȝ sô her thâr hafôde,
thes thir Heinrîch ni girâde.

---

1) so verbessert Wack. die Handschr., welche lautet: Nunc almus thero ewigero assis thiernun filius.   2) für hera sollte man thîn erwarten.   5) diess ist die unverständliche Lesart der Handschr. — Wack. verbessert: dignum tibi fare   dit selve mare.

Tunc stetit al thiu språkha [1] sub firmo Heinrîche.
quicquid Otdo fecit, al giried iȝ Heinrîh:
quicquid ac omisit, ouh giried iȝ Heinrîhc.

Hic non fuit ullus, (thes hafôn ig guoda fulleist
5 nobilibus [2]) ac liberis, thaȝ thid allaȝ wâr is)
cui non fecisset Heinrîch allerô rehtô gilîh.

XX. Aus Notkers Uebersetzung und Erläuterung der Psalmen.

Literaturgesch. 47 u. 48. Hattemer, Denkmale II. Band.

Psalmus I.

Beatus vir, qui non abiit in consilio impiorum. Der man
ist sâlig, der in derô 'argon rât ne gegieng. Sô Adâm teta,
dô er dero chenûn râtes folgêta uuider Gote.
10 Et in uia pecatorum non stetit. Noh an derô sundigôn
uuege ne stuont. Sô er teta, er cham dâr ana, er cham an
den breiten uueg, ter ze hello gât, unde stuont târ ana, uuanda
er hangta sînero geluste; héngendo stuont er.
Et in cathedra pestilentiæ non sedit. Noh an demo súht-
15 stuole ne saȝ. ih meino, daȝ er rícheson ne uuolta, uuanta
diu suht stûret sie nâh allê. Sô si adâmen teta, dô er got uuolta
uuerden. Pestis chît latine: pecora sternens (fieô nider slahinde).
Sô pestis sih kebreitet, sô ist iȝ pestilentia, id est late perva-
gata pestis (uuîto uuállonde sterbo).
20 Sed in lege domini uoluntas eius et in lege eius medita-
bitur die ac nocte. Nube der ist sâlig, tes uuillo an gotes eô
ist, unde der dara ana denchet tag unde naht.
Et erit tanquam lignum, quod plantatum est secus de-
cursus aquarum. Unde der gediehet alsô uuola, sô der boum,
25 der bî demo rínnenten uuaȝȝare gesezzet ist.
Quod fructum suum dabit in tempore suo. Der zîtigo
sînen uuuocher gibet. Daȝ rinnenta uuaȝȝer ist gratia sancti
spiritus, gnâda des heiligen geistes. Den si nezzet, der ist pirig
poum guoterô uuerchô.

---

1) ganz Deutschland? oder ganz Baiern? 2) Hds. nobilis ac liberis.

Et folium eius non defluet. Noh sîn loub ne rîset. Taʒ chît: noh sîn uuort ne uuirt uuendig.

Et omnia', quæcunque faciet, prosperabuntur. Vnde fram diehent alliu, diu der boum biret unde bringet, joh fructus 5 (uuuocher) joh folia (pleter), ih meino facta (uuerch) et dicta (uuort).

Non sic impii, non sic. Sô uuola ne gediehent aber diê argen; sô ne gediehent sie.

Sed tamquam puluis quem proicit uentus a facie terræ. 10 Nube sie zefárent alsô daʒ stuppe derô erdô, daʒ ter uuint feruuâhet; fone demo gotes rîche uuerdent sie feruuâhet.

Ideo non resurgunt impii in iudicio. Pediû ne erstânt argê ze derô urteildô. Doh sie erstanden, sie ne bîtent danne urteildô, uuanda in iu irteilet ist. Jam enim judicati sunt.

15 Neque peccatores in consilio iustorum. Noh súndîge ne sizzent danne in demo râte derô rectôn. êne ne irstânt, daʒ sie irteilet uuerden, noh tise ne irstânt, daʒ sie irteilen; êne sint tie uuírsisten, dife ne fint tie béʒʒeften, uuanda fie beide fundig fint. Tie aber die beʒʒeften fint, tie irteilent tien 20 métemen.

Quoniam ˉ nouit dominus uiam iuftorum. Vuanda got uueiʒ ten uueg terô rehtôn. Er geuuérdet fie uuiʒʒen unde irô uuerch.

Et iter impiorum peribit. Vnde derô argôn fart uuirt 25 ferlóren; uuanda fie felben ferloren uuerdent, pediu uuirt irô fart ferloren, daʒ fint irô uuerch.

Pfalmus Dauid II.

Quare fremuerunt gentes? Ziu gríscramôton an chriftum ebraicæ gentes (judôn diet)?

Et populi meditati funt inania, id est fruftra? Vnde ziu 30 dâhton sîne liute ardingun, in ze irlofchenne? Sie dâhton des in ûbelo fpuên folta.

Aftiterunt reges terræ et principes conuenerunt in unum aduerfus dominum et adverfus chriftum eius. Tie lánt-chuninga uuâren gágenuuerte in paffione domini (in gotes martyro): 35 nals [1]) ána fehendo, nube irô uuillen ougendo. unde principes facerdotum gefamenôton fih uuider truhtene unde uuider sînemo

------

1) Hattemer: als.

geuuiechten. Ein herodes uuolta in ſlâhen, anderêr hangta iʒ.
Pediu gât in ter uuillo, ſamoſô diu uuerch.

Disrumpamus uincula eorum et proiciamus a nobis iugum
ipſorum, id eſt chriſti et apostolorum. Sus éinôtun ſie ſic.
5 Prechên, chaden ſie, irô gebéndc unde uuerfên aba uns irô
ioch. Ne lâʒên unſih nieht ana chriſtianam religionem (chriſtis
uoluuga).

Qui habitat in cœlis irridebit eos et dominus ſubſannabit
eos. Ter in himile bûet, ter ſpottôt irô unde náſeſnûdet an ſio.
10 Nals taʒ got mit munde unde mit násûn deheinen huoh tûe,
nube daʒ iʒ huohlîch uuas, daʒ ſie ſîna prædiſtinationem (penêmida) dâhton ze iruuéndenne. Dâr ana uuâren ſie meditantes
inania (i. e. ténchende in-uppe).

Tunc loquetur ad eos in ira ſua, et in furore ſuo contur-
15 babit eos. Tanne ſprichet er in zû mit zorne unde mit héiʒ-
muote getruobet er ſie. In iudicio (in ubertéilidô) tuot er iʒ,
ſo retributio peccatorum (lôn ſundôn) iſt.

VOX CHRISTI. Ego autem conſtitutus ſum rex ab eo
ſuper ſyon montem ſanctum eius, prædicans præceptum eius.
20 Ih pin aber fone mînemo fater iro úndanches ze chuninge ge-
ſezzet uber sînen heiligen berg, daʒ iſt æccleſia, ſîn gebot
ſágende, daʒ chît euangelium lêrende. Syon ſtât in ieruſalem,
unde uuanda man ferro dar aba ſehen mag, pediu heiʒʒet er
syon, daʒ chît latine ſpecula, in únſera uuîs uuarta. Der be-
25 zeichenet æccleſiam, uuanda irô gedíngi iſt, daʒ ſî irhôhet uuerde
ze gotes ſelbes ánaſihte.

Dominus dixit ad me: filius meus es tu; ego hodie genui
te; id eſt ſine tempore (âna zît). Mîn fater chad ze mir: mîn
ſun bіſt tu; hiuto gebar ih tih. Gote ne-iſt nehein zît præte-
30 ritum (irgangen) noh futurum (chunftîg). Imo iſt hiuto al
daʒ io geſchah alde noh geſchehen sol. Pediu iſt ſîn ſun
hiuto geborn.

Poſtula a me et dabo tibi gentes heridatem tuam. Pite
mih, uuanda dû ménniſcho biſt unde an diû mîn minnero bist,
35 ſô gibo ih tir dîn erbe. Wéleʒ iſt daʒ? Gentes (alle liute).

Et possessionem tuam terminos terræ. Vnde gibo ih tir
zebeſîzzenne ende dero erdo, dero du biteſt. Daʒ iſt tone diu
geſprochen, uuanda chriſtus pat irô gnôto, dô er ſih ſelben umbe
ſie PATRI ópferôta.

Reges eos in uirga ferrea, id eſt inflexibili iustitia. Tie
rihtest tu mit îseninro gerto, daʒ chît mit únuuen digemo rehte.
Dih ne mag tar aba nieman genémen.

Tanquam uas figuli confringes eos. Sámoſô háfenâres faʒ
5 ferbricheſt tu sie. Terrenas concupiscentias (werlt luste) ferbri-
chest tu an in.

VOX PROPHETÆ. Et nunc reges intellegite. Vnde nû
fernément chuninga derô erdô, chuninga des fleisches, chuninga
fone diu, uuanda ir doubônt ten lîchamen. Gehôrrent mînen rât.

10   Erudimini, qui iudicatis terram. Lâʒent iuh lêren, lantrech-
târa. Meiſtera des lîchamen, fernément.

Seruite domino in timore. Dienônt gote mit forhtun. Daʒ
ne-heue iuuh, daʒ er reges kenámôt pirnt.

Et exultate ei cum tremore. Vnde rîdondo ſînt imo. frô.
15 Imo danchônt ſoliches namen ioh mit freuui ioh mit forchtun.

Apprehendite disciplinam, ne quando iraſcatur dominus et
pereatis de uia iusta. Lirnênt zuht unde uuesent in egi, daʒ
ſih got éteuuenne ne belge unde ir ne geslîphênt aba rehtemo
uuege; chriſtus ist ter uueg, an demo mannolîch kân sol.

20   Cum exarſerit in breui ira eius, beati omnes qui confidunt
in eo. So sîn zorn irheiʒʒet in ſpuote unde uindicta (kerich)
chumet in ictu oculi (in ſlago derô bráuuô), ſô ſint ſâlig, die
ſih ze-ſmo ferſéhent.

Pſalmus Dauid III.

Domine quid multiplicati ſunt qui tribulant me? Dauîd
25 chad ex persona christi (in chriſtis stal), dô er sînen sun flôh:
Ziû ſint truhten derô ſó manege, die mih arbeitent, daʒ joh
einer mînero discipulorum (jungerôn i. e. iudas) mîn âhtet?

Multi insurgunt aduersum me. Manige irrichtent sih
uuider mir.

30   Multi dicunt animæ meæ: non est salus illi in deo eius.
Manige ferságent mînero sêlo heili an iro gote. Sie ne trû-
uuent, daʒ ih irstân sule.

Tu autem domine susceptor meus es. Aber du got pist
35 mîn infángare, mih infienge dû. Mih hominem (ménniscen)
nâme dû an dih deum (got), bediu getuost tu mih ouch resur-
gere (irstân) uuider irô uuâne.

Gloria mea et exaltans caput meum. Dû bist mîn guollîchi,
fone dir habo ih sia, unde du bist irhôhende mîn houbet in
resurrectione (in ôstirtáge).

Voce mea ad dominum clamaui, et exaudiuit me de monte fancto suo. Mit mînero ſtimmo, daʒ chît mit des herzen stimmo háreta ih ze dir, unde gehôrtôst tu mih fone dînemo heiligan berge, daʒ chît fone dero únsagélîchun hôhi dînero gótheite.

5   Ego dormiui et soporatus sum. Ih slief, mînes tanches âne nôth. Ih slief den slâf des tôdes, unde slâf râuuôta mir dâr ana, daʒ die sundigen ne tuont, uuanda iro tôt slâf leitet sie zeúnrâuuon.

Et exurrexi, quoniam dominus suscepit me. Vnde irstuont 10 ih, uuanda trohten infieng mih. Et nam mih an sih, mit dero chrefte irstuont ih.

Non timebo milia populi circumdantis me. Ih ne furchto die mánigi des mih úmbestánden liutes, samo sô er mih ersterben muge. ih ne irstérbe gerno.

15   Exurge domine. Stant ûf truhten.

Saluum me fac deus meus. Duo mih geháltenen mîn got. Gehalt æcclesiam meam (mîna prûtsáminunga), diu mîn corpus (lîchamo) ist.

Quoniam tu percussisti omnes aduersantes mihi sine causa. 20 Vuanda du habest irslagen, daʒ chît, tu habest kesuueiget alle, die mir beunrehte uuidere uuâren. Sô chunt uuard în mîn resurrectio (urstendida), daʒ sie iro neheinen lougen getorston haben.

Dentes peccatorum contriuisti. Derô súndigôn zene fer- 25 múletôst tû, daʒ chît, irô híndero sprâchon ferzâre dû. Sie gesueigendo ferzâre dû iʒ.

Domini est salus. Târ schînet daʒ cotes diu heili ist. Tû got kibest sia.

Et ſuper populum tuum benedictio tua. Vnde dîn segen 30 ist uber dînen liut.

Canticum Dauid IV.

Cum inuocarem, exaudiuit me deus iustitiæ meæ. Aeclesia chît: Got, fone demo mîn reht ist, kehôrta mih, sô ih zéimo háreta.

In .tribulatione dilatasti mihi. Ze demo selben chît sî: 35 du gebreittôst mih in bînôn. Vuanda in persecutione (in áhtungo) manigfaltôtun sih coronæ martyrum.

Miserere mei et exaudi orationem meam. Gnâde mir unde gehôre mîn gebet. Tuo, sô du tâtist, kehôre mih io.

Filii hominum usque quo graui corde? Menniscon chint, uuie
lango uuellent ir sîn iu suâremo, daʒ chît in ungeloubigemo
herzen? fore aduentu (chunfte) chrifti uuârent ir ungeloubig,
uuellent ir ouch noh sô sîn?

5   Vt quid diligitis uanitatem et quæritis mendacium? Ziû
minnônt ir idola (ábkota), unde ziû suochent ir lugge gota.

DIAPSALMA. Vuaʒ ist daʒ? Daʒ ist silentium, unde
interuallum psallendi, unde uuechsel des sinnes. Alsô sîn psalma
heiʒʒet coniunctio uocum (fuogi stimmôn) in cantando (síngendo),
10 sô heiʒʒet diapsalma disiunctio uocum (schedunga stimmôn).

Et scitote quoniam mirificauit dominus sanctum suum.
Vuiʒʒint daʒ cot christum uúnderlîchen getân habet, uuanda
er chichta iu fone tôde, unde sazta in ze sînero zésuuun in
himile, in sult ir betôn.

15   Dominus exaudiet me cum clamauero ad eum. Truhten
gehôret mih danne ih ze imo hárên. Daʒ chît æcclesia ʻone
iro selbun, sámosô sî châde ze iro chinden. Truhten kehôret
iuh sô ir ze imo harênt; hárênt ze imo mit kuoten uuerchen.

Irascimini et nolite peccare. Pelgent iuuih dero sundôn
20 ze íu selben, unde fermîdent sie. Riuuônt sie sô daʒ ir sie
furder ne tuoient. Alde ánderesuuio: Pelgent iuuih unde ne
rechent iuuih unde iuuer zorn. Vbe diz keschêe, éneʒ fermîdent.

Quæ dicitis, in cordibus uestris dicite. Diu ir sprechent,
25 diu sprechen fone herzen, daʒ ir dien gelîch ne fînt fone dien
gescríben ist: Populus hic labiis me honorat, cor autem eorum
longe est a me (diser liut êret mich mit lêfsen, irô herza ist
aber uerro uone mir).

Et in cubilibus uestris conpungimini. Vnde in iuueren
30 herzon uuerdent ir gestúnget, furder nechóme iuuer zorn.
Dâr irlósche iʒ êr iʒ an dien uuerchen schîne.

Sacrificate sacrificium iustitiæ et sperate in domino. Pringent gote daʒ opfer des rehtes, daʒ chît, lebent rechto, unde
gedingent, daʒ er iu hier gebe donum (geba) spiritus sancti,
35 unde hara nâh uitam æternam (lîb êuuígen).

Multi dicunt: quis ostendit nobis bona? Mánige ne uuíʒʒen
dero dingo nieht, unde chedent: Vuer uueiʒ daʒ? uuer chan
uns ieht keságen fone uita æterna?

Signatum est super nos lumen uultus tui domine. Du
40 truhten du habest iʒ uns keouget. Vns ist ánagezeichenet daʒ

lieht dînes analiutes. [1]) Tu habest unsih getân ad imaginem
et similitudinem tuam (ze dînemo pildc). Daʒ lieht ne mugen
uuir oculis uidere (mit ougon kesehen) nube mente (muote).

Dedisti lætitiam in corde meo. In mînemo herzen ha-
5 best du mir dia frêuui gegében. Sî ne ist anderes uuâr ze
suochenne.

A tempore frumenti et uíni et olei sui multiplicati sunt.
Vuannan ist daʒ sie sô chedent: ovis oftendit nobis bona'r
Daʒ ist tannan, uuanda sie habent kenuog, unde sie sint keláden
10 fone demo zîte irô chornes, unde irô uuînes, unde irô ólees.
Irô fuora habent sie, dia sie suochent, mit dero sie den lîcha-
men nerent.

In pace in id ipsum dormiam et requiescam. Vues gedíngo
aber ih? Daʒ ih slâfe unde râuuee in fride, unde in gote, der
15 id ipsum (selb selbo) heiʒʒet. Anderiu dinch sint uuéhse-
lîch, er ist io ein, er ist ieo daʒ selba. An imo habo ih
êuuiga râuua.

Quoniam tu domine singulariter in spe constituisti me.
Vuanda dû truhten habest mih súnderchlicho getrôstet ze dero
20 râuuo, ze dero populus babiloniæ (liut scandun), der sih hie
frêuuet frumenti, uini et olei, nieht ne gcdínget.

<h2 style="text-align:center">Psalmus CII.</h2>

Psalmus ipsi David.

Benedic anima mea domino. Sêla mîniu danchô Gote.

Et omnia, quæ intra me sunt, nomini sancto eius. Vnde
sînemo heiligen namen danchôen alliu, diu in mir sint. Ratio,
25 diu in iro ist, unde alle iro gedancha lóbôen in.

Benedic anima mea domino et noli obliuisci omnes retri-
butiones eius. Dancho imo, unde habe unergeʒʒen alles sînes
lônes. Du gefrehtôtôst mala, er gab dir bona, unde gibet noh.
Also hara nâh stât.

30 Qui propitius fit omnibus iniquitatibus tuis, qui sanat omnes
languores tuos. Der allen dînen unrehten genâdet, der alle
dîne siecheite heilet.

Qui redimit de interitu uitam tuam. Der dînen lîb lôset
fone ferlórnissido.

---

1) für antluzzes?

Qui coronat te in miseratione et misericordia. Der dih
corônôt in irbarmedo unde in ármherzi. Corona chît capitis
ornatus, daʒ ist diu houbet-zierda, also uuir an chúnin-
gen sehen.

5   Qui satiat in bonis desiderium tuum. Der dînen uuillen
in guote follôt, daʒ chît, der dih kuotes kenietôt.

Renouabitur ut aquilæ iuuentus tua. Geniuuôt uuirt dîn
iugent, samo so areu. Imo geschiet fore alti, chît man, daʒ sin
óbero snabel den nideren so ubȩr uuahset, daʒ er in úfintuon
10 ne mag sih zegeázzenne. Dara nâh knîtet er in an demo steine,
unz er in sô ferniuʒʒet, daʒ er aber eʒʒen mag. Vnde so
geuuunnet er samo sô fone êrist iunglîche chrefte. So geschiehet
ouh demo, der an Christo, der petra (stein) ist, sîna sunda flet
ferslîzen, uuanda er bringet in uuidere ad innocentiam (ze ún-
15 scadeli). Fone dero chumet er ad resurrectionem (ze urstende),
dar uuirt er geiunget. Dara zuo siehet disiu reda.

Faciens misericordias dominus, et iudicium omnibus in-
iuriam patientibus. Truhten ist der genâda scheinet, unde allen
rihtct, die unreht tolent, die imo uindictam (kerich) sparent.
20 Also er chît: mihi uindictam, ego retribuam (spare mir den
gerich, ih irrícche dich).

Notas fecit uias suas moysi. Chunde teta er sîne uuega
moysi, daʒ man legem spiritaliter (die êa keistlicho) fernémen
fol, unde daʒ er ex data lege (fone gegebenero êo) uuolta die
25 liute bechénnen sih selben, die sih ne iâhin peccatores (sundîg)
uuesen, noh indigere gratia (noh kenadon bedurfin), ube iʒ in
præuaricatio legis (der úbergríf der êo) ne geougti. Daʒ obs-
curuin consilium (tougen râte) geteta er chunt moysi.

Filiis israhel uoluntates suas. Nieht ein moysi, nube allen
30 uuâren israhelitis, in quibus dolus non est (Got ana sehinten,
an dien achust ne ist) geteta er chunt sînen uuillen. Daʒ er
uuolta uuesen quinque libros moysi (funf puoch), fámoso quinque
porticus, in quibus ægri iacerent, ut proderentur, non ut ibi
sanarentur (funf forzicha, in dien die siehen lâgen, daʒ sie dâr
35 scînin, nals kenérit uuurdin). In porticibus (in dien fórzichin)
ne uuurden sie sanati (generit), in aqua mota (in dero uuaʒʒer
uuegi) daʒ chit in tumultu iudaico (in iudôn gesturme), dannan
christi passio (martira) gescah, uuard unus sanatus i. e. unitas
christiani populi (einer generit, daʒ chit einer der chri-
40 stianô liut.)

Misericors et miserator dominus, longanimis et multum
misericors. Truhten ist kenâdig unde scheinare genâdon, láng-
muotig unde filo genâdig.

Non in finem irascitur, neque in æternum indignabitur.
5 Er ne bilget sih in ende, noh er ne zurnet in êuua.

Non secundum peccata nostra fecit nobis neque secundum
iniquitates nostras retribuit nobis. Er ne habet uns nieht mite
geuaren nâh únseren sundon, noh er ne lônota uns nah unseren
únrehten.

10 Quoniam secundum altitudinem cæli a terra confirmauit
misericordiam suam super timentes eum. Also dâr ana schînet:
uuanda nah dero hôhi himiles fone erdo, habet er geféstenot
sîna genâde uber die, die in furhtent. Des himeles hôhi decchet
die under imo sint, uude er gibet lieht, regen, uuint umbe. die
15 fructus terræ (erduuuochera): also únerdróȝȝeno spendot Got
knâda dien, die in sînero forhtun sint.

Quantum distat ortus ab occidente, elongauit a nobis iniquitates nostras. So ferro daȝ osten ist fone demo uuestene,
so ferro habet er fone uns ketân únseriu unreht. Occasus
20 (sunnesedil) fliehet den ortum (ûfruns), sô ouh uns sîn gratia
(genâda) irrínet, sô uallent unsere sunda.

Quomodo miseretur pater filiis, ita misertus est dominus
timentibus se. Alsô fater chinden, sô genâdet Got dien in
fúrhtenten. Vbe er sie fillet, die filla suln sie minnôn, uuanda
25 sie fone iro fater genâdon choment. Die er fillet, die ne tuot
er erbelôse.

Quoniam ipse cognouit figmentum nostrum. Die fáter-
lîchun genâda scheinet er, uuanda er bechénnet unsera gescaft.
Er uueiȝ, daȝ sie uȝȝer hóreuue uuorden ist.

30 Recordatus est quoniam puluis sumus. Er ne habet ir-
geȝȝen, daȝ uuir stuppe bin. So smâhe sint uuorden durh
sunda, die edele mahtin uuesen.

Homo sicut foenum dies eius. Mennischo ist alsô héuue.
Alsô heuue sint sîne taga.

35 Tamquam flos agri, sic efflorebit. Also der bluomo dâr
in in felde, also ferbluot er, also murgfare ist er.

Quoniam spiritus pertransibit in illo et non subsistet, et
non cognoscet amplius locum suum. Vuanda sîn geist der in
imo ist ferferet, unde hier nebestât er, noh furder hara ne
40 irruuindet er. Sol er hina geuarner sâlig sîn, so tuot iȝ des

kenâda, der an sih nam foenum (héuue), ut ex eo faceret aurum
(daʒ er dâr ûʒ kolt machoti).

Misericordia autem domini a seculo et usque in æternum
snper timentes eum. Aber Gotes kenâda ist an dien in fúrh-
5 tenten, fone ánagântero dirro uuerlte, unde dannan unz ze
enero uuerlte. Hier dar iʒ chît: a seculo (fone ánagântero
uuerlte) uuândon genuoge, so cassiodorus saget, adam genâda
geheiʒʒen uuesen, uuanda andere uuurden in sæculo (in uuerlte),
er uuard a seculo (fone ánagântiro uuerlte).

10   Et iustitia illius in filios filiorum, his qui seruant testamentum eius, et memores sunt mandatorum eius ut faciant ea.
Vnde sîn reht ist daʒ chît schînet an unserro suno sunen, daʒ
sint opera et mercedes operum (uuerch unde lôn dero uuerchô),
unde schînet an dien, die sîn testamentnm (scrift-kebot) daʒ
15 sint sîniu mandata (flihte), diu bestânt alliu in caritate (minnô),
dero sol man gehúgen.

Dominus in coelo parauit sedem suam et regnum eius
omnium dominabitur. Truhten gareta in himile sînen.stuol
ad dexterum patris (ze zeseuuun sînis fater) unde sîn rîche
20 uualtet iro allerô.

Benedicite dominum omnes angeli eius potentes uirtute,
qui facitis uerbum eius ad audiendam uocem sermonum eius.
Lobônt Got alle sine angeli mahtige in chrefte, ir sîn uuort
tuont ze gehôrenne daʒ chît ze irfollone die stimma sînerô
25 uuortô.

Benedicite domino, omnes uirtutes eius, ministri eius, qui
facitis uoluntatem eius. Lob tuont truhtene alle sîne uirtutes
(zeichin uuurchin), sîne ámbahtara, ir sînen uuillen follont.

Benedicite domino omnia opera eius. Lobônt in alliu
30 sîniu uuerch.

In omni loco dominationis eius benedic anima mea domino. In allen dien steten, dâr sîn giuualt sî, dâr lobo Gote
mîn sêla. Vber al ist sîn geuualt, uber al lobo in, non
solum intra septa æcclesiæ sed et extra septa eius (nieht
35 ein in chilchun sunder ioh uʒʒan chilchun).

XXI. Einzelne deutsche Strophen aus der Sangallischen Rhetorik.

Literaturgesch. 49. Wack. 110. Hattemer III, 577 sq.

Sóse snél snéllemo
sô uuírdet slîemo

pepágenet ándermo
firsníten sciltrîemo.

Der heber gât in lîtun,
sîn báld éllin

trégit spér in sîtun:
ne lâ₃et ín uéllin.

5 Imo sínt fûo₃e
ímo sínt búrste
únde zéne sîne

fûodermâ₃e,
ében hô fórste,
zuuélifélnîge.

XXII. Deutsche Sprichwörter aus dèr Sangall. Abhandlung de partibus logicæ.

Literaturgesch. 49. Wack. 123. Hattemer III, 537—40.

Târ der ist ein funt úbelero féndingo, târ nist neheiner guot. unde dâr der ist ein hûs folle₃ úbelero liutô, târ nist
10 nehéiner chústic.

Fóne démo límble sô bigínnit tír húnt léder é₃₃en.

Dir árgo dér íst dér ubelo.

Ter der sturzzet, der uallet.

Dír scólo dír scófficit îo. unde dir gouh dér gúccôt îo.

15 Vbe man álliu dîer fúrtin sál, nehéin sô harto sô den mán.

Vbe dir uuê ist, sô nist dír áber nieht uuóla.

Túne máht nieht mit éinero dóhder zeuuêna eidima máchon. noh túne máht nieht fóllén múnt hában mélues únde dóh blásen.

20 Sô₃ régenôt, sô na₃₃ent tî bouma. sô i₃ uuât, so uuagôt i₃.

Vbilo tuo: be₃₃eres né wâne.

---

1) purste.

XXIII. Bruchstück einer Predigt.

Literaturgesch. 50.   Hoffmanns Fundgruben I, 69.

Daʒ evangelium zelit uns, daʒ daʒ himilrîh kelîh ſî demo
hûsherro, der des morgenis fruo in sînan uuînkarten samenôti
dei uuerhliuti. Vuer uuirdit rehtere kikagenmâʒʒit, demo hûs-
herren, denne unser herro der heilige chriſt? der dir rihtet
5 allâ, die er kiscuof, alsô der hûsherro rihtet die imo untertânen.

Der hûsherro ladôte allen den tac die uuerhliute in sînan
uuînkarten, sumelîche fruo, sumelîche ze mittemo morgene,
sumelîche ze mittemo taga, sumelîche ze nona, sumelîche ana
demo abanda oder in suelîhemo cîte si imo zuochômen. Alsô
10 gistilte unser herro der almahtige got uone anakenge dere
uuerlti unzi ana den ente die predigâre ci sentenna zi dera
lêra sînere iruuelitôno. Der uuînkarte pizeichinet die gotis ê,
in der dir kisellet unde kerihtet uuerdent elliu reht, alsô diu
uuînreba kerihtet vuirdit in demo scuzzelinge. Dei uuerh, dei
15 man dâr inna uuvrchen scol, daʒ ist diu miteuuâre, diu chûske,
diu kidult, diu guote, diu ensticheit unte andere tugendi desin
kelîche. Nu sehen, mit uuelîhemo flîʒʒa uuir den gotis uuînkarten uoben. Adam uuart kescaffen, daʒ er uuari voberi des
paradysi; dô er dô firbrah daʒ gotis kebot, dô uuart er dannen
20 kistôʒʒen in daʒ ellentuom disere uuenicheite: Alsô biren uuir
kisezzet, daʒ uuir sîn uobâre dere gotis ê; uirruochelôn uuir
die, sô uuerde uuir firstôʒʒen uone demo gotis rîche, alsô
die iuden. Suer die sunta uuvrchet, der ziuueibet den gotis
uuînkarte; der dir aua vuurchet daʒ gotis reht, der uobet
25 inan wole. Vuir ne sculen nieht uoben die irdisgen accherâ
durh den uuerltlîchen rîhtuom, suntir durh den rîhtuom des
êuuigen lônis.

Die V uuîle, in den dir der hûsherro ladôte die uuerhliuti in sînan uuînkarten, die pizeichinet [1]) die V uuerlti, die
30 dir uore christes kiburte uuâren. Ava die uuerhliute pizeichinent die, die dir der almahtige got in den uinf uuerl-
ten ladite [2]) zi demo euuigen lîbe. Daʒ uuas in dere

---

1) für pizeichinent.   2) für ladôte, wie überhaupt in diesem Stück oft
i für a, u, o, e steht.

êristen adam unde sîn kislahte, in dere anderen noe unde
sîn kislahte, in dere dritten abraham unde sîn kislahte,
in dere uierde moyses unde sîn kislahte. An demo ente dere
uinften uuerlte do gareti sanctus iohannes baptista den uuech
5 demo gotis sune durh die touffa unde durh die riuuua. In dere
sehsti [1]) uuerlti, in dere uuir nu piren, dô chom selbo unser
herro der filius dei unde pichêrte mit sînera euangelisgen prediga
unde mit sînen zeichenin die heidnen, uone den dir. iruuohs
diu heiliga christinheit, diu dir stêt unzi an den enti dere
10 uuerlte. Fore sînere kiburte sô santi er die patriarchas unde
die prophetas; suîe uuole die kiuuorhte nah sînere hulde,
sô ni phiengin si doh sa nieht des lônis, uuande si alla zi
helli fuoren. Ava nu zi gunste sît sînere kiburti, dô santi
er die boton, suîe die zi iungisti chômen, so inphieng si
15 doh folliȝ lôn, uuande in daȝ himilrîh offen stuont, sô si
allererist got uolgetin. Sô iȝ auh noh uns allen tuot, suenne
uuir unsih durhnahtlîchen bichêrin.

Die V uuîla, die dâr fore pizeichinent die V uuerlti,
die magen auh uuole kigagen mâȝȝit uuerdun zi demo men-
20 niskinen altere. Diu friv diu pizeichinet die chindisga, der
mittimorgen die iugent, der mittetac die tugent, daȝ ist diu
metilscaft des menniskinen alteris, in demo er aller starchist
ist, alsô diu sunna ze mittemo taga allerheiȝȝist ist, sô si
chumet in die metilscaft des himilis. Sô pizeichinet diu nona
25 daȝ altir, der abant daȝ bibint altir.

Der in dera chindiska nieht pidenchan ni uuella sîna
heila, der pidenche sia doh in dera iungende odar in dere
tugende odar in demo altere odar doh ana demo enti. In sue-
lîchemo dero altere er sih durnahtlîchen pichêrit, sô sî ki-
30 uuis uone gote ze inphâhenne daȝ selbi lôn, daȝ ouh der
inphâhet, der uone sînere chindiska in gote arbeitet unzi an
sînen ente.

Dô ana demo abande dô sah der hûsherro dei liuti da
35 muoȝic stên, dô frâcti er si, umbe uuaȝ si allan tac da muoȝic
stuonten. Do antuurten si, daȝ si niemen rihti zi demo uuerchi.
Dô hieȝ er si gên in sînan uuînkarten umbe lôn. Vuelîhe

---

1) für sehsten.

stênt muoʒic ni uuâni die dir nieht durnahtlîchen ni uͦuvr-
chent alla die gotis ê. Die huorâre, die rovbâre, die trin-
châre, die manslecken, die luginâre, die diube die sint pi-
heftit mit des tiufalis uuerhi, uone danne ni unerdunt si
5 nieht kinennit muoʒʒige, sunter tôde. Die dir aue flîʒiclîchen
vurchent die gotis ê unte elliu guotiu uuerh, die sint chomen
in den uuͦnkarten dere heiligen christinheite unte uvvrchent
samit iri. Der hûsherro gab in allen kilîchiʒ lôn unte gab
iʒ doh ze êrist den, die dir zi iungiste chômen. Daʒ pi-
10 murmilôtin die êristen, die allan den tac arbeiten, daʒ er in
nieht zi êrist ni gab unte in auh nieht mêra ni gab.

     Daʒ uuirdet uuole firnomen uona den rehtin unte
uona den guoten, die uore christes kipurte allan iri lîb arbeiten nah demo himilrîche unte si doh dara nieht ni chô-
15 men, ê der filius dei her in uuerlt chom unte in iʒ intlouh
mit sînera martyre. Die phenninge pizeichinent daʒ himilrîh,
die dir alla uuâre einis uuerdis, [1]) alsô daʒ himelrîh ist; den
er daʒ gibet, die ni durfen nieht murmilôn, uuande dâ nih-
einir ist hêreri noh smâhere demo anderemo. Manige sint
20 dara kiladit durh die kiloube, unmanige choment aue dara,
uone diû uuande si nieht ni uwrchent, daʒ si kiloubent,
alsô diu heilige scrift chuît: Die kiloube ist tôt âne dei
uuerh.

---

1) für uuĕrdos.

Anhang.

Den Denkmälern der ahd. Sprache fügen wir hier zur Vergleichung und Ergänzung einige andere Proben altgermanifcher Sprache und Poëffe bei, und zwar a) zwei Stücke aus der ältern Edda in altnordifcher (isländifcher) Sprache, b) drei Stücke aus Heliand in altfächfifcher Sprache. — Statt Wörterbuch und Grammatik diene bei diefen Stücken die untenftehende faft wörtliche Ueberfetzung; vergl. zu diefer: Simrocks freie Ueberfetzung der Edda (1. Auflage 1851), des Heliand (1856). Die Eddalieder über Brünhild find auch überfetzt in: Frauer, die Walkyrien 1846.

Aus der ältern Edda.

Literaturgefch. 4

I. Thrymskvidha oder Hamarsheimt.

1 Reidhr var þâ Vingþôrr, er hann vaknadhi
 ok sîns hamars um saknadhi;
 skegg nam at hrista, skör nam at dyja,
 rêdh jardhar burr um at þreifask.
2 Ok hann þat ordha alls fyrst um kvadh:
 „heyrdhu nu, Loki, hvat ek nu mæli,
 er eigi veit jardhar hvergi
 ne upphimins: âss er stolinn hamri!“

Ueberfetzung: Das Lied vom Thrym oder die Heimholung des Hammers.

1 Zornig war da Wing-Thor, — als er erwachte — und feinen Hammer — bei fich vermißte; — er begann den Bart zu zaufen, — er begann das Haupt zu fchütteln, — der Jörd (Erde) Sohn (Thor) fieng an — um fich zu taften.

2 Und er die Worte — allererft fprach: — „hör du nun, Loki, — was ich nun fage, — was niemand weiß — weder auf der Erde — noch hoch im Himmel: — dem Afen (mir) ift geftohlen der Hammer (wörtlich: der Afe ift beftohlen im Hammer.)“

3 Gêngu þeir fagra Freyju tûna,
  ok hann þat ordha alls fyrst um kvadh:
  „muntu mer, Freyja, fiadhrhams lia,
  ef ek minn hamar mættak hitta?“

4   Freyja.
 „Thô munda ek gefa þer, þôtt or gulli væri,
  ok thô selja, at væri or silfri.“

5 Flô þâ Loki, fiadhrhamr dundhi,
  unz fyr ûtan kom âsa gardha
  ok fyr innan kom jötna heima.

6 þrymr sat a haugi, þursa drottinn,
  greyjum sînum gullbönd snoeri
  ok mörum sînum mön jafnadhi.

7   þrymr.
 „Hvat er medh âsum? hvat er medh alfum?
  hvî ertu einn kominn i jötunheima?“

8   Loki.
 „Ilt er medh âsum! ilt er medh alfum!
  hefir þu Hlôrridha hamar um folginn?“

9 „Ek hefi Hlôrridha hamar um folginn
  âtta röstum fyr jördh nedhan;
  hann engi madhr aptr um heimtir,
  nema foeri mer Freyju at kvæn.“

---

3 Sie giengen zu den glänzenden — Wohnungen der Freia, — und er die Worte — allererſt ſprach: — „wirſt du mír, Freia, — Federkleid leihen, — ob ich meinen Hammer — könnte mir ſuchen?“

4 (Freia) „Doch würde ich es dir geben, — auch wenn es von Gold wäre, — und doch dir überlaſſen — auch wenn es von Silber wäre.“

5 Flog da Loki, — Federkleid rauſchte, — bis er hinauskam — vor der Aſen Behauſungen und hinein kam — nach der Jöten Gebieten.

6 Thrym ſaß auf einem Hügel — der Thurſen Gebieter, — ſeinen Hunden — das Goldband er knüpfte — und ſeinen Roſſen — die Mähne er kämmte.

7 (Thrym). „Was iſts mit den Aſen? — was iſts mit den Alfen? — warum biſt du allein gekommen — nach Jötunheim?“

8 (Loki). „Schlecht iſts (ſtehts) mit den Aſen — ſchlecht iſts mit den Alfen. — Haſt du Hlorridis (Thors) — Hammer verbrgen?“

9 (Thrym). „Ich habe Hlorridis — Hammer verborgen — acht Raſten — unter der Erde drunten; — ihn kein Menſch — zurück erhält — außer er bringe mir — Freia zum Weibe.

10 Flô Þâ Loki,   fjadhrhamr dundhi,
   unz fyr ûtan kom   jötna heima,
   ok fyr innan kom   âsa gardha;
   moetti hann Þôr   midhra gardha
   ok hann Þat ordha   alls fyrst um kvadh:.

11 „Hefir Þu erendi   sem erfidhi?
   segÞu a lopti   löng tîdhindi:
   opt sitjanda   sögur um fallask
   ok liggjandi   lŷgi um bellir.“
     Loki.

12 „Hefi ek erfidhi   ok örindi:
   Þrymr hefir Þinn hamar,   Þursa drottinn;
   hann engi madhr   aptr um heimtir,
   nema hanum foeri   Freyju at kvân.“

13 Ganga Þeir fagra   Freyju at hitta,
   ok hann Þat ordha   alls fyrst um kvadh:
   „bittu Þik, Freyja,   brûdhar lîni,
   vidh scolum aka tvau   i jötunheima.“

14 Reidh vardh Þâ Freyja   ok fnasadhi,
   alr âsa salr   undir bifdhisk,
   stökk Þat it mikla   men brîsinga:
   „mik veiztu verdha   vergiarnasta,
   ef ek ek medh Þer   i jötunheima.“

---

10   Flog da Loki, — Federkleid raufchte — bis er hinauskam — vor der Jöten Gebiete — und hinein kam nach der Afen Behaufungen; — begegnete er Thor — in mitten der Behaufungen — und er (Thor) die Worte — allererft fprach:

11   „Hast du Erfolg — wie (du hattest) Arbeit (d. h. haft du dein Gefchäft vollbracht)? — Sag du von der Luft aus (ehe du niederfitzeft) — die ganze Nachricht: — oft find des Sitzenden — Reden unvollständig (falfch?) — und der Liegende — bringt Lügen hervor.“

12   (Loki). „Ich habe Arbeit — und Erfolg (Botfchaft für dich): — Thrym hat deinen Hammer — der Thurfen Gebieter; — ihn kein Menfch — zurück erhält — außer er bringe ihm — Freia zum Weibe.“

13   Sie gehen, die fchöne — Freia zu fuchen (treffen) — und er (Loki?) die Worte — allererft fprach: — „umbinde dich, Freia, — mit bräutlichem Linnen, — wir zwei wollen fahren — nach Jötunheim.“

14   Zornig ward da Freia — und fchnaubte, — der ganze Afenfal — erbebte darunter, — es zerfprang das große — glänzende Halsband; — „mich würdeft du halten — für die manngierigfte — wenn ich führe mit dir — nach Jötunheim.“

15 Senn varu aesir   allir a Þingi
   ok âsynjur   allar a mâli,
   ok um Þat rêdhu   rîkir tîvar,
   hvê Þeir Hlôrridha   hamar um soetti.

16 Þâ kvadh Þat Heimdallr,   hvîtastr âsa,
   — vissi hann vel fram   sem vanir adhrar —
   „bindu ver Þôr Þâ   brûdhar lîni,
   hafi hann it mikla   men brisinga!

17 Lâtum und hanum   hrynja lukla
   ok kvenvâdhir   um kne falla,
   en a briosti   breidha steina,
   ok hagliga   um höfudh typpum!“

18 Þâ kvadh Þat Þôrr,   Þrudhugr âss:
   „mik munu aesir   argan kalla,
   ef ek bindask læt   brûdhar lîni.“

19 Þâ kvadh Þat Loki,   Laufeyjar sonr:
   „Þegi Þu, Þôrr,   Þeirra ordha;
   Þegar munu jötnar   âsgardh bûa,
   nema Þu Þinn hamar   Þer um heimtir.“

20 Bundu Þeir Þôr Þâ   brûdhar lîni
   ok enu mikla   meni brisinga,
   lêtu und hanum   hrynja lukla

---

15   Schnell waren die Afen — alle beir Verfammlung — und die Afinnen — alle beir Befprechung — und darüber berieten — die mächtigen Götter — wie fie Hlorridis — Hammer wiedergewännen (fuchten).

16   Da fprach das Heimdall — der glänzendfte der Afen — wohl wußt er die Zukunft — wie die andern Wanen: — „binden wir Thor da — in bräutliches Linnen — trage er das große — glänzende Halsband!

17   Laffen wir an ihm herab — Schlüffel klirren — und Weiberkleider — um die Kniee fallen, — aber auf die Bruft (heften wir) — breite Steine (Edelfteine) — und gefchickt — umwinden wir das Haupt!“

18   Da fprach das Thor, — der geftrenge Afe: — „mich werden die Afen — weibifch nennen — wenn ich mich binden laffe — in bräutliches Linnen.“

19   Da fprach das Loki — der Laufey Sohn: — „fchweig du, Thor, — mit folchen Worten; — bald werden die Jöten — Asgard bewohnen — wenn du nicht deinen Hammer — dir wieder gewinnft.“

20   Banden fie Thor da — in bräutliches Linnen — und in das große — glänzende Halsband, — ließen an ihm herab — Schlüssel klirren — und

        ok kvenvâdhir   um kne falla,
        enn a briosti   breidha steina,
        ok hagliga   um höfudh typtu.
21 Þâ kvadh Loki,   Laufeyjar sonr:
        „mun ek ok medh Þer   ambôtt vera,
        vidh skulum aka tvau   i jötunheima.“
22 Senn vâru hafrar   heim um reknir,
        skyndir at sköklum,   skyldu vel renna;
        björg brotnudhu,   brann jördh loga,
        ôk Odhins son   i jötunheima.
23 Þâ kvadh Þat Þrymr,   Þursa drottinn:
        „standidh upp, jötnar,   ok straidh bekki,
        nu foeridh mer   Freyju at kvân,
        Njardhar dottur   or Noatûnum!
24 Ganga her at gardhi   gullhyrndhar kyr,
        öxn alsvartir,   jötni at gamni;
        fjöldh â ek meidhma,   fjöldh â ek menja,
        einnar mer Freyju   âvant Þikkir.“
25 Var Þâ at kveldi   um komidh snimma
        ok fyr jötna   öl fram borit;
        einn at oxa,   âtta laxa,
        krâsir allar,   Þær er konur skyldu,
        drakk Sifjar verr   sâld Þriu miadhar.

Weiberkleider — um die Kniee fallen, — aber auf die Brust — breite Steine
— und gefchickt — das Haupt fie umwanden.

21   Da fprach Loki — der Laufey Sohn: — „ich werde auch mit dir —
als Dienerin fein (gehen), — wir zwei wollen fahren — nach Jötunheim.“

[22   Schnell waren die Böcke — nach Haufe getrieben, — gefpannt an die
Deichfel, — mußten wohl laufen; — Berge zerbrachen, — die Erde brann
in Flamme, — (als) Odins Sohn (Thor) fuhr — nach Jötunheim.

23   Da fprach das Thrym — der Thurfen Gebieter: — „ftehet auf, Jöten,
— und beftreuet die Bänke; — nun bringet mir — Freia zum Weibe —
Niörds Tochter — aus Noatun! .

24   Es gehen hier zum Hofe — goldhornige Kühe, — Ochfen ganz fchwarze
— dem Jöten zur Freude; — viel hab' ich der Kleinode (Schätze) — viel
hab' ich der Halsgeschmeide, — Freia allein mir — dünkt mich zu mangeln
(mangelt mir noch).“

25   War man da zum Abend (Gastmahl, Feftschmaus) — fchnell herbeige-
kommen — und vor die Jöten — war Bier vorgetragen; — (Thor) allein aß
einen Ochfen — acht Lachfe — alle Mehlfpeifen — welche die Weiber (eſſen)
follten; — drei Ohm Meth — trank der Sif Gemahl (Thor).

26 Þa kvadh þat Þrymr,   Þursa drottinn:
    „hvar sattu brûdhir   bîta hvassara?
    saka ek brûdhir   bîta en breidhara
    ne inn meira miödh   mey um drekka.“

27 Sat in alsnotra   ambott fyrir,
    er ordh um fann   vidh jötuns mâli:
    „at vætr Freyja   âtta nottum,
    svâ var hon ôdhfûs   i jötunheima.“

28 Laut und lînu,   lysti at kyssa,
    en hann ûtan stökk   endlangan sal:
    „hvî eru öndott   augu Freyju?
    Þikki mer or augum   eldr of brenna!“

29 Sat in alsnotra   ambott fyrir,
    er ordh um fann   vidh jötuns mâli:
    „svaf vætr Freyja   âtta nottum,
    svâ var hon ôdhfûs   i jötunheima.“

30 Inn kom in arma   jötna systir,
    hin er brûdhfiâr   bidhja Þordhi:
    „lâttu Þer af höndum   hringa raudha,
    ef Þu ödhlask vill   âstir mînar,
    âstir mînar,   alla hylli.“

---

26   Da ſprach das Thrym — der Thurſen Gebieter: — „wo ſahſt du Bräute — gieriger beißen? — nie ſah ich Bräute — mächtiger beißen — noch mehr Meth — ein Mädchen trinken.“

27   Da ſaß (rückte) jene liſtige — Dienerin vor — (ſie) welche Worte fand — wider des Jöten Rede: — „nichts aß Freia — in acht Nächten (ſeit acht Tagen), — ſo war ſie ſehnſüchtig — nach Jötunheim.“

28   Er bückte ſich unter das Linnen — gelüſtete zu küſſen — aber er ſprang zurück — den ganzen langen Saal: — „wie ſind ſo grimmig — die Augen der Freia? — es ſcheint mir aus den Augen — Feuer zu brennen!“

29   Rückte jene liſtige — Dienerin vor — welche Worte fand — wieder des Jöten Rede: — „nicht ſchlief Freia — in acht Nächten — ſo war ſie ſehnſüchtig — nach Jötunheim.“

30   Herein kam die garſtige (oder: unglückliche?) — Schweſter der Jöten — welche Brautgut — zu verlangen wagte: — „laß dir (gib) von den Händen — rothe (Gold) Ringe — wenn du gewinnen willſt — meine Gunstbezeugungen — meine Gunstbezeugungen — (und meine) ganze Huld.“

31 Þâ kvadh Þat Þrymr,   Þursa drottin;
   „beridh inn hamar   brûdhi at vîgja,
   leggit Mjöllni   i meyjar kne,
   vîgit okr saman   varar hendi!“

32 Hlô Hlôrridha   hugr i brjosti,
   er hardhhugadhr   hamar um Þekdhi;
   Þrym drap hann fyrstan,   Þursa drottin,
   ok ætt jötuns   alla lamdhi.

33 Drap hann ina öldnu   jötna systur,
   hin er brûdhfiâr   of bedhit hafdhi;
   han skell um hlaut   fyr skillinga,
   en högg hamars   fyr hringa fjöldh.
   svâ kom Odhins sonr   endr at hamri.

---

31   Da fprach das Thrym — der Thurfen Gebieter: — „bringt den Hammer
— die Braut zu weihen, — legt den Miöllnir (Hammer) — auf des Mädchens
Knie — weiht uns zufammen — mit Wörs (der Ehegattin) Hand (im Namen
der Wör).

32   Da lachte Hlorridi — das Herz in der Brust — als der Starkmutige —
den Hammer erkannte; — Thrym traf er zuerft — den Thurfengebieter —
und zerfchmetterte des Jöten — ganzes Gefchlecht.

33   Er traf jene alte — Schwefter des Jöten — die das Brautgut — ver-
langt hatte; — eine Schelle (einen fchallenden Schlag) erhielt fie — ftatt der
Schillinge — und einen Hieb des Hammers — ftatt vieler Ringe. — So kam
Odins Sohn — wieder zum Hammer.

II. Aus Sigurdrifumal, auch genannt
Brynhildarquidha Budladottur fyrsta.

Sigurdhr reidh upp â Hindarfjall ok stefndi sudhr til Frakklands; a fjallinu sâ hann ljos mikit, svâ sem eldr brynni ok ljomadhi at til himins; en er hann kom at, Þâ stôdh Þar skjaldborg ok upp or merki. Sigurdhr gekk i skjaldborgina ok sâ at Þar lâ madhr ok svaf med öllum hervapnum.

Hânn tôk fyrst hjalminn af höfdhi hanum, Þâ sâ hann, at Þat var kona. Brynjan var föst, sem hon væri holdgrôin; Þa reist hann medh Gram fra höfudhsmatt brynjuna i gögnum badhar ermar. Þâ tôk hann brynju af henni, en hon vaknadhi ok settisk hon upp ok sâ Sigurdh ok mælti:

1   „Hvat beit brynju?   hvî brâ ek svefni?
        hverr feldi af mer   fölvar naudhir.?“
      Hann svarar:
„Sigmundar burr   sleit fyr skömmu
     hrafns hrælundir,   hjörr Sigurdhar.“

Das Lied von Sigurdrifa d. h. von Brünhild, Budlis Tochter.

Sigurd gieng hinauf auf das Hindargebirge und wendete sich füdwärts gegen Fränkenland; auf dem Gebirge fah er ein großes Licht, wie wenn ein Feuer bränne und es davon zum Himmel leuchtete; aber als er hinzu kam, da ftand dafelbft eine Schildburg und oben heraus eine Fahne (d. h. nach andern Stellen: Sigurd reitet mit großer Gefahr durch das Feuer, Wafurlogi genannt, kommt dann an einen Saal, in diefem fieht er eine durch zufammengefügte Schilde gebildete Burg, über dem Saal fteht eine Fahne). Sigurd gieng hinein in die Schildburg und fah, daß dafelbft jemand lag und fchlief in voller Rüftung.

Er nahm ihm zuerft den Helm vom Haupte, da fah er, daß das ein Weib war. Der Panzer (Brünne) war feft, als wäre er ans Fleifch gewachfen; da ritzte er mit Gram (feinem Schwert) den Panzer durch vom Haupt herab und fo hinaus beide Arme entlang. Dann nahm er den Panzer von ihr; aber fie erwachte und fetzte fich auf und fah Sigurd und fprach:

1   „Was zerfchnitt den Panzer? — Wodurch kam ich vom Schlafe? — Wer nahm von mir — die bleichen Bande (d. h. entweder: den blauen Panzer oder: den von Odin auferlegten Schlafzwang)?“
      Er antwortet:
      „Sigmunds Sohn — zerfchnitt vor kurzem (fo eben) — des Raben Gewandungen (den Panzer) — das Schwert Sigurds.“

2 „Lengi ek svaf,   lengi ek sofnudh var,
     löng eru lŷdha læ.
   Odhinn Þvî veldr,   er ek eigi mættak
     bregdha blundstöfum.“

   Sigurdhr settisk nidhr ok spurdhi hana nafns; hon tôk
Þa horn fult mjadhar ok gaf hanum minnis veig:

3 „Heil dagr,   heilir dags synir,
     heil nott ok nipt!
   ôreidhum augum   lîtidh okr Þinig
     ok gefit sitjöndum sigr!

4 Heilir æsir,   heilar asynjur,
     heil sja in fjölnyta fold!
   mâl ok mannvit   gefit okr moerum tveim
     ok læknishendr medhan lifum!“

   Hon nefndisk Sigurdrifa ok var valkyria. Hon sagdhi,
at tveir konungar bördhusk: hêt annarr Hjalmgunnarr, hann
var Þâ gamall ok inn mesti hermadhr, ok hafdhi Odhinn hanum sigri heitidh; en annarr hêt Agnarr Hödhu brôdhir, er
vœtr engi vildi Þiggja. Sigurdrifa feldi Hjalmgunnar i or-
rostunni, en Odhinn stakk hana svefnÞorni i hefnd Þess, ok
kvadh hana aldrî sîdhan skyldu sigur vega i orrostu ok kvadh
hana giptask skyldu. „En ek sagdhak hanum, at ek strengdhak

---

2   (Brünhild) „Lange fchlief ich — lange war ich entfchlafen, — lang
find der Menfchen Uebel. — Odin verurfacht es — daß ich nicht konnte —
frei werden von den Schlafrunen (von dem Zauberfchlaf).“
      Sigurd fetzte fich nieder und fragte fie nach ihrem Namen. Da nahm
fie ein Horn voll Meths und gab ihm Gedächtnißtrank:
3   „Heil dir, Tag — Heil euch, Söhne des Tags — Heil dir, Nacht und
Tochter (Tochter der Nacht, Erde?)! — Mit unzornigen Augen — fchauet uns
hier — und gebet den Sitzenden Sieg!“
4   „Heil euch, Afen — Heil euch, Afinnen — Heil ihr, der vielnützenden
Erde! — Rede und Weisheit — gebt uns edlen Zwein — und Heilunghände,
fo lange wir leben!
      Sie nannte fich Sigurdrifa und war Walküre. Sie erzählte, daß zwei
Könige fich bekriegten: der eine hieß Hialmgunnar, er war da alt und der
größte Krieger, und Odin hatte ihm Sieg verheißen; aber der andere hieß
Agnar, Hadas Bruder, den kein Wefen (keine Gottheit) befchützen wollte,
Sigurdrifa erfchlug den Hialmgunnar in der Schlacht, aber Odin ftach fie zur
Strafe dafür mit einem Schlafdorn und beftimmte, daß fie von nun an niemals Sieg erkämpfen folle in einer Schlacht, und beftimmte, daß fie fich ver-
mählen folle. „Aber ich fagte ihm, daß ich dagegen das Gelübde täte, mich

heit Þar i môt, at giptask öngum þeim manni, er hrædhask
kynni.“ Hann svarar ok bidhr hana kenna ser speki, ef hon
vissi tîdhindi or öllum heimum. Sigurdrifa kvadh:

5   „Bjor foeri ek Þer,   brynÞings apaldr!
      magni blandinn   ok megintîri;
    fullr er hann ljodha   ok lîknstafa,
      gôdhra galdra   ok gamanrûna.

6   Sigrûnar Þu skalt kunna,   ef Þu vilt sigr hafa,
      ok rista a hjalti hjörs;
    sumar a vetrinum,   sumar a _valböstum,
      ok nefna tvisvar Tŷ.

(Hier folgen noch 31 Strophen mit Runenfprüchen und Sittenfprüchen,
die wahrfcheinlich erft fpäter in diefen Zufammenhang eingefügt wurden.
Wir laffen fie weg und geben nur noch den profaifchen Schluß:)

Sigurdhr mælti: „engi finnsk Þer vîtrari madhr, ok Þess
sver ek, at Þik skal ek eiga, ok Þu ert vidh mitt oedhi.“ Hon
svarar: „Þik vil ek helzt eiga, Þott ek kjosa um alla men.“ Ok
Þetta bundu Þau eidhum medh ser.

---

mit keinem Manne zu vermählen, der fich fürchten könne.“ Er (Sigurd)
antwortet und bittet fie, ihn Weisheit zu lehren, ob fie die Mähren aus allen
Welten wiffe. Sigurdrifa fprach:

5   „Bier bringe ich dir — du Baum der Schlacht (wörtlich: der Panzer-
verfammlung), — mit Kraft gemifcht — und mächtigem Ruhm. — Voll ift
es von Gefängen — und heilenden Sprüchen — guten Zauberreden — und
Freudenrunen.

6   Siegrunen follft du kennen — wenn du willft Sieg haben — und ritzen
auf den Griff des Schwerts — einige auf die Seite (der Klinge) — andere
auf die Spangen — und nennen zweimal Tyr. — —

Sigurd fprach: „nicht findet fich ein weiferer Menfch als du, und das
fchwör ich, daß ich dich haben will und du bift nach meinem Sinn.“ Sie
antwortet: „dich will ich am liebften haben, wenn ich auch unter allen Männern
wählte.“ Und das befeftigten fie unter fich mit Eiden. —

Aus Hêliand.

Literaturgesch. 38. Hêliand, herausg. v. Schmeller, 1830.   S. 60, 68. u. 180.

I. Die Hochzeit zu Kana.

Giuuêt imo thô umbi *th*rea naht aftar *th*iû   *th*esorô *th*iodô
                                                                drohtin
an *g*alileoland,   thar he te ênum *g*ômun uuard
gebedan, that *b*arn godes.   Thar scolda man êna *b*rûd gëban,
*m*unalîca *m*agat.   Thar *m*aria uuas
5 mit irô *s*uni *s*elbo,   *s*âlig thiorna,
*m*ahtiges *m*ôder.   *M*anagorô drohtin
*g*êng imu thô mid is iungorôn,   *g*odes êgan barn,
an that *h*ôha *h*ûs,   thar the *h*eri drank,
thea iudeon an themu *g*astseli.   He im ôc at them *g*ômun
                                                                uuas
10 giac hi thar ge*c*udda,   that hi habda *c*raft godes,
*h*elpa fan *h*imilfader,   *h*êlagna gêst,
*uu*aldandes *uu*îsdom.   *U uu*erod blidôda,
uuârun thar an *l*uston   *l*iudi atsamna,

---

(1) Gieng (ihm) da drei Tage darnach — diefer Völker Herr — (2) nach Galilealand — wo er zu einem Gaftmal war — (3) gebeten, das Gottes Kind. — Dafelbft follte man eine Braut geben — (4) eine minnigliche Magd. — Dafelbft war Maria — (5) mit ihrem Sohne felbft — die feelige Jungfrau — (6) die Mutter des Mächtigen. — Der Menfchen Herr — (7) gieng (ihm) da mit feinen Jüngern, — Gottes eigen Kind, — (8) in das hohe Haus — wo die Menge trank — (9) die Juden in dem Gaftfaal. — Er war (ihm) auch bei dem Gaftmahl — (10) und er gab da kund, — daß er hatte die Kraft Gottes — (11) Hilfe vom Himmelsvater — heiligen Geift — (12) des Waltenden Weisheit. — Die Menge freute fich — (13) waren da in Luft — die Leute beifammen —

gumon *gladmôdie*;   *gêngun* am̦bahtman,
skenkeon mid *scalun*,   drôgun *skîriana* uuîn
mid *orcun* endi mid-*alofatun*;   uuas thar *erlô* drôm
fagar an *flettea*.   Thô thar *folc* untar im
5 an them *benkeon* so *bczt*   *blîdsea* afhôbun,
uuârun thar an *uunneon*:   thô im thes *uuînes* brast,
them *liudiun* thes *lîdes*,   is ni uuas far*lêbit* uuiht
huergin an themu *hûse*,   that for thene *heri* ford
skenkeon drôgin;   ac diu *scapu* uuârun
10 *lîdes* a*lârid*.   Thô ni uuas *lang* te thiu,
that it san ant*funda*   *frîô* scôniôsta,
cristes môder;   *gêng* uuid irô *kind* sprecan,
uuid irô *sunu* *selbon*,   *sagda* im mid uuordun,
that thea *uuerdôs* thô mêr   *uuînes* ne habdun,
15 thêm *gestiun* te *gômu*.   Siu thô *gerno* bad,
that is the *hêlogo* crist   *helpa* geriedi,
themu *uuerode* te *uuilleon*.   Thô habda eft' is *uuord* garu
mahtig barn godes,   endi uuid is môder sprac:
„huat ist *mi* endi thi, quad he,   umbi thesorô *mannô* lîd,
20 umbi theses *uuerodes* *uuîn*?   te hui sprikis thu thes, *uuîf*,
                                              so filu,
manôs mi far thesoro *menigi*?   Ne sint *mîna* noh

---

(1) die frohgemuten Männer; — giengen Diener — (2) Schenken mit
Schalen — trugen klaren Wein — (3) in Krügen und Gefäßen; — war da
der Männer Gelage — (4) heiter in der Halle. — Als da die Leute unter
fich — (5) auf den Bänken am beften — die Freude erhuben — (6) (und)
fie da in Wonnen waren: — da gebrach es ihnen an Wein — (7) den
Leuten an Getränk (Meth?) — es war nichts davon übrig geblieben — (8)
irgendwo in dem Haufe, — das vor die Leute hervor — (9) die Schenken
getragen hätten — fondern die Gefäße waren — (10) des Trankes geleert.
— Da war es nicht lang dahin — (11) daß es fchnell bemerkte — der
Frauen fchönfte — (12) Chrifti Mutter; — (fie) gieng mit ihrem Kind zu
fprechen — (13) mit ihrem Sohn felbft — fagte ihm mit Worten — (14) daß
die Brautleute (Hauswirte) da — nicht mehr des Weines hätten — (15) den
Gäften zur Bewirtung. — Sie bat da eifrig — (16) daß deffen der heilige
Krift — Hilfe fchüfe — (17) den Leuten zu Willen. — Da hatte hinwieder
fein Wort bereit — (18) der mächtige Sohn Gottes — und fprach zu feiner
Mutter: — (19) was ift mir und dir, fprach er, — um diefer Männer Getränk
— (20) um diefer Leute Wein? — Wozu (warum) fprichft du davon, Weib,
fo viel — (21) mahnft mich vor diefer Menge? — Noch nicht find meine —

*t*îdi cumana.“   Than thoh gi*t*rooda siu uuel
an irô *h*ugiskeftiun,   *h*êlag thiorna,
that is aftar thêm *uu*ordun   *uu*aldandes barn,
*h*êleandorô bezt   *h*elpan uueldi.
5 Hêt thô thea *a*mbahtman .   *i*disô scôniôst,
*sk*enkeon endi *s*capuuardôs,   thea thar *s*coldun thero *s*colu
                                                thionôn,
that sie thes ne *uu*ord ne *uu*erc   *uu*iht ni farlêtin,
thes sie the *h*êlogo crist   *h*êtan uueldi
*l*êstean far thêm *l*iudiun.   *L*ârea stôdun thar
10 *s*tênfatu sehsi.   thô sô *s*tillo gebôd
*m*ahtig barn godes,   sô it thâr *m*annô filu
ne *uu*issa te *uu*ârun,   huo he it mid *uu*ordu gisprac.
He hêt thea *sk*enkeon thô   *sk*îreas uuatares
thiu *f*atu *f*ullian;   endi hi thar mid is *f*ingrun thô
15 segnôda *s*elbo,   *s*înun handun,
*uu*arhta it te *uu*îne,   endi hêt is an en *uu*egi hladan,
*sk*eppian mid ênoro *s*calon,   endi thô te thêm *sk*enkeon
                                                sprac,
hêt is therô *g*esteô,   the at thêm *g*ômun uuas,
themu *h*êrôston   an *h*and geban,
20 *f*ul mid *f*olmun,   themu the thes *f*olkas thar
gi*uu*êld aftar themu *uu*erde.   Reht sô‘ hi thes uuînes gedranc,

---

(1) Zeiten gekommen.“ — Dennoch vertraute fie feft — (2) in ihrem Herzen
— die heilige Jungfrau — (3) daß deffen nach jenen Worten — des Waltenden Sohn — (4) der Heilande befter — helfen würde. — (5) Es befahl da
den Dienern . — der Frauen fchönfte — (6) den Schenken und Gefäßwärtern
— welche da der Verfammlung dienen follten — (7) daß fie deffen weder
Wort noch Werk — etwas unterließen — (8) was ihnen der heilige Krift —
befehlen würde — (9) zu leiften vor den Leuten. — Leer ftunden dafelbft
— (10) fechs Steingefäffe. — Da gebot fo ftille — (11) der mächtige Sohn
Gottes — fo daß es da viele Männer — (12) nicht merkten in Wahrheit —
wie er es mit Worte fprach. — (13) Er hieß die Schenken da — mit klarem
Waffer — (14) die Gefäffe füllen, — und er dafelbft mit feinen Fingern
dann — (15) fegnete (es) felber - mit feinen Händen — (16) maehte es zu
Weine — und befahl davon in einen Krug zu bringen ‘— (17) zu fchöpfen
mit einer Schale — und dann fprach er zu den Schenken — (18) befahl
davon dem von den Gäften — welcher bei dem Gaftmahl war — (19) dem
vornehmften — in die Hand zu geben — (20) einen Becher voll mit den
Händen — dem welcher des Volkes da — (21) nächft dem Wirte waltete.
— Sobald der des Weines trank.—

sô ni *m*ahta he bem*î*dan;   ne hi far theru *m*enigi sprac
te themu *b*rûdigumon,   quad, that simbla that *b*esta l*î*d
*all*orô *e*rlô gehuil*î*c   *ê*rist scoldi   .
geban at is *g*ômun.   „undar thiu uuirdid therô *g*umonô hugi
5 *auu*ekid mid *uu*înu,   that sie *uu*el bl*î*dôd,
*dr*uncan *dr*ômead: than mag man thar *dr*agan aftar thiu
*l*idhlicora *l*îdh,   sô ist thesorô *l*iudeô thau. .
Than habas thu nu *uu*nderlîco   *uu*erdscepi thînan
gi*m*arcôd far thesoro *m*enigi: hêtis far thit *m*annô folc
10 alles thînes *uu*înes   that *uu*irsista
thîna *a*mbahtman   *ê*rist brengean,
geban an thînun *g*ômun.   Nu sind thîna *g*esti sada,
sind thîna *dr*uhtingôs   *dr*uncana suido,
is thit *f*olc *fr*ômôd: nu hêtis thu hir *f*ord dragan
15 *all*orô *l*îdô *l*ofsamôst,   therô ic eo an thesumu *l*iohte gisah
*h*uergin *h*ebbean. mid thius scoldis thu ûs *h*indag êr
*g*ebôn endi *g*ômean: than it alloro *g*umonô gehuilîc
gi*th*igidi te *th*anke."   Thô uuard thar *th*egan manag
gi*uu*âr aftar thêm *uu*ordun ,   sîdor sie thes *uu*înes ge-
                                                             druncun,
20 that thar the *h*êlogo crist   an themu *h*ûse innan
*t*êcan uuarhta.   *Tr*ûôdun sie sîdor

---

(1) fo konnte er nicht unterlaffen — daß er nicht vor der Menge fprach —
(2) zu dem Bräutigam — fagte, daß immer das befte Getränk — (3) aller
Männer jeglicher — zuerft follte — (4) geben bei feinem Gaftmahl. — „Unterdeffen wird der Männer Sinn — (5) vom Weine erweckt — daß fie fich
hoch freuen — (6) trunken jubeln: — dann kann man dafelbft tragen darnach — (7) geringeren (gelinderen) Wein — fo ift diefes Volkes Gebrauch.
— (8) Aber du haft nun wunderlich — deine Bewirtung — (9) angelegt
vor diefen Leuten: — läßeft vor diefes Männervolk — (10) alles deines
Weines — das geringfte — (11) deine Diener — zuerft bringen — (12) geben bei deinem Gaftmahl. — Nun find deine Gäfte fatt — (13) find deine
Genoffen — trunken fehr — (14) ift dieß Volk frohgemut — nun läßeft
du hier vor tragen — (15) das löblichfte von allen Getränken — die ich je in
diefer Welt fah — (16) irgendwo haben. — Damit hätteft du follen uns
heute zuerft — (17) befchenken und bewirten: — dann hätte es aller Männer
jeglicher — (18) zu Danke angenommen." — Da ward da mancher Degen
— (19) gewahr aus den Worten — als fie des Weines tranken — (20) daß
dafelbft der heilige Krift — in dem Haufe innen — (21) ein Zeichen ge-
wirkt hatte. — Sie glaubten feitdem — .

thiu mêr an is *m*undburd, tha*t* hi habdi *m*aht godes,
gi*uu*ald an thesoro *uu*eroldi. Thô uuard that sô *uu*îdo cud
obar gali*l*eo*l*and iudeo*l*iudiun,
huo thar selbo ge*d*eda sunu *d*rohtines
5 *uu*ater te *uu*îne. That *uu*ard thar *uu*ndrô êrist,
therô hi thar an gali*l*ea iudeo*l*iudeô
*t*êcnô ge*t*ôgdi. Ne mag that gi*t*ellean man,
ge*s*eggean te sodan, huat thar *s*îdor uuard
*uu*ndres undar themu *uu*erode, thar *uu*aldand crist
10 an godes namon iudeoliudeon
allan *l*angan dag *l*êra sagda,
gi*h*êt im *h*ebenrîki endi *h*elleo githuing
*uu*erida mit *uu*ordun. Hêt sie *uu*âra godes
*s*inlîf *s*ôkean, thar is *s*eolonô lioht,
15 *d*rôm *d*rohtines endi *d*agskîmon,
gôdlîcnissea godes, thar *g*êst manag
*uu*unôd an *uu*illean, the hir *uu*el thenkid,
that he *h*ir bi*h*alde *h*ebancuninges gibod.

---

(1) um fo mehr an feine Hilfe — daß er hätte Macht Gottes — (2) Gewalt in diefer Welt. — Da ward das fo weithin bekannt -- (3) über Galilealand — den Judenleuten — (4) wie dort gemacht habe — der Sohn des Herrn felber — (5) Waffer zu Weine. — Das war da der Wunder erftes — (6) von denen, die er da in Galilea — unter den Judenleuten — (7) als Zeichen zeigte. — Nicht kann das Jemand erzählen, — (8) fagen in Wahrheit — was dafelbft nachher gefchah — (9) von Wunder unter dem Volke — wo der waltende Krift — (10) in Gottes Namen — den Judenleuten — (11) den ganzen langen Tag — Lehre fagte — (12) ihnen das Himmelreich verhieß — und der Hölle Zwang — (13) abwehrte mit Worten. — Er hieß fie das wahre Gottes — (14) Leben fuchen — wo der Seelen Licht ift — (15) die Wonne des Herrn — und Tages Scheinen — (16) Herrlichkeit Gottes — wo mancher Geift — (17) wohnt in Luft — der hier wohl bedenkt — (18) daß er hier halte — des Himmelköniges Gebot.

II. Stillung des Meeres.

Thuo *uuas* thar *uu*erodes so filo
*a*llaro *e*lithiodô   cumán the thêm *ê*ron cristes,
te sô *m*ahtiges *m*undburd.   Thuo uuelda hie thar êna *m*eri
                                   lîthan,
thie *g*odes suno mid is iungron   an eban *g*alilealand,
5 *uu*aldand ênna *uu*âgô strôm.   Thuo hiet hie that *uu*erod odar
forthuuerdes *f*aran   endi hie giuuêt im *f*ahora sum
an ênna *n*acon innan,   *n*eriendi crist,
*s*lâpan *s*îthuuôrig.   *S*egel upp dâdun
*uu*ederuuîsa *uu*erôs,   lietun *uu*ind aftar
10 *m*anôn obar thena *m*eristrôm,   unthat hie te *m*iddean quam,
*uu*aldand mid is *uu*erodu.   Thuo bigan thes uuedares craft,
*u*st *u*pstîgan,   *u*thiun uuahsan.
*s*uang gi*s*uerg an gimang,   thie *s*eu uuarth an hruoru,
*uu*an *uu*ind endi *uu*ater.   *UU*erôs sorogôdun,
15 thiu meri *uu*arth so muodag.   ni *uu*ânda therô mannô nigên
*l*engron *l*ibes.   Thuo sia *l*andes uuard
*uu*ekidun mid irô *uu*ordon   endi sagdun im thes *uu*edares
                                     craft,
bâdun, that im ginâthig   *n*eriendi crist
*uu*urdi *uu*id them *uu*atare: „eftha uui sculun hier te *uu*n-
                                     derquâlu

---

(1) Da waren daſelbſt ſo viele Leute — (2) aller (fremden) Völker —
gekommen zu den Gaben Kriſti — (3) zu des Mächtigen Schutz. — Da
wollte er daſelbſt ein Meer befahren — (4) der Sohn Gottes mit ſeinen
Jüngern — an Galilealand hin — (5) der Waltende einen Wogenſtrom. —
Da hieß er das übrige Volk — (6) vorwärts ziehen — und er gieng mit
etlichen wenigen — (7) in einen Nachen hinein — der rettende Kriſt —
(8) zu ſchlafen reiſemüd. — Die Segel taten auf — (9) wetterkundige Männer
— ließen den Wind hinten — (10) treiben über den Meerſtrom — bis daß
er zur Mitte kam — (11) der Waltende mit ſeinen Leuten. — Da begann
des Wetters Kraft — (12) Sturmwind aufſteigen — Wellen wachſen. —
(13) Finſternis ſchwang ſich dazwiſchen — Die See kam in Aufruhr —
(14) kämpften Wind und Waſſer. — Die Männer waren bekümmert — (15)
das Meer ward ſo mutig; — nicht verſah ſich da der Männer einer — (16)
längeren Lebens. — Da weckten ſie den Landeswart — (17) mit ihren Worten
— und ſagten ihm des Wetters Ungeſtüm — (18) baten, daß ihnen hilfreich
— der rettende Kriſt — (19) würde gegen das Waſſer: — „oder wir werden
hier qualvoll —

*s*ueltan an theson *s*êuue."   *S*elf upparæs
thie guodo godes *s*uno   endi te is iungron *s*prak,
hiet that sia im uuedarês giuuin   uuiht ni andrædin:
„te hui sind gi so forhta? quat hie;   nis iu noh fast hugi,
5 gi*l*ôbo is iu te *l*uttil.   nis nu *l*ang te thiu,   .
that thia *s*trômôs sculun   .*s*tilrun uuerthan
gi 'thit *uu*edar *uu*nsam."   Thô hie the *uu*inde sprac
*g*e te themu *s*êuua so *s*elf   endi sie *s*multro hêt
*b*êdea ge*b*ârean.   Sie gi*b*od lêstun,
10 *uu*aldandes uuord,   *uu*eder stillôdun,
*f*agar uuard an *f*lôde.   Thô bigan that *f*olc undar im,
*uu*erod *uu*undraian   endi suma mid irô *uu*ordun sprâkun,
builîc that sô *m*ahtigorô   *m*annô uuâri,
that imu sô the *uu*ind endi the *uu*âg   *uu*ordu hôrdin,
15 *b*êdea is gi*b*odskepies.   Thô habda sie that *b*arn godes
gi*n*erid fan theru *n*ôdi;   the *n*aco furdor skreid,
*h*ô *h*urnïd scip,   *h*elidôs quâmun,
*l*iudi te *l*ande,   sagdun *l*of gode,
*m*âridun is *m*egincraft. —

---

(1) fterben in diefem Meere." — Selber ftand auf — (2) der gute Gottes
Sohn — und zu feinen Jüngern fprach — (3) fagte, daß fie des Wetters
Wut — durchaus nicht fürchten follten: — (4) „warum feid ihr fo furchtfam?
fprach er. — Noch nicht ift euch feft das Herz — (5) der Glaube ift euch
zu klein. — Nicht lange ift es nun dahin — (6) daß die Strömungen follen
— ftiller werden -- (7) und dieß Wetter wonnefam." — Da fprach er zu
dem Winde — (8) und zu dem Meere ebenfo — und hieß fie fanfter — (9)
beide fich gebaren. — Sie gehorchten dem Gebot — (10) dem Worte des
Waltenden — die Wetter ftillten fich — (11) heiter ward es auf der Flut.
— Da begann das Volk unter fich — (12) die Leute fich zu wundern — und
einige fprachen mit ihren Worten — (13) welcher von den mächtigen —
Mannen das wäre — (14) daß ihm fo der Wind und die Welle — aufs Wort
gehorchten — (15) beide feinem Gebote. — Da hatte fie der Geborene Gottes —
(16) errettet aus der Not; — der Nachen fchritt weiter — (17) das hochge-
hörnte Schiff — die Helden kamen — (18) die Leute zum Lande — fagten
Gott Lob — (19) priefen feine Herrfcherkraft.

III. Prophezeiung von der Zerstörung des Tempels und von dem Weltende.·

Gêng imu thô the godes sunu   endi is iungaron mid imu,
uualdand, fan themu uuîhe,   all sô is uuillio gêng;
iac imu uppen thene berg gistêg,   barn drohtines,
sat imu thar mid is gesidun   endi im sagda filu
5 uuârorô uuordô.   Sie bigunnun im thô umbi thene uuîh
                 sprekan,
thie gumon, umbi that godes hûs;   quâdun, that ni uuâri
                 gôdlicôra
alah obar erdu   thurh erlô land
thurh mannes giuuerk   mid megincraft
rakud arihtid.   Thô the rîkio sprak,
10 her hebencuning,   hôrdun the ôdra:
„Ik mag iu gitellian, quadhe,   that noh uuirdid thiu tîd
                 kuman,
that is afstandan ni scal   stên obar ôdrumu;
ac it fallid ti fôdu   enti it fiur nimid,
grâdag logna,   thô it nu sô gôdlîc sî,
15 so uuîslîco giuuarht.   Endi sô dôd al thesaro uueroldes
                 giscapu:
teglîdid grôni uuang.“   Thô gêngun imo is iungaron tô,

III. (1) Gieng (ihm) da der Gottes Sohn — und feine Jünger mit ihm — (2) der Waltende, von dem Tempel — ganz wie fein Wille gieng (war) — (3) und er (ihm) auf den Berg ftieg — der Geborne des Herrn — (4) faß (ihm) dafelbft mit feinen Genoffen — und fagte ihnen viele — (5) wahre Worte. — Sie begannen ihm da über den Tempel zu fprechen — (6) die Männer, über das Gottes Haus; — fagten, daß nicht wäre herrlicher — (7) ein Tempel auf der Erde — durch Menfchenhand — (8) durch Mannes Werk — mit Vollkraft — (9) ein Heiligthum errichtet. — Da fprach der Mächtige — (10) er (der) Himmelskönig — es hörten die andern: — (11) „ich kann euch fagen, fprach er — daß noch wird die Zeit kommen — (12) daß von ihm ftehen nicht wird — ein Stein auf dem andern — (13) fondern es fällt zu Füßen (zu Boden) — und das Feuer nimmt es — (14) die gefräßige Flamme — obgleich es nun fo herrlich ift — (15) fo weislich gearbeitet. — Und fo tun alle Gefchöpfe diefer Welt — (16) es vergeht die grüne Aue.“ — Da giengen ihm feine Jünger zu —

fragôdun ina sô stillo: „huo lango scal standan noh, quâ-
                                                    dun sie,
thius uuerold an uuunniun,   êr than that giuuand kume,
that the lasto dag   liohtes skîne
thurh uuolkanskion?   eftho hvan is eft thîn uuân kuman
5 an thenne middilgard,   mankunni
te adômianne,   dôdun endi quikun?
frô mîn, the gôdo,   ûs is thes firuuit mikil,
uualdandeo krist,   hvan that giuuerdan sculi!“
Thô im anduuordi   alouualdo krist
10 gôdlîc fargaf,   thêm gumun selbo:
„that habad sô bidernid, quad he,   drohtin the gôdo
iac sô hardo farholan   himilrîkies fader,
uualdand thesaro uueroldes,   sô that uuiten ni mag
ênig mannisc barn,   hvan thiu mâria tîd
15 giuuirdid an thesaru uueroldi.   ne it ôk te uuâran ni kunnun
godes engilôs,   thie for imu geginuuarda
simlun sindun.   Sie it ok giseggian ni mugun
te uuâran mid irô uuordun,   hvan that giuuerdan sculi,
that he uuillie an thesan middilgard,   mahtig drohtin,
20 firihô fandôn.   Fater uuêt it êno,
hêlag fan himile;   elcur is it biholan allun,
quikun endi dôdun,   hvan is kumi uuerdad.

---

(1) fragten ihn fo heimlich: — „wie lange foll ftehen noch, fagten fie —
(2) diefe Welt in Wonnen — ehe denn das Ende komme — (8) daß der
letzte Tag — des Lichtes fcheine — (4) durch den Wolkenhimmel? — oder
wann ift wiederum deine Abficht zu kommen — (5) auf diefe Erde — das
Menfchengefchlecht — (6) zu richten — die Todten und die Lebenden? —
(7) Mein Herr, der gute (du guter) — uns ift deffen große Neugierde —
(8) waltender Krift — wann das gefchehen folle." — (9) Da ihnen Antwort
— der allwaltende Krift — (10) liebevoll gab, — den Männern er felber —
(11) „das hat fo verborgen, fprach er — der Herr der gute — (12) und fo
fehr verhehlt — des Himmelreiches Vater — (18) der Waltende diefer Welt
— fo daß (es) nicht wiffen kann — (14) irgend ein Menfchenkind — wenn
die berühmte Zeit — (15) gefchieht in diefer Welt. — Auch es nicht in
Wahrheit wiffen — (16) Gottes Engel — die vor ihm gegenwärtig — (17)
immer find. — Sie können es auch nicht fagen — (18) in Wahrheit mit ihren
Worten — wenn das gefchehen folle — (19) daß er wolle auf diefer Erde —
der mächtige Herr — (20) die Menfchen prüfen. — Der Vater weiß es allein
(21) der heilige vom Himmel; — fonft ift es verhehlt allen — (22) den
Todten und den Lebenden — wann fein Kommen gefchieht. —

Ik mag iu thoh gitellian,   huilîc êr têcan bivoran
giuuerdad uuundarlîc,   êr he an thesa uuerold kume
an themu mâreon daga.   That uuirdid êr an themo manon skîn,
iac an theru sunnun so sama: gisuerkad siu bêthiu,
5 mit finistra uuerdad bifangan;   fallad sterron,
huît hebentungal,   endi hrisid erda,
biuôd thius brêda uuerold.   Uuirdit sulikarô bôknô filu:
grimmid the grôto sêo,   uuirkid thie gebencs strôm
egison mid is udhiun   erdbuandiun.
10 than thorrôt thiu thiod   thurh that githuing mikil,
folc thurh thea forhta: than nis fridu hvergin;
ac uuirdit uuîg so manag   obar thesa uuerold alla
hetilic afhaban;   endi heri lêdid
kunni obar odar.   Uuirdid kuningô giuuin,
15 meginfard mikil,   uuirdid managoro qualm,
opan urlagi.   That is egislîc thing,
that io sulîk mord sculun   man afhebbian!
Uuirdid uuôl sô mikil   obar thesa uuerold alla,
mansterbônô mêst,   the gio an thesaru middilgard
20 suulti thurh suhti.   Liggiad seoka man,
driosat endi dôiat   endi irô dag endiad,
fulliad mid irô ferahu.   Ferid unmet grôt

---

(1) Doch kann ich euch fagen — welche Zeichen eher zuvor — (2) wunderbare
gefchehen — ehe er in diefe Welt kommt — (3) an dem berühmteu Tage.
— Das wird vorher an dem Mond fichtbar — (4) und an der Sonne ebenfo:
— fie verdunkeln beide — (5) mit Finfterniß werden fie befangen; — es
fallen die Sterne — (6) die weißen Himmelszungen — und erfchüttert wird
die Erde — (7) es bebt diefe weite Welt. — Solcher Zeichen gefchehen viele
— (8) es ergrimmt die große See — es bewirkt der Meeres Strom — (9)
Schrecken mit feinen Wogen — den Erdbewohnern. — (10) Dann verdorren
die Völker — in diefem großen Drangfal — (11) die Menge in der Furcht:
— dann ift Friede nirgends — (12) fondern es wird fo mancher Krieg —
über diefe ganze Welt — (13) wüthender erhoben — und Heere führt
— (14) ein Gefchlecht gegen das andere. — Kampf der Könige entfteht
— (15) große Heerfahrt — es entfteht Vieler Verderben — (16) offener
Krieg. — Das ift fchreckliches Ding — (17) daß je folchen Mord follen —
die Menfchen erheben. — (18) Es kommt fo große Seuche — über diefe ganze
Welt — (19) größtes Menfchenfterben — das je auf diefer Erde — (20) ftarb
durch Krankheit. — Es liegen krank die Menfchen — (21) fallen hin und
fterben — und enden ihr Leben — (22) vollenden mit ihrer Seele. — Es
kommt unmäßig großer —

hungar hetigrim   obar helidô barn,
metigedeônô mêst;   nis that minnista
thero uuîteô an thesaru uueroldi,   the her giuuerdan sculun
êr dômôs dage.   Sô huan sô gi thea dâdi gisehan
5 giuuerdan an thesaru uueroldi,   sô mugun gi than the uuâran
                                          farstandan,
that than the lazto dag   liudiun nâhid,
mâri te mannun,   endi maht godes,
himilcraftes hrôri,   endi thes hêlagon kumi,
drohtines mid is diuridun.   Huat gi thesarô dâdeô mugun
10 bi thesun bômun   bilidi antkennian:
than sie brustiad endi blôiat   endi bladu tôgeat,
lôb antlukid: than uuitun liudiô barn,
that than is san aftar thiu   sumer ginâhid,
uuarm endi uunsam,   endi uueder scôni.
15 Sô uuitun gi ok bi thesun têknun,   the ik iu talda her,
huan the lazto dag   liudiun nâhid.
Than seggio ik iu te uuâran,   that êr thit uucrod ni môt
tefaran, thit folcscepi,   êr than uuerde gifullit sô
mînu uuord giuuarôd.   Noh giuuand kumíd
20 himiles endi erdun: endi steid mîn hêlag uuord
fast forduuardes   endi uuirdit al gifullôd sô,

---

(1) grimmiger Hunger — über der Menfchen Kinder — (2) größter Speifemangel;
— das ift nicht das geringfte — (3) Unglück auf diefer Welt — von denen
die hier gefchehen follen — (4) vor dem Tage des Gerichts. — Wenn ihr diefe
Taten fehet — (5) gefchehen auf diefer Welt — fo könnt ihr dann in Wahrheit verftehen — (6) daß dann der letzte Tag — den Leuten naht — (7) der
berühmte den Menfcheu — und die Macht Gottes — (8) Bewegung der
Himmelskraft — nnd des Heiligen Kommen — (9) des Herrn mit feiner
Herrlichkeit. — Wahrlich ihr könnt von diefen Taten — (10) an diefen Bäumen
— ein Bild erkennen (entnehmen) — (11) wenn fie fproffen und blühen —
und Blätter zeigen — (12) Laub fich öffnet: — dann wiffen die Menfchenkinder — (13) daß dann ift bald darnach — der Sommer genaht — (14)
warm und wonnefam — und fchönes Wetter. — (15) So wißt ihr auch an
diefen Zeichen — die ich euch hier angab — (16) wann der letzte Tag —
den Leuten naht. — (17) Dann fage ich euch in Wahrheit — daß vorher
diefe Menge nicht foll — (18) vergehen, diefes Volk — ehe denn fo erfüllt werden — (19) meine getanen (gefprochenen) Worte. — Es kommt noch
der Untergang — (20) des Himmels und der Erde: — aber es fteht mein
heiliges Wort — (21) feft fortan — und (es) wird alles fo erfüllt —

gilêstid an thesumu liohte,   sô ik for thesun liudiun gispriku.
Uuakôt gi uuârlîco,   iu is uuiscumo
duomdag the mâreo   endi iuuues drohtines craft,
thiu mikilo meginstrengiu   endi thiu mâria tîd,
5 giuuand thesaro uueroldes.   Fora thiu gi uuardôn sculun,
that he iu slâpandia   an suefrestu
farungo ni bifâhe   an firinuuerkun,
mênes fulla.   Mutspelli cumid
an thiustrea naht,   al sô thiof ferid
10 darno mid is dâdiun.   Sô kumid the dag mannun,
the lazto theses liohtes,   sô it êr thesa liudi ni uuitun; —
sô samo sô thiu flôd deda   an furndagun,
the thâr mid lagustrômun   liudi farterida
bi noeas tîdiun,   biutan that ina nerida god
15 mid is hîuuiskea,   hêlag drohtin
uuid thes flôdes farm.   Sô uuard ok that fiur kuman
hêt fan himile,   that thea hôhon burgi
umbi sodomôland   suart logna bifêng,
grim endi grâdag,   that thâr nênig gumônô ni ginas
20 biutan loth êno.   ina antlêddun thanan
drohtines engilôs   endi is dohter tuâ
an ênan berg uppan;   that odar al brinnandi fiur,

---

(1) geleiſtet in dieſer Welt — wie ich vor dieſen Leuten ſpreche. — (2)
Wachet ihr wahrhaftig — euch kommt ſicher — (3) der berühmte Gerichtstag — und eures Herrn Kraft — (4) die große Gewaltmacht — und die
berühmte Zeit (5) der Untergang dieſer Welt. — Darum ſollt ihr wachen —
(6) daß er euch ſchlafend — in Schlummerruhe — (7) unverſehens nicht
überraſche — in Übeltaten — (8) der Verbrechen voll. — Der Weltbrand kommt
— (9) in finſterer Nacht — ganz ſo wie ein Dieb fährt — (10) heimlich mit
ſeinen Taten. — So kommt der Tag den Menſchen — (11) der letzte dieſer
Welt — ohne daß es vorher dieſe Leute wiſſen — (12) gerade ſo wie die
Flut tat (kam) — in den Urtagen — (13) die da mit Waſſerſtrömen — die
Leute verzehrte — (14) zu Noas Zeiten — außer daß ihn errettete Gott —
(15) mit ſeinen Ehehalden — der heilige Herr — (16) gegen der Flut Ver-
ſchlingung. — So war auch das Feuer gekommen — (17) heiß vom Himmel
— daß die hohen Burgen — (18) im Sodomer Land — ſchwarze Flamme
ergriff — (19) grimmig und gefräßig — daß daſelbſt keiner der Männer ſich
rettete — (20) außer Loth allein — ihn führten von dannen — (21) Engel
des Herrn — und ſeine zwei Töchter — (22) auf einen Berg hinauf — das
andere Alles brennendes Feuer —

ia *l*and ia *l*iudi   *l*ogna farterida.
Sô *f*arungo· uuard that *f*iur kuman,   sô uuard êr the *f*lôd
                              sô samo:
sô uuirdit the *l*azto dag.   For thiu scal allaro *l*iudio gihuilîc
*th*enkean fora themu *th*inge,   thes is *th*arf mikil
5 *m*anno gehuilîcumu;   be thiu lâtad iu̯ an iuuuan *m*ôd
                              sorga.
Hvand sô huan sô that ge*uu*irdid,   that *uu*aldand krist,
*m*âri *m*annes sunu,   mid theru *m*aht godes
*k*umit, mid thiu *c*raftu,   *k*uningô rîkeôst,
*s*ittean an is *s*elbes· maht,   endi *s*amod mid imu
10 *a*lla thea engilôs,   the thar *u*ppa sind,
*h*êlaga an *h*imile: than sculun tharod *h*elidô barn,
*el*itheoda, kuman   *a*lla tesamne
*l*ibbeanderô *l*iudiô,   sô huat sô io an thesumu *l*iohte
unard *f*irihô a*f*ôdid.   Thar he themu *f*olke scal,
15 allumu *m*ankunnie,   *m*âri drohtin,
a*d*êlian aftar irô *d*âdiun.   Than skêdid he thea far*d*uanan
                              man,
thea far*uu*arhton *uu*erôs,   an thea *uu*inistron hand.
*s*ô duot he ok thea *s*âligon   an thea *s*uitheron half.
*g*rôtid he than thea *g*ôdun   endi im te*g*egnes sprikid:

---

(1) fowohl Land als Leute — die Flamme verzehrte. — (2) So unverfehens
war das Feuer gekommen — fo kam einft die Flut ebenfo — (3) fo kommt (auch)
der letzte Tag. — Darum foll aller Menfchen jeglicher — (4) fich vorfehen
vor dem Gericht — das ift fehr nötig — (5) der Männer jeglichem — darum
laffet in euer Herz Sorge eingehen! — (6) Denn wenn diefes gefchieht —
daß der waltende Krift — (7) der berühmte Menfchenfohn — mit der
Macht Gottes — (8) kommt, mit der Kraft — der Könige mächtigfter —
(9) zu fitzen in feiner eigenen Macht — und zugleich mit ihm — (10) alle
die Engel — die da oben find — (11) heilige im Himmel: — dann werden
dahin der Menfchen Kinder — (12) die fernen Völker kommen — alle zufammen — (13) von den lebenden Menfchen — was nur immer je in
diefem Lichte — (14) von Menfchen ward erzogen. — Dafelbft wird er dem
Volke — (15) allem Menfchengefchlecht — der berühmte Herr — (16)
Urteil fprechen nach ihren Taten. — Dann fcheidet er die fchuldigen Menfchen — (17) die verdammten Männer — zu der linken Hand. — (18) So
tut er auch die Seligen — an die rechte Seite. — (19) Dann grüßt er die
Guten — und fpricht ihnen entgegen: —

„*k*umad gi, quidid he, thea thar gi*k*orena sindun,   endi ant-
                                    fâhad thit *c*raftiga rîki,
that *g*ôda, that thar gi*g*arauuid stendit,   that thar uuard
                                    *g*umônô barnun
gi*uu*arht fan thesaro *uu*eroldes endie.   Ju habad gi*uuî*hid
                                    selbo
*f*ader allarô *f*irihô barnô;   gi môtun thesarô *f*rumônô neotan,
5 gi*uu*aldôn theses *uu*îdon rîkeas,   huand gi oft mînan *uu*illeon
                                    frumidun,
fulg*ê*ngun mi *g*erno,   endi uuârun mi iuuuaro *g*ebo mildia,
*th*an ik bi*th*uungan uuas   *th*urstu endi hungru,
*f*rostu bi*f*angan,   eftho an *f*eteron lag,
bi*k*lemmid an *k*arkare: oft uurdun mi *k*umana tharod
10 *h*elpa fan iuuun *h*andun.   gi uuârun mi an iuuuomu *h*ugi
                                    mildia,
*uuî*sôdun mîn *uu*erdlîco.“   Than sprikid imu eft that *uu*erod
                                    angegin:
„*fr*ô min, the gôdo, quedat sie,   huan uuâri thu bi*f*an-
                                    gan sô,
be*th*uungan an sulîcun *th*arabun,   sô thu fora thesaru *th*iod telis,
*m*ahtig *m*ênis?   Huan gisah thi *m*an ênig
15 be*th*uungan an sulîcun *th*arabun,   huat thu habes allarô
                                    *th*iodô giuuald,
iac sô samo therô *m*êdmô   therô the io *m*annô barn

---

(1) „kommet ihr, fagt er, die ihr da erkoren feid — und empfanget dieß
mächtige Reich — (2) das gute, das da bereitet fteht — das da ward den
Menfchenföhnen — (3) gefchaffen von diefer Welt Anbeginn. — Euch hat
felig gefprochen — (4) der Vater aller Menfchenkinder; — ihr follt diefer
Vorteile genießen (5) Gewalt haben über diefes weite Reich — weil ihr oft
meinen Willen tatet — (6) mir gerne folgtet — und waret mir mit eurer
Gabe freigebig — (7) wann ich bezwungen war — von Durft und Hunger
— (8) von Froft befangen — oder in Feffeln lag — (9) eingefperrt im Kerker:
— oft find mir gekommen dahin — (10) Unterftützungen von euren Händen.
— Ihr ward mir in eurem Herzen liebreich — (11) befuchtet mich ehrerbietig.“
— Dann fpricht ihm nach diefem die Menge entgegen: — (12) „mein Herr,
du guter, fagen fie — wann warft du fo gefangen — (13) bedrängt in folchen
Nöten — wie du vor diefem Volk erzählft — (14) zu großem Verbrechen?
— Wann fah dich ein Mann — (15) bedrängt in folchen Nöten — da du
haft über alle Leute Gewalt — (16) und ebenfo über die Schätze — welche
je Menfchenkinder —

giuuunnun an thesaro uueroldi?“   Than sprikid im eft uual-
                                                      dand god:
„sô hvat sô gi dâdun, quidid he,   an iuuues drohtines
                                                      namon,
godes, fargâbun   an godes êra
thêm mannun, the her minniston sindun,   therô nu undar
                                                      thesaru menigi standad
5 endi thurh ôdmôdi   arma uuârun
uuerôs, hvand sie mînan uuilleon frumidun,   sô hvat sô
                                                      gi im iuuuarô uuelonô fargâbun,
gidâdun thurh diurida mîna: that antfêng iuuua drohtin selbo,
thiu helpa quam te hebancuninge.   Bi thiu uuili iu the
                                                      hêlago drohtin
lônôn iuuuomu gilôbon: gibid iuu lîf êuuig.“
10 Uuendid ina than uualdand   an thea uuinistron hand,
the drohtin te thêm farduanun mannun,   sagad im, that sie
                                                      sculin thea dâd antgeldan,
thea man irô mên giuuerk.   „Nu gi fan mi sculun, qui-
                                                      did he,
faran, sô farflocana,   an that fiur êuuig,
that thar gigarauuid uuard   godes andsacun,
15 fiundô folke   bi firinuuerkun.“

---

(1) gewannen auf diefer Welt? — Dann fagt ihnen wiederum der waltende
Gott: — (2) „was nur immer ihr tatet, fagt er, — in eures Herrn Namen —
(3) (im Namen) Gottes, (was immer ihr) gabt — zu Gottes Ehre — (4) den
Menfchen, die hier die geringften find — von denen, welche nun unter diefer
Menge ftehen — (5) und aus Demut — waren arme — (6) Menfchen, weil
fie meinen Willen taten — was immer ihr ihnen von euren Gütern gabt —
(7) tatet zu meinem Ruhm: — das empfing euer Herr felber — (8) die (diefe)
Hilfe kam dem Himmelskönig zu. — Darum will euch der heilige Herr —
(9) lohnen euern Glauben: — er gibt euch das ewige Leben.“ — (10) Es
wendet fich dann der Waltende — zu der linken Hand — (11) der Herr,
zu den verdammten Menfchen — fagt ihnen, daß fie follen die Taten entgelten
— (12) die Menfchen ihre Sündenwerke. — „Nun follt ihr, fpricht er, von
mir — (13) fahren als Verfluchte — in das ewige Feuer — (14) das da bereitet ward — Gottes Widerfachern. — (15) dem Volke der Feinde — wegen
der Sündenwerke.“ — — — — — — — — — — — —

Than aftar thêm uuordun   skêdit that uuerod an tuê
thea gôdun enda thea ubilon;   farad thea fargriponon mau
an thea hêtan hel   hriuuigmôda:
thea faruuarhton uuerôs   uuîti antfâhad,
5 ubil endilôs.   Lêdid upp thanan
her hebancuning   thea hluttaron theoda
an that langsama lioht;   thar is lîf êuuig
gigarauuid, godes rîki   gôdaro thiadô.

---

(1) Dann nach diefen Worten — fcheidet er die Menge entzwei — (2) die
guten und die böfen — es fahren die verdammten Menfchen — (3) in die
heiße Hölle — reumütig — (4) die verlorenen Menfchen — Strafe empfängt
— (5) endlofes Uebel. — Es führt hinauf von da — (6) der Himmelkönig
— die lauteren Menfchen — (7) an das unvergängliche Licht; — da ift
ewiges Leben — (8) bereitet, Reich Gottes — guter Menfchen.

Druck von C. W. Leske in Darmstadt.

IV.

Wörterbuch.

A.

Aba, abe, ab praep. c. dat. herab von, 187, 5. 188, 18. Vergl. goth. af, gr. ἀπό, lat. ab.

aba, Raumadv. herab von, weg von: târ aba davon weg 184, 4.

abahôn für abuhôn schw. v. c. acc. sich wegwenden von etwas, ihm den Rücken zukehren, nichts davon wissen wollen, es verabscheuen 160, 7. Zu abuh adj. rauh, bitter, feindlich u. abuh st. n. Verbrechen.

âband st. m. Abend 143, 29. 196, 9.

abbas, abba, st. m. gen. abbatis, gr. Abt 120, 1 ff.

aber, abur s. afar.

abgot, abkot st. m. der vom rechten Gott verschiedene Gott, Abgott, Götze. Acc. pl. ábkota 190, 5.

abunst st. f. Abgunst, Neid, Hass, invidia 149, 4. Zu unnan.

ac – s. ak.

accher für akkar st. m. Acker 196, 25.

adalerbi st. n. Erbgut eines Geschlechts, Edelgut 162, 31.

Adâm n. pr. m. acc. Adâmen 185, 16.

âdeilo adverb. unteilhaft 156, 7. Zu deil, teil.

âdum, âtum st. m. Atem 120, 9. wîho âtum der heilige Geist, spiritus sanctus 126, 32. 129, 23.

Aegyptin nom. pr. Aegypten 137, 18.

æn s. ein.

ænîg s. einîg.

ær 126, 17. s. êr.

ærist 119, 4. s. êr.

ær s. ër.

ærda s. ërda.

afar, avar 181, 13. **avur** 122, 24. 164, 10 Otfr. **abur** 139, 15 Tat. **awar** 124, 21. **ava** 196, 24 ff. **ave** 198, 5. **aver** 184, 18. **aber** 190, 27 Notk. I. Zeitadv. wiederum, abermals, iterum 124, 21. 28. 135, 24. 139, 15 Tat. 184, 18. II. adversatives Bindew. aber, lat. autem: hinter den Anfangsworten des Satzes 125, 1. 126, 19. 133, 15. 178, 5. 181, 13. 187, 20. 195, 17. 196, 24. am Anfange 188, 33. 194, 4. 197, 13.

aftar, after praep. c. dat. (abl.) I. räumlich: hinter, nach 171, 15. 179, 25. II. zeitlich: nach 124, 9. 138, 4. after thiû nach diesem, darnach 139, 3. III. abstract: nach, gemäss 121, 37. 135, 26. 139, 22.

aftar, after adv. I. räumlich: hinter, nachfolgend, zurück 117, 22 (Conjectur). 170, 34. II. abstract: demgemäss 134, 2.

agaleizi st. n. Eifer, Emsigkeit 153, 11.

aha st. f. Wasser, Fluss 134, 23. lat. aqua, goth. ahva.

ahta st. f. Achtung, Schätzung: in ahtu in der Schätzung, im Wert, in der Art wie, geachtet wie 152, 12. Geschlecht 155, 20.

âhtjan, âhtan schw. v. c. gen. verfolgen, 140, 33. 146, 13. 167, 16. 188, 27. impf. âhtitun 140, 33. âhtun 167, 21. praes. âhtênt 140, 29 (kann auch âhtent gelesen werden.)

âhtnessî anom. f. Verfolgung 140, 27. Zu âhtan.

ahtôn schw. v. beachten 154, 15. erwägen, bedenken 176, 11.

ain s. ein.

ainac s. einîg.

akarbigengiri st. m. Ackerbauer, agricola 145, 12. Von bigangan, bigân begehen, ausüben, behauen

âkust st. f. Schlechtigkeit, Untugend, Mangel 154, 2. Mit kust zu kiosan.

al, goth. *alls* adj. all, ganz. Fem. ellu (für elju) 150, 22. 23. I. unmittelbar vor dem Subst., flectiert: allerô lidô 136, 2. allô zîti 152, 31. allum alt. dat. sg. m. oder n. für allumu 119, 13.; unflectiert a l irmindëot 117, 13. al ubil 140, 29. II. vor dem bestimmten Artikel, flectiert ala thia naht die ganze Nacht 173, 7. allan then liut 174, 1.; unflectiert al thiê fîantâ 152, 6. Vor dem pron. poss. flectiert ellu sîn giwalt 150, 22. allaʒ iwer lîb euer ganzes Leben 173, 31, alla thia nôt 182, 19. III. hinter seinem Subst. flectiert thiu sîn giwalt ellu 150, 23. sîn reht allaʒ 135, 25. thie thegana allê 154, 36. thaʒ lôn allaʒ 167, 35. thiu worolt ellu 168, 1. thisu worolt ellu 171, 16.; unflectiert thaʒ rîchi al 152, 20. 182, 17. IV. verbunden mit substantivischen oder substantivisch gebrauchten Fürwörtern, flectiert iʒ allaʒ 134, 30. 154, 26. unflectiert iʒ al 136, 6. V. absolut: flectiert allaʒ 135, 18. allê 162, 5. 180, 17.; unflectiert al alles 153, 17. 24. 26. 36. 128, 7. al alle 155, 12. 182, 28. elliu für lat. omnia alles 124, 32. VI. adverbiale Ausdrücke: acc. al ganz, gänzlich 164, 6. 173, 2. gen. alles gänzlich 172, 3. vgl. nalles. ubar al in Allem, ganz und gar, durchaus 152, 34. 175, 26. überall, an allen Orten 194, 33. VII. ala- al- wird häufig zur Verstärkung vor adj. adv. und Partikeln gesetzt: alagâhun, alawâr, alsô u. s. w. siehe gâhi, wâri und alawâri, sô und alsô u. s. w.

alamusana st. f. Almosen 136, 7. richtiger alamuasana, aus gr. lat. eleemosyna; elimosina 141, 1. elemosyna 167, 24. elemosyna giduan Almosen als gutes Werk tun 167, 24. sih elemosyna wirkên sich bei Gott Verdienst durch Almosen erwerben, sich Almosenverdienst verschaffen 167, 31.

alawâri, alawâr ad. ganz wahrhaft: alawâr 161, 13. adverbial in alawâr 164, 25 Otf. in alawari 168, 33 Otf. Davon nhd. albern.

âleiba st. f. Ueberbleibsel 144, 55. acc. pl. âleibbâ 150, 4. gen. pl. âleibô für âleibônô 169, 15 ist eine Spur des alten gen. pl. des st.

fem., vgl. Grammat. §. 27. Anm. 2. Zu lîban, bilîban.

allerêrist adv. zuallererst; sô allerêrist sogleich als, sobald als 197, 16.

alles adv. I. von al: ganz, gänzlich, s. al nro VI. II. von goth. alis, lat. alius, gr. $\alpha\lambda\lambda o \varsigma$: anders, sonst. theiʒ ni wâri bi alles waʒ dass es nicht wäre um sonst etwas, aus einem andern Grunde, denn allein wegen des Hasses gegen ihn 172, 4. s. alleswio.

alleswio adw. anderswie, auf andere Weise, anders 153, 34. 156, 11. mit iawihtû alles wio iʒ nist mit nichten (ni-iawihtû) ist es anders, d. h. es kann durchaus nicht anders sein 169, 12. 175, 16.

almahtig adj. allmächtig 119, 18. 128, 2.

almahtigî, -gîn anom. f. Herrlichkeit, majestas 126, 3.

alsô verstärktes sô I. demonstr. im Hauptsatze: so II. relativ im Nebensatze: wie, als Notk. III. Correlation von Hauptsatz und Nebensatz alsô sô ebenso-wie 118, 15 („du bist ein ebenso alter Mann, wie du immer Arglist übtest" ist dem Sinne nach umzukehren: „du bist ebenso arglistig als du alt bist, deine Arglist ist so gross als dein Alter, ist im Verhältnis zu demselben")

alt adj. alt 117, 16. Comp. eldiron Eltern 138, 11. Superlat. altist uralt 138, 26.

altâr oder altar st. m. Altar 128, 23. Aus lat. altare, altar.

alter st. n. sæculum, Menschengeschlecht, Welt 136, 24. Lebensalter 138, 30.

altfîant st. m. Feind von Alters her, Erbfeind (Satanas) 134, 16.

altgilâri st. n. altherkömmliche Wohnung, Heimat 156, 29. Von gilâri Gemach, Wohnung.

altî anom. f. hohes Alter, senectus 192, 8.

altinôn schw. v. aufschieben, verzögern 123, 4. Zu alt.

altmâc st. m. Verwandter in alter Zeit, Vorfahr 181, 24.

ambaht st. m. Diener 125, 30. 142, 3. 147, 14.

ambaht st. n. Amt: Dienst und Verdienst 146, 29. Amt und Beruf 163, 20.

ambahtâri st. m. Diener 194, 28.

ambahtjan schw. v. dienen 139, 22.
ana, ane, an Notk. præp. c. dat. (abl.)
u. acc. gr. ἀνά I. räumlich: an, auf
in: c. dat. an, in 192. 31. c. acc.
Richtung gegen etwas hin 187, 9.
feindlich: gegen 186, 27. II. zeitlich c.
acc. unzi ana bis an, bis zu 196,
11. c. dat. an, bei, in 197, 28. III.
abstracte Verhältnisse: an, in, auf,
187, 6. an diû darin, darum 187, 34.
ana, ane, an Raumadv. I. bei Zeitwörtern: an s. anablâsan, anagurtan, anasëhan u. s. w. II.
nach demonstr. relat. Adverbien:
thâr ana daran, darin, darauf 163,
12. abstract: darin, dabei, damit 153,
15. 154, 10. 11. 179, 1. in dieser Beziehung 187, 12. daraanadenchen
daran denken 185, 22.
anablâsan st. v. anblasen, insufflare,
impf. anablies 150, 16. c. dupl.
acc. jemand etwas einblasen 178, 1.
anagân st. v. anom. angehen, beginnen,
anfangen.
anagenge, anakenge st. n. Anfang 196,
10. Von anagân.
anagin, anakin 122, 21. st. m. und
anaginni 131, 2 (Conjectur). 142, 17
(in anaginne). 146, 26 (fon anaginne). st. n. Anbeginn, Anfang.
Zu ginnan, biginnan.
anagurtan schw. v. c. dupl. acc. sih
(regiert von ana) swert anagurtan
sich die Schwerter angürten 117, 5.
anahlînên schw. v. incumbere, auf,
an etwas liegen 120, 23. Vgl. Graff
IV, 1094.
anakin s. anagin.
anan præp. c. dat. anan henti an
der Hand, ganz nahe 160, 22. Von
ana in oder ana ana.
anaquëman st. v. c. acc. jemand zukommen, überbracht werden 161, 5.
anasëhan st. v. c. acc. jemand ansehen
158, 9. 192, 30.
anasiht st. f. activisch: das Anschauen;
passivisch: das Ansehen, Aussehen,
Angesicht 187, 26.
anawart adj. schauend auf etwas, achtsam, aufmerksam 161, 21. c. gen.
162, 15. tuo dih anneuært merke
auf 181, 17.
anawentan st. v. c. dupl. acc. sih-
tôd den Tod sich zuwenden, zuziehen
159, 36.
ana wësan c. dat. inesse alicui, in
einem sein 159, 7.
anazeichanjan schw. v. anzeichnen,
aufzeichnen, aufprägen 190, 40.

andar adj. mit Flexion andarêr,
andaru (iu), andaraʒ u. s. w.,
wird im ahd. nur stark decliniert,
erst bei Notk. beginnt auch schwache
Decl. I. Ordnungszahl: der zweite
122, 16. 197, 1. Im Gegensatz zu
ordinalem ein, andar mit dem bestimmten Artikel 134, 28. II. mit dem
Zahlbegriffe übrig, ceterus: altsc.
ôdrê die andern, übrigen 117, 12.
III. mit dem adj. Begriffe der Ver-
schiedenheit: ander, alius 137, 8.
140, 8. 162, 13. 163, 5. 9. 19. substantivisch 155, 27. IV. Adverbiale
Ausdrücke: anderes ausserdem,
sonst Notk. in ander anders, auf
andere Weise, aliter 157, 20. ander wîs wie in ander 127, 37.
anderes wâr anderswo 191, 5.
andi, anti, indi, inti, endi, enti, end,
unde, unte Bindew. und, neben joh.
Hildebr. gebraucht anti 117, 16. enti
117, 19. Kero indi 120, 4. 31. 32. ff.,
auch inti, enti. Muspilli enti 133, 7.
ff. Otfr. gebraucht meist joh, ganz
selten inti, int' 162, 16. Tatian
inti 136, 18. ff. Ludwgsl. indi,
ind' 182, 13. 16. 183, 4; daneben
auch joh. Notk. unde 185, 12. ff.
Weitere Formen: unte 181, 4. end
119, 12.
angil, engil st. m. Engel, gr. lat. angelus 126, 4. 129, 7. 133, 16. 135,
21. 137, 10. 158, 7 Otf.
angul st. m. Stachel, aculeus 130, 2.
Vgl. gr. ἀγκύλος, lat. ancus d. i.
uncus.
anne uært s. anawart.
âno, Otfr. **âna**, Notk. **âne** præp. c.
acc. ohne 124, 11. 133, 18. 154, 2.
155, 38. 162, 23. 187, 28.
âno schw. m. Ahne, avus, pl. ânun,
ânon 157, 7. 167, 21.
anst st. f. Gunst, Huld 128, 24. 36.
Zu unnan; goth. ansts.
antdago schw. m. der um eine Woche
spätere, in der nächsten Woche ge-
genüberliegende Tag, der entspre-
chende Tag der nächsten Woche.
177, 27.
ant-int-ent-inphâhan, Tat. intfâhan
und infâhan, Otfr. intfâhan,
Hild. infâhan, Notk. inphâhen
anom. st. v. für antfangan impf.
intfiang, intfieng, auch int-
fêng 128, 9. imper. intfaa 183,
24. part. intfangan 137, 7. 188,
34. an sich nehmen 126, 25. 127, 23.
129, 26. 147; 2. gegeben bekommen,

in Empfang nehmen, empfangen,
accipere, concipere 118, 1. 120,
8. 128, 23. 135, 13. 136, 12. 137, 7.
141, 4. annehmen, nicht verschmähen
133, 24. an sich und in seinen Schutz
nehmen 188, 34. einen Kommenden
empfangen (grüssend und leitend bei
der Hand fassen) 184, 18.

antfang st. m. Empfang. gotes antfang Empfang, Aufnahme Gottes
bei dem Menschen 158, 33.

antfangida st. f. Empfang, acceptio,
Berücksichtigung 121, 30.

antichristo schw. m. Antichrist 134,
10. 172, 12.

antlâʒ st. m. Sündenerlass, Ablass 127,
38. Zu lâʒan.

antlingôn schw. v. antworten 139, 6.
antlingan, impf. antlingita
146, 24. part. præs. antlinginti
143, 2. Von ant gegen und lang,
langôn entgegen langen, bieten,
reichen?

antluzzi st. n. Antlitz 191, 1 (Conjectur). Von ant und goth ludja
πρόςωπον.

antwart adj. gegenwærtig 129. 2. Von
ant und wĕrdan.

antwurti 'st. n. Antwort (Gegenwort)
137, 7. 161, 12 (Otfr.) acc. sg. für
pl. 188, 23.

antwurtjan, antwurtan schw. v. c.
dat. antworten 144, 2. impf. antwurta 124, 21. antwurtita 144, 2.

aodlîhho adv. leichtlich 118, 28. Zu
ôdi adj. leicht, leer, gebrechlich.

ar præp. c. dat. aus, von 133, 4. (Conjectur); 135, 24. s. ir, ur.

arabeit st. f. Bemühung, Mühsal, Not
151, 17. 32. 162, 37. 171, 29. 172,
15. arbeit 125, 31 (tribulatio).
acc. pl. arbeidi 182, 8. Zu *aran*
pflügen.

araugjan, Otfr. **irougan** schw. v. vor
Augen stellen, vor Augen führen, zeigen, ostendere 139, 16. 159, 34 Otfr
sih araugan sich vor Augen stellen, sich zeigen, erscheinen 136, 28.
137, 10. (nhd. sich ereignen für er-
äugnen).

arbeitan schw. v. intr. arbeiten, trans.
bedrängen, in Not bringen 188, 26.
S. arabeit, arbeit.

arbĕlgan, irbĕlgan st. v. refl. c. dat.
zürnen, sich erzürnen s bĕlgan.
Häufiger die participiale Umschreibung erbolgan wĕsan erzürnt
sein 182, 18. arbolgan wĕrdan
erzürnt, zornig werden 125, 7.

arbeolaos adj. erbenlos, noch ohne
Nachkommenschaft? Aber 117, 22
scheint vorzuziehen die Bedeutung:
ohne Erben, ohne erblichen Herr-
schaftsnachfolger, aus arbjo, arbĕo
schw. m. Erbe, Erbnachfolger und
laos, lôs beraubt, verlustig, ledig.
Nach der im Text gegebenen Lesart
ist zu übersetzen: „ohne Herrschafts-
erben liess er zurück sein Volk."
Diese Lesart passt darum in den
Zusammenhang, weil Hadubrand hier
aufzählt, was sein Vater bei seiner
Flucht nach Osten zurückgelassen
habe 1) eine Gemahlin in bedräng-
ter Lage, 2) ein unerwachsenes Kind,
3) das von ihm beherrschte· Volk.
Das letztere konnte nicht passend
durch die obigen Ausdrücke her
furlæt sitten ausgedrückt werden,
daher wird hier gesetzt her læt
aftar. Feussner.

arbruogjan schw. v. erschrecken 149, 27.

arc für **arg** st. n. das Böse, Uebel
131, 13.

archaufan schw. v. *redimere*, erkau-
fen 180, 10.

ardingun adv. ohne Grund, vergebens
186, 30.

arfullan, ir-erfullan, irfollôn 194, 24,
schw. v. anfüllen, implere 120, 4.
füllen 165, 33 (waʒar es mit Wasser).
Bildl. ein Verlangen, einen Befehl,
ein Gebot, eine Verheissung zur Tat
machen 154, 17. 163, 34 Otfr. sih
irfullan sich erfüllen, voll werden,
ablaufen (von der Zeit) 157, 9.

arfurpan schw. v. ausfegen, wegfegen,
reinigen 134. 30. yrfurban 153, 37,

arg, arc adj. geizig, karg, feig, 118.
31. böse 158, 31. 185, 8. 195, 12,
gottlos, impius 186, 8.

argangan, argên anom. v. herausgehen,
ausgehen 139, 25. kommen, geschehen,
ergehen 133, 10.

arhangan, arhâhan anom. st. v. er-
hängen 136, 11.

arhevjan, irheffan, erheven 130, 15.
anom. st. v. impf. ir-yrhuab,
part. præt. arhapan: erheben, in
die Höhe heben 174, 29. refl. sich
erheben, sich aufmachen 133, 6. 169,
24. anheben, beginnen 134, 11.

arliugan st. v. herauslügen, erlügen
136, 4.

arlôsjan, arlôsan schw. v. lôs machen:
erlösen 141, 25. befreien, liberare
122, 25. 129, 26. imper. arlôsi
141, 25.

armherz adj. barmherzig 166, 33 Aus arm und herza; s. irbarmên.

armherzî anom. f Barmherzigkeit, misericordia 192, 2.

armuatî anom. f. Armut 166, 18.

aro schw. m. Aar, Adler 192, 8. Davon adalaro, mhd. adelære, nhd. Adler.

arougjan s. araugjan.

arquêman st. v. ausser sich kommen, erstaunen 138, 21.

arrekjan schw. v. heraussagen, ausdeuten, erklären, übersetzen, interpretari 140, 11. Vgl. ags. reccan, alts. reckean sagen erzählen.

arruofan st. v. aufschreien, impf. arriofun 144, 31.

arslahan, ir-erslahan st. v. impf. arsluog, altertümlich arslôg 125, 5. irsluagun 176, 38 part. præt. erslagan 124, 33. irslagen 189, 20: todtschlagen, tödten 137, 20. niederschlagen 189, 20.

ar-irstandan, ar-irstân, -stên anom. st. v. aufstehen, auferstehen 135, 23. 159, 36. præs. erstânt 186, 12. imper. arstant 137, 11. impf. erstônt für erstuont 119, 22.

ar- irstêrban st. v. wegsterben, sterben 137, 27. 189, 14.

arstîgan st. v. descendere, herabsteigen 142, 19. ascendere aufsteigen 149, 29.

arstummjan, ar- irstummen schw. v. stumm werden, verstummen 125, 28. 143, 25.

arteilan, irteilan schw. v. das Urteil sprechen, urteilen 186, 14 ff. beurteilen (als Richter, Schöppe) 135, 5.

artôn schw. v. eigtl. mit Ackerbau (art) angesessen sein, wohnen 138, 6. Mit art zu aran pflügen, ackern.

artruknên schw. v. intr. austrocknen 134, 23.

ârunti für **ârandi** st. n. Wort, das einem auszurichten aufgetragen wird, Botschaft, Auftrag 158, 14. Altn. eyrindi, ags. ærend; altn. ari Bote.

arwartan schw. v. verwunden, zu Grunde richten 134, 20 (Conjectur).

arwêrfan st. v. hinauswerfeu, verwerfen 140, 30.

arwîzan st. v. weggehen, discedere 140, 2. In dieser Form und Bedeutung nur bei Tatian. Vgl. alts. gevitan gehen 209, 1. ags. utvitan herausgehen. Graff I, 1116.

ask st. m. Esche (nhd. schw. f. aus dem alten pl.); metonym. die Lanze, sofern sie aus Eschenholz gemacht ist: askim scrîtan 119, 4 s. scrîtan.

ast st. m. Ast, ramus 126, 10. pl. nom. esti 170, 11.

at s. az.

âtum s. Âdum.

au- s. ou, z. B. **augjan, auh** s. ougjan, ouh u. s. w.

avar, awar s. afar.

az, goth. alts. **at,** lat. ad, præp. c. dat. zu, bei, an: at ente an der Spitze 117, 28. 118, 25. az 126, 15. 134, 7. unz az s. unzi.

azjan, azzan schw. v. factit. zu ëzan: essen machen, zu essen geben, ätzen 192, 10.

B.

Anm.   Unter B sind auch die P zu suchen, welche durch Lautverschiebung aus B entstanden sind.   Wörter mit der Vorsilbe be kommen meist unter bi.

bad st. n. das Bad 164, 31. Zu bajan

badôn schw. v. baden, waschen 157, 18. (wo sie ihn waschen und wo sie ihn hinlegen sollte, nicht glaube ich, dass sie es wuste etc.) 163, 24.

bâga st. f. Streit: âna bâga ohne Streit, ohne Zweifel, mit Sicherheit 153, 36.

bâgan, pâgan st. v. streiten, kämpfen 133, 9. impf. piec 135, 1.

bald, pald adj. kühn, mutvoll 135, 18. 154, 34. 195, 4. c. gen. eifrig zu 161, 37.

Balder n. propr. eines deutschen Gottes 116, 6. Es ist derselbe Gott, der 116, 5 Phol genannt wird; er ist Lichtgott, Sonnengott, in ihm wird der höchste Stand der Sonne und die reinste Klarheit des Lichtes im Frühsommer angeschaut; zugleich ist er ethisch der reinste, gütigste und mildeste der Asen. Er hat ein Füllen (das Sonnenross), welches den Fuss verrenkt, erlahmt, d. h. das Licht, die Sonne nimmt ab bei Nacht und im Winter und bleibt zu-

rück. Wodann allein kann helfen
und den Fuss des Pferdes wieder
einrenken, d. h. er bewirkt das Wie-
dererscheinen des Lichts, das täg-
liche am Morgen und das jährliche
im Frühjahr.

ban, pan, gen. **bannes** st. m. Gebot
unter Androhung von Strafe, Einbe-
rufung zum Gerichtstage 134, 5; so
auch Aufgebot zur Heeresfolge und
das aufgebotene Heer selbst, Heer-
bann. Zu **bindan**; mittellat. **ban-
nus, bannum** und **bandus, ban-
dum**.

bannan, pannan st. v. unter Strafan-
drohung gebieten, einberufen 143, 3.
s. **ban**.

bano schw. m. Tod 118, 25. **ti banin
wërdan** zum Tode, zum Mörder
werden 118, 27. Vgl. gr. φόνος, lat.
funus.

bant für **band** st. n. Band, Fessel,
155, 22. Zu **bindan**.

barm st. m. Schoss, Busen 157, 21.
Von **bëran**.

barn, parn st. n. Kind 117, 21. 140,
25. Menschenkind 134, 5. Von **bëran**.

baჳ adv. Comparativ zu **wol**: besser
Otfr. III, 2, Strophe 15: **wanne
imo baჳ wurti** wann ihm besser
geworden sei. Davon das adj. **be-
ჳiro, peჳჳiro, -a, -a,** Comparativ zum adj. **guot** 121, 22, 195, 22.
in **beჳჳira melius** 122, 11. unflectiert **beჳჳer** Notk. Superlativ
beჳჳisto, -a, -a, beჳჳeste 186,
18. 19. adverbial **beჳist** Otfr. Vgl.
buoჳa.

bechennen schw. v. erkennen, kennen
192, 25. 193, 28.

bêdê, bêdhê, pêdê, gen. **bêderô,** auch
beiderô 120, 19. nom. u. acc. neutr.
beidiu, Notk. **beide** stark flectieren-
des Zahlwort beide: I. bei einem Subst.
deserô brunnônô bêderô 119,
3. bei einem pers. Pron. **unser bê-
dherô gehaltnissi** 132, 5. **sie beide**
186, 18. II. das neutr. **beidiu,** alts.
bêthiu im Sinne einer Conjunction
ein nachfolgendes **endi** ankündigend:
sowohl — als auch 184, 13. Aus
bî, vgl. **um-bi,** gr. ἀμφί, ἄμφω,
lat. **ambo,** und dem Artikel.

Beiar, st. m. Beier: gen. pl. **Beiarô**
184, 4.

beidôn, beitôn schw. v. harren, warten
c. gen. 159, 6. 182, 27. 28. Von
bîtan.

bein, bên st. n. Knochen, Bein: **bên**
116, 12.

beldida st. f. getroster Mut 144, 32.
Von **bald**.

bëlgan sih st. v. sich erzürnen, zürnen 137, 20. 188, 18. 193, 5. c.
gen. 190, 19.

bên s. **bein**.

bênrenki anom. f. Beinverrenkung,
Lahmheit des Beins 116, 10 (acc.
sg.) s. **bein, bên** und **renkî**.

bëraht, përaht adj. leuchtend, glän-
zend, **fulgidus** 180, 1. Zu **brëhan.** Vgl. **Hadubraht, Hiltibraht, Albreht, Gërbreht,
Gumpred;** ferner **Berhtolt
(Bechtold), Bertram, Adalbert.
Gërbert,** u. s. w. Von **bëraht**
stammt der weibliche Name **Bërahta,
Bërhta (Berta), Përahta,
Prëhta** die leuchtende, glänzende,
n. pr. einer deutschen Göttin (weisse
Frau), deren Fest um Neujahr und
Erscheinungsfest, 6. Januar, also in
die Zeit des neuen Lichtes und Jahres
fällt; schwäb. u. schweiz. **Berchtli,
Bechtli, Bechtelistag** d. 2. Jan.,
bechteln den Tag der **Bechtli**
feiern durch Lustbarkeiten; im Salz-
burg. Gebirg **Perchtel, Perch-
tenlaufen, Perhtenspringen**
u. s. w. Vgl. Grimm Mythologie
S. 250 ff.

bëran st. v. hervorbringen: Frucht,
tragen 145, 14. 186, 4. Kinder, gebären 136, 14. 157, 10. part. praet.
kiporan 119, 20. **giboranâ** nom.
pl. masc. für **giboranê** 181, 23.

bërehtôn schw. v. **clarificare,** glänzend machen, verherrlichen 144, 24.
Mit **bëraht** zu **brëhan** st. v.
leuchten.

bërg, përc st. m. Berg 134, 22.
përeg 131, 3. **bëreg** 181, 23, zu
bërgan.

bërgan st. v. verbergen: part. **giborgan vrebergen** 160, 14. **gibor-
generô werkô** scheint ein adverbial gebrauchter gen. pl. abs. zu
sein: auf verborgene Weise 167, 28.

bestân, bestên anom. st. v. I. transitiv: entgegentreten, auf sich nehmen,
erfüllen (Gebote) II. intr. bleiben
193, 39.

pët st. n. Gebet 127, 11. s. **gapët**.
Zu **bitan**.

Bethleêm n. pr. n. Bethlehem 158, 19.

bëtôn, pëtôn schw. v. intr. beten 141,
3. 160, 36. 181, 23. transitiv anbeten

136, 18.136, 30 (bĕtô cj. praes. für
bĕtôe). 137, 6. 190, 14. Zu. bitan.
betti, petti st. n. Bette 157, 24.
bettisioh adj. paralyticus 139, 28.
bĭ oder bĭ? (goth. bi) be præp. c. dat.
(abl.) I. räumliche Nähe und Verbindung: bei, an 174, 28. II. zeitlich,
Gleichzeitigkeit: während, binnen: b i
desemo rîche während dieser Herrschaft 118, 21. bi altên noes
zîtin zu den alten Zeiten Noahs
172, 34. III. Ursache und andere abstracte Verhältnisse, c. dat. u. acc.
um willen, um, wegen: bi huldi um
deine Gunst zu gewinnen oder aus
Gunst, Freundschaft gegen dich
118, 9.bi da um dessen willen was
134, 8. 134, 13. 162, 8. 167, 12,
168, 7, 169, 18. 177, 23. 179, 24.
180, 24. wegen, in Betreff 166, 4, 5.
172, 29. an a wart bi thes sterren
fart aufmerksam auf des Sternes
Fahrt 161, 21. bi tha kind ir-
suahtîn dass sie nach dem Kinde
suchten 161, 20. IV. adverbiale Ausdrücke: bi nôti mit Not, mit Eifer
(s. nôt), bi rehtemen mit Recht
154, 24. bi thiû, pidiû deshalb s.
s. thiû. bihiû für bi hwiû weshalb 145, 6. biwa zu welchem
Zwecke, wozu 181, 1. Mit Partikeln:
bifora vorn s. dieses.
bibĕn schw. v. beben, zittern: bibint
alter Greisenalter 197, 25.
bibot, bipot st. n. Gebot 120, 11. 145,
27 (mîn bibot scheint acc. pl. zu
sein für præcepta mea).
bibringan anom. v. zu Ende bringen.
vollbringen, vollenden 157, 30.
bichêren schw. v. umwenden, bekehren
197, 7.
bidarbi, piderbi (bîdarbi) adj. nütze,
nützlich; compar. piderbôro 123,
21. Aus bi, welches vielleicht schon
im Ahd. den Accent auf sich gezogen
hat, und darbi zu darbôn. Mhd.
biderbe, nhd. bieder.
bithekjan schw. v. zudecken, bedecken.
part. bithekit 143, 20.
bithenkjan, pidenchan anom. v. mit
Sorgfalt die Gedanken worauf richten, es bedenken 153, 33 (part. bi-
thenkit); impf. bithâht 159, 26.
sih selpan pidenchen sich selber
bedenken, bei sich nachdenken 128,
29. voraussehen 174, 11? (ist hier
zu übersetzen: ehe ich es so voraus-
sehe und mit euch zusammen wieder trinke? Oder ist vor sô ein Komma

zu setzen und sô bithenku als paren-
thetischer Zwischensatz zu nehmen:
ehe ich es — so sehe ich voraus —
mit euch wieder zusammen trinke?)
piderbî anom. fem. Nützlichkeit, Taug-
lichkeit, Tüchtigkeit, utilitas 120,
24. S. bidarbi adj.
piderbĭda st. f. Nutzen, Vorteil, utilitas 124, 17.
bethurfan, bedurfen, anom. v. s. v.
a. thurfan, c. gen. etwas nötig
haben, bedürfen 183, 25. 192, 26.
bithwingan, pidwingan st. v. bedrängen, beengen 135, 2. 182, 22. be-
zwingen 154, 7. mhd. gew. betwin-
gen.
bifangan, bifâhan anom. st. v. um-
fangen 172, 33. part. bifangan
befangen, ergriffen (von Krankheit)
139, 27. enthalten 128, 21.
bifĕlhan, bifelahan st. v. impf. bifalh,
Otfr. præs. bifilihu und bifilu,
impf. bifalah: übergeben, überliefern, anbefehlen, anvertrauen, com-
mittere 175, 24. part. præt. pifolahan 122, 30.
bifindan st. v. erfahren 161, 15.
bifora adv. vorn 154, 24 (vorn lasse
ich es alles d. h. ich stelle es alles
voran? oder: ich ziehe diess vor?)
siehe bî.
biforatîn 173, 21? dem Zusammenhang
nach könnte es von einem schw. v.
biforajan stammen und bedeuten:
befördern, besorgen, aus fora adv?
Oder ist nach der Hdschr. F. zu
lesen: biforahtîn von biforaht-
jan sich fürchten, wohl in Acht
nehmen? Vgl. Graff, III, 621.
be.pegagenen schw. v. entgegen kommen, begegnen 194, 1.
bigalan st. v. c. acc. worüber singen,
etwas besingen, besprechen (zaube-
risch): biguolen für biguolinan,
in 116, 7 ff. Vgl. die Wurzel gal
in nahtigala, agalastra, mhd.
âgelster, nhd. Elster; ferner altn.
gala singen und nhd. gellen.
pigĕhan st. v. bekennen 127, 3, S.
jĕhan.
biginnan st. v. beginnen, unternehmen,
c. gen. 155, 8 (s. bei durran). 155,
13. 156, 1. impf. bigan 152, 6. 174,
5 (seg. inf.). pl. bigunnnu 156, 6.
anomales impf. bigonda sq. inf. 142,
27, (nach Analogie von an, unnan)
impf. conj. bigunni 169, 36. part.
præs. piginnenti 147, 24. 150, 12.
part. præt. bigunnan 183, 10. 169,

17 scheint **biginnan** epischer Pleo-
nasmus, wie **gimeinan**, **gistan-
dan**.

bigraban st. v. begraben; part. præt.
picraban 119, 22.

bihabên schw. v. in sich halten, fassen,
capere 142, 6. festhalten, behalten,
retinere 150, 18. zurückbehalten
festhalten 140, 2.

bihaltan st. v. behalten, bewahren,
conservare 138, 29.

pihaltida st. f. Beachtung, Beobach-
tung 124, 10.

biheftan schw. v. behaften, umstricken
198, 3. Vom subst. **haft**.

bihiû adv. Fragewort aus **bi hwiû**:
um wessen willen, warum 144, 6.
S. **bi** und **hwër**.

bihrahanên? Grimm liest: **birahanen**=**rahanjan** schw.v. und vermutet
die Bedeutung fortrauben, spoliare
(Mythol. S. 288), vgl. altn. **rân**=
Raub, Rân Gattin des Meergottes
Aegir, **ræna** rauben, **rapere, spoliare**. Schmeller bair. Wörterb. III,
73 denkt an Ableitung von **raha**,
auch **hraha** = die Rahe, Stange,
so dass **bihrahanen** bedeutete: an
eine Stange aufhängen, wie Romulus
seine **spolia opima**. Aber diese
Sitte ist in Deutschland nicht nach-
gewiesen. Im Allgemeinen ist der
Sinn jedenfalls: Rüstung erringen,
rauben.

bihugjan schw. v. bedenken c. acc.
165, 10. s. **hugjan**.

bilâzan st. v. erlassen 178, 3.

bilîban st. v. übrig, zurückbleiben: bestehen bleiben, dauern 126, 20. todt
bleiben, umkommen 183, 3. Mit
lîp, lëbên, pilipi, âleiba zu gr.
λείπω, lat. linguo.

bilidan, pilidan, bilidôn schw. v. bilden, gestalten; sih 122, 40.

bilidi, pilidi, pilde 191, 2 st. n. Vorbild, **forma** 122, 2. 158, 34. 191. 2.
erklärendes und beweisendes Beispiel
173, 12.

bilinnan st. v. impf. **bilan**, nachlassen,
cessare 145. 7. Eigentlich anketten;
vgl. **lan, lanne** Kette.

pilipi st. n. Brod, **panis** 128, 19. Zu
bilîban.

biliiû für **biljû?** von einem **bîli,
bîlli** st. n. Beil, Streitaxt? Oder
von einem **bill, billi** Hacke, Haue?
118, 27.

bim, bin s. **wësan**.

bimîdan, pimîdan st. v. s. s. a. far-
mîdan: vermeiden, abwenden, ablenken 151, 28. 152, 32 (entweder:
Christus wende von ihm ab alle Not,
oder: Ludwig vermeide alle Not, d. h.
sei ferne von ihr). 152, 34 (Ludwig
vermeide der Gefahren Fall). 173,
10. dem Sagen ausweichen, etwas
verheimlichen 185, 32.

bimurmilôn schw. v. c. acc. über etwas
murren, murmeln 198, 9.

bîna s. **pîna**.

binagaljan schw. v. benageln, (mit
Nægeln) befestigen, verschliessen: **habet thiz fasto binagilit** er hat
diess (sein Reich) fest verschlossen,
sicher gemacht 152, 28.

binamo schw. m. Beiname, pronomen
120, 7.

bindan, bintan, st. v. binden: part.
præt. **gibuntan** 153, 18 (sie haben
es zusammen gebunden, d. h. die
Worte, Gedanken in Verse, Strophen,
Gedichte, s. **dunkal**).

penêmida für **bineimida** st. f, Be-
schluss, Ratschluss, Vorausbestim-
mung 187, 12. Zu **neimjan, bi-
neimjan** sagen, bestimmen, beschliessen; verwandt mit **meinjan**.

biogan, piogan st. v. krümmen, bie-
gen, beugen 142, 20.

biotan, piotan st. v. darreichen, bieten 133, 26.

biquâmi adj. passend 173, 12. Zu **bi.
quëman**.

bi-piquêman, piqhuêman st. v. herbeikommen 128, 11. 133, 5. 135, 24-
passen, angemessen sein 170, 17.
Davon **biquâmi**, nhd. bequem.

birenkjan schw. v. verrenken, ver-
drehen, krumm machen: **wart bi
renkit** wurde verrenkt 116, 16. s.
renkî.

birig, pirig adj. tragend, fruchtbar
185, 29. Zu **bëran**.

biril st. m. Korb 144, 15. Von **bëran**

birînan st. v. berühren, anrühren 176
22. S. **hrînan, rînan**.

biruachan schw. v. c. acc. sorgen für
etwas, etwas besorgen 161, 20. S.
ruochjan.

biruorjan schw. v. berühren, s. **ruorjan**.

birut, biruwan u s. **wësan**.

biscînan st. v. st. v. bescheinen, c. acc.
157, 29.

biscof, st. m. episcopus, Bischof,
Priester 136. 21. **biscof** 147, 21.

besizzan, besizzen st. v. in Besitz
nehmen 140, 20. 187, 37.

bislahan st. v. anschlagen; part. præt.
pislacan 119, 21.

bisliozan st. v. zuschliessen, beschliessen, schliessen 141, 12. part. bi-
slozzan 149, 24.

bismarôn schw. v. schmähen, verspotten, verhöhnen, illudere 147, 35.

bisorgên schw. v. c. acc. für etwas
sorgen, es besorgen 175, 25, Otfr.

bisperran schw. v. zusperren, ver-
sperren, verschliessen, schützend ab-
schliessen, so dass man nicht bei-
kommen kann: habêt thiz — simbolon bisperrit etc. er hat diess
(sein Reich) allezeit abgesperrt, dass
uns der Feind nicht schädigt 152,
29. durôn sô bispartên während
die Thüren versperrt waren, scheint
Nachahmung des lat. abl. abs. januis clausis 177, 25.

bispurnan schw. v. (mit den Fersen, dem
Fusse) anstossen, straucheln 139, 13.
Zu spor Spur, vestigium, sporo
Sporn; spurnan, spornôn spornen.

piswerjan, piswerran st. v. mit schwach.
præs. beschwören, dringend auffor-
dern, obsecrare 122, 4. 12.

biswîchan st. v. hintergehen, betrügen,
täuschen 146, 27.

bita st. f. Bitte, Gebet 181, 25.

bîta st. f. 178, 13. schw. f. 176, 6. das
Warten, die Zögerung 176, 6: nicht
taten sie dessen da Zögerung, nicht
zögerten sie da; ebenso 178, 13:
nicht zögerte er da. Zu bîtan.

bitan, pittan st. v. bitten, verlangen
130, 8. 146, 4. 148, 37. impf. pl.
bâtun 160, 28. imper. pite 187, 33.
c. gen. um etwas bitten 165, 22.
bloss. inf. 181, 5.

bîtan st. v. verziehen, warten: c. gen.
erwarten, warten auf etwas 186, 13.

bitriogan st. v. verlocken, seducere,
betrügen, illudere 137, 19.

bittar adj. bitter: eigentl. 183, 16.
bildl. 162, 34. sg. nom. fem. bitturu
für bittaru 160, 10. Goth. baitrs,
zu beitan, bîzan? Das tt der
Lautverschiebung nicht unterworfen,
wie in goth. atta, schweiz. und
schwäb. Aetti Vater.

biwânjan, biwânen schw. v. refl. wähnen, glauben 163, 30 (wie kann ich
so wähnen, mich so überschätzen,
als ob mein Amt über dich sei) s.
wânjan.

biwankôn sch. v. c. acc. ausweichen, abwenden 151, 13. vermeiden, -unter-
lassen 154,5.

bewarôn schw. v. beschützen, als
Herrscher 184, 4.

biwentan sih schw. v. sich wenden,
sich (im Kreise) bewegen 156, 35.

biwërban schw. v. c acc. für jemand
(etwas) tätig sein, jemand besorgen,
versorgen; mit koufû siê biwërban durch Kauf sie (die Leute) zu
versorgen 168, 21. etwas besorgen,
tun 177, 16. siehe wërban.

biwerjan schw. v. c. dat. jemanden
wehren, vor ihm schützen 178, 8
(sîn wahrscheinlich auch hierher zu
beziehen: dass er das Seinige vor
Feinden beschütze). siehe werjan.

biwindan st. v. umwinden 157, 15.

piwîsan schw. v. abweisen, vermeiden
131, 13.

bîwort st. n. Gleichnissrede, parabola
124, 22. 126, 10. Vgl. mhd.bîspel.

pizeichinen schw. v. bezeichnen, bedeuten 116, 12.

blâsan st. v. blasen: das Horn blasen
172, 25. 195, 19. innân gaplâsan
inspiratum 126, 27.

blat, plat st. n.Blatt, pl. pleter 186. 5.

blîdan schw. v. refl. c. gen. froh sein,
sich freuen 140, 32. 161, 31. blîdet
iuih muates seid fröhlich im Herzen 167, 19.

blîdi adj. froh, heiter 159, 16. 160, 20.
173, 27. neutr. als Subst. das Frohe,
Freudige 165, 8.

blîdlîch adj. freudig 177, 18.

bluomo schw. m. Blume 193, 35. **plômo**
131, 3 (Conjectur). Zu bluojan.

bluot, pluot, pluat st. n. Blut 116, 12
(dat. bluoda). 128, 22. 130,10.134, 21.

bluotrenkî anom. f. Blutverrenkung 116,
10. S. bluot und renkî.

Boanerges 140, 11, im griech. Text
Βοανεργές, ὅ ἐστιν υἱοὶ βροντῆς
(Marc. 3, 17), entstellt aus Hebr.
בְּנֵי רְגַשׁ Söhne des Donners, mit
Veränderung des hebr. Wortlauts Bne
hareges in die Aussprache des neute-
stamentlichen Dialectes Boanerges.

bôsheit st. f. Frevel, Uebeltat 171, 6.

boto, poto schw. m. zu biotan: durch
den man bietet, darreicht, Bote, Apostel
120, 7. 126, 34. 140, 8. gotes boto
von Engeln 158, 10. 11.

potolih adj. apostolicus 122, 2.

boug, bouc st. m. Spange, Armring
118, 7 (die germanischen Fürsten und
Edlen trugen am Vorderarme spiralförmig gewundene Goldspangen; Stücke

davon wurden besonders Gästen und Fremden zum Zeichen der Achtung geschenkt). Zu biogan.

boum, poum st. m. Baum 134, 22. paum 131, 3. Goth. bagms, gr. φηγός, lat. fagus.

bráwa st. f. Augenbraue, Augenwimper, Augenlied: in slago derô bráwô (gen. sg.) in einem Augenblick, in ictu oculi 188, 22.

brëchan st. v. brechen 144, 13. 170, 11. zerbrechen, zerreissen 187, 5. Lat. frango, gr. ῥήγνυμι.

brediga, bredigôn s. prediga, predigôn.

breit, preit adj. weit ausgedehnt, breit 134, 29.

breitan schw. v. breit machen, ausbreiten, ausdehnen 170, 5. 28 impf. gibreitta ausgebreitet hatte 152, 11. bildl. weithin bekannt machen, impf. cj. breittin 153, 15. — du gebreittôst mih du hast mich ausgebreitet, dilatasti me 189, 35.

brësta st. f. Mangel, Gebrechen 165, 12. Zu brëstan.

brëstan, gibrëstan st. v. brechen, bersten: unpersönl. mangeln, fehlen c. dat. u. gen. 152, 38 (nicht mangle es ihm in Ewigkeit daran). 165, 9. thes brôtes in ni bristit es wird ihnen nicht mangeln am Brote 168, 32. impf. cj. brusti 168, 39. 175, 2. gibrusti 170, 11. Dazu brosma.

brëtôn? brëtôn? schw. v. niederstrecken 118, 27. Von bret oder breit.

briaf st. m. Brief, Verzeichnis, Liste 156, 24. Vom mittellat. brevis, breve. Dazu briafjan.

briafjan, briefan schw. v. aufschreiben, aufzeichnen 156, 36. gibriaftê in himilrîche zu den Bewohnern des Himmelreichs gezählt 157, 36. Vgl. nhd. verbriefen, verbrieft.

bringan, pringan anom. v. impf. brâhta 137, 6. brâhtut 148, 3. darbringen, bringen 128, 10. 158, 34. 162, 3. führen 128, 34.

brinnan, prinnan st. v. intr. brennen 133, 30. in Brand geraten und verbrennen 134, 25. Vgl. brunno.

brocco schw. m. Brocken 144, 6. Zu brëchan.

brosma schw. f. und **brosmo** schw. m., auch brosamo, prosema Brosam: thiê brosmun diu Brosamen 169. 6. Zu brëstan.

brôt, prôt st. n. Brot. 139, 5. Zu briuwan.

brûchan schw. v. geniessen: c. gen. 124, 17. 182, 4.

brunna für **brunja** f. Brustharnisch: gen. pl. brunnônô 119, 3. Dazu Brünhilt. goth. brunjo.

brunno schw. m. Quell, Brunn, fliessendes Wasser 164, 21. 180, 21. 181, 10. Zu brinnan.

brust, prust st. f. Brust 151, 9. plur. brusti von Weibern 157, 17. allgemein dat. pl. in pruston in der Brust 181, 14.

brût, prût st. f. Gemahlin 117, 21. Braut und Gemahlin 165, 2.

brûtlouft, brûthlauft st. m. Vermählungsfest, Hochzeit 124, 24. st. m. 124, 27. 125, 21. pl. brûtloufti (wie lat. nuptiae) als st. f. 141, 29. 165, 1. Wack. erklärt es mit: Brautlauf, vom schnellen Davonlaufen mit der Braut wie einer Entführten; aber das altn. brûdkaup, brûdlaup, brullup scheint für die Erklärung: Brautkauf zu sprechen.

prûtsaminunga st. f. ecclesia, Kirche, wörtlich: Versammlung von Bräuten d. h. von Christo verlobten Seelen 189, 7.

bû, pû st. m. Wohnung 133, 20. Mit bûr zu bûwan.

buoch, buach, puoch, altertüml. **bôh** st. n., aber auch st. m. und f. Buchstabe; plur. I. Buch (vgl. lat. litera und literæ) 155, 19. II. Bücher, besonders die der heiligen Schrift, biblia: nom. pl. thia buah 155, 40. 168, 29 für thiu buah? iwo buah eure heiligen Bücher 161, 4 für iwu neutr. oder ist zu lesen iwô fem? Ebenso thio buah 168, 29 für thiu oder ist zu lesen thiô fem? thên buachon maht thâr wartên nun mögest du Acht haben auf die heiligen Bücher, nun schau, was die heiligen Bücher erzählen 177, 25. thërerô buachi 153, 5 steht entweder für thërerô buachô gen. pl. oder ist zu verbessern thêrô buachi gen. sg. fem. Zum fem. bôha Buche, goth. bôka; vgl. lat. fagus, gr. φηγός.

buoz st. f. Besserung, Vergütung, Entschädigung 182, 1. Goth. bôta Hilfe. Zu baz; vgl. buozan.

buozan, puozan, puazan 186, 18. schw. v. baz machen, bessern, schweiz. büezen, herstellen; sittl. geistl. gut machen 135, 3. 186, 8. sih buozan c. gen. Busse für etwas tun, sich davon reinigen und bes-sern 182, 16. bestrafen, mit Busse belegen: inan gibuoʒtan for-lâʒʒu = emendatum ergo dimittam, ich will ihn bestrafen und entlassen 148, 7. Mit buoʒ zu baʒ.

bûr, pûr st. m. Bau, Wohnung, Haus 117, 21. Von bûwan, vgl. Buoron (Büren, Beuern), gabûri der Mitwohnende, Nachbar, mhd. nâhgebûr, u. das nhd. Vogelbauer.

burdî und **burdîn** anom. f. Bürde, Last 176, 12 Zu bëran.

burg, purc st. f. ein mit Mauern umgebener, befestigter Ort, Stadt, Städtchen 125, 10. 136, 15 u sonst. Zu bërgan.

purgjo schw. m. Bürge 127, 16. Zu bërgan.

burgliut st. m. die Einwohnerschaft der Stadt; plur. burgliuti die Stadtbewohner, Einwohner der Stadt 170, 38.

burolang adj. allzu lang: ni-buro lang nicht allzu lang, gar nicht lang 183, 6. Mit bor oberer Raum, Höhe, inbor in die Höhe, empor zu bëran.

burst, borst st. m. Borste: pl. burste 195, 6. Vielleicht zu bart.

burt st. f. Geburt 160, 31. Zu bëran.

bûwan, bûan, pûan schw. v. intr. den Acker bauen, ackerbauend angesessen sein, wohnen 154, 37. 187, 9. Dazu bûr.

buzza st. f. Brunnen, Pfütze 181, 6. Aus lat. puteus.

C s. G, K, Z. CH s. K, Q.
CZ s. Z.

D, T.

Unter **D, T** sind zu suchen 1) alle altgermanischen **th**, aus welchen durch Lautverschiebung d entstanden ist; 2) alle d, sowohl die, welche aus **th** entstanden sind, als die ursprünglichen; 3) alle t. Also **Th—D, D - T.**

dag, tac st. m. Tag 136, 15. Tageslicht 157, 29. thes selben dages thritten an demselben dritten Tage 177, 26. adv. gen. dages am Tage, Tags 171, 7. ubar tac von heute an 181, 16.

tagalîh adj. täglich 141, 23.

thana, dana räumliches adv. demonstrativ: von da weg, von dannen, weg 145, 13. 176, 22. in dana halt bezeichnet es abstract die andere Zeit und Gelegenheit, mehr, sonst, je 118, 5. s. halt. Auch relativ: von wo, von wannen 119, 24.

thanana, thanân, dannân, tannân demonstr. räuml. adv. I. von da weg, von dannen 137, 10. 162, 27. 168, 11. 171, 4. 182, 13. von daher (gebürtig, abstammend) 157, 7. 158, 19. zeitlich: dannân unz von da an bis 194, 5. fon thanân von da an 148, 20. II. relativ: von woher 179, 16. III. causal: daher, deshalb 191, 9.

thank, dank, danch st. m. Denken, Erinnerung: Dank 183, 18. gen. adv. dankes, mines tanches freiwillig 189, 5.

thankôn, dankôn, Notk. **danchôn** schw. v. danken: c. dat. 182, 27. 169, 10. c. dat. u. gen. einem für eine Sache danken 151, 19. 20. 24.

thanna, danna, danne, denne, than: demonstr. zeitl. adv. I. zu dem Zeitpunkte, dann, da, damals, alsdann 134, 3. 5. 26. 28. Otfr. gebraucht gewöhnlich thô, doch auch thanne 160, 14. 171, 8. thanna noh damals noch, noch 180, 23. noh thanne 150, 6. II. Mit dem Verhältnis der spätern Zeit mischt sich oft das der Folge aus einem angeführten Grunde: dann, sodann, demnach, also, daher, folglich 128, 3. 135, 6 (1. Halbz.). 139, 11. 163, 30 (s. biwânen). Fortschritt der Rede 126, 9. 141, 26. III. relat. wenn, als 133, 20. 134, 29. 135, 4 (denner für denne er). 135, 6 (2. Halbz.). 135, 27. 136, 9 (2. Halbz.). 157, 25 (than). 167, 17 (oder demonstr. ?) correlativ thanne-thanne wenn-dann 136, 29. IV. als Fügew. des Masses nach Comparat. das Uebertroffene einleitend: denn, als 120, 32. 121, 20. 196, 4. thanne

thaʒ als dass, ausser wenn, es sei
denn dass, denn 145, 32. V. Bindewort des Grundes: denn, nämlich
128, 32? (denn töricht ist, dass er
seinem Mitmenschen die Sünden nicht
erlassen will, wenn (während) er
sagt: erlass uns, wie wir erlassen).
VI. Fügewort des Grundes: weil,
sintemal, sofern, quando 120, 6
(Conjectur).

danta demonstr. adv. zum fragenden
wanta; relat. causal: weil, quia
121, 26. 30. 123, 23.

taoc für tauc, touc s. tugan.

thâr, dâr, lautloser **ther**, selten **dâ**,
mhd. und nhd. dâ und vor vokalisch
anlautenden Partikeln dâr (dar),
demonstr. räuml. adv. I. da, dort,
daselbst, dabei, darin 118, 30. 137,
12. 141, 30. 195, 8. 9 (târ nach
Gramm. §. 9). Vor räumlichen Præ-
positionen im Sinne eines pron. demonstr. thâr in lante in diesem
Lande 158, 5. thâr und noch mehr
ther, auch thir werden sehr oft
dem pron. relat. angehängt, um dessen Rückbeziehung zu verstärken,
wie nhd. der da: diê dâr 133, 15.
der dâr 135, 15. thaʒ ther 180,
25. ther ther 182, 13 (oder = der-
jenige welcher?) der dir 196, 4.
13. 24 ff. thie thâr für thër thâr
144, 21. 147, 19. s. thër. Hieher
scheint auch thes thir 184, 21 zu
gehören („wobei — bei dem regale
— Heinrich nicht mithandeln solle.").
II. relat. wo 118, 24. 133, 26. 159,
12. 179, 15 (= während). 194, 32.
wobei 168, 37. da wo, wann 172, 5.
mit enclit. î: dârî 133, 18. Diesem
relativen thâr wird ebenfalls gern
das verstärkende thâr, der etc.
beigegeben: thâr dâ 149, 24. târ
der 195, 8. dâr der 195, 9. Auch
andern Partikeln dô dâr 131, 6.
thâr allein für da wo, dahin wo mit
unterdrücktem demonstr. 133, 13.
oba thâr über dem Orte wo 137, 3.
III. thâr vor räumlichen adv. meist
in demonstr. Sinn: dâr aba da
herab 187, 23. thâr ana dabei, daran,
darin, damit 153, 15. 154, 10. 11.
(„dass man es — das Gebot Gottes
— darin d. h. in fränkischer Sprache
singe und man es schön nenne")
darauf 163, 12. dabei, dadurch 179,
1. thâr fora 163, 19. thâr inne
126, 31. 183, 3. dâr pî 135, 9.
dâr umpi 135, 29. dâr ûʒ

194, 2. Von dem adv. durch da-
zwischentretende andere Worte getrennt: dâr-ana 164, 15 (darin —
in der Taube — ist nichts von Galle)
relat. dâr-ana woran 136, 11.

thara, dara demonstr. räuml. adv. I.
dahin 138, 5. 159, 13. 165, 6. 180,
25. pleonastisch thara in Vran-
kon 182, 26. II. relativ: wohin 134,
4. 178, 21 (die Worte thara er sô
gingêt thanne scheinen mit Um-
stellung von thara u. thanne zu
bedeuten: wenn er sich so darnach sehnt). III. demonstr. und
relat. vor räuml. adv. dara ana
daran 185, 22. tharana für th'ara
ana dahin, dorthin 156, 27 (bezieht
sich auf in thiû u. s. f. „wo er
seinen Lebensunterhalt gewinnt und
Grundbesitz geniesst, dorthin werde
er beim Census gerechnet"). dar in
180, 15. dara nâh 192, 10. tharazua 155, 3. 168, 3.

darba st. f. Entbehrung, Verlust: nom.
pl. darbâ 117, 23.

tharbên, darbên schw. v. c; gen. ent-
behren 162, 33. 163, 3.

thâre demonstr. räuml. adv. s. v. a.
thâr: da, dort 157, 15 Otfr.

tarnan schw. v. verbergen: inf. kitarnan 136, 5. part. præt. kitarnit 135, 9.

darôn, tarôn schw. v. schaden, täuschen, betrügen 171, 26. Dafür bei
andern auch derjan, darên.

tharot räuml. demonstr. adv. dahin,
wie thara 182, 20. Bei Otfr. tho-
rot, Notk. doret, deret, mit der
Bedeutung: dort. Von tharort für
tharawërt darwärts?

dât, tât st. f. zu tuon: Tat, Werk
120, 4. 135, 26. 151, 4. 31. 153, 27.
(dass man die Taten beschreibe d. h.
dass man Geschichte schreibe). 168,
14. 170, 3. Handlung, Begebenheit
160, 8.

taufî, taufî anom. f. Taufe 127, 23.
128, 9. touffa st. f. s. touf.

dechi adj. für denchi: dessen man gern
gedenkt, lieb, wert; superl. dechisto = gratissimus 117, 26.
Altn. thekr.

thëgan, dëgan st. m. männliches Kind,
Knabe s. thegankind; Diener 154,
18 (gotes thëganâ von den Engeln?); miles, Krieger, Dienstmann,
Held 117, 19. 26. 151, 54. 154, 36.
155, 31. 156, 3. 183, 12; besonders
werden Christi Jünger genannt sînê

thëganâ 168, 11. 180, 24. auch
gotes thëganâ 178, 9.

thëgankind st. n- männliches Kind,
Knabe 187, 11.

theich für thaʒ ich; **theist** für thaʒ
ist. s. ther.

deil, teil st. n. Teil, Stück 188, 6.
144, 11. 150, 3. pl. deil Bücher
156, 5.

deilan, teilan schw. v. teilen, impf.
gideild'er 182, 5. verteilen 178,
19. austeilen 169, 1.

deismo schw. m. Hefe, Sauerteig, zima,
bild. Beförderungsmittel, fermentum 120, 15: deismin, der Form
nach scheint diess dat. sing. zu sein,
dem Sinne nach ist hier nom. sg.
am Platz; gibt es vielleicht auch
einen nom. deismin? ags. dhæs-
ma. Graff V, 232.

thekkî, dekkî anom. f. Decke, Dach
139, 9 (s. obanentîg). 143, 4. Zu
thekjan, dikki dicht.

thekjan, dekken, deechen schw. v.
decken, bedecken 169, 34 (impf.
thakta). 193, 13.

tempal st. m. Tempel: gen. tempales 139, 10. dat. temple 138, 20.

thenjan, denjan, denen schw. v. ausstrecken 142, 22.

thenkan, denkan, denchen anom. v.
præt. dâhta, part. præt. gidâht I.
intr. denken, bedenken 123, 9. c.
gen. an etwas denken 155, 37. 162,
11. githenkan c. gen. gedenken,
im Sinne haben 161, 40. thenkan
bi c. acc. denkend sorgen für jemand. tharazua thâhtun sie dach-
ten daran, nahmen Bedacht darauf,
machten sich daran 169, 30. II.
transit. mit seinen Gedanken worauf
verfallen, sichs in den Sinn kommen
lassen 161, 16.

denne s. thanna, danna.

thëo- dëo- s. thio- dio-.

Thëotrîh 117, 19. Dëotrîh 117, 26.
Dêtrîh 117, 23. n. pr. m. Dietrich,
Theodoricus, französ. Tierry.
Wörtlich: volkmächtig. s. thiota.

thër, thiu, thaʒ, dër, diu, daʒ, Isid.
dher, dhiu, dhazs, Notk. auch
tër, tiu, taʒ (nach Gramm. §. 9),
einfachstes pron. demonstrativum.
Die Declination s Gramm. §. 45. Sg.
nom. m. für dër lautlosor dir 195,
12. thie 137, 3. 144, 21. 147, 19.
Tat. thërthie für thërthër 136,
16. ebenso therthe 178, 31. fem.
nom. und acc. de für diu, dia 128,

8. neutr. nom. acc. alts. dhat, dat
117, 1. 15. fem. gen. thëra Otfr fem.
dat. theruu. thero Tat. dero 117, 6
theru Otfr. abl. neutr. thiû. Pl..
nom. u. acc. für thiê auch thê 127,
31. dê 117, 12. 128, 17. tî 195, 20.
deâ 117, 16 124, 26. 125, 4 ff.
neutr. nom. acc. für thiu auch thei
121. 5. 127, 9. 10. 12. dat. für dên
auch dien, tien 186, 19 Notk.
diêm 123, 11 Kero. Apocopie-
rungen und Verschleifungen mit dem
nachfolgenden Worte: thih für thiê
ih 161, 17. theih für thaʒ ih 151,
3. theiʒ für thaʒ iʒ 153, 32.
theist für thaʒ ist 153, 27. I. pron.
demonstr. der, die, das, dieser, diese
dieses 153, 6. 7 (thaʒ das Himmelreich). 153, 12 (thaʒ den Inhalt der
Evangelien?). ther liut dieses Volk
155, 24. Abl. thiû s. thiû. II.
bestimmter Artikel: von seinem Subst.
getrennt durch einen eingeschobenen
gen. subst: zi theru thruhtines
giburti 160, 16. durch einen eingeschobenen gen. des pers. pron.
der sîn namo 128, 6. thio irô
kuanheiti 153, 14. Zwischen dem
adj. al und dem Subst. vgl. al nro
II; neben dem stark flectierten pron.
poss.: demu sînemu kanoʒʒe
128, 32. III relativ im Beginn von
Adjectiv- und Substantivsätzen: der,
welcher: mit angehängtem î daʒî
133, 14. mit nachgesetztem thâr s.
thâr nro I; mit nachgesetztem thir
s. ebendaselbst; verdoppelt ther ther
182, 13? s. thâr. therthie für ther-
ther 136, 16. ther the 178, 31.
thio the 152, 31. (Graff V, 55 ist
geneigt, diese angefügten ther,
thie, the = thâr zu nehmen, durch
welches das Demonstr. zum Relativ
werde). Mit beigefügtem du: thiu
du 146, 19. NB. Das Relativ in
Adjectivsätzen nimmt oft den Casus
des vorhergehenden Demonstrativs
an, welches Demonstrativ dabei ausfallen kann (Attraktion) ze deru mahalsteti, dëru dâr kimarchôt
ist für diu dâr kim. ist 135, 19.
thên selben zwelif thëganan,
thên thâr sâʒun für thiê thâr
sâʒun 174, 5. mit worton, thên
êr thiê altun forasagon zaltun
für mit thên wortun, thiu êr
u. s. w. 161, 14. Das Relativ im
sg., während es sich auf einen pl.
bezieht: noh ih noh therô noh-

hein then (acc. sg für thiê) ih es irwenden mag 132, 21. ther an der Spitze eines konkreten Substantivsatzes: wer, jemand der, einer welcher 156, 11. 181, 12. der nach demonstr. sô für daʒ er 136, 4. Neutr. daʒ substantivisch: was, c. gen. 135, 11. thaʒ ira was was ihr war, das Ihrige 146, 9 IV. neutr. thaʒ, daʒ als Fügewort: an der Spitze von abstr. Substantivsätzen 133, 23. 31. 135, 5. insbes. von Sätzen, die den Inhalt eines Sagens, Meinens, Einsehens u. s. w. angeben (nach den verb. dicendi et sentiendi) 134, 10. 20. 135, 9. 138. 4. 139, 6 Tat 156, 3. 160, 31 Otfr. dhat, dat 117, 1. 118, 20, 21. thaʒ die direkte Rede einleitend, wie gr. ὅτι, lat. quia 144, 21. 30. ebenso dat 118, 9. thaʒ ein Verhältniss des Masses oder der Folge einleitend: so dass 135, 12. 148. 34. 172, 6. sô-daʒ 135, 18. thaʒ ein Verh. der Absicht und des Zweckes einleitend: auf dass, damit 137, 16. 160, 20? thaʒ ouh gidan wurti damit auch das getan, erreicht werde, damit auch das geschähe 160, 21 (über diese Stelle s. auch bei thô). 160, 36. 178, 28. 29. Vor wünschendem Hauptsatz 161, 4 (möget ihr uns auch angeben!) thaʒ vor Substantivsätzen wegfallend: si in êwôn ni firwurti dass sie in Ewigkeit nicht zu Grunde gienge 160, 21. thuruh thaʒ-thaʒ darum weil 178, 15—16. thuruh thaʒ wanta 179, 23. bi thiû thaʒ u. s. w. s. thiû.

derjan, terjan schw. v. schaden 155, 35. 157, 25. Andere Form darên.

thêsêr, thisu, thiz, dêsêr u. s. w. der Wurzelvokal ist i, wenn in der folgenden Silbe u oder in steht: thisu nom. pl. neutr. 152, 26. 161, 5. Otfr. thisin 144, 7 Tat., sonst ë: thêsêr 144, 21 Tat. (bei Otfr. r statt s, sobald die Flexion ein r hat: thêrêr 152, 16). gen. sg. m. für thêses-thesses mit doppelter Flexion 152, 2. dat. sg. m. thêsemo 132, 6. 152, 21. dêsemo 118, 21. acc. sg. m. thêsan 163, 20. tësan 182. 7. gen. pl. dêserô 119, 3. thêrerô 170, 22 Otfr. dat. pl. dêsêm 128, 20. dêsên 186, 3. thêsên 178, 28. acc. pl. f. thêso 143, 30. nom. u acc. pl. neutr. thisiu 144, 34. theisu 127, 6. Notk. hat i: nom. sg. f. disiu 192, 16. nom. pl. m. dise, tise 186, 17. 18. dat. sg. f. dirro 194, 5. für thiz alts. thit, dit 184, 8. (Conjectur s. Anm. 3.). thid 185, 5. Stärkeres pron. demonstr., auf ein nah gegenwärtiges hinweisend: dieser, im Gegensatz zu jener, der 152, 2. 3. 14. 16. 21. 27 (weist in allen diesen Stellen auf Ludwig hin). Eigentlich wie gr. οὗτος zwei Worte: der, diu, daʒ u. das goth. demonst. sa, sô, thata oder daʒ, daher die Formen thesses, theisu; (thei ursprüngl. dualis).

Dêtrîh s. Thêotrîh.

ti s. zi.

thiarna, thierna schw. f. Jungfrau 157, 33. 173, 11. 184, 1. Eigentlich: Dienerin, zu diu st. f. Magd, Dienerin; s. thionôn u. thiutjan.

thiarnuduam st. n. Jungfräulichkeit, Unschuld 175, 21.

thigjan, thiggan Otfr., **dikkan** schw. v. I. intr. bitten, flehen: c. gen. um etwas 128, 6. 151, 2. mit ze 181, 15 (ich thicho). II. trans. anflehen 160, 36. 161, 38.

thîhan, dîhan st. v. impf. thêh 138, 30. 149, 18. part. præt. gadigan (unser gediegen): Gestalt und Körperlichkeit bekommen: erwachsen, bildl. vorwärts gelangen, zunehmen, gedeihen, glücklichen Fortgang haben, besser werden 138, 30 (proficiebat). 149, 18. 171, 13 (s. wiht). 171, 14. zum Vorteil gereichen, Nutzen bringen 164, 19. 30. Notk. præs. gediehet 185, 24.

thihein, thehein, dehein, dehhein adjectivisch numerales Fürwort: irgend ein, irgend welch 136, 5. 187, 10.

thiheinîg, theheinîg irgend ein 154, 2. 155, 28. 178, 6. Zu thihein wie nohheinîg zu nohhein.

dihta st. f. Dichten 153, 28.

dihtôn, tihtôn schw. v. lat. dictare, diktiren 126, 35. dichten 153, 16. 154, 21 (imper. dihtô).

dikkan s. thigjan.

thîn, dîn pron. possess. (aus gen. von thu) dein 118, 13. 14. 163, 17. 181, 21. dat. in thîna zungun für thînera 154, 16.

thinchûs st. n. Versammlungshaus, Amtswohnung des Landvogts in der Provinz, Palast, prætorium 117, 7.

thing, dinc, dinch 191, 15 st. n Ding,

Sache 133, 14. 178, 37. rechtliche
und gerichtliche Verhandlung: als
Streit 118, 5. als Vertrag 182, 9. das
Gericht selbst 135, 22. bes. vom
jüngsten Gericht 160, 4. 172, 23. 173,
35. Versammlung, synagoga 141,
2; alles, was jemanden betrifft, zu
seinem Leben und Geschick gehört:
Sache, Umstände, Angelegenheiten
151, 6 (plur). 152, 20 (plur.). 178, 37.
Umstand, Veranlassung, Gelegenheit
179, 30.

thingên, dingên, githingên schw. v.
denken: githingên thâr zua
daran denken 161, 26. 166, 30. dingên, gedingen ze auf etwas, jemand hoffen 180, 12. 191, 21. hoffen
sq. daʒ 190, 34. gedingôn c. gen.
hoffen auf etwas 191, 13.

thingôn, dingôn schw. von ding: reden,
verhandeln 161, 18.

thiob, diob st. m. Dieb 173, 4. 182,
13. diub 198, 3.

diomuat st. f. Demut 121, 34. Aus
diu und muat. s. thiutjan.

thionôn, dêonôn schw. v. intr. dienen
122, 34. 139, 20. 152, 22. als unter-
worfenes Volk 155, 10. Gott dienen,
gehorsam sein 181, 27. thionôti
für thionôtîn, mit Bez. auf liuti
170, 4. Zu thiu, s. thiutjan.

thionôst, dêonôst st. m. Dienst 164, 32.
173, 30. Stand der Knechtschaft 121,
24. 29.

dior, tior, dier st. n. wildes vierfüs-
siges Tier, fera 195, 15.

thiota, dêota st. f. und **thiot, diot** st.
n. Volk. Tatian gebraucht thiota st.
f. 146, 36. 147, 11. 150, 12. Otfr.
thiot st. n. 153, 4. 153, 21 (managerô thiotô maniger Völker,
abhängig von namon). 155, 17. 156,
16. 158, 35; aber auch st. m. allan
thesan worolt thiot 159, 38.
Kero dêota st. f. Isid. dhêoda
schw. f. Musp. dêotâ 135, 22. ist
acc. pl. entw. von dêota st. f. oder
von dêot st. m.? Hild. dêot in
Dêotrîh 117, 26. dêt in Dêtrih
117, 23, vielleicht auch dêt st. f.
der Hdschr. 117, 22, wofür wir im
Text setzten dêot. Notk. diet st. f.
186, 28. Goth. thiuda st. f. Volk,
thiudans König, alts. thiod st. f.
Von thiota kommt Teutonus,
thiudisk. Zu thiu, thionôn.

thiû, diû abl. neutr. von thaʒ, vor
Komparativen messend: um so: thiû
mêr um so mehr 167, 16. thiwirs

für thiû wirs um so schlimmer 155,
18. Diesem Abl. wird auch der gen.
des Art. vorgesetzt thes thiû, des
diû, woraus des de, mhd. deste,
nhd. desto entstand: thes thiu
baʒ um so besser 165, 32. Insbe-
sondere wird thiû mit Präpositionen
verbunden in adverbialen Ausdrücken
gebraucht z. B. bidiû um dessen
willen, darum; wird dazu noch daʒ
gesetzt oder gedacht, so entsteht ein
Fügewort, dem häufig der Conj. folgt,
z. B. bi diû daʒ darum dass, weil.
Belege: bi thiû, pi diû, pe diû
darum 120, 11. 123, 22. 127, 18.
134, 15. 18. 135, 4. 151, 10. 155,
16. 161, 2. 186, 12. dabei, bei dieser Veranlassung, deswegen 157, 5.
dadurch 178, 16. bi thiû thaʒ darum weil 160, 17. darum dass 174,
7. zi thiû dazu, zu dem Zweck, zu
dem Behuf, deshalb 163, 29 165, 27.
in Betreff dessen 153, 21. dabei 172,
9. 174, 27. zi thiû einen dazu
allein 154, 29. zi thiû werdan
dazu werden, so werden, dahin kommen. zi thiû thaʒ dazu dass 168,
29. Nach za diû 127, 1 scheint ein
doppeltes daʒ ergänzt werden zu
müssen: „auf dass, was allen Christen
zu glauben, auch immer zu bekennen ist, (das) alle verstehen, auch
im Gedächtnisse behalten könnten.“
in thiû darin, dabei, als Fügewort so lange als, während 155, 35.
da wo oder insofern? 156, 24. insofern 166, 17. 167, 3. in thiû-thaʒ
zu dem Ende und in der Weise dass
153, 19. darum dass, auf dass 132,
8. in thiû iʒ mit in fehte um
wessen willen, um was, warum es
mit ihnen fechte 155, 17. mitthiû
mitdem, indessen; Fügew. als 136,
14. mit dem, womit oder wenn, sofern? 167, 8. after thiû darnach
164, 33. an diû darin, in diesem
Betreff 187, 34. fona diû davon,
deshalb; fone diû wanda darum
weil 187, 37. 188, 9. So werden auch
noch gebildet untar diû unterdes-
sen. nâh diû darnach; wonach. widar diû dagegen u. s. w.

diuf, tiuf adj. tief 181, 6.

diufal, tiufal, tiuval st. m. Teufel,
gr. lat. diabolus. diuval 139, 2.
gen. tiufalis 198, 4. dioboles
119, 14. diobol 119, 12 ist dem
Zusammenhang nach auch gen.; dat.

diobolæ, diabolæ 119, 10, 11 für
diobole. dat. pl. tiuflun 131, 13.
diuran, tiuran schw. v. köstlich, teuer
machen, ehren, verherrlichen 157, 31.
diuri, tiuri adj. von grossem Werte:
herrlich, ausgezeichnet, lieb 163, 25
Otfr. kostbar, teuer, pretiosus 130,
10. 174, 33.
diurî anom. f. Ehre, Herrlichkéit, Heiligkeit 176, 4. Zu adj. tiuri.
diurida, tiurida st. f. Herrlichkeit,
gloria 129, 24. 139, 16. Zu adj.
tiuri.
tiurlîch adj. gloriosus 129, 15
thiutjan, diutjan schw. v. unterwerfen,
untergeben 138, 29. Mit dionôn,
diorna, dĕoheit, diomuat zu
goth. thius Knecht, thivi Magd,
ahd. thiu, thiwa Magd, Dienerin.
Adj. untardio untergeben.
thô, dô, auch **duo** 125. **thu, du** 116,
6—9: zeitl. demonstr. adv. I. demonstr. da, dann, damals, tunc 118,
7. 119, 4. 125, 6. 10. 136, 15. 26.
137, 3. 23. 138, 19. 23. 139, 1 Tat.
156, 19. 37. 158, 5. 25. 159, 11. 27.
160, 22 Otfr. darauf, sodann 119, 6.
noh thô sodann noch 178, 19. II.
relat. als 117, 6. 136, 19. 137, 1. 10.
19. 27. 138, 4 Tat. Von Otfr. scheint
in unserem Texte thô nur einmal
relativ gebraucht 160, 19 (der Nachsatz scheint mit thô quâmun os-
tana zu beginnen, nach enti wäre
· ein Doppelpunkt zu setzen).
tô 117, 6 alts. für zuo.
dôd, tôd, tôt st. m. Tod 133, 18. tôd
159, 36. 162, 23 Otfr.
tôdesfal st. m. Todesfall, Tod 172, 3.
thoh, doh adversativ demonstr. adv.
I. doch, dennoch 157, 15. 182, 19.
II. relat. sq. conj. obgleich, wenn
auch 155, 18. 157, 29. 159, 33. 160,
35. 173, 7. 174, 31. 186, 13. III.
Correlation: thoh-thoh 162, 19. Für
dô-uh.
dohder, tohtar anom. f. Tochter 195,
18. Gr. θυγάτηρ.
tholĕn, dolĕn, tholôn 182, 8. 12. schw.
v. leiden, dulden, erdulden 147, 32.
part. præs. tholenti 140, 27. ni
sî kedolêt 123, 2 ist missverständliche Uebersetzung von non patia-
tur statt ni dolê.
thonar, donar st. m. Donner 140, 11.
thunaer nom. pr. des Deutschen
Gottes Donar 119, 16. Er ist vor-
zugsweise Naturgott, Gott der Som-
merwärme, des Donners und des Re-

gens, des Feldbaus und der Bauern.
Von ihm hat· der Donares tag
Donnerstag seinen Namen. Altn.
Thorr, wovon thorsdagr, dæn.
torsdag, engl. thursday.
thorph, thorf, dorf st. n. Dorf, villa,
vicus 125, 2. 141, 3 Tat. lat. turba,
goth. thaurp, altn. alts. thorp.
thorrĕn, dorrĕn schw. v. dürre werden, verdorren: dorrêt wird verdorren, arescet 145, 21.
dôt, tôd, tôt adj. gestorben, todt:
dôt 162, 8. 174, 8 Otfr. tôdên dat.
pl. 119, 23. tôdê acc. pl. 198, 5.
tôt 118, 18. 119, 22. 135, 16. Eigentlich part. præt. zu tôwjan.
dôtan schw. v. dôt machen, tödten:
impf. gidôttun 177, 1.
tôtslâf st. m. Todesschlaf 189, 7.
doubôn schw. v. zähmen, vgl. nhd.
betäuben 188, 9. Vielleicht zu dau,
alts. thau Sitte, Gesetz, Zucht.
Graff V, 96.
touf st. m. Taufe 163, 24 Otfr. Zu
tiuf. siehe taufî.
doufan, toufan schw. taufen, bapti-
zare 163, 28.
tougalnessi st. n. Geheimnis, Verbor-
genheit 141, 6.
tougen adj. geheim 192, 28.
tougolo adv. heimlich 136, 26.
tôwjan schw. v. sterben 133, 5. Davon part. præt. (adj.) tôt gestorben,
todt.
dracho schw. m. Drache, die grosse
Schlange als Sternbild 179, 32.
dragan, tragan st. v. tragen 121, 29.
145, 12. 13 (tregit). 168, 28. 195, 3.
impf. ind. drua g 176, 9. impf. cj.
druagi 159, 8.
drahta st. f. Streben 153, 28.
drahtôn, trahtôn schw. v. c. gen.
worauf denken, wonach streben,
trachten 154, 15. 155, 17 (cj. præs. gidrahte für gidrahtôe). bedenken,
erwägen, tractare 123, 30.
thrâtî anom. f. Schnelligkeit, Hef-
tigkeit: in alathrâtî adv. in aller
Schnelligkeit, jählings 176, 29.
thrâto, drâto adv. sehr, valde, ve-
hementer 126, 30. 133, 28. 139, 16.
147, 29. 151, 31. Bei Otfr. häufig
Flickwort. Mit adj. drâti hastig,
vehemens zu drâjan=torquere.
thrau, drô für thrawa st. f. Drohung
174, 22. Zu drawjan.
drawen s. threwjan.
drĕfan Otfr., **trĕfan** st. v. treffen, betreffen: drĕfan zi jemand angehen,

betreffen, pertinere ad 165, 15
(was geht solches uns zwei an?)

drenkjan, trenkan für drankjan schw. v. factit. zu drinkan: trinken machen, zu trinken geben, tränken 163, 29. inf. ketrenkan 180, 25.

dréso, tréso st. m. Schatz, Güter 161, 39. 173, 19. Gr. lat. thesaurus, fr. trésor.

trésofaz st. n. Schatzgefäss 137, 6. Aus tréso und faz.

drétan, trétan st. v. treten: impf. drat 180, 6. impf. cj. dráti 179, 24. ist trétenti betritt 188, 16. niedertreten, drängen 171, 1.

threwjan, drawen 122, 9. schw. v. drohen: imper. drewi 122, 3. impf. githrewita 155, 21.

thrî, drî Grundzahl drei 164, 33. flectiert dat. thrin 188, 19. Gramm. §. 40. Gr. τρεῖς, lat. tres.

drîban, trîban st. v. treiben: impf. dreip 171, 5.

tribuz st. m. tributum 147, 1.

trinchári st. m. Trinker 198, 2.

thringan, dringan st. v. trans. drängen, hinausdrängen 171, 2.

drinkan, trinkan, trinchan 181, 13. st. v. trinken 174, 18. 181, 10. impf. drenk für drank 166, 12. inf. subst. etwas zu trinken, Trank 114, 17. 181, 1.

triofan st. v. tropfen, triefen 134, 21.

thritto, dritte Ordnungszahl zu drî: der dritte; gen. thritten 164, 34. dat. drittin 119, 22. dritten 197, 2. Goth. thridja, lat. tertius.

thrîzug, drîzug Grundzahl, dreissig 165, 30 (s. atunt). Aus thrî u. zug, goth. tigus, gr. δεκάς.

drof, nur bei Otfr. drof ni nicht ein wenig, gar nicht, durchaus nicht 176, 34. Vielleicht von trofo, tropfo ein Tropfe, ein wenig.

dröst, tröst st. m. Trost, Hilfe: dröst dúon Hilfe leisten, Almosen geben 167, 23. tröstende Erklärungen geben 172, 8; persönl. dessen man sich tröstet, der Tröster, paracletus (d. h. der Erwecker) 129, 23. 159, 9.

tröstjan schw. v. zu tröst: zuversichtlich machen, trösten, refl. 182, 30. 191, 19.

dröstolôs adj. trostlos 175, 25.

troum st. m. Traum 137, 7.

trûên, drûên schw. v. leiden, pati: managú bin ih thrûênti == multa

passus sum 149, 8. trôên 150, 10.

druhtin, truhtin, trohtin st. m. Volksbeherrscher, Gebieter, Herr 118, 9. von Gott und Christus 137, 17, 147, 4. 151, 18. 157, 6 Otfr. acc. truhtinan, truhtnan (wie Ludwigan) 129, 4. Zu goth. drauhts Volk.

trumba schw. f. tuba, Trompete, Posaune: dat. sg. trumbûn 141, 2. dat. pl. trumbôn 126, 5.

drunkanên schw. v. trunken werden 166, 9. Zu drinkan.

druobjan, truobjan, Otfr. **druaban** schw. v. trübe machen, erschrecken, conturbare 136, 19. 144, 30 (Druckfehler für gitruobtê). 161, 7. 178, 11. 187, 16.

drût, trût adj. part zu trûwan: lieb; Subst. st. m. Geliebter, Jünger, Liebling 154, 23. 172, 17. 175, 21 Otfr. gotes trût Gottes Liebling, Petrus 180, 17.

drût mennisgo schw. m. lieber Mensch 178, 27. Mennisk adj. von man.

drûtscaf st. f. Lieblingschaft (bei Gott) 152, 41.

drútthégan st. m. Lieblingsjünger, geliebter Jünger 157, 7. 177, 30 Otfr.

thû, dû, du pl. ir pron. der zweiten Person: du. Enclitisch zum Zeitworte mahtu für maht tu 181, 21. Deklination s. §. 82; nom. pl. für ir alts. gî oder gi 184, 14. gen. pl. iwer 127, 20. dat. pl. iu 146, 2. 158, 20. acc. pl. iuwih 146, 1 Tat. iuih 167, 17 Otfr. hiu 182, 30. 32 (oder dat?). 182. 33. du == der du 128, 1. 131, 10. 11. thu thâr == der du 141, 21 s. thâr. thir == du dem, cui 183, 22. ir == die ihr 126, 24. 194, 23. Dat. ethicus 118, 12. 155, 19. Griech. τύ, σύ, lat. tu.

thu, du für thô, dô s. diese.

dûba, tûba schw. f. Taube 164, 13 Otfr.

dugan, tugan anom. v. præs. touc, taoc: förderlich sein, nützen 118, 28.

dugîd, tuged st. f. Brauchbarkeit, Tüchtigkeit, Tugend 182, 3. das Alter der virtus, männliche Alter 197, 21. Zu dugan.

thult, dult st. f. Geduld 152, 4. Zu dolên.

dunkal, tunkal adj. dunkel, obscurus: iz dunkal eigun funtan, zisamane gibuntan sie haben es dunkel (tief, gelehrt) erfunden (und) zusammen gebunden d. h. in Verse, Strophen gebracht, componiert 153, 18.

Thunaer s. donar

thunkan, dunkan anom. schw. v. dünken s. Gramm. § 21, 6. impf. dûhta, part. præt. gadûht, kedûht 123, 30. Mit Subject und acc.: thiu nan thûhtun filu suâr die ihn gar schwer däuchten 152, 10. Ohne Subject und mit acc. mih thunkit mich dünkt 182, 32 (oder ist hiu dat?); mit dat: daʒ im kedûht ist = quod eis visum fuerit was ihnen gut dünkt, was ihre Meinung ist 123, 30. Zu dank, denkan.

duom, tuom, Otfr. **duam** st. n. Tat, Werk 153, 15 (damit vollbrachten sie auch das). 154, 16 (in deiner Zunge etwas ins Werk setzen, schaffen, hervorbringen). Macht, Befugnis, Würde 178, 7. siehe tuomo.

duomjan, tuoman schw. v. c. richten 147, 3.

tuomo schw. m. Richter, dux 136, 25. Vgl. goth. afdômjan κρίνειν. Heliand: dôm Gericht, adômian urteilen, richten.

duomsëdal st. m. Richterstuhl, tribunal 148, 24.

duon, tuen, tuon, Otfr. **duan** anom. v. s. Gramm. §. 21. 2. præs. ind. ih duon 182, 23. præs. cj. tue für tuoe 123, 21. due 151, 4. præs. cj. 2. p. pl. tuoient for tuoêt, tuojêt 190, 21. impf. ind. 1. p. sg. tetih für tetâ ih 146, 2. 2. p. sg. dâti, tâti 138, 24. 147, 12. 158, 4. 3. p. sg. deta 164, 9. det' 160, 22. 3. p. pl. dâtun 160, 34. impf. cj. 3. p. pl. tâtîn 141, 23. 144, 23. Imper. dua 163, 15. 167, 27 Otfr. Inf. duon 145, 20. giduan 167, 24. dat. inf. ze tuenne ist ist zu tun, muss getan werden 120, 21. part. præt. gitân 118, 8. I. trans. etwas schaffen, machen, tun, hervorbringen, bewirken: cheisuringû gitân aus Kaisermünze gemacht 118, 8. daʒ welîh sih selpan des wirdîcan getuoe dass jeder sich selbst dessen würdig mache 128, 4. 144, 23. 148, 12. zi thiû due stunta mîno darauf meine Zeit verwende 151, 4. siê duent iʒ filu suaʒi sie (die Griechen und Römer) machen es (die Dichtung) gar süsse 153, 31. vers duan Verse hervorbringen 154, 16. thaʒ duent in irô wizzi das machen ihnen, bewirken bei ihnen ihre Verstandeskräfte, ihre Verständigkeit, Weisheit 155, 6. redina duan Rede tun, reden 156, 3. helfa duan Hülfe leisten, helfen 158, 4. warta duan warten, hüten 158, 6. dâtun filu mâri machten sehr bekannt 160, 34. sih furiburti duan sich Enthaltsamkeiten auflegen 163, 15. quit unwunna verursacht Schrecken 172, 19. getuost tu mih irstân du machst mich auferstehn 188, 35. II. ein vorhergegangenes bestimmteres Zeitwort vertretend: daʒ er mig sô sama duo dass er mir ebenso tue d. h. mich ebenso halte 132, 9. auf ein folgendes bestimmteres Zeitwort hinweisend: thaʒ sie alles wio ni dâtîn, hi thiû nan thoh irknâtîn weil sie es anderswie nicht tun, ihn aber doch daran erkennen würden 178, 16. III. absol. c. adv. (dat.) handeln, verfahren, sich verhalten 162, 32 (so tut uns, d. h. dahin bringt uns der Uebermut). 173, 9 (handelt ihr auch so wie dieser handelt). Zu Uebersetzungen: fona tuenne ze kerâtte pruaderô von der Beiziehung der Brüder zur Beratung 123, 14 (tuenne übersetzt hier das lat. adhibendis, wofür in der Sgall. Hdschr. und in unserem Text die verderbte Lesart adlibendis steht). huuanân ist getân = unde agitur, weshalb verhandelt wird, wovon es sich handelt 123, 19.

thurfan, durfan anom. v. s. Gramm. § 20, 2. præs. ih tharf 160, 19. I. nötig haben, brauchen sq. inf. 160, 19. 177, 6. 177, 22. bedürfen, vermissen: ir ni thurfut in wâr, ni eigut ir sîn wiht hiar ihr bedürft, vermisst in Wahrheit nichts, wenn ihr von ihm nichts hier habt d. h. ihr habt in Wahrheit keinen Verlust, wenn ihr ihn nicht mehr hier findet 177, 3. II. Freiheit haben, dürfen, können: sq. inf. 154, 32.

durhnahtlîchen adv. vollkommen 197, 17. s. thuruhnahtîg.

durî, turî anom. f. Türe, porta, ostium, janua; gewöhnlich steht der pl. im Sinne des Sing. wie bei fores: 126, 15. 141, 12. 149, 24. eben auch dura, tura schw. f.?

dat. pl. durôn 177, 25. Mit dor,
tor st. n. zu gr. ϑύρα, lat. foris.
goth. daúr st. n.

durran, kiturran anom. v. s. Gramm.
§ 20, 8. sq. inf. den Mut haben, sich
getrauen: præs. kitar 134, 5. ni
gidurrun siês biginnan: siê
eigun se ubarwunnan nioht
(kaum) erkühnen sie (die Feinde)
sich, es zu beginnen (die Franken
anzugreifen): so haben diese (die
Franken) sie (die Feinde) schon über-
wunden 155, 8. impf. pl. siê getorston 189, 22.

thurst, durst st. m. Durst 166, 29.
181, 13.

durstag adj. durstig 181, 16.

thurstan, durstan schw. v. unpersönl.
dürsten 181, 12. c. acc. nach etwas
dürsten 140, 22.

thuruft, duruft, durft st. f. Bedürfnis
128, 6. 21. 169, 28. thurfti (acc.
pl.) habên nötig haben 144, 1. mir
ist des duruft mir ist das nötig,
ich bedarf dessen 128, 6. 133, 23.
141, 17. sô wâr sô ses (für sô es)
thurft wás = wo nur immer dessen
Bedürfnis war, wo man ihn nur immer
nötig hatte 183, 20.

thuruh, thurah, duruh, durh præp. c.
acc. I. räuml. durch, auf (Weg) 137,
8. Ausdehnung über die einzelnen
Teile eines Ganzen 130, 17. 144, 11.
II. causal: Mittel, durch, von 136,
23. 175, 29. Werkzeug, Organ 137,
17. Ursache: wegen, um willen 140,
27. 145, 15. 149, 8 Tat. 164, 14.
167, 17. 18. 20. 171, 30. 172, 16.
17. 177, 24 Otfr. geistiges Motiv:
aus, vermöge 149, 25. 175, 28. thuruh nôt aus dringendem Anlass,
notwendiger Weise 153, 17. 33. 177,
24. thuruh thaʒ wanta darum
weil 178, 15.

thuruh adv. durch: thuruh gân durch-
gehen, geschehen 163, 33.

thuruhnahtig adj. vollkommen, perfectus. Viell. zu nâh, ganâh, ganôh,

ganuog, subst. ganuht Genüge.
Andere Ableitung s. bei thuruhnahtin.

thuruhnahtin 157, 34 soll wohl dat.
pl. sein für thuruhnahtêm aus adj.
thuruhnaht, thuruhnoht, dur-
noht = perfectus, vollkommen,
vollbracht, auch consummatus,
scheint hier = firtân verloren,
dem Untergang bestimmt. Vgl. du-
ruhtân = perfectus bei Kero. S. thuruhnahtîg und Graff II, 1023.
Reimnitz leitet duruhnaht ab aus
duruh = per, und der Endung
aht, oht mit eingeschobenem n und
hält es für Nachbildung des lat. perfectus.

thuruhslahan für **thuruhslahan** st.
v. durchschlagen 183. 14.

thuruhstêhhan st v. durchstecheu
183, 14.

thus alts. adv. so, ita, sic 184, 5.

thûsunt, dûsunt Grundz. tausend: eigentlich ein st. Subst., dessen Geschlecht zwischen f. u. n. zu schwanken scheint. gewöhnlich mit gen.,
sowohl unflectiert thûsunt com-
mannô, als flectiert nom. u. acc.
thûsunta: fimf thûsunta gommannô 144, 16. dat. thûsuntin
und thûsonton: finf thûsonton
mannes 168, 4. Goth. thusundi f.,
doch auch thusundja als n.

duzjan schw. v. säugen? 157, 21.
Wahrscheinlich zu tutta schw. f.
mamma, Tutte, Zitze, ags. tit,
griech. τιτϑή, und tuttili st. n.
mamilla.

dweljan, dwellen, twellen schw. v.
c. acc. sich wobei aufhalten, Umstände machen: thiê liutes wiht
ni dwaltun die mit keinem Volke
Umstände machten 154, 30.

twêm s. zwêne, twênê.

dwidaro für **diuwidaru** Bindew. tamen, jedoch, doch 124, 9.

dwingan st v. niederdrücken, nieder-
zwingen, coërcere 122, 20.

E.

Anm. Wörter mit der Vorsilbe er sind unter ar oder ir zu suchen.

e, ea s. êwa.

êban adj. æqualis, gleich 121, 35.
æquus, billig, gerecht 124, 13.

êbanlîh adj. gleich, æqualis 121, 28.

êbanhô adj. c. dat. ebenso hoch 195, 6.

êbinî anom. f. Gleichheit: mit êbinû

ausnahmsweise ein instr. des fem.
151, 8 (das tut er alles auf gleiche
Weise d. h. seine Gedanken und
seine Rede sind gleich verständig
oder: mit Leichtigkeit, ohne Anstand?)

ebreisk, Tat. **ebreisg** adj. hebräisch:
in ebreisgon auf hebräisch, he-
braice Tat.

ec s. ih.

eddeslîh unbest. Pron. aliquis 123,
15.

eddeswelih unbest. Pron. irgend wer,
irgend jemand 120, 27.

edeswanne, etes-, etheswanne adv. irgend einmal, einmal, einst 166, 31.
etewenne einmal, etwa 188, 18.

edil, edel adj. von gutem Geschlecht,
adlich, edel 151, 7. 155, 31. schön,
herrlich, kostbar 154, 25. hochstehend
193, 32. harto in edil zungun
denn sie sangen es in einer ganz
edlen Sprache 154, 25.

edlling st. m. der Edelgeborne, Prinz,
Fürst 151, 12. 157, 4 (s. nennjan).
-ing bedeutet die Abstammung, z. B.
kun-ing.

ëdo, ëddo, 117, 11. 118, 27 **ërdo,** 119,
3. **odo** 143, 27 Tat. 156, 34 Otfr.
eda 147, 9 Tat. Bindew. oder; I. aus-
schliessend 118, 27. 147, 9. ëddo-
ëddo = sive-sive 121, 26. II. gleich-
stellend, wobei derselbe Begriff oder
Gedanke in andern Worten wiederholt wird 117, 1. 172, 31.

egî, ekî anom. f. Zucht, Lehre, dis-
ciplina 121, 14. 38. 188, 17. Zu
goth. agis Schrecken, ôgjan fürchten,
vgl. ahd. egisô.

egislih adj. schrecklich 171, 9. 176, 1.

egiso, ekiso schw. m. Schrecken,
horror, terror 122, 5. 173, 34.
Zu egî, goth. agis.

egisôn schw. v. in Furcht, Schrecken
sein. In thaz unser iwih egisô
176, 35 scheint egisô (für egisôe)
unpersönlich zu stehen = dass euch
Furcht sei vor uns, dass ihr euch
vor uns fürchtet. Also: mih egisôt
thîn ich fürchte mich vor dir.

êht st. n. Eigentum, Habe und Gut,
Gabe 154, 40. Goth. aihts. Zu
eigan haben.

eid st. m. Eid 132, 18.

eidim st. m. Schwiegersohn, Eidam
195, 18.

eigan, mit h **heigan** 182, 22 anom. v.
haben, besitzen 152, 1. 154, 39. 155,
12. 32. 156, 28 (dass er nicht seinen
Zins zu zahlen habe). 174, 16 (damit ihr es gewiss habt, sicher seid).
Der pl. eigumês, eigut, eigun
wird als Hilfsverb zur Bildung des
Perfects gebraucht: wir eigun
firlâzan 162, 25. wir eigun ge-
sprochan 163, 33. eigun funtan
sie haben erfunden 153, 18 (s. findan). s. Gramm. §. 23.

eigan, eikan adj., eigentl. ptc. des
Zeitw. eigan: was gehabt wird,
eigen, proprius, innigst zugehö-
rend, angehörend 124, 3. 176, 36.
eigan land eigenes Land, Heimat
156, 38. zi eiginemo lante 162,
14. Das neutr. substantivisch: Eigentum 133, 16.

eigenhaf für **eigenhaft** adj. eigentümlich 183, 22.

ein, æn, ên 181, 21 aus **ain,** goth.
ains, gr. οἶνος, lat. unus: Grundwort der Einzahl; vor subst. im
nom. masc. fem. neutr. u. acc. neutr.
meist unflectiert; schw. m. eino
144, 24. 25. st. acc. sg. m. ænan
117, 12. ênin 181, 21. schw. dat.
pl. ænôn 117, 2. I. Zahlwort ein,
unus 121, 27. 28. 131, 7. 181, 21.
ein pirumês wir sind eins 121,
27. einer liut ein Volk 192,
39. in adverbialen Ausdrücken: in
ein in eins, zusammen, auf Eine
Art 153, 26. gen. eines einmal,
einst 198, 17. II. Ordinalzahl im
Gegensatz zu andar 117, 12. III.
allein, solus 139, 19. 166, 16. schw.
flectiert 154, 5. zi thiu einen zu
dem allein 154, 29. 144, 24. 25.
ænôn muotin zu einzelnen Begegnungen, zum Einzelkampfe 117,
2; adverbial nicht ein — sunder
joh nicht allein — sondern auch
194, 35. auch eino 156, 7 scheint
adv. zu sein: allein. IV. Unbestimmtes pron.: irgend ein, ein gewisser,
jemand. pl. irô einerô giwëlîh
unus quisque 144, 3. V. Unbestimmter
Artikel, zuerst Otfr. 177, 24. seinem
subst. nachgestellt 160, 32. vor plur.
tantum 155, 19.

einfaltlîh adj. einfältig 121, 3.

einîg, einic, ainag 129, 22. **ainac** 119
19. **eining** 147, 4 Tat. alts. **enîg,**
ênic 118, 25. 30. unbest. pron. irgend
ein, einig 118, 30. quisquam 124,
5. unicus, einzig 129, 22. verbunden
mit ni kein 118, 25. 134, 23.

einlîh — einlîh der eine — der andere,
alius — alius 122, 35 ff.

einluzi adj. singulus 130, 17.

einmâri adj. von einzigem, ausgezeichnetem Rufe, hochberühmt und einzig in seiner Art 157, 10.

eino adv. allein 156, 7. s. ein.

einôn schw. v. eins werden, übereinkommen 161, 2 (das folg. thaʒ fehlt); sih einôn sich einen 187, 4.

einrâthlihho adv. constanter, mit Einem Rate, einmütig und beharrlich 147, 33.

einumeʒʒu adv. solummodo, nur allein 121, 31.

eiris siehe êris.

eiscôn, eiscôn schw. v. forschen, fragen 186, 21. c. gen. nach etwas 160, 25. 161, 23. c. acc. etwas erforschen, erfragen 161, 19. mit bi 161, 22. Mhd. eischen, vereischen, vreischen, nhd. heischen.

ekî s. egî.

ekorodo, ekkorodo, ekordo adv. nur, tantum 143, 4; auch ekordi acc. n. als adv. 166, 16. Vom adj. ekerodi, ekordi gering, leicht, dünn. Graff I, 134.

eldiron schw. m. pl. die Eltern, comp. von alt, siehe alt.

elemôsyna, elimosina s. alamusana.

Elias, Hêlias 134, 13 n. pr. m. Elias; gen. Hêlîases 134, 21. dat. Élîase 134, 10.

elilenti adj. der in oder aus einem andern Lande, fremd oder in der Fremde ist 162, 30. Zu goth. alis ander und lant.

elilenti st. n. anderes Land, Fremde (Elend) 162, 1.

elilentuom st. n. Fremde und Elend 196, 20. s. elilenti.

ellian, ellen st. n. Kühnheit und Stärke, Tapferkeit 118, 28. 152. 24. 183, 1. ellin 195, 4.

ellianlîcho adv. kühnlich, tapfer 183, 4.

emiʒʒig adj. beständig, immerwährend, (nhd. emsig) 128, 20. adv. emmizîgên immer, fortwährend 159, 12 Otfr. daraus emmizên 150, 25. 152, 17 Otfr.

en 116, 7 ff. für inan, acc. des pers. pron. êr.

endi, enti st. m. u. n. Äusserster, abgrenzender Punkt in Raum und Zeit. I. Ende, Spitze, 142, 3. 159, 8. 187, 37. 197, 9. queman zi ente zu Ende kommen, fertig werden 162, 20. in ende auf immer, immerfort 193, 5. II. Anfang st. n. 181, 6.

endi, enti, ende s. andi.

endidago schw. m. der jüngste Tag 172, 11.

endjôn, entjôn schw. v. trans. beendigen; part. præt. gientôt 139, 20. gendiôt 182, 7.

engan für angjan schw. v. enge machen, einengen, c. dat. der Person 171, 2.

engil für angil st. m. Engel, gr. lat. angelus 129, 7. 183, 16. 135, 20. 187, 10. 158. 7.

engillich adj. englisch, angelicus 162, 24.

eno Fragepartikel, eine unabhängige Frage einleitend, numquid 147, 10.

ensticheit st. f. benignitas, Wohlthätigkeit, Menschenliebe 196, 16. Mit anst, enstic zu an, unnan.

enti st. n. s. endi.

enti Bindew. s. andi.

êo s. io.

êogalîh pronominaladj. jeglicher, unusquisque 127, 20.

êogawanna zeitl. adv. immer 128, 20.

êokiwêlîh, êocowêlîh, iogiwêlîh pronominaladj. jeder, unusquisque 122, 38. jeglich, all, omnis 123, 27. 129, 6. 139, 7.

êoman siehe ioman.

êr, siu, iʒ pron. pers. d. 3. pers., lat. is, ea, id, refl. se, gr. l. Die Declinat. s. §. 42. Abweichungen: Sg. n. für êr auch ær 125, 7. alts. hêr 117, 20 Hild. 139, 14 Tat. 181, 26 Ludw. he 183, 2. fem. für siu si 154, 7. sin an für siu in an 127, 13. neutr. alts. it 118, 9. gen. masc. sîn 160, 34. 182, 2. 7. gen. neutr. sîn neben es. gen. f. für ira êra 116, 7. 8. acc. sg. en 116, 7. Pl. nom. sê 117, 5. 118, 8. gen. für irô hirâ 119, 17. dat. him 183, 16. acc. neutr. siu bezüglich auf Mutter und Sohn 159, 27. Für die reflexive Bedeutung existirt im ahd. der gen. sg. sîn, aber nur für masc. u. neutr., u. der acc. sg. sih; für alle übrigen reflexiven gen. oder dat. werden die Formen des unreflexiven er, siu, iʒ gebraucht, vgl. Gramm. §. 42, Anm. 2. Die Beziehung von er und seinen Formen ist in manchen Fällen zweifelhaft: er d. h. David 151, 35. 152, 13. si d. h. die fränkische Sprache 154, 7. inan ihren König 155, 30.

er præp. c. dat. aus 128, 30. s. ir und ur.

êr st. n. Erz d. h. Eisen 155, 1. Zu îs, îsan, lat æs.

êr, ær, ê 198, 15. Adv. u. Fügew. I. adv. früher, vorher 147, 37. 160, 30. 161, 1. 172, 16. 38. 179, 19. 20. 22. 28. 182, 12. êr enti sîd früh und spät (Conjectur) 135, 11. finf dagon êr um fünf Tage früher 169, 19. II. Fügew. sg. cj. ehe 138, 5 (Conjectur). 159, 9. 20. 169, 19 (2. Halbz;). 169, 20. êr thanne ehedem, früher als 141, 17. ær danne ehe denn 126, 17. III. præp. c. dat. vor: êr iu vor euch 146, 8. êr sînes dages enti vor seines Lebens Ende 159, 8. Dazu der adj. Comparat. êrero früher 178, 37, Superlat. êrist adj. Ordnungszahl erst 122, 15. 197, 1. Adverbial. ærist zuerst 119, 4. zi êrist 142, 14. 166, 8. sô êrist sobald als s. sô.

êra st. f. Ehre, Verehrung, Ehrenbezeugung 184, 11. êra duondi setzt F. 116, 1 als Conjectur und übersetzt: ihr Geschäft verrichtend, wobei er êra = persona, Rolle zu nehmen scheint. Vgl. Graff I, 442.

erbelôs adj. erbelos, enterbt 193, 26.

erbi st. n. nachgelassenes Gut, Erbe; die Gemeinschaft der Erben, hæreditas 180, 14.

êrda, ærda st. f. Land, Stätte, Gebiet 136, 24. êrda Israhel das Land Israël 138, 1. Erde, Erdboden 134, 21. schw. f. acc. erdun 158, 16. Aus êro st. n. Erde, mit diesem zu aran pflügen; vgl. arabeit, art, gr. ἀροῦν, ἴρα, lat. arare.

êrdbîba schw. f. Erdbeben 176, 17.

êrdenti st. n. Ende, Gränze der Erde 156, 35.

êrdgrunt st. m. Erdboden im Gegensatz zum Himmel 175, 6.

êrdlîh adj. irdisch, terrenus 123, 8.

êrdo 119, 3 s. êdo, êddo.

êrdrîchi st. n. Grund und Boden, worauf man lebt, Erdboden 156, 26. pl. Reiche, Provinzen der Erde 139, 16 (erdrîchu acc. pl. für erdrîchi). 156, 23.

êrdring st. m. Erdkreis 155, 27. 157, 27.

êrdwuocher st. m. Ertrag des Landes, Feldfrucht 193, 15 s. wuochar.

êregrëhtî, êrgrëhtî anom. f. das Aufrechtstehn in Ehren: Majestät, Herrlichkeit, gern pl. bî sînân êrgrëhtîn bei seinen hohen Ehren 188, 21. mit êregrëhtin mit Herrlichkeit (oder mit hohen Gaben?) Von êra und girëht.

êrên schw. v. ehren, preisen, auszeichnen 141, 8.

êrhaft adj. venerandus, ehrwürdig 129, 22. pius 122, 6 s. êrhaftî.

êrhaftî anom. f. Ehrwürdigkeit 122, 6 (missverständliche Uebersetzung statt des adj. êrhafta: êrhafta minna = pium affectum).

êris, êres, altertüml. eiris adv. einst, vormals 116, 1. fater êres mînes meines weiland (verstorbenen) Vaters? 117, 24. Goth. airis; vgl. êr, êrero.

êrist s. êr.

êrlîchô adv. ehrerbietig, ehrfurchtsvoll 128, 16. ehrenvoll, herrlich 170, 18.

êro st. n. Erde 131, 2. einfachere Bildung für êrda. Zu aran, gr. ἴρα.

êrwirdig adj. compar. êrwirdigôro = honestior, der bessere, anständigere 122, 14.

esil st. m. Esel 169, 22.

esilîa anom. f. Eselin, weiblicher Esel 169, 25. Vgl. Gramm. §. 34, 4, b.

êvangêlisg adj. evangelisch 197, 7.

êvangêljo schw. m. Evangelium; pl. êvangêlion die Evangelien 153, 3. 156, 5 Otfr. Gr. εὐαγγέλιον, kirchenlat. evangelium.

êwa 121, 12. êa 192, 23. ê 196, 12. I. endlos lange Zeit, Ewigkeit wie goth. aivs st. m., gern plur. in êwon in Ewigkeit 160, 21. 174, 18. II. altherkömmliches Recht, Gesetz, lex, testamentum, Schrift 121, 12. 146, 21. 147, 3. 148, 12. 185, 21. 196, 12. Nhd. Ehe; gr. αἰών, lat. ævum.

êwarto schw. m. Gesetzeswärter, Gesetzeshüter, Priester 161, 11 Otfr.

êwida st. f. Ewigkeit: adv. zi êwidôn in Ewigkeit, ewig 158, 15.

êwig, êwîk adj. zu êwa: ewig 128, 23 130, 11 (êwîgêro zu tiuridu).

êwîn adj. zu êwa: adverbial êwîn immer, alle Zeit 118, 15. in êwîn = in perpetuum, in æternum 130, 16.

êwinig adj. ewig 152, 33 Otfr.

êzan, êzzan st. v. essen 144, 1. 178, 31 Otfr. impf. ind. az 178, 33. impf. cj. gâzi für giâzi 168, 18.

F. V.

fal st. m. Fall 172, 16. gen. falles 172, 3. falle 159, 31. todes fal der Fall, das Eintreten des Todes 172, 3. 174, 34.

fallan, vallan st. v. impf. fial 161, 37. fallen, herabfallen, niedersinken 134, 25. 193, 21.

fandôn, fantôn schw. v. besorgen? 157, 23. Graff III, 539. Vgl. ags, fand- jan = tentare, probare, explorare.

fangan, fâhan anom. st. v. impf. fieng 145, 5. kafêngun 125, 4. præs. cj. gifâhe 163, 8. fassen, ergreifen, fangen 169, 20. für intfangan empfangen 197, 12.

far st. m. Stier, Farr; taurus 124, 31.

fâra, vâra st. f. Nachstellung, Hinterlist 151, 28 (s. zâla). 171, 26. nhd. Gefahr in passivem Sinn.

faran, varan, impf. fuor, Otfr. fuar 170, 15. st. v. sich von einem Ort zum andern begeben, gehen, ziehen, fahren: unbestimmt 134, 26. 27. 161, 25. 162, 27 Otfr. zu Fuss 136, 28. 137, 1 Tat. 158, 23 Otfr. zu Ross 116, 5. zu Wagen, zu Schiff etc.; im Flug 159, 37. fuorum im sie giengen sich d. h. sie giengen 151, 1 (wie alts. giwêt imo 209, 1. gêng imu 216, 1). verfahren, handeln 164, 9. leben, existieren, sein: farent wankônti sind wankend 152, 25. sich befinden, erleben, Schicksal haben: siê fuarun = esergiengihnen 173, 13 = iz gifuar in 173, 15. hina faran von hinnen fahren, sterben 117, 16 (Conjectur). hina gevarner als Gestorbener 193, 40. Imper. far gehe, hebe dich weg 139, 18. gehe hin 143, 6. pl. faret gehet hin 136, 28. zi faranne dat. inf. 144, 1.

farawî anom. f. Farbe, Aussehen 176, 28. Sonst meist **farawa** st. f.

far- mit der Vorsilbe **far** sind gleichbedeutend die Vorsilben **fir- fur- for- fer- var-,** welche letzteren daher ebenfalls unter **far** aufgeführt sind.

firbëran st. v. unterlassen, sich enthalten: zi wizanne iz firbâri es unterlasse zu wissen, wenn etc. 179, 10.

ferbluojan, ferbluon schw. v. verblühen 193, 36.

firbrëchan, ferbrëchan, forbrëhchan 132, 20. st. v. zerbrechen 188, 5. eine Verbindlichkeit verletzen, z. B. den Eid 132, 20. vernichten 188, 5.

firbrëchan st. v. verbrechen, verletzen 196, 19.

firdamnôn schw. v. verdammen 173, 25.

firdilôn oder **firdilôn** schw. v. vertilgen 166, 25. 28. Davon firtîligôn oder firtiligon vertilgen, s. Graff V, 398.

firëzan, synkop. **frëzan, frëzzan** st. v. ganz aufessen 169, 16. goth. fraïtan, nhd. fressen.

ferfaran st. v. wegfahren, weggehen, vorübergehen, vergehen, verschwinden 193, 39.

furgëbân, forkëpan st. v. trans. stärkeres gëban, schenken 128, 21. 131, 11. 132, 7. übergeben, verleihen 178, 7.

furgëltan st. v. vergelten, zurückerstatten: impf. cj. furgulti 186, 7 (Conjectur).

forharên schw. v. proclamare 129, 10.

firhëlan st. v. verhehlen 173, 2.

farkiosan, firkiosan Otfr. st. v. nicht wählen: missachten, gering achten, verwerfen 164, 7. part. præt. farchoranêr = reprobatus, verworfen 121, 9.

fur-forlâzan Tat. **firlâzan** Otfr., syncop. **lâzan** 128, 27. alts. **furlatan,** impf. furlêt, furlæt 117, 20. st. v. fortlassen, entlassen, frei lassen 143, 30. 144, 19. 148, 17. 20. für pass. dimitti 144, 24. 149, 12. erlassen 128, 27. 31. 141, 24. verlassen, hinterlassen, zurücklassen 117, 20. 162, 25. 179, 23. zugeben, lassen. sq. acc. c. inf. 128, 35.

ferlâznessî anom. f. Vergebung, remissio 150, 11.

firliosan Otfr., **for-ferliosan,** syncop. **vliosan** st. v. verderben, zu Grunde richten, perdere 137, 14 (dat. inf. forliosenne). 149, 10. 164, 7. 182, 11. wirt ferloren = peribit,

wird zu Grunde geben 186, 24. impf.
cj. flurin für forlurin 149, 10.

forlôrjan? schw. v. zu Grunde richten,
perdere, tödten 125, 9. Vgl. Graff II,
266.

ferlôrnissida st. f. Verderben 191, 34.

fermîdan st. v. vermeiden, unterlassen
190. 20.

fermuljan schw. v. zerstampfen, zerquetschen, zertreten, conterere 189,
24. Zu malan.

firnefnan schw. v. nicht gimeini
sein lassen: benehmen, verleiden
155, 14. verwerfen, verabscheuen
174, 26.

farnëman, firnëman Otfr., **furnëman**
st. v. vernehmen: erfahren, verstehen, intelligere 127, 22. 156,
12. 162, 5. 179, 1. 192, 23. furnëman wegnehmen, wegraffen 118,
15 („dass ihn der Kampf wegraffte"
nach Wack. Lesart: „dass man von
Kampf vernahm").

fernioʒan st. v. durch Geniessen und
Benützen verbrauchen, abnützen 192,
11.

varprennan schw. v. factit. zu varprinnan: verbrennen, durch Feuer
zerstören, impf. forbrennita 125,
9. Ueber die Conjectur varprennit 134, 29 s. bei wasal.

far-varprinnan st. v. intr. verbrennen:
part. præt. farprunnan 135, 2.
Ueber 134, 29, wo die Handschr.
varprinnit hat, siehe bei wasal.

virruochelôn schw. v. vernachlässigen,
negligere 196, 21. Zu ruochan.

forsachan schw. v. absagen, entsagen,
119, 10. 11.

fersagên schw. v. absprechen, verneinen 188, 81.

fersêhan st. v. refl. Zuversicht haben,
mit ze 188, 23.

farseljan, farsellian st. v. übergeben
180, 11. Zu sala st. f. Uebergabe,
Kauf. Vgl. goth. saljan, ags. sellan, engl. to sell, altn. selia.

farsenkan schw. v. factit. zu farsinkan: zu Falle bringen, versenken
134, 17.

ferslîʒan st. v. abnützen bis zum Zerreissen, verschliessen, abtun 192, 14.

firsnîdan st. v. zerschneiden, zerhauen
195, 2.

firsprêchan st. v. durch Worte verwerfen, läugnen, verläugnen 159, 33
(dem Sinne nach: obgleich man das
verläugnet, nicht anerkennen will).
160, 8.

**farstandan, fir- for- verstandan,
firstên, verstên** anom. st v. eigtl.
vor etwas hinstehen: verstehn 127, 3.
erkennen, cognoscere 147, 26.
wahrnehmen, merken 138, 16. part.
præs. farstantanti = capax, verständig 120, 33.

farstantantlîh adj. 122, 15 Uebersetzung von intelligibilis, welches hier verständig, einsichtig zu
bezeichnen scheint.

farstantida st. f. Verständnis, intelligentia 122, 89.

firstantnissi st. n. Verstehn, Verständnis 154, 12.

firstôʒan st. v. verstossen 196, 22.

farsûmjan schw. v. vernachlässigen,
versäumen 127, 25.

varswëlhan st. v. gierig verschlucken;
refl. sich verzehren? 134, 24.

firtuen, firtuan anom. v. vertun, zu
Grunde richten: part. præt. firtân
zu Grunde gerichtet, verloren, elend
180, 18.

ferwâhen schw. v. verwehen 180, 10.
Zu wâhan, wâjan.

firwërdan Otfr., **furwërdan** st. v. zunichte werden, zu Grunde gehen,
verderben 143, 22. 160, 21. 169, 7.

furwërfan st. v. wegwerfen, verwerfen
143, 12.

firwêsan st. v. firwisu, firwas, cj.
firwâsi: verwesen, machen, dass
etwas aufhört zu sein? c. gen. etwas
besorgen, sich zu Nutze machen?
thiê liuti thes firwâsîn dass
die Leute das besorgten 169, 6. Vgl.
nhd. Verweser.

firwiʒan anom. v. impf. cj. firwësti
153, 20: fürsehen, fürsorgen, refl.
sibi consulere, für sich sorgen
(und dass der wohl für sich sorgte,
den gelüstete, es zu lesen).

ferzeran st. v. verzehren, aufzehren,
zunichte machen: impf. ind. 2. p.
sg. ferzâre 189, 25.

fart st. f zu faran: Weg, Gang,
iter 160, 23. 161, 34. 186, 24. gen.
sg. thêrâ ferti auf dieser Fart 168,
36. gen. pl. fertô 179, 26 scheint
für gen. sg. zu stehen.

fartmuodi adj. müde von der Reise
180, 20.

fasta schw. f. Faste, das Fasten 136,
8. vasto schw. m. pl. vaston
182, 14.

fastên schw. v. fasten, nicht essen,
jejunare 189, 3. Zu fasti, vesti
fest? fest und enthaltsam bewahren?

fasti, festi adj. fest, sicher 175, 2. 178, 6. standhaft, tapfer 151, 9. Superl. fastôs für fastôst 175, 4.

fastmuati adj. festen Mutes, Sinnes 155, 5.

fasto, vasto adv. zu fasti: fest 152, 28.

fater, vater anom. st. m. Vater: gen. fater: fater êres mînes meines weiland Vaters 117, 9. s. Gramm. §. 34, 1.

faterlih adj. väterlich 120, 10. 193, 27.

faterlôs adj. vaterlos 182, 1.

vaz st. n. Gefäss 165, 32. 188, 4.

vazza st. f. Last, Bürde 135, 24. Mit vazzôn zu fezil oder zu vaz?

fehta st. f. Gefecht, Kampf 117, 28.

fehtan st. v. fechten, kämpfen 151, 15. mit imo er mêr ni fihtit mit ihm (Christus) kämpft er (der Tod) nicht mehr 177, 8. impf. ind. vaht 183, 12. impf. cj. gevuhti 182, 22.

feigi adj. zum Tode bestimmt, der sterben soll und muss; gering, unbedeutend, schlecht 156, 28.

feizit adj. feist, fett, fruchtbar (vom Boden) 154, 39.

feld, felt st. n. Feld 154, 34.

vellin 195, 4. für feljan, fellan schw. v. factit. zu vallan: zu Falle bringen, niederwerfen 195, 4.

fending, pfending st. m. Pfenning, denarius 195, 8. Von fand, pfant. Endung — ing wie in cheisuring, Silberling, Schilling.

feor s. fior.

fer adj. ferne: daz fer sî=quod absit, was ferne sei 120, 11.

ferah st. n. Lebenskraft, Leben, Seele, Geist, Herz 145, 33. 160, 9. 178, 34. zi ferehe gistochan bis zum Leben d. h. zum Tode gestochen 178, 18.

fergôn schw. v. fordern, bitten 151, 25.

ferro, verro adv. zu fer: ferne, weit 160, 37. 187, 28. 190, 28. 193, 18. in der Ferne 161, 30.

ferron adv. wie ferro: fernher, von fern: filu ferron weit herab 172, 20.

vers st. n. Vers, lat. versus 154; 16. Gesang, Lied 158; 30.

festenôn schw. v. befestigen 193, 12.

festî anom. f. Feste, Burg, fester Wohnsitz 157, 2. 173, 3. Festigkeit, Gewissheit: in festî in Wahrheit, sicherlich 161, 13.

festjan schw. v. fest machen, befestigen: banun gifasta den Tod fest machte, den Todesstreich versetzte 118, 25. stark machen, gut einrichten 152, 20.

fiara, in fiara 175, 7 und Otfr. III, 4, 41: in eina fiara: ungewisser Bedeutung, vielleicht v. fior, fiar, vier, also = im Geviert, nach den vier Seiten, Weltgegenden?

ficbaum st. m. Feigenbaum 126, 9.

fiên schw. v. hassen, odisse: impf. 2. p. sg. fîêtôs 121, 14. Graff III, 380. Goth. fijan, s. vîgand.

vîgand, fîjant Tat. fîant Otfr. st. m. Feind 116, 4 (Grimm liest wîgand un den Kriegern). 147, 37. 155; 7. 183, 15. Eigentl. part. præs. von goth. fijan hassen; s. fiên.

fihu st. n. Vieh 157, 37. gen. fëhes 158, 6. fiëô 185, 17 ist der Form nach gen. pl., vielleicht aber ist fiëo zu lesen und dieses als acc. pl. für fihju, fiju zu nehmen?

filla st. f. 193, 24, sonst auch schw. f. Schlag, pl. Schläge, Züchtigung 122, 19 (dat. pl. fillôm). fillâ 193, 24 kann acc. pl. sein.

filljan, fillen schw. v. züchtigen, schlagen 193, 24. Viell. zu fël Haut?

fillôl st. m. filiolus, geistlicher Sohn, Pathenkind 17, 21. 25.

filu, vilo defect. adjectiv, nur noch im unflectirt. neutr. gebräuchlich. I. substantivisch mit abhäng. gen. eine Vielheit: deganô filu eine Vielheit von Degen, viele Degen 117, 19. vilo gotmannô 134, 20. sô vilo diâ dâr arstênt für sô vilo derô diâ dâr arstênt 135, 31. filu mannô 160, 13. So oft filu in diesen Beispielen Subject ist, steht das Prädicat im sg. was liutô filu in flîze viele Leute waren in Beflissenheit oder: es war vielen Leuten in Beflissenheit 153, 11. II. adverbial zur Steigerung von adj. und adv. viel, sehr 159, 4. 160, 29. 30 u. oft. filu harto gar sehr 155, 39 Otfr. harto filju 153, 37 Otfr.

filusprahhî anom. f. das Vielsprechen, multiloquium 141, 15.

fimf, fînf Grundz. fünf 144, 6. 168, 3. flectiert thio finfi die fünf (Jungfrauen) 173, 13. finfe 181, 20.

fimfzug Grundz. fünfzig: adj. acc. fimfzugê 144, 12. Goth. fimf tigjus fünf Decaden s. Gramm. §. 40.

findan, fintan st. v. finden 136, 29. impf. funtan 125, 19. part. præt.

funtan: thaz ist funtan das ist gefunden, erwiesen durch die Erfahrung 152, 35. vom Dichter: erfinden, dichten, wie franz. trouver 153, 18 (s. dunkal).

finfto, vinfte Ordnungsz. fünfte 197, 4.

vinger st. m. Finger 136, 2.

finstar st. n. Finsternis 172, 19. Zu adj. finstar.

finstarnessi st. n? Finsternis: in thiu finstarnessi 143, 13 scheint acc. pl. neutr. zu sein = in exteriores tenebras.

finstran schw. v. verfinstern: ghifinstrit=obscurabitur 125, 32.

finstrî, vinstrî anom. f. Finsternis 133, 14. 162, 23 Otfr. Zu adj. finstar.

fior, feor, vior Grundz. vier 126, 7.

fiordo Ordnungsz. vierte 144, 27. vierde 197, 3.

fiorzug, viorzug Grundz. vierzig, sq. gen. 139, 3. Goth. fidvôr tigjus vier Decaden, s. Gramm. §. 40.

fira st. f. Feier 176, 2. 176, 8 (s. irdweljan). Für fîrra aus dem lat. feria.

firahi st. m. Mensch, gen. pl. virihô 134, 27. firëo 117, 10. dat. pl. firahim 131, 1. Zu fërah.

virina st. f. Verbrechen, Sünde; acc. pl. virinâ 133, 29. 136, 8.

virinlîh adj. grauenvoll 138, 14. Zu virina.

friwizzi st. f. Weisheit der Menschen: gen. pl. firi wizzô meista das erfahre ich als das höchste Menschenwissen 131, 1.

firspurnan schw. v. mit der Ferse stossen, spornen; mit dem Fusse anstossen, straucheln. Kommt sonst bei Otfr. als schw. v. vor, aber 169, 36 scheint es impf. cj. eines st. v. spirnu, sparn, spurnun; so auch das part. præt. firspurnan.

fisk, Otfr. **fisg** st. m. Fisch 144, 6. 168, 3. lat. piscis.

fleisk, fleisg 149, 31 st. n. Fleisch 119, 26.

fîht st. n. was einem zu besorgen (phlëgan) aufgetragen ist, Gebot, Pflicht 194, 15.

fliogan st. v. fliegen: impf. flôg, pl. flugun 159, 1.

fliohan st. v. fliehen: impf. flôh 117, 18. 188, 25. pl. fluhun 177, 29. imper. fliuh 137, 12.

flîz, vlîz st. m. Beflissenheit, Eifer, Sorgfalt 153, 11 (s. filu). 196, 17. zi flîze mit Eifer 174, 24.

flîzan, flîzzan st. v. streiten, contendere 124, 7. sich Mühe geben, sich befleissen, c. gen: sie flîzun in thes sie beflissen sich dessen 153, 13. fleiz thâr ingegini eilte mit Eifer entgegen 169, 38.

flîziclîchen adv. fleissig 198, 5.

flîzig adj beflissen: c. gen. 155, 39.

fluachôn schw. v. fluchen 167, 15.

fluht st. f. Flucht 171, 28.

fluobargeist st. m. Tröstergeist, Tröster. paracletus 146, 23. Zu fluobiren.

fluobiren sih schw. v. sich trösten 137, 26. thiê wërdént gifluobrit sie werden getröstet werden 140, 21.

fluohhôn schw. v. fluchen c. dat. 140, 28.

flurin s. farliosan.

fôh adj. gering an Zahl, wenig 117, 9. 126, 29. 127, 6. lat. paucus.

fol, vol adj. voll, angefüllt c. gen. 138, 10. 150, 20 (entweder: Ludwig, der Streithafte, der Weisheitvolle, er regiert Deutschland ganz wie ein Frankenkönig soll, oder: Ludwig, der Streithafte, der Weisheit voll regiert er u. s. w. Bei letzterer Auffassung ist das Komma nach follo zu streichen). 158, 28. 182, 16. verstärkt alfol c. gen: alfol wortô viele Worte 163, 26. fol vollständig, ganz 178, 39. Mit vil, gr. πολύς zu πλέος, lat. pleo.

folgên schw. v. folgen, nachfolgen 142, 19 Tat. 170, 16 Otfr. einholen, erreichen, erlangen 140, 24. folgsam sein, gehorchen c. gen. 185, 9. sîn kefolgêt 123, 38 ist missverständliche Uebersetzung von sequantur für cj. præs. folgên. Ebenso sî kefolgêt = sequatur 124, 3.

folk, volk, folch st. n. Volk 117, 10. 132, 5. Heer, Heerhaufen 117, 28. 118, 24.

Volla nom. pr. Göttin der Fülle 116, 8. Nach dieser Stelle ist Volla Schwester der Frîja (Frigg), in der der j. Edda 8. 36 ist Fulla Genossin der Frigg und trägt deren Kästchen, aus dem sie den Menschen Gaben mitteilt.

folleist st. f. Unterstützung, Hilfe 132, 22. Ergötzung 181, 20. Bürgschaft und Bestätigung einer Rede durch Zeugen 185, 4 (dafür habe ich gute Gewährschaft von Edlen und Freien).

follicho adv. gänzlich 128, 25.

follon scheint acc. sg. zu folla schw.

f. oder zu follo schw. masc. Fülle, Genüge: muases follon Speise zur Genüge, genug Speise 168, 4. 169, 13.

follôn schw. v. füllen, voll machen, satiare 192, 6. Sonst gewöhnlich fullan.

volo schw. m. Füllen, Fohlen, junges Pferd 116, 6. lat. pullus.

feltruncan part. præt. inebriatus, vollgetrunken 142, 14.

fona, vona, fone, fon, niedd. fane 184, 15 præp. c. dat. (abl.) von. I. räumlich: Absonderung und Ausgang 119, 23. 133, 8. 136, 25. 158, 32. Ursprung, Herkunft, Abspannung 158, 20. 197, 8. II. Ursache einer Tätigkeit, Urheberschaft, von, durch: 121, 18. 126, 26. 28. 137, 17. 141, 5. 158, 12. 167, 30. fon thir in Bezug auf dich, de te 139, 12. fon a diû deshalb, ergo, igitur s. diû. Mittel: durch 160, 31.

fora, vera, fore, for præp. c. dat. vor. I. räumlich 141, 2. 178, 33. Befreiung, Hilfe vor, gegen etwas: 134, 28. II. zeitlich vor, ante 140, 34. 181, 23. 196, 30. III. causal: Veranlassung, dass etwas geschieht oder nicht geschieht 171, 14. Gr. lat. πρό, goth. faúra.

fora räuml. u. zeitl. adv. vor, zuvor, vorher, vorhin; dem fora werden gern Pronominaladverbien beigesetzt: thâr fora vorher 163, 19. hiar fora vorhin, eben 174, 4 Otfr. fora wêsan = præesse 120, 1. 80.

forafaran st. v. c. acc. antecedere: forafuor sie = antecedebat eos, gieng vor ihnen her 137, 2.

forahta, forhta, schw. f. Furcht 124, 9. 144, 31. 158, 12. 188, 12. c. gen. vor jemand 177, 23.

forahtal, forhtal adj. furchtsam, timidus 143, 23. gote forahtal gottesfürchtig 159, 5. Zu forahtjan.

forahtjan, forahtan, forhtan præs. forahtit 178, 22 Otfr. ih furhto 189, 12 Notk. impf. forahta Otfr., forhta Tat. inf. furtin 195, 15. schw. v. I. intr. Furcht empfinden, sich fürchten 148, 13. Nachsatz mit daʒ 178, 22. c. dat. refl. forhta imo sq. inf. fürchtete sich 138, 5. ni curet iu forhten 144, 32 siehe kiosan. siê forahtun in sie fürchteten sich 158, 9. 176, 30. II trans. etwas fürchten 155, 16. 189, 12.

forahtlîh adj. fürchterlich, tremendus 120, 20.

forahtlîcho adv. furchtsam, ängstlich, sorglich 159, 26.

forakesêhantlîhho adv. provide, vorsichtig 123, 35.

foraquêdan st. voraussagen 146, 32.

forasagên schw. v. vorsagen, predigen, prædicare 121, 8.

forasago schw. m. Vorhersager, Prophet 159, 28. 163, 25 Otfr.

fordor, fordir adj. Comparat. zu fora: vorder: thie fordorun liuti die vorderen (vorhergehenden) Leute 170, 33. plur. subst. fordoron die Vordern, Vorfahren 157, 2. 8.

forn zeitl. adv. vormals 117, 18. Zu fora.

forna räuml. adv. vorn: thâr forna da vorne, an einer früheren Stelle 160, 17.

forst st. m. Forst 195, 6. Von foraha, vorhe Föhre; vgl. fôrest, altfr. forêt.

fôrtôs impf. von fôrjan, fuorjan s. fuorjan.

forzich für **porzich** st. m. porticus. Säulengang, Halle 192, 34.

frafallicho adv. frevelhaft, unverschämt 124, 5. Zu adj. frafalli kühn, verwegen.

frâgên schw. v. fragen 117, 8. 136, 28. 160, 27 (warun frâgênti für frâgêtun). 178, 4. impf. frâcti für frâgêta, frâgta 197, 84.

fram adv. vorwärts 161, 37. weit vorgerückt (im Leben) 159, 11. ni quam mîn zît noh sô fram noch ist meine Zeit nicht soweit vorgerückt 165, 16. fram diehent sie kommen vorwärts, gedeihen 186, 3. filu fram gar sehr 152, 14. 161, 27. sô fram sôsô so weit als, so sehr als 128, 35. 152, 21. sô fram sô insoweit, sofern 132, 6.

framadi, fremidi adj. fremd 162, 30.

framcunft, framchunft st. f. Abkunft 117, 10 (Conjectur) „Deine Abkunft, sprach er, tue kund mir, von welchem Geschlechte etc."

framgangan st. v. vorwärts gehen, fortschreiten 122, 11 (proficiscant ist Fehler des Abschreibers für proficiant). ausgehen, procedere 146, 24.

frammordes adv. vorwärts 132, 6 für framwêrdes.

frammort adv. vorwärts, weiter, ferner 171, 13. 175, 30. für framwêrt.

framquĕman st. v. hervorgehen, hervorkommen, ausgehen, **procedere** 139, 8.

Franko schw. m. Franke, bei Otfr. auch Deutscher, Einwohner des fränkischen Reichs 150, 21 ff. Frankônô lant Frankenland, Franken 150, 22. in Vrankôn im Frankenlande 182, 4.

frawalîcho adv. zu frawalich: fröhlich 161, 82. 167, 14. Zu frawjan.

frawjan, frewjan, frewjan, wofür auch **frauwjan, frouwjan, frowan, frouwan, freuwan**, Otfr. **frewan, gifrewan** schw. v. frô machen, erfreuen 150, 25. 152, 32. 166, 7. refl. sich freuen 151, 2. c. gen. 156, 15 (frewên sih es allê mögen sich alle darüber freuen). 166, 20. Zu frô.

frĕginan für **frĕganan** schw. v. erfragen, erfahren: præs. 1. p. gafrĕgin d. h. gafrĕginu 131, 1. Goth. fraihnan fragen: vgl. frâgên.

frĕht st. f. oder frêhti anom. f. Verdienst: nist iz bi unsên frêhtin nicht ist es um unserer Verdienste willen 154, 40. Eigentl. Besitz, aus fir und êht von eigan.

frenkisk, Otfr. **frenkisg** adj. fränkisch, Otfr. deutsch: frenkisga zunga deutsche Sprache 156, 6. 14. mit Weglassung von zunga steht auch frenkisga allein als schw. f. deutsche Sprache 154, 6 (si d. h. siu 154, 7 bezieht sich auf frengiska zunga). 154, 18.

frewî für **frawî, frowî** anom. f. Freude 152, 36. 188, 15. 191, 5.

frĕʒan syncogirt aus **frĕʒan** st. v. ganz aufessen 169, 16. nhd. fressen. Goth. fritan.

frî, flectirt **frîêr** 121, 26. **frîgêr** 121, 23 adj. freigeboren, subst. ein Freigeborner.

friadag st. m. Freitag, Tag der Frîja 176, 2. S. Frîja.

fridu, frido st. m. Schutz, Friede 158, 28. 32 Otfr. als Wort des Grusses 170, 29. 30.

fridosam adj. friedlich 151, 23. 167, 7.

Frija 116, 8 nom. pr. einer deutschen Göttin, der Gemahlin Wodans, altn. Frigg, niedd. fru freke. s. frîadag. Ueber ihre Schwester oder Genossin Volla, Fulla s. Volla. Grimms Lesart frûa = frouwa (Herrin, Frau) würde eine andere Göttin bezeichnen, welche in der Edda Freyja heisst und Göttin der Liebe ist.

frist st. f. abgegrenzte Zeit, Zeitpunkt, Augenblick 178, 10. woroltfrist Zeit in der die Welt steht, Weltzeit, Erdenleben 179, 9.

frui für **friu** st. f. Frühe 197, 20.

friunt st. m. Verwandter, Freund 125, 26. 145, 33.

friuntilîh subst. die Gesammtheit der Freunde, sämmtliche Freunde 175, 31. Wie mannolih, s. lîh.

friuntlaôs adj. freundelos, von seinen nächsten Angehörigen und Verwandten getrennt 117, 24.

frô adj. froh, freudig 188, 14. Flectiert frôwer, frawer, frouwêr, frauwêr, unflectiert auch frau, frao, fraw, frou vgl. Graff III, 794.

frô st. m. Herr, bes. von Gott: frômîn mein Herr, monsieur 182, 28. Subst. aus frô adj. der milde, gnädige und gütige. Goth. frauja. Gr. πραϋς. Dazu fem. frowa, frouwa, frauwa Herrin, Frau.

frônisk, Otfr. **frônîsg** adj. herrschaftlich, herrlich, hehr 158, 14. 166, 4. 169, 37. 182, 3. Mit frônô zu frô.

frônô indeclinabel, meist Substantiven beigefügt im Sinn eines Genitivs oder Adjectivs von frô Herr, Gott: des Herrn, herrlich, herrschaftlich, heilig, hehr. Genitivisch: frônô gapĕt Gebet des Herrn 127, 10. frônô chrûci Kreuz des Herrn, heiliges Kreuz 136, 10, gisiht frônô Angesicht des Herrn 158, 2. frônô lîhhamo Leichnam des Herrn, Frohnleichnam. Adjectivisch: selbun buach frônô jene heiligen Bücher 154, 1. thaʒ kind frônô das hehre, heilige Kind 161, 33. ther gotes sun frônô der hehre Sohn Gottes 179, 18. lioth frônô für frônô ein herrliches Lied 183, 8. Selbständig: in frônô in Herrlichkeit 152, 15. Grimm u. Wack. nehmen frônô als gen. eines verloren gegangenen subst. frôna st. f. was dem Herrn gehört. Graff III, 806 möchte es als indeclinabel gewordenes adj. oder als ein aus einer Flexion entsprungenes adv. nehmen. Aus frônô, frône wurde später frôn und dieses hat sich erhalten in nhd. Frohndienst (Herrendienst, wofür auch Frohn allein) Frohnleichnam, Frohnaltar, Frohnfasten, Frohnhof, Frohnschreiber etc., dazu !das verb. frohnen, ahd. frônjan.

frôt, fruot adj. weise, klug 117, 17. Compar. frôtôro 117, 8. Goth. frôds, altn. frôdi, lat. prudens.

frua s. fruo.

fruma st. f. Nutzen, Gewinn, Fördernis, Gedeihen 170, 24. religiös: das Heil durch Christum 158, 29. 159, 34 Otfr. Zu fram (s. frumman).

frumman schw. v. impf. kifrumita 135, 11. 136, 3. vorwärts bringen, vollbringen, schaffen, machen, tun 135, 11. frumita = fecit 124, 24. Zu fram adv. und fruma subst. Ob das adj. frum nützlich auch im ahd. vorkommt, wie goth. adj. fruma, ist unsicher, s. Graff III, 645. Vgl. lat. primus, gr. πρῶτος.

fruo, Otfr. **frua** adv. früh 158, 29. 196, 2. Griech. πρωί.

fuagan Otfr., **fuegan** schw. v. von fuoga: verbinden, zusammenfügen 153, 26. imper. tharazua fuagi dazu füge, d. h. überdiess besitzen sie 155, 3 (oder ist subst. fuagî zu lesen? mir scheint der imper. natürlicher, analog der Stelle Otfr. III, 14, 70: gifuagi thara zua).

fuir für **fiur** st. n. Feuer 133, 14. instr. vuirû 134, 27.

fulin st. n. Füllen, Fohlen 169, 26. Sonst fulo, folo schw. m.

fullan, Notk. **follôn** schw. v. factit. zu fol: füllen, erfüllen. impf. fulta 142, 8. gifultên tagon nachdem die Tage erfüllt, vollbracht waren 138, 14. bildl. erfüllen, ausführen (eine Prophezeiung, den Willen Gottes) 137, 16 Tat. 164, 8 Otfr.

funt, pfunt st. n. Pfund, höchste Münzeinheit 195, 8. Aus lat. pondus.

fuodermâȝe adj. einem Fuder, einer Wagenlast an Mass gleich 195, 5.

fuogî, fuagî anom. f. Vereinigung, Verbindung, conjunctio 190, 9. Ueber fuagi 155, 3 siehe fuagan.

fuora, fuara st. f. I. was faran macht, Nahrung 191, 11. vgl. schwäb. Fuer = Mahlzeit, Gelage. II. Art zu faran, zu leben, Lebensweise; Art sich zu betragen, Benehmen, Betragen 170, 4. vgl. schwäb. Gugelfuor.

fuorjan, fuoran, fuaran, alts. **fôrjan** (impf. sg. 2. p. fôrtôs 118, 15) schw. v. factit. zu faran: gehen machen, führen, leiten 157, 6. mit sich führen, bringen 159, 13. haben, besitzen 178, 32. ausüben 118, 15

(wie du immer Tücke ausübtest s. alsô).

fuoȝ, fuaȝ Otfr., **vuoȝ, vuaȝ** st. m. Fuss 116, 6. 139, 13. acc. pl. fuoȝi 149, 30. fuaȝi 154, 19. 163, 11 wofür bei Aeltern auch fuaȝȝu. vgl. Gramm. §. 26, Anm. 6. nom. pl. fuoȝe 195, 5. fuoȝi Versfüsse 154, 13. vielleicht auch 154, 19. Goth. fôtus, pl. nom. fôtjus, acc. fôtuns. Gr. πούς, ποδ-, lat. pes, ped-.

furdir, furder adv. ferner, fürder 174, 10. 179, 24. 190, 21.

furi, vuri, vure räuml. adv. I. selbständig: nach vorne hin, hervor, voraus: wirdit furi kitragan wird hervorgetragen 136, 10. II. zusammengesetzt mit Verben wird furi zum Teil beibehalten z. B. furifaran, furisizzan etc., häufiger aber wird es in unbetontes fur- fir- far- ver- abgeschwächt, z. B. furlâȝan, firnëman, firbëran etc. In Zusammensetzung mit einfachen Nominibus wird gern furi wieder hergestellt und erhält einen Ton, sogar den Haupton, z. B. furiburt, s. Literaturgesch. S. 34. Vgl. goth. faur, in Zusammensetzungen fra-, gr. πρό, lat. præ, pro.

furiburt st. f. Enthaltung, Entäusserung, Entbehrung 163, 15. Zu firbëran st. v. unterlassen, sich enthalten. Ueber die Betonung von furiburt siehe furi.

furifaran st. v. præcedere, voran gehen 144, 18.

furigangan anom. st. v. præterire, vorbeigehehen, c. acc. an jemand 144, 29.

furikisezzan schw. v. proponere, vorsetzen, vorhalten 121, 1. vorziehen 121, 23.

furisizzan st. v. mit schw. præs. durch Sitzenbleiben versäumen 184, 5.

furi tragan s. furi adv.

furisto schw. m. eigentl. adjectivischer Superl. zu furi und fora: der beste, vorzüglichste 166, 8. Substantivisch: neutr. sg. furista das Vorzüglichste 165, 8. pl. thie furiston die Vornehmen, Fürsten (Hohepriester und Rat) 171, 11. mhd. furste, fürste: nhd. Fürst.

furistsizzan st. v. zu oberst sitzen; part. præs. ther furistsizzento der Vorsitzende 142, 10.

furtin s. forahtjan.

G.

Anm. 1. Unter G sind auch die K zu suchen, welche durch Lautverschiebung aus G entstanden sind.

Anm. 2. Die Vorsilben ga- gi- ge- ka- ki- ke- sind als gleichlautend behandelt; die Wörter mit dieser Vorsilbe sind in dem Buchstaben g allen übrigen Wörtern vorangestellt oder sie sind unter dem Stammwort zu suchen.

ga-'gi- ge- ka- ki- ke-.chi- ghi, vor Vokalen und Liquiden gern syncopiert, z. B. gaunnan-gunnan, ganâda-gnâda, ursprünglich und noch im Goth. und Angels. trennbare Partikel; aus ham, gam, gan, gr. σύν, ξύν, lat. cum, com- con- co-. Tritt untrennbar vor subst. adj. u. verba. I. gibt dem act. passivischen Sinn: ghifinstrit 125, 32. II. vor dem part. præt. in pass. und perfectischem Sinn. III. gibt dem impf. den Sinn des perf. gasazta 127, 11. gaworahtôs 131, 10. gihôrta 117, 1. gilcitôs 118, 5. gifasta 118, 25. gisâhumes 136, 17. gisungun 154, 25. 156, 14. githrewita, gistrewita 155, 21. gineig 159, 15. gidôttun 177, 1. giburgun 177, 16. gizalta 178, 38. kifrumita 135, 11 ff. kipuazta 136, 8. gesuor 132, 19. IV. gibt dem impf. den Sinn des plusqperf. kahôrta 125, 7. gihôrtun, gisâhun 137, 1. 2. gineriti 182, 33. gistigun 145, 7. kegihiaz 159, 7. gigiang 172, 35. 178, 2. ginam 177, 13. gisprah 179, 15. gidâti, gidràti 179, 20. V. gibt dem præs. den Sinn des futuri und futuri exacti: kalêrit 127, 21. giduot 188, 1. kipannit 134, 3. kitriufit 134, 21. giwarnôn ich werde ausrüsten 172, 10. giheizct 178, 3. gilônôn 188, 2. getruobet conturbabit 187, 16. gehôret mih=exaudiet me 190, 15. VI. die Bedeutung leise verstärkend: insbes. beim imper. und beim præs. conj., aber auch beim inf. und beim impf. ind. und conj. kaneri 129, 1. gidrahte 155, 17. gigange 163, 7. gegangu 132, 10. gihôhe 154, 4. gilernên 155, 40. ginenne 154, 11. gisingên 156, 1. githinge 161, 26. ginuentên 143, 31. giwidarôn 154, 32. gizellêt 161, 4. kiscephês 181, 7. ge- leistit 182, 19. keaucke 122, 7. kehôre 189, 38. giougi 142, 25. kemahhôc 122, 40. gawurchan 131, 14. kafêngun 125, 4. gibuozta 182, 16. gideilda 182, 5. gihôrtun 161, 8. gisagêtîn 153, 19. gisamanôta 161, 9. gikundtîn 162, 12. gevuhti 182, 32.

giafalôn schw. v. satagere, genug zu tun haben, sich abmühen, sich bemühen c. gen. 172, 27. Graff I, 172.

gialtêt part. præt. von alten schw. v. alt werden, gealtert, alt 118, 15 (s. alsô).

gibâri adj. eigtl. mittragend (bëran): passlich, schicklich 162: 4.

gibeini st. n. Gebein 149, 31.

gibénti st. n. Band, Fessel, vinculum 158, 3. gebénde 187, 5. Zu bindan.

gabêt, gapêt, gebêt st. n. Gebet 127, 10. 188, 24.

gibiodan, gibiotan, Otfr. **gibiatan, kepêotan** 120, 13. st. v. gebieten 152, 19. 155, 28. 182, 24. sq. daz 139, 12. sq. acc. c. inf. 144, 18.

kebreitan schw. v. ausbreiten; refl. sich verbreiten 185, 18.

gibrêstan s. brëstan.

gibûr st. m. Mitanbauer eines Orts, Mitbewohner, Mitbürger, Gemeindegenosse, Genosse 176, 36. Zu bûwan.

giburjan schw. v. sich für jemand erheben, ihm zukommen: schicklich sein, gehören, gebühren: er giburrta ouh thô thâr er gehörte auch damals dahin, es geziemte ihm auch da zu sein 175, 22. c. dat. jemand geschehen 178, 21. Mit burjan erheben zu bor, buro s. burolang.

giburt st. f. Geburt 160, 16 Otfr. Ursprung 155, 24. Zu bëran.

githank, gidank st. m. Gedanke: pl. nom. githankâ 149, 29. githankô

151, 7. mit githanken in Gedanken, im Herzen 169, 10.

gidât st. f. Vollendung einer Tat, Tat.
adverbial in gidât=in facto, in
der Tat, in Wahrheit 169, 31.

githankôn schw. v. c. gen. danken
für etwas, es belohnen 167, 28 (githankô für githankôe).

githenkan anom. v. c. gen. an eine
Sache denken, womit umgehen 156,
31 (das Comma nach barn ist zu
streichen und zu übersetzen: noch
ein Menschenkind denke daran).

githigini st. n. collect. zu thëgan:
Gesammtheit der thëgan, der
Mannen und Diener, Dienerschaft,
Gefolge 151, 20. 160, 3. 179, 15
Otfr. 182, 3.

gedingên siehe thingên.

gedingi st. n. Hoffnung 187, 25. Zu
thingên.

githiuto nur bei Otfr., adv. zum adj.
githiuti, welches Otfr. III, 10, 20
vorkommt: gut, freundlich 155, 33.
159, 22. 170, 22 (oder ist hier adj.
schw. m. anzunehmen?). 175, 12.
Zu goth. thiuths gut. Die Stellen,
in denen githiuti und githiuto
vorkommen, hat Graff V, 131 ge-
sammelt, ohne eine Bedeutung anzugeben. Reimnitz leitet das Wort
ab von thiota Volk und erklärt:
beim Volk und durch das Volk
mächtig, berühmt, beliebt.

gidrahti st. n. Beweggrund, Unternehmen, Trachten 151, 5. Zu drahtôn, trahtôn Graff V, 513.

githrengi st. n. Gedränge 170, 35. Zu
thriugan, dringan. -

kidult st. f. Geduld 196, 16. Zu dolên, dultjan.

githwing st. m. und n. Zwang, Gewalt,
Herrschermacht 172, 23. s. dwingan.

githwingan, kedwingen st. v zusam-
mendrängen, zusammenzwingen: verschliessen, verbergen 179, 8. züchtigen, strafen, coërcere, corri-
pere 122, 17 (kebwinge falsch
geschrieben für kedwinge). 122,22.

githwingnissi st. n. Bedrängnis, Not
172, 13. Zu thwingan.

gifëhan, givëhan st. v. sich freuen,
gaudere 137, 4 Tat. impf. pl. gi-
vâhun 150, 40.

gifëho, givëho schw. m. gaudium
137, 4. 150, 1.

gafildi st. n. collect. zu fëld: Gefilde,
Feld 131, 3 (Conjectur).

gefrëhtôn schw. v. verdienen 191, 28.
Zu frêhtî. Graff III, 818.

gifremjan schw. v. machen, efficere:
thaz ir sît gifremidê daz ihr
werdet 145, 25.

gifrewaa schw. v. froh machen, erfreuen 166 ,27.

gifuari adj. was zur Reise, zum Leben
(fuora) passt, passend, genügend.
Als subst. st. n. das Bereitsein, Genüge 168, 33.

gigâhen s. gâhan.

gigangan st. v. anom. cedere, pertinere, cadere: thên muat zi
thiû gigange denen der Sinn sich
dahin neigt, deren Sinn und Herz
dahin geht 166, 34.

gigarawi st. n. Rüstung, Kleidung
176, 28. Zu garawan.

gihaltan s. haltan.

gehaltnissi st. n. Erhaltung, Heil
132, 6.

gihei3 st. m. Versprechen, Verheissung
promissum 150, 13. 159, 6.

gaheizan, giheizan st. v. verheissen,
versprechen, verkünden 127, 16. 157,
11 159, 7. 177, 4. 6. 194, 8.

gihengan für **gihangjan** schw. v. hängen, hängen lassen, zulassen, con-
cedere 171, 15. S. hangjan.

gihêrên schw. v. ehren, verherrlichen
170, 3 (gihêrêti für gihêrêtin,
bezüglich auf dâti = die Taten, das
Betragen des Volks. Grimm IV,
S. 196).

gihîwan, gehîan siehe hîwan.

gihogên 170, 1 siehe gihugjan.

kehuckan siehe gihugjan.

gahuct, gihukt st. f. Gedächtnis 127,
4. 13. dat. pl. gihuctin 134, 1.
Erwähnung 165, 31. Mit hugjan
zu hugu.

gehuctîc adj. eingedenk, memor
120, 17.

kahuctlîcho adv. memoriter, auswendig 126, 23. Zu hugu, hugjan.

gihueit, giweit 117, 18 für **giwêt** 209,
1. impf. von **giwîtan** alts. st. v. gehen. Siehe arwîzan.

gihugjan, kehuckan, gehugen, für das
impf. auch **gihogên**: gihogêti 170,
1. schw. v. gedenken, eingedenk
sein, sich erinnern, bedenken 122,
27. c. gen. 146, 12 Tat. 194, 16.
vernommen haben, wissen 170, 1.
Falsch geschrieben kehunkan für
kehuckan 120, 2.

kehwarbjan schw. v. factit. zu wërban: convertere, wenden, kehren, sich wenden 121, 24.

kehwinge 122, 17 scheint Schreibfehler der Handschr. für kedwinge s. githwingan.

giiârô adv. jährlich, alle Jahre 188, 11. Zu jâr.

gekunni adj. c. dat. vom Geschlecht her eigen, angeboren 188, 18. Zu kuni, kunni.

gilangi adj. verwandt: Petruse gi- langêr dem Petrus verwandt 168, 25. Zu lingan, langên. Graff II, 224.

galaupa st. f. 126, 22 Exhortat. **gi- louba** st. f. 162, 6 Otfr. **kiloube** st. f. 198, 20. **giloubo** schw. m. 143, 9 Tat. Glaube 181, 12. Glaube und Glaubensformel 126, 22. 127, 7.

galaupjan, ka- kelaupan, giloubjan, præs. kilaubu 119, 18. impf. gi- loubtôs 143, 14. schw. v. glauben 127, 2. c. gen. an mein Wort 177, 14. calaupentêm=credentibus 130, 8. kelaupanne· pist 130, 7 sollte heissen kelaupit pist=cre- deris, wirst geglaubt. Mit irloub- jan zu liup und lobôn.

kalâz, gelâz st. n. Ort, wo zwei Wege zusammentreffen 125, 14.

gilebên schw. v. erleben 156, 18.

gilêrto schw. m. der Gelehrte. siehe lêrjan.

galîh, gilîh, ka- kelîh adj. von über- einstimmender Leibesgestalt, Be- schaffenheit: gleich, ähnlich, similis 124, 22. 152, 1. 164, 13. Pronomi- nal (meist unfl.) c. gen. Gesammtheit aller gleichartigen Wesen und Ueber- einstimmung derselben: thegenô gelîh alle Helden und jeder ein- zelne 183, 12. allerô rehtô gi- lîh alles und jedes Recht 185, 6. chunnô gilîhhaz der Geschlech- ter jegliches, alle Geschlechter 134, 4. mannô gilîh die Gesammtheit, jeder der Menschen 135, 23. wortô gilîh alle Worte 162, 19.

gilîcho adv. gleichermassen, auf gleiche Weise 153, 13. 167, 14. gilîcho 157, 36.

gilimphan, kelimfan, gilinfan st. v. impf. gilanf: schicklich sein, sich schicken, geziemen 123, 36. zukom- men, notwendig sein: gilanf Crist trôên == oportebat Christum pati 150, 10.

kelop adj. zu lobôn, -ên: verheis- send, versprechend: ne bistu liu-

ten kelop mêr than jacob ver- heissest du den Leuten etwa mehr als Jacob 181, 9. siehe ni.

giles adj. zu losên: zuhörend, ge- horsam 162, 29.

giloubjan schw. v. **giloubo** schw. m. siehe gilaupjan, galaupa.

giloubo adj. glaubend: c. gen. 162, 21. substantivisch: der Gläubige c. pron. poss. 156, 10.

gilumpflîh adj. geziemend 161, 13. Zu gilimphan.

gilust st. f. Lust, Wohlgefallen, Er- götzung. Freude, Wonne 154, 2. 157, 17. 163, 21. 168, 39. st. m. Begierde, Gelust 158, 31. 185, 18.

gilustlîh adj. Wohlgefallen erregend, ergötzlich 153, 32.

gimach adj. ebenso beschaffen, gleich, angemessen: c. gen. wîn thes gi- macho Wein diesem gleich 166, 12. c. dat. würdig, passend: imo gi- machaz seiner würdig, für ihn passend 170, 20. Zu machôn.

gimacha st. f. Ding, Sache: himiles gimacha himmlische Dinge 154, 28. Zu machôn.

gimagên schw. v. invalescere, stark werden, zunehmen: gimagê- tun quědentê schrieen noch stär- ker 147, 29.

kemahhôn schw. v. refl. sich machen, anbequemen, se aptare 122, 40. Mit gimah bequem zu machôn.

gimâli st. n. Gemälde: von den Stern- bildern des Himmels 180, 4.

gimazzo schw. m. mit dem man von Einer Speise (maz) isst, Tischge- nosse, conviva 165, 36. Vgl. goth. matjan, lat. mando.

gimeinan siehe meinan.

gimeini adj. worin zwei oder mehr sich vereinigen: gemeinsam 119, 1 („Kampf mit gleichen Waffen" im Gegensatz gegen den Vorwurf der Hinterlist). allgemein, generalis d. h. beständig, ununterbrochen? 150, 24. 170, 23.

kemeinitha für **gemeinida** st. f. Ge- meinschaft, Gemeinde, communio 119, 25.

gimeinmuato adv. mit gemeinem Sinn, einmütig 170, 31.

gimeino adv. gemeinsam 179, 4.

gimuati adj. zu muat: das Gemüt an- sprechend, gütig, gnädig, freundlich, liebreich 151, 10. 164, 18. 167, 10. 168, 26 Otfr. angenehm 167, 25.

weise, geistreich? 157, 28. s. Graff
II, 684. Vgl. nhd. Gemüt, gemütlich.

gimuato adv. zu gimuati: freundlich, gütig, liebreich, lieblich 151, 1 (s. bei hôhjan). 151, 37. 157, 31. 169, 14. 170, 26 (oder ist gimuato hier schw. m. des adj.? s. hôhjan). freudig, fröhlich 151, 27. 152, 37. 153, 9.

ganâda, gi- ki- genâda st. f. helfende Geneigtheit eines Höhern gegen Niedere, Gunst, Gnade 128, 37. 181, 24. gern pl. er uns ginâdôn sînên rîat er sorgte für uns in seiner Gnade, waltete über uns 151, 21. 160, 36 (acc. pl.). 172, 18. 184, 17 (genâthônô). 193, 25. Gottes Hilfe und Erbarmen, miseratio 183, 29 (genâd für genâde).

genâthih für **ginâdîg** adj. herablassend, barmherzig, gnädig 183, 23.

ginâdôn Otfr., **ginâdên** 180, 18. **gnâden** 189, 37. schw. v. c. dat. jemanden Gnade erweisen, gnädig sein 167, 1. Auch c. gen. sich jemandes erbarmen Otfr. III, 2, 19.

ganësan impf. ginas, part. præt. ginëran st. v. gesund und am Leben bleiben, gesund werden, heil davonkommen 182, 13. geistlich: gesund werden, von Sünde und Verdammnis gerettet werden 127, 8.

kenietôn schw. v. anfüllen, ausfüllen, umgeben 102, 6 (kuotes mit Gutem). Zu niotan, niot und niozan.

ginôto, gnôto adv. angelegentlich, mit Eifer und Genauigkeit (nôt) 153, 21. 172, 12. 173, 1. 174, 2. 187, 38. magnopere, valde 168, 38.

ginôz Otfr., **kanôz**, alts. **genôt** st. m. eigentl. der mit geniesst (zu niozan): Genosse, Gefährte 162, 13. alts. nom. pl. genôtas 119, 17. Nebenmensch 128, 30. 32.

ginuag, kinuok 133, 21. **kenuog** 191, 9. adj. hinreichend viel, genug: meist substantivisch 191, 9. c. gen. 133, 21. 152, 4.

ginuagi adj. genug: rîchiduam ginuagi Reichtum besitzen sie genug 154, 35. silabar ginuagi 155, 3. substantivisch c. gen. 155, 32. ginuogê viele 194, 7.

ginuagî anom. f. Genüge: si thiû was thâr ginuagî dazu war da Genüge, es waren genug da zu dem, was Christus machen wollte 165, 27, thaz guates sie ginuagon eigun dass sie genug Gutes haben 166, 82 (ginnagon steht hier entweder des Reimes wegen für ginuagî oder es ist von einem schw. m. ginuago abzuleiten; siehe follon muases bei fol.)

ginîgan st. v. sich verneigen, c. dat. jemand ehrfurchtsvoll begrüssen 159, 15.

ginuht st. f. Genüge, Fülle, reichliche Gabe: mit dagon ioh ginuhtin (dat. pl.) 159, 18 scheint zu stehen für: mit dagô ginuhti (dat sg.) — mit Genüge am Leben. Mit ginuog durch ganah (es genügt) zu nâh adv. prope, pæne. Graff II, 1010.

ginuhtsam adj. reichlich, hinlänglich, zureichend 140, 38. Mit ginuog zu nâh.

giougjan schw. v. zeigen 142, 25. S. ougjan u. arauhjan.

kepëotan st. v. gebieten 120, 13.

gapot, kapot st. n. Gebot 127, 35. 36. Zu biotan.

keprët st. n. Brett, Balken, trabs 121, 17.

girado adv. ecce 137, 10. Zu adj. girad gerade, par? Graff II, 456.

kirâti, kerâtti st. n. consilium, Beratung, Rat 123, 14. 20. 27. 155, 38. Zu rât.

kirâtida st. f. Beratung, Zuratziehung anderer, consilium 124, 19.

gerich, kerich st. m. Rache 188, 21. 192, 19. Zu rëchan.

girihtî anom. f. zu rëht: Geradheit: in girihtî räuml. in Geradheit, gerade aus 170, 12. 35. zeitl. immerfort 162, 6.

karisan, kerisan schw. v. geziemen, sich schicken, convenire 123, 38. 128, 3. Zu rîsan.

giroubi st. n. collect. zu roub: gesammte Beute 177, 9.

garûni st. n. mysterium, Geheimnis und Wunder 126, 31. Zu rûna, rûnan.

giruorjan schw. v. erregen, bewegen 147, 23.

giruornessi st. n. Bewegung 148, 19.

girusti st. n. Mechanismus, Einrichtung 160, 24.

giscaf 119, 18 st. m. Schöpfer? oder st. f. Schöpfung = giscaft? Zu scafan = creare.

giscaft st. f. Geschöpf, Geschaffenes, creatura 158, 16. Beschaffenheit, Natur 193, 28.

geschëhan st. v. præs. geschiehet

192, 12. geschiet für geschihet
192, 8. cj. præs. keschêe 190, 22.
s. skêhan.

kiscirri st. n. Gerät, Geschirr 181, 7.

giscrîb st. n. Schrift, heilige Schrift 178, 39. pl. giscrîb die h. Schriften 150, 9.

gisellascaf st. f. vereinigte Gesammtheit mehrerer, Genossenschaft, contubernium 144, 10.

kisellen schw. v. vereinigen, conjungere, zusammenstellen 196, 13? Zu sal, giselljo. Vgl. Graff VI, 178.

giselljo schw. m. eigentl. (von sal) Hausgenosse: Gefährte, Freund, Geselle 182, 30.

kesezzan schw. v. factit. zu sizan: festsetzen, einrichten, constituere 120, 13. 123, 86.

gisiht st. f. Sehen, Anblick, Angesicht 159, 2. 178, 36. 176, 27.

kisindi st. n. Dienerschaft 133, 12. Eigtl. Weggenossenschaft, von sind Weg, sindan gehen.

gisiuni st. n. das Sehen, Anschauen: gisiunes arûmi er gab er gab Raum zum Anschauen, machte Platz zum Hineinblicken in das leere Grab 176, 26. Gesicht, Erscheinung, visio 158, 36. in gisiune = per visum, im Traume 149, 8. Für gisihini, zu sêhan, goth. saihvan.

giskîn st. m? n? phantasma, Erscheinung, Gespenst 144, 30. Zu scînan.

gi- kislahte st. n. Geschlecht 197, 1. Mit slahta zu slahan.

geslîphan st. v. gleitend sinken, schleifen, schlüpfen 188, 18.

kaspanst, kespanst st. f. Verlockung, verlockendes Wesen, Gespenst 128, 14. Anlockung, sanfte Ueberredung, suasio 122, 37. Zu spanan.

gi- kistandan, gistân, gistên anom. st. v. bestehn bleiben, Stand halten, bleiben 134, 22. 26. beginnen, anfangen: darbâ gistuontun es begannen für Dietrich die Verluste meines weiland Vaters d. h. es begann der Verlust etc. 117, 23. Das impf. gistuont, gistuant sq. inf. wird als epische Formel statt des erzählenden impf. gebraucht: hêr fragên gistuont er begann zu fragen 117, 8. gistuant êr gibiatan für êr gibôt 169, 21. So auch gimeinan, biginnan, lat. coepisse.

kistarkan schw. v. stark machen, stärken, befestigen 134, 14. Zu stark.

gistelli st. n. Gestell 179, 31 (das Gestell oder die Gestelle der Wagen).

gistirri st. n. constellatio, Stellung der Sterne 161, 1. Zu stërro.

gistrîti st. n. seditio, Streit, Aufruhr 149, 18.

gistullan schw. v. an einer Stelle anhalten, warten, sich aufhalten 157, 9. Mit stulla zu stellan.

kastuoli st. n. triclinium, consessus, die Speisebänke und Speisetafeln 125, 21. Collectiv von stuol Stuhl, Sitz. Vgl. Graff VI, 665.

gesturmi st. n. Sturm, Bewegung, tumultus 192, 37.

kesuahhida st. f. Untersuchung, discussio 120, 21.

gisûbiren für **gisubarjan** schw. v. sauber, rein, gesund machen 142, 22. Nhd. säubern.

gisund, gisunt adj. lebend und unverletzt 151, 26. 152, 35 Otfr. 183, 2.

gith- siehe **gid-**.

giwahan st. anom. v. kommt nur vor im impf. giwuag und im part. præt. giwaht: einer Sache eingedenk sein, sie erwähnen 174, 4. c. dat. der Person und gen. der Sache: Jemanden etwas erwähnen, ihm davon sprechen 172, 12.

giwaht st. m? Erwähnung, Andenken, Lob, Ruhm, gloria 157, 32. Zu giwahan.

giwalt, kiwalt st. m. zu waltan: Gewalt, Macht, Herrschaft 143, 5. 182, 36. dat. sg. kiwaltin für kiwalti 119, 21. giwelti 147, 27. 160, 1.

giwaralîcho adv. aufmerksam 161, 28. Zu war adj. aufmerksam, wara st. f. Aufmerksamkeit.

kewarbjan, kewarban schw. v. factit. zu wërban: wenden, kehren sc. sich, convertere sc. se 121, 24.

giwâro adv. wahrhaftig, in der Tat 169, 11. 178, 17. Zu wâr.

kawâti st. n. collect. zu wât: Kleidung, Gewandung 125, 25. instr. giwâtû 147, 35.

giweiʒan siehe weiʒjan.

giwëlîh adj. pron. jeder, quisque: einerô giwëlîh jeder der einzelnen, jeder einzelne, unusquisque 142, 6. 144, 3. Vgl. iogiwëlîh.

giwërdan st. v. unpers. mit acc. der Person und gen. der Sache: mih giwërdit es mich freut dessen, ich erfreue mich einer Sache 165, 7 (siu ist acc. pl. neutr. bezüglich auf das neutr. hîun). sô siê thes

brotes giuuard nachdem sie sich
des Brotes gefreut hatten 169, 4. Mit
giwurt Freude zu wĕrt.

kiwĕrdôn, gewĕrden siehe wĕrdôn.

giwĕrôn schw. v. gewähren, tun, erfüllen: c. acc. u. gen. in an thes
giheizes 159, 10. Nach Wackern.
eigentlich: zum Herrn wovon machen,
viell. von wĕr Mann, Herr; dazu
wĕrt. vgl. Graff I, 940 ff.

giwîgan 119, 9. part. præt. von einem
nicht mehr existirenden st. v. wî-
gan kämpfen, also giwigan = zu-
sammengehauen, zerhauen?

giwiggi st. n. Wegscheide, bivium
141, 4. Zu wĕg.

gi- kiwinnan st. v. durch Arbeit und
Mühe wozu gelangen, erkämpfen,
erwerben, erlangen 118, 29. 127, 38.
133, 12. erwerben und herbeischaffen
168, 17. erhalten, bekommen 192, 12
(gewunnet für gewinnet).

giwis, kiwis adj. zu wiჳan: gewiss,
sicher 154, 12 (als gewisse, sichere).
197, 29. thiê zi lîbe sint gi-
wissê die des Lebens gewiss, sicher
sind 159, 32.

giwissî anom. f. Gewissheit; adverbial:
in giwissî sicherlich 172, 33.

giwisso, ga- kewisso, giwesso adv.
gewisslich, sicherlich 161, 15. 172,
14. ergo, also, darum 120, 27. 121,
35. autem, aber, dagegen 121, 2.
5. 13. 122, 18. 123, 22. 147, 15.
quidem, zwar 122, 14. 125, 12.
namque, enim, denn, nämlich 120,
5. 122, 1. utique 126, 29.

giwizscaf st. n. Zeugnis, testimonium 147, 18. Zu wiჳan.

gewizcî st. f. Wissen 132, 7.

giwiznessi st. n. Zeugnis, testimonium 142, 26 Tat. acc. pl. gi-
wiznessu 148, 32, wozu vergl.
Grammat. §. 28, Anm. 1. Zu wiჳan,
wiჳჳî.

giwon adj. gewohnt: c. gen. 154, 37.
c. inf. 161, 19. c. inf. mit zi 148,
35. Für giwan.

giwona st. f. Gewohnheit: dat. gi-
wonu 138, 14. Zu giwon adj.

kewuraht st. f. Handlung, Verdienst
121, 38 (kewurahti scheint hier
hier acc. pl. = merita). Zu worahjan.

giwurt st. f. Freude 163, 15. Zu wĕrt,
giwĕrdan.

giwurtig adj. vergnügt, mit Freude
165, 34. Zu giwurt, giwĕrdan.

gizal adj. schnell und kühn, wie bald,

snel, swind 155, 31. Zu zil, zilôn, zal.

gizâmi adj. zu zĕman: geziemend
158, 22. 167, 32. 173, 12. wohlan-
ständig, wohlgefällig 158, 23. neutr.
subst. thaჳ gizâmi das Geziemende
179, 1.

gizeihanôn schw. v. bezeichnen, an-
deuten, erklären, significare 147, 5.

gizeinôn schw. v. zeigen, genau angeben 172, 30. S. zeinjan.

gizimbri st. n. Bau, bauliche Einrichtung 171, 18.

gizîto adv. zu adj. gizîti: früh, zeitig
174, 2.

gizîug st. m. Gerätschaft 154, 37.

gizungi st. n. für zunga: Zunge,
Sprache 156, 8.

gaganjan, gaganen schw. v. entgegen
treten, begegnen, zuwider sein 152,
28. begegnen 159, 14. s. begage-
nen. Zu gagan Begegnung.

kagenmăჳჳan schw. v. gegen einander
stellen und mit einander messen, ver-
gleichen 196, 3. 197, 19.

gagenwĕrt adj. gegenwärtig 186, 34.

gâhan, kâhan schw. v. eilen, sich beeilen: præs. cj. kâhe 133, 3 (Conjectur). c. gen. nach etwas eilen,
sich mit etwas beeilen, eifrig darnach streben 167, 5. 173, 34. gigâhe 154, 4 ist wohl als præs. cj.
von gâhan zu nehmen, vor dem
thaჳ fehlt. Graff IV, 131 ist geneigt, es adverbial wie gâhe, in
gâhe zu nehmen, vom adj. gâhi.

gâhi adj. schnell, eilig, jähe, adverbiale Formen: gâhun eilends, jäh-
lings, schnell 158, 9 Otfr. in gâhi
176, 21. in gâhe 163, 8. in gâhun 169, 9. verstärkt in alagâhun
168, 37. gâhon 179, 27. gigâhe
154, 4 s. gâhan.

Galilêa st. f. Galilea: dat. Galilêu
Tat.

galla schw. f. Galle 164, 15.

gang st. m. Gang, Zug, Reise 170, 35.

gangan 154, 13. zusammengezog. gân,
kân 188, 19. gên 197, 36. anom. st.
v. gehen: præs. ind. gegangu gehe
ein 132, 10. gât 187, 2. 195, 3.
impf. giang, gienc 139, 4. kêno
125, 22. gigiang 151, 18 (wenn er
gieng). part. præs. gangantêr 144,
28. kommen, herbeikommen: wio
thiu zît gigange wie die Zeit
herbeikomme 171, 28.

garawan, karawan, garwen schw. v.
gar machen, fertig machen, bereiten

117, 5. 194, 18. impf. karawita 124, 32 (Conjectur). garotôs 159, 20. gareta 194, 18 Notk. gareti für gareta 197, 4. garutun 117, 5. Vgl. nhd. gerwen, gerben = Leder gar machen, bereiten.

garo, karo, flectiert **garawêr,** neutr. garawaʒ 167, 20 adj. bereit, bereit gemacht, paratus 125, 12. bereit zum Kampf, gerüstet 183, 20. nom. pl. st. f. garawô 162, 87.

garotag st. m. Rüsttag, der Tag vor dem Sabbat oder Fest, παρασκευή.

gart, cart st. m. Kreis (umgürtender und umgürteter), umgebender Kreis, Menge, chorus 129, 15. 135, 29 (Conjectur; Schmeller liest hier girust st. f. Waffenrüstung).

gast st. m. Gast 165, 4. Lat. hostis, hos-pes.

gastwissî anom. f. Herberge 157, 14.

gëba st. f. Gabe, Geschenk 118, 11. 161, 26 Otfr. für lat. gratia Gnade 188, 31.

gëban, këpan st. v. geben: præs. ih gibu 118, 9. præs. cj. këbên sie sollen geben 123, 26. gëba für gëbe 181, 1.

geginwertî anom. f. Gegenwart, Zeitlichkeit, diese Welt 168, 18.

gëhan s. jëhan.

geist, keist st. m. spiritus, Geist 119, 20.

geistlich adj. spiritalis, geistlich 162, 4.

keistlîcho adv. auf geistliche Art 192, 23.

geldæ 119, 12. 18. für gelda, gelde dat. von alts. geld st. n. Erstattung, dargebrachtes Opfer, Verehrung.

gëltan st. v. zurückerstatten, vergelten 141, 7. bezahlen (Abgabe) 157, 1.

gên s. gangan.

gënêr Otfr., **ënêr** Notk. pron. demonstr. auf entfernteres hinweisend, jener 152, 15 (David). ene-dise jene-diese 186, 16. diz-eneʒ 190, 22.

gêr st. m. Wurfspiess 118. 11. Dazu Gêrhard, Gêrbrecht, Gêrnôt, Gêrdrût, Rüedegêr, Hergêr, Blîkêr.

gernilîhho, gernlîhho ad. mit Eifer, begierig, diligenter 136, 27. 29.

gërno, kërno adv. begierig und mit Freude, gern 133, 24. 161, 8. 181, 27.

gërôn, kërôn, gërên 183, 7. schw. v. begehren Otfr. c. gen. 188, 7. part. præs. gërônti cupiens 147, 29. folgd. Nebensatz mit daʒ c. cj. 181, 1.

gerta aus **garda** st. f. Rute, Gerte, virga 188, 2.

gift st. f. zu gëban: Gabe, Geschenk 162, 6. 181, 8. Vgl. nhd. Mitgift.

gingên schw. v. verlangen, nachgehen c. gen. 166, 80. thara gingên sich darnach sehnen? 178, 21 s. thara.

giozan st. v. giessen, vergiessen 157, 1.

girstîn adj. von Gerste 144, 6. 168, 28.

giu s. iu.

glaw, flectiert **glawêr** adj. klug, einsichtig, vorsichtig 171, 25.

god, got, cot, kot gen. godes, Tat. schreibt got, gotes, ebenso Otfr. st. m. Gott 119, 18. 128, 4. 131, 10. 132, 5. 133, 24. 139, 10. Tat. schreit got, gotes; ebenso Otfr. 158, 10. 11 etc. 181, 27.

gold, kolt 194, 2 st. n. Gold 137, 7. 155, 4.

gomman, commman st. m. vir, Mann 144, 16 Tat. 156, 25 Otfr. gomman joh wîb, wie jungêr joh altêr, armêr joh richêr. Aus gomo und man.

gomo, como schw. m. Mann 135, 29. acc. sg. commen 181, 18.

cotchund adj. göttlich 120, 15. 121, 8.

goteleido schw. m. der Gottverhasste, Gottverurteilte 172, 18 (scheint hier Christus zu sein, sofern er von Gott dem Strafgericht der Menschen und dem Tod überliefert wird).

gotheit st. f. Gottheit 189, 4.

gotkundlich adj. göttlich, mit göttlicher Kraft 165, 20 (s. racha).

götlich s. guotlîch.

gotman st. m. Mann, Diener Gottes, Gottesgelehrter 184, 20.

gotspel st. n. Erzählung von Gott, evangelium 139, 24. Engl. gospel. Zu spel Rede, erdichtete Erzählung, Fabel, mhd. bîspel = biwort.

gotspellôn schw. v. das Evangelium verkünden, evangelizare 140, 4.

gouch st. m. Kukuk, cuculus 195, 14.

gouma st. f. prüfendes Aufmerken, Geschmack, Genuss 153, 30. Mahlzeit, Speise 157, 38. gouma nëman c. gen. Acht haben auf etwas, etwas in Acht nehmen 153, 28. 174, 21. an etwas denken u. es vornehmen 170, 13.

gouman schw. v. c. gen. Acht haben, achten auf etwas 171, 25.

graban st. v. graben, ausgraben 155, 1.

gras st. n. Gras, herba 144, 11. 168, 33.

grâvo, grâuo, grâfo schw. m. Graf, præses: vom Landpfleger Pilatus 148, 34 Tat.

greifôn schw. v. greifen, mit Händen berühren 149, 80.

grîscramôn schw. v. finsteren Mutes mit den Zähnen knirschen, fremere 186, 27.

gruoni adj. grün 144, 11.

grunni anom. f. Jammer, Unfall 172, 22. Zu ahd. grînan, ags. granian, altn. grenia, goth. greitan u. grêtan.

guallîchî Otfr., **guollîchî** Notk. für **guatlîchî** anom. f. Herrlichkeit, Ehre 166, 15. 188, 87. s. guotlîh.

guallîcho s. guotlîcho.

guatî, guotî, guote 196, 16 anom. f. Gutheit, Güte, Vortrefflichkeit 151, 10. 157, 29. 163, 13. Frömmigkeit 167, 12. acc. pl. guatî 151, 23. 162, 32. thîa guatî die gleiche Güte, dieselbe Vortrefflichkeit 152, 1.

guatilîh adj. Subst. jegliches Gute, alles Gute 163, 34. 175, 82. Wie mannogilîh, friuntilîh s. galîh, lîh.

guocon schw. v. schreien, vom Kukkuk 195, 14.

gûdëa alts. für ahd. **gundja, gundëa** st. f. Kampf 119, 1. Vgl. gûdhamo, gundfano, Gunthahari, Gundrat, Kunigunde, Hildegund.

gûdhamo schw. m. Kampfkleid 117, 5. Aus gundja Kampf u. hamo Überwurf, Kleid, Hemd, s. lîhhamo.

gundfano schw. m. Kriegsfahne 182, 25. Aus gundja u. fanno, ital. gonfalone.

gunste, zi gunste 197, 13 scheint zu stehen für zi jungste jüngst, zuletzt.

guot Musp., **guat** Otfr., **cuat** Kero, altertüml. Form **côt** 131, 12, alts. **gôt** 118, 20. adj. brauchbar, tüchtig, gut 151, 30 Otfr. c. dat. nützlich 135, 4.

guot, guat, coot 131, 11 st. n. Gutes 131, 11. 155, 5. 161, 37. dâs Gut, Besitztum, Vermögen 150, 25. thaჳ êwînîga guat die ewige Seligkeit 153, 7. thuruh guat in guten Absichten 176, 34. zi guate zu Gutem, zum Segen, zum Heil 152, 17. 156, 13. 166, 25. 175, 19.

guotlîh, guatalîh 166, 29, altertümliche Formen: **gôtlîh** 128, 2. **cootlîh** 131. 9, assimiliert **guollîh** adj. gut beschaffen, gut 131. gut, freundlich 166, 29. herrlich 128, 2. siehe guatilîh.

guotlîcho, guatlîcho, guallîcho adv. herrlich 153, 13.

gurtjan schw. v. gürten 115, 5. impf. gurtun für gurtitun 117, 5. S. anagurtjan.

H.

habên, hapên, gahapên 127, 4. schw. v. inne haben, besitzen, haben, fest halten 127, 4. 180, 14. (Gericht) halten 160, 4. Hilfsw. des perf. von trans. u. Zustandsverben s. Gramm. §. 23. Formen: impf. habêtôs für habêtîs 148, 17. unregelmässig zusammengezogen hât für habêt 180, 11. unregelmässig durch Einmischung von Formen mit i: præs. ind. hebist 181, 19. 21. conj. habbe 118, 2. impf. ind. hebitôs 181, 20. cj. hebiti 181, 18. alts. hafôn, impf. hafôde 184, 20.

Hadhubraht, Hadubraht 117, 14. **Hadhubrant** 117, 3. n. propr. m. Hildebrands Sohn: aus Hadu‑ altn.

Hödhr Gott des Kriegsglücks und bëraht, braht, brant s. beraht.

hafenâri st. n. Töpfer, Hafner 188, 4.

hafôn alts. für habên.

hâhan anom. st. v. trans.: hängen, ans Kreuz hängen, crucifigere; imper. sg. hâh 148, 8. pl. hâhet 148, 9. impf. hiang.

halba schw. f. Richtung, Seite: adverbial: mîna halbun von meiner Seite, meinetwegen, meinethalben 178, 4.

hald, halt adv. eigtl. sich vorwärts senkend, geneigt: mehr, vielmehr. nêo dana halt nie sonst mehr, nie sonst, niemals schon zuvor 118, 5. S. framhald, haldo, mhd. u.

nhd. halde schw. f. Abhāng. Dazu
auch hold geneigt.
haldan, haltan, gihaltan st. v. bewahren, aufbewahren, erhalten 142,
15. 151, 21. 169, 7. 170, 29. 173,
16. 183, 21. erhalten, beschützen 189,
17. beachten (die Worte, Gebote),
halten, ausführen 145, 27. 152, 19.
geistlich salvare, retten, heilen,
erlösen 154, 15. wârun hirtâ hal-
tentê waren Hirten haltend, hütend
158, 5. cj. præs. gihalde 188, 21.
imper. kahalt bewahre 128, 25. kahaltana = conservatam, als
eine wohlbewahrte 128, 10. duo mih
gehaltenen = fac me salvum
189, 16.
haldo adv. geneigter Weise 188, 29.
Zu hald.
hâlingon adv. verheimlichend, heimlich
161, 18. Schwäb. helingen. Zu adj.
hâli.
halm st. m. Halm 121, 16.
halôn 124, 26. 133, 11. 136, 26. holôn 140, 6. schw. v. berufen, zu sich
rufen, vocare 136. 156, 10. 181, 17.
182, 2. herbeischaffen, bringen, ho-
len 169, 22.
hangên schw. v. intr. zu hâhan:
hangen 175, 27. hangên in = pen-
dere in, abhängen von 123, 31.
hangjan, hengjan, hengan schw. v.
trans. zu hâhan: impf. hangta
185, 13. gihangta 151, 35. I. aufhängen, wie hâhan. II. hängen
lassen (den Zügel), etwas zulassen,
nachlassen, zugeben, erlauben, con-
cedere 169, 27. 187, 1. zulassen,
verhängen z. B. Leid 151, 35. III.
c. dat. einer Sache nachhängen, nach-
geben z. B. dem Gelüste 185, 13.
part. præs. héngendo 185, 13. S.
gihengan.
hant st. f. Hand: dat. pl. hanton 139,
12. 155, 22. acc. pl. henti 149, 30.
ce hanton adv. zu Handen? alsbald, sogleich? 183, 15.
hapt st. n.? Fessel, Band 116, 4. Mit
haft zu habên.
haptbant st. n. Fesselband 116, 4. Von
hapt und bindan.
haranscara für **haramscara** st. f. Strafe;
Harmbescheerung 182, 12. Aus ha-
ram Harm, Leid, scara zugeteilter
Anteil, von scerjan.
harên schw. v. rufen, schreien 120, 9.
133, 31. 189, 8.
harmlicco für **harmlico** adv. Schmerz
bereitend, Verderben bringend 119, 7.

hartî, hertî, hart adj. hart, durus
174, 28. trotzig 122, 18. hertêm
herzin = duris corde, den Har-
ten in Bez. auf das Herz, auf den
Sinn 121, 2.
harto adv. zu hartî, hertî; sehr
133, 25. 137, 20. 158, 10. 195, 15.
harto filu gar sehr 151, 14. filu
harto 155, 39.
hauwan st. v. hauen, niederhauen 118,
26. impf. hiow, pl. heuwun 119, 7.
haз st. m. Hass 146, 8. lat. odi, goth.
hatis.
haззôn schw. v. hassen 140, 28.
he alts. für hêr, êr 116, 9.
hêber für êber, êbur st. m. Eber 195, 3.
hebîg adj. gewichtig, gewaltig, bedeutend, eigentl. die andere Wagschale
erhebend 159, 33. 160, 30 Otfr.
hebîgî anom. f. Gewicht, Schwere 158,
17. 171, 4. 176, 14 Otfr.
hebjan schw. v. andere Form für habên, wie libjan, segjan für le-
bên, sagên, siehe habên.
heidan, heidin 182, 9. adj. heidnisch
141, 15. Zu heit.
heil adj. gesund, heil, sanus 143, 17.
152, 17. 155, 30. heilan tuo mih
= fac me salvum, rette mich
145, 4.
heil st. n. Glück 158, 13 Otfr. geistlich: Errettung, Erlösung 156, 5
Otfr.
heilag adj. heilig 139, 9.
heilagôn schw. v. heiligen 141, 21.
heilant st. m. Heiland, salvator, Jesus 136, 14. 138, 15 Tat. Ursprg.
part. præs. zu heilan.
heilî anom. f. Glück, Heil, bes. geistlich: Seligkeit, salus 123, 5. 128,
23. 150, 24 Otfr. 188, 31 Notk. Acc.
sg. heila 197, 27 von einem nom.
heila.
heiljan, heilan schw. v. trans. heil,
gesund machen, heilen 139, 24 Tat.
geistlich: salvare, erlösen, heiligen 127, 8. 170, 27.
heillîch adj. heilsam 123, 31.
heim st. m. Haus, Heimat 162, 38. adv.
dat. heime, alts. hême zu Hause,
daheim 118, 20. 156, 29. 173, 3. adv.
acc. heim nach Hause 163, 7. auf
die Erde 164, 20.
heimina adv. von Hause 181, 6.
heimingi st. n. Heimat 163, 8. 23.
heimwist st. f. das Leben daheim 163,
21. Zu wêsan.
Heinrîch für **Heimrîch** n. propr. m. 184,
7 ff. dat. Heinrîche 184, 7.

heit st. m. f. Geschlecht, Volk, altn. heidh, davon heidan, heidin, adj. wie ἐθνικός von ἔθνος, gentilis von gens; Wesen, Persönlichkeit, persona 121, 18. 30. nihein heit kein rechter Mann, nichts wert 173, 24. gen. pl. heitëo 121, 30.

heittu 117, 17 alts. für heiʒu siehe heiʒan.

heiʒ adj. heiss 133, 27. verstärkter superl. allerheiʒʒist 197, 23.

heiʒan, heizsan, alts. **hêtan, heitan** st. v. alts. præs. ind. ih hêtu, heitu, unrichtig geschrieben heittu 117, 17 für ahd. heiʒu, alts. impf. cj. hêti, hæti, unrichtig geschrieben hætti 117, 17 für ahd. hiaʒi: heissen, befehlen, sagen dass jemand etwas tun solle sq. inf. 153, 2. 178, 18. 25. sq. acc. c. inf. 182, 20. sq. cj. mit ausgelassenem daʒ 178, 13—14. nennen, 138, 7. genannt werden 181, 26. 117, 17. siehe gaheiʒan.

heiʒmuot st. m. oder **heiʒmuoti** anomf. f. Heissmut, furor 187, 15.

hëlan st. v. geheim halten, verbergen c. acc. 160, 5. c. acc. dupl. thaʒ ni hiluh (für hilu ih) thih das verschweige ich dir nicht 152, 3. 167, 18.

hëlfa st. f. Hilfe 158, 4.

hëlfan st. v. c. dat. helfen 130, 9. 151, 18. imper. hilph 182, 21.

helid, helit st. m. Held; alts. nom. pl. helidôs 117, 6. Zu hëlan, eigtl. der deckende, schützende.

hella st. f. die verbergende und verborgene Unterwelt, Hölle 133, 25. 177, 5. 185, 12. unregelmässiger dat. helli für hello 197, 13. Zu hëlan.

hëllan st. v. ertönen, hallen, schallen 154, 10.

helphant st. m. Elephant, lat. elephantus: helphantes bein Elfenbein 153, 26.

helsan schw. v. umhalsen 157, 26. Zu hals.

hême für heime s. heim.

hengan s. hangjan.

heptjan schw. v. fest machen, befestigen, heften, fesseln 116, 2. Mit hapt zu habên.

hër s. ër.

hëra, hara Raumadv. her, hieher 139, 11. 171, 4. 182, 31. hera duoder 116, 1 s. duoder. hara nâh hernach 190, 35. 191, 29.

hërafart st. f. Hieherkunft 176, 37 (den Grund eurer Hieherkunft).

herasua adv. hieher, huc 172, 24. 179, 21. Verstärktes hera.

hêrduom st. m. höchste Würde: persönl. collect. die Gesammtheit derer, welche die höchste Würde einnehmen, die höchsten Würdeträger (Hochwürden), principes 136, 20.

heri st. n. Heer 116, 2. 125, 8. 129, 18. 133, 8. Leute, Mannen, Gefolge 147, 34. dat. sg. herje 133, 11. herige 147, 34. dat. pl. herjun 117, 8. acc. pl. heri 125. gen. pl. herrô (so ist zu verbessern) 129, 12. st. m. Volk, Menge, Haufe 170, 16.

hêri, hêr adj. hoch, bildl. erhaben, vornehm, herrlich 184, 3. ehrwürdig durch Alter, alt 117, 7 Hildebr., Comp. hêrôro u. hêriro, hêrero vornehmer, ehrwürdiger, höher 117, 7. 198, 19 (hêreri für hêrero). Subst. hêrero, zusammengezogen hêrro schw. m. Herr, Herrscher, Gebieter, König, 118, 20. 173, 28. 181, 15. 22. von Gott 182, 23. Superl. hêrôsto und hêristo der älteste, senior 124, 17. der Aelteste und Vorsitzende des Mahles 165, 35. princeps, der vornehmste 147, 21. 38. 149, 8. in thên hêristôn Judenô unter den vornehmsten, ersten (Städten) der Juden 136, 25.

hêri anom. f. Hoheit, Verherrlichung, Ehre 169, 38.

heriscaf st. f. gesammtes Heer, Menge 158, 25. 170, 34.

herizoho schw. m. Heerführer, Herzog, Fürst, Richter 172, 1.

Hêrôdes auch **Hêrôd** n. pr. m., gen. Hêrôdes 136, 15. dat. Hêrôde 138, 5.

herti adj. hart 155, 22. 163, 1.

hërza schw. m. Herz: dat. sg. herzin 128, 30. herzen 138, 30. acc. sg. herza 159, 29. acc. pl. herzún 149, 29. giwarnôn herzen guates ich bewaffne (eure) Herzen mit Gutem 172, 10.

hëvan st. m. Himmel 118, 4. Zu hevjan?

hevjan st. v. mit schwachem præs. impf. huab 159, 15. erheben, aufheben, aufhängen 175, 9. (Gesang) erheben, anstimmen 170, 19. refl. sich erheben, sich aufnehmen 135, 17. daʒ ne heue iuuh das mache euch nicht übermütig 188, 13. huob úf 182, 25 s. úfhevjan.

hewe, heuwe st. n. Heu 193, 33. Zu houwan.

hiar, hiare 160, 5. **hia** 181, 24 räuml. demonstr. adv. hier 162, 35 Otfr. Aus hir s. Gramm. §. 45, 4.

Hieremias n. pr. Jeremias; acc. Hieremiam 187, 24.

Hierusalem Tat., **Hjerosolima** 181, 25. n. pr. der Stadt Jerusalem.

hierwist st. f. Hiersein, Leben auf dieser Welt 182, 35. Zu wēsan.

hilfa st. f. Hilfe 138, 81.

Hiltibraht 117, 3. 7. **Hiltibrant** 117, 14. 17. n. pr. Hildebrand, Zuchtmeister und Heerschaarenanführer Dietrichs von Bern. Aus hiltja und bēraht, braht, brant, bērt.

hiltja st. f. appell. Kampf 117, 6. n. pr. einer Walküre, Kriegsjungfrau göttlicher Natur, altn. Hildr. vgl. Krîmhilt, Brünhild, Hiltegard, Hiltegund, Hiltibraht, Hiltrât, Mahthilt, Chlothilt.

himil st. m. Himmel 128, 1. himilô rîhhi Reich der Himmel, Himmelreich 124, 23. 133, 17. 143, 11.

himilguallichî anom. f. Himmelsherrlichkeit, Himmelsseligkeit 177, 11. s. guotlîh.

himilisc, Otfr. **himilisg** adj. himmlisch 134, 1. 135, 14. 141, 27. 157, 3. 174, 29.

himilrichi st. n. Himmelreich 158, 32.

himilzungal st. n. Himmelszünglein, züngelndes Flämmlein des Himmels, Stern 133, 8.

hina räuml. demonstr. adv. von hier weg, von da weg, von hinnen 117, 19. hina uuârun = von hinnen waren, gestorben sind 117, 16 wofür F. liest hina vuarun: hina varan = von hinnen fahren, sterben s. hipafart.

hinana, hinân adv. von hier weg, von hinnen 147, 15. 158, 23. Zu hina wie danana zu dana.

hinafart, hinavart st. f. Fortreise, Hinfahrt; euphemist. Tod 137, 16. 182, 36.

hindero adv. hinter, rückwärts: iro hindero sprâchon ihre bösen Nachreden, ihr böses Geschwätze 189, 25.

hintarquēman st. v. c. gen. erschrecken, eigtl. zurücktreten 158, 10. 161, 6 (Otfr.).

hîo schw. m. der Gatte; hîa schw. f. die Gattin, Frau; im plur. als neutrum behandelt: thiu hîun die Gatten, Eheleute, Mann und Frau 165, 7. dat. pl. thên hîôn 165, 11.

hirâ 119, 17 für irâ s. ēr.

hiutû, hiute adv. an diesem Tage, heute 119, 2. 187, 29. Aus instr. hiû tagû wie hodie aus hoc die, s. Gramm. §. 45, 4.

hirti st. m. Hirte 120, 22. 158, 5.

hîwan, hîjan, hîan schw. v. heiraten, sich verheiraten: impf. cj. gihitîn 165, 8.

hîwiski st. n. Geschlecht, Familie: fater hîwiskes = pater familias 120, 24. Mit hîwi st. n. Ehe, u. hîrat st. f. zu hîo u. hîwjan.

hlosên, losên schw. v. hörend Acht geben, horchen 126, 21. Zu hlût.

Hludwig 181, 26 ff. **Ludowig** 150, 20 Otfr. **Ludhuwig** 132, 19. n. pr. m. Ludwig; dat. Ludhuwîge 132, 18. acc. Hludwîgan 182, 20. lat. Lodhuwicus 131, 15. altfr. nom. Lodhuvigs 132, 13. acc. Lodhuwig 132, 16. neufr. Louis. Aus hlud, hlût berühmt oder Ruhm, und wîg.

hlûtjan schw. v. factit. zu hlût, lût: ertönen machen, blasen: kihlûtit wirdit vom Horn 135, 14. S. lûto, lûtên.

hneigjan schw. v. sich abwendeu, ablenken, abweichen 124, 1. Zu nîgan.

hôch adj. hoch: superl. daȝ hôhistâ missverständliche Uebersetzung von altilia, pl. von altile gemästetes Geflügel 124, 81. die Spitze, das Aeusserste, Ende 126, 8.

hôchô adv, hoch hinauf, hoch oben 168, 12.

hôhî anom. f. Höhe 136, 24. 158, 27 (Otfr.). Entfernung und Höhe 193, 12.

hôhjan schw. v. hôh machen, erhöhen: hôhe mo thaȝ guat er erhöhe ihm das Besitztum 150, 25. hôhe mo gimuato io allo zîti guato entw. er erhöhe ihm freundlich stets alle gute Zeiten oder: der Gütige, Gott (gimuato subst. schw. m.) erhöhe ihm stets alle gute Zeiten 151, 1. zu Ehren bringen 154, 4.

hold, holt adj. geneigt: günstig, freundlich, c. dat. 156, 16. dienstbar treu, fidelis, subst. c. gen. 182, 84. Zu halt.

holôn s. halôn.

holz st. n. Wald, Holz 116, 5. Gr. ὕλη, ξυλον, lat. silva, saltus.

honag st. n. Honig 150, 8.

hônjan schw. v. contumeliis afficere, höhnen, beschimpfen 125, 5.

hôrjan, hôran, hôren, auch **hôrren** 123, 19 Kero, schw. v. I. transit. oder

absol. hören: impf. gihôrta 117, 1.
136, 19 Tat. kahôrta 125, 7. præs.
cj. hôr für hôre 156, 13. inf. dat.
ze gehôrrene 194, 24. II. intr.
c. dat. hören auf: part. præs. hôr-
renti 123, 19. gehorchen: imper.
hôri 163, 16.

horn st. n. Horn, Drommete 135, 14.
172, 25. Lat. cornu, gr. κέρας.

horo, horaw st. n. Koth, Lehm 193, 29.

hôrsam adj. gehorsam 122, 9. 163, 16.
Zu hôrjan.

hôrsamî st. f. Gehorsam, oboedien-
tia 120, 19.

houbit, houbet st. n. Kopf, Haupt 186,
1. 188, 38. Gemüt 161, 7 Otfr. Zu
hevian. Lat. caput.

houbit-phuliwi st. n. Hauptpfühl,
Kopfkissen, pulvinar 143, 21. Alts.
pule, ags. pyle.

houbet-zierda st. f. Hauptzierde, Schmuck
des Hauptes 192, 3.

hregil st. n. plur. Kriegsbeute 119, 2.

hrînan, rînan st. v. anrühren, berühren, treffen 157, 29 Otfr. impf. rein
164, 20. waʒ mih fon thir rînit
165, 17 ist offenbar gleichbedeutend
mit waʒ ih fon thir nam 165, 16
== was ich von dir genommen, bekommen habe (göttliche Kraft). thiê
siê scoltun rînan welche (nom.)
sie (acc.) treffen sollten 171, 30.

hriag, riag, rinc st. m. Ring: plur.
Ringe des Panzerhemdes, das Pan-
zerhemd selbst 117, 6. Kreis, Ge-
wölbe z. B. des Himmels 179, 30.

hriwôa, hriuwôn schw. v. reuen, bereuen: ni hrivôês == non poeni-
teberis (soll heissen: non poenite-
bis) 124, 20.

hruomen schw. v. rühmen, refl. c. gen.
119, 2? Mit der Handschr. stimmt
mehr überein die Lesart brûmen
schw. v. räumen, entledigen: „welcher sich der Rüstung begeben, entledigen, entäussern müsse d. h. wer
besiegt sein soll;“ dies passt besser
zu dem nächsten Vers, dessen Sinn
ist: „oder wer Sieger sein soll.“ s.
rûman und ruaman.

hruorjan, ruarjan, ruaran, altert.
hrôrjan schw. v. in Bewegung setzen,
commovere 125, 35. 178, 31.
geistig: jemand treffen, bewegen,
rühren: in muat iʒ, wân ih, ru-
arti (des Reimes wegen für ruarta)
thiu selbun burgliuti es bewegte, glaube ich, im Geiste diese
Stadtbewohner 170, 38. 178, 23. be-

rühren: thaʒ irô lánd ruarit an
das ihr Land stösst 155, 9.

hrust st. f. plur. Rüstung 118, 19. 29.

hugjan, huggan, huckan, hugen schw.
v. denken, bedenken: imper. hugi
158, 30 Otfr. c. gen. etwas bedenken
159, 30. sq. zi, za: huckan za
diû daran denken, es zu Herzen
nehmen 133, 27. nihein hugita
tharzua keiner dachte daran, darüber nach 174, 22. Zu hugu.

hugu st. m. der denkende Geist, Seele
128, 31 (entweder dat. hugju oder
instr. hugjû). Dazu Hugo; lat. co-
gito.

huldî, hulde anom. f. zu hold: Geneigtheit, Freundlichkeit 118, 9 (s.
bi). 197, 11.

hund, hunt st. n. hundert: zwei hunt
c. gen. 144, 2. Lat. centum.

hund, hunt st. m. Hund 195, 11. Gr.
κύων, lat. canis.

hungar st. m. Hunger 171, 28.

hungirjan, hungiran, hungeren schw.
v. unpers. c. acc. inan hungirita
es hungerte ihn 139, 4.

Hûni, Hûn Volksn. Heune, Hunne 118,
12. gen. plur. Hûnëô 118, 9.

huoh st. m. Hohn, Spott 187, 10.

huohlich adj. lächerlich 187, 11.

huorâri st. m. Hurer 198, 2.

hursgjan schw. v. zu eifriger Geschäf-
tigkeit antreiben, befördern 153, 28.

hûs st. n. Haus 133, 21. 157, 4 Otfr.

hûsherre schw. m. Hausherr 196, 2.

**hwanda, hwanta, wanda, wanta,
wante** adv. Fragew. warum 121, 11.
Bindew. denn 133, 6. 136, 25 Tat.
151, 33. 154, 25. 157, 7. 31. 166,
19. 173, 9. 178, 31. 179, 21 Otfr.
Fügew. weil, quia, quoniam 134,
2. 137, 26. 147, 17. bi thiû wanta
darum weil 146, 9. 187, 23. thuruh thaʒ wanta darum weil 173,
25. wanta dass, einen Inhaltsatz
einleitend: als Nebensatz 127, 19.
137, 19. als gerade Rede 140, 3.

hwёdar, wёder, alts. **hwёrdar** adj.
Zahlfürw. welcher von beiden 119,
2. 133, 11. Comparativbildung zu
hwёr; gr. κότερος, πότερος, lat.
uter.

hwёlîh, huёlîh 117, 11. **wёlîh** 147, 5.
wielîh 135, 7. **vuielîh** 181, 3. **wuolîh** 143, 27. adj. Fragefürw. aus
wiolîh, wielîh: wie beschaffen,
welch, was für ein, qualis 117. 135.
subst. quis, wer, was für einer 143,
27. irgend welch, aliquis 124, 15.

c. gen. jeder (vgl. iogiwělîh) 128,
3. 28. 133, 23. 134, 6. 135, 5. 136,
2 Musp. neutr. wěleʒ für wělî-
heʒ 187, 35. sô wělîh, swělîh
siehe sô nro. III. u. swělîh.
hwêo 122, 32. **huêo** 125, 26. **wêo** 127,
11. 14. **wie** 160, 16. **wuo** 144, 4
adv. Fragefürw. auf welche Weise,
wie 158, 21. 171, 23 (siehe gangan).
in hwêo = quomodo, wie 127, 5.
wio manag 160, 16. wuo manag
144, 4. sô wio sô, swio, swie s.
swie. wiû s. hwěr.
hwěr, huêr, wěr, neutr. **waʒ** Fragefürw. wer, lat. quis, gr. τίς, s.
Gramm. §. 46. oba wěr wenn jemand, si quis 145, 20. sô hwěr
sô sq. cj. wer nur immer, quicun-
que 125, 15, 156, 15. sô wěr 156, 16.
wâʒ Fragefürw. was, was für: c.
gen. waʒ mordes was für Mord
136, 3. waʒ ist thaʒ ir mih
suohtut was ist dass ihr mich suchtet, warum suchtet ihr mich 138, 25.
bi waʒ warum, weshalb 181, 1. sô
waʒ sô was nur immer, quidquid
120, 23. waʒ etwas 150, 2. c. gen.
luziles waʒ etwas von Wenigem,
etwas Weniges 144, 3. instr. neutr.
hwiû, wiû: mit wiû mit was, womit 135, 3. ziû für zi wiû wozu,
warum 154, 29 Otfr. 186, 27 Notk.
bihiû für bi hwiû warum, weshalb
145, 6. wio, hwêo siehe hwêo.
hwergin s. wergin.
hwialîhî anom f. Beschaffenheit, qua-
litas 122, 38.
hwîla, wîla, wile st. f. Zeitpunkt,
Stunde, Weile, Zeit 196, 28. adv.
acc. thia wîla in dieser Zeit, in
diesem Augenblick 176, 17. iu wîla
in früherer Zeit, einst 177, 2.
hwîʒ, wîʒ, alts. **huîtt** adj. weiss,
glänzend 119, 7. 176, 28.

I, Y.

Anm. Wörter mit der Vorsilbe er- sind meist unter ir- zu suchen, teilweise auch unter
ar- und or-.

iagilîh 179, 1 Otfr. **êogalîh** 127, 20.
zählendes Pronominaladj. jeglicher,
jeder (im nom. sg. m. gewöhnlich
unflectiert). dat. pl. iagilîhên 168,
23. Nebenformen: iogiwělîh, êo-
cowělîh, êokiwělîh 129, 6. s.
diese.
ibu, ipu, entstellt **ibi, ubi, upi, ube,**
oba, obe, ob adv. Fügew. wenn, ob,
entstanden aus dem dat. des subst.
iba st. f. Bedingung. Formen:
ibu 117, 12 Hildebr. ipu 133, 12.
Musp. upi 133, 15. Musp. ube 190,
22. oba 132, 18. 139, 5. 10 Tat.
151, 3 Otfr. obe 181, 3. ob 132, 20.
144, 33 Tat. Bedeutung in allen angeführten Stellen: wenn; abhängige
Zweifelfrage: ob 182, 8. Ueber nibu,
nubi s. nibu.
idis, itis st. f. Weib, Jungfrau, bes.
ein Weib göttlicher Art, Schlacht-
jungfrau, Walküre 116, 1. Wird auch
gebraucht von Maria und andern
heiligen Frauen und von Königinnen.
Vgl. altn. dîs, pl. dîsir Walküre.
Island für Itisland. Graff I, 159.
ih, ich, alts. **ik** 117, 1. **ec** 119, 11. ff.
pron. 1. pers. gr. lat. ego 137, 13.
Ueber die Deklination s. Gramm.
§. 42. dat. alts. mî oder mi 117, 12
ff. 184, 13. 14. acc. pl. unsih 128,
34. 141, 25 Tat. 162, 28 Otfr. 187,
6 Notk. 197, 17. Relat. uns uns die
183, 26. Von den gen. mîn, unsar
pron. possess.
ieht 190, 38. siehe iowiht.
îlan, îllan schw. v. sich beeifern,
befleissen, bemühen 127, 30. sq. thaʒ
154, 9. sq. cj. ohne daʒ 154, 4 (s.
gâhan). sq. inf. 154, 17. eilen 162,
14. 176, 6. 7 (s. irdweljan). c.
gen. sich beeilen mit etwas 161, 29.
173, 38.
imbot st. n. Auftrag, mandatum, was
entboten wird 158, 13 Otfr. Zu in-
biotan.
in præp. c. dat. (abl.) u. acc. mit lat.
in, gr. ἐν zu ana. I. räumlich: c.
dat. in, an, auf 118, 19 29. 128, 1.
15. 16. 134, 2. 8. 18. 23. 136, 22
138, 4. 154, 34. 155, 19. 27. 160,
32. 163, 4 ff. 181, 22. 182, 4. abl.
in thiû 153, 19. c. acc. in, auf, zu
133, 6. 14. 134, 21. 177, 24. 182,

26. unzi in bis zu 136, 2. II. zeitlich: c. dat. in, an, bei 155, 24. 160,
21. 162, 8. bei, unter 152, 25. abl.
in thiû wenn, so lange 155, 35.
acc. unzi in bis zu, Kero. III. causal: c. acc. Zweck 132, 5. Gegenstand des Glaubens: gilouba in
Glaube an 162, 6. in thiû sc. thaz
auf dass, dass? 155, 17. Bedingung:
abl. in thiû thaz wenn, sofern 132,
8. IV. modal c. acc. nach, gemäss:
in dîno ganâda nach deiner Gnade
131, 12. mit 183, 1. in sîna zun-
gûn in seiner Sprache 154, 3 ff. in
frengiskon auf fränkisch, in deutscher Sprache 154, 6 ff. V. adverbiale Ausdrücke: vor subst. im dat.
in festî 161, 13 Otfr. in girihtî
162, 6. in hanton 178, 24. vor adj.
im acc. neutr. in alawâr 155, 19
Otfr. in wâr 177, 18 Otfr. in alawâri Otfr. in ein 153, 26. in êwîn
130, 16. in gâhe 163, 8. acc. fem.
in wâra 162, 3. Aphærese: imo'n
pruston 181, 14,

in räuml. adv. ein, hinein: bei Zeitwörtern kangan in 125, 22. ingangan 137, 4; hinter demonstr.
adv. thara in 161, 35. hera in
herein 125, 26.

in dat. pl. von êr: iis 136, 27. 151,
15 (den Franken).

inbindan s. intbindan.

indi, inti s. andi.

inthîhan, indîhan st. v. gelingen 154,
3. vgl. dîhan.

induan für intduan anom. st. v. auftun, eröffnen 176, 16.

infangâre st. m. der aufnimmt und
schützt, susceptor 188, 34.

infliohan st. v. entfliehen 116, 4 (in-
fliuh Conjectur F. für insprinc).

ingaganjan schw. v. entgegnen, entgegen kommen, begegnen: impf. cj.
ingagenti 163, 24.

ingân anom. st. v. entgehen, verloren
gehen 154, 20.

ingangan anom. st. v. hineingehen sq.
in 137, 4. c. acc. 172, 35. s. in adv.

ingegini räuml. adv. entgegen: 168, 8.
ingegin c. dat. 168, 9. gegenüber
176, 14. ingagan c. dat. 182, 26.
Eigentlich: zur Begegnung, aus in
und dat. von gagan.

ingëldan st. v. bezahlen: Strafe wofür
leiden, es büssen müssen, darum oder
dadurch zu Schaden kommen, entgelten, c. gen. 182, 18.

inheima st. f. nur plur. Heimat 162, 26.

inin præp. in c. acc. 128, 35.

inliuhtan schw. v. hineinleuchten, zu-
leuchten 153, 10 (die ewige Sonne
leuchte ihm dort immer Wonne hinein). ein- und umleuchten: inliuhtê
für inliuhtitê umleuchtet, licht-
umglänzt 158, 8.

innana, innân I. räuml. adv. innen,
innerhalb. II. præp. c. acc. in 141,
12. 158, 31. 179, 8. c. gen. innan
thes scheint missverständlich statt
infra zu verstehen intra = innerhalb dessen 137, 22. innana munistres innerhalb des Klosters 124, 6.

innana, innân räuml. adv. innen: innân plasan einblasen, inspirare
126, 27. thu es innana bist du
bist dessen inne, du weist es wohl
166, 8. innan thes indessen 171, 18.

inne räuml. adv. inne, inwendig, drin-
nen 157, 24. 158, 30; hinter demonstr. adv. dâr inne 126, 31.

innowa, inowa st. f. Wohnung,
Aufenthalt: pl. gen. innowô 171, 10.

inprinnan st. v. in Brand geraten, ent-
brennen 184, 22.

inquëdan st. v. statt intquëdan:
entgegen sagen, entsprechen, antworten 170, 34.

inspringan st. v. entspringen, entgehen: imper. insprinc 116, 4
(F. setzt hier intflîuh entflieh,
um die Alliteration mit invar herzustellen, was aber nicht nötig, da
schon in-in alliterieren und den
Ton haben).

inswebjan schw. v. einschläfern 157,
22. Vgl. alts. suëban, altn. swefn
Schlaf, altn. sofa schlafen; lat.
sopire, somnus für sompnus,
gr. ὕπνος.

int- s. ant- z. B. intfâhan u. s. w.

intbindan 183, 29. **inbintan** 169, 26
st. v. entbinden, losbinden, befreien,
lösen.

intduon, inttuon, induon (Otfr.), **in-
tuon** anom. v. auftun, öffnen 180, 3.
140, 17. 161, 39.

intfâhan s. antfâhan. Weitere Stellen: impf. intfiang 122, 33. perf.
intfangan eigut habt empfangen
126, 25. part. præt. inphanganemo 136, 7.

intfuaran schw. v. zu varan: entführen, entziehen: liut sih in
nintfuarit kein Volk entzieht
sich ihnen 155, 9.

inthabên schw. v. sih-eines sich
einer Sache enthalten 166, 6.

intlûhan st. v. aufschliessen, öffnen:
impf. intlouh 198, 15.

intrâtan schw. v. wovor erschrecken
c. acc. 155, 80. 168, 22.

intrîhhan st. v. enthüllen, offenbaren
123, 24.

intstantan anom. st. v. gegenüberstehn;
uneigentl. c. acc. verstehn 156, 11
(ist jemand in ihrem Lande, der es
auf andere Weise nioht verstände).

intwêrfan st. v. wegwerfen 176, 84
(lasset durchaus nicht fallen euren
Mut).

in-uppe siehe uppi.

invaran st. v. entgehen: imper. in-
vâr 116, 4.

inwit st. n. Betrug, Tücke 118, 15.
eigtl. Verstrickung, zu wëten st. v.
binden?

io, êo, hio: io bei Otfr. Tat. Notk.
êo 135, 1 Musp. hio 183, 16. ieo
191, 16. adv. acc. zu goth. aiva
(ahd. êwa). I. zu aller Zeit, immer
117, 28. 159, 17. 160, 21. 161, 1
(erste Halbz.) 171, 8. 173, 10. 191,
16. verstärkend hei adv.: io sô 155,
31. io gilîcho immer gleicher Weise
d. h. mehreremale 176, 19. io zi
nôtî 160, 8. 28. io zi guate 156,
18. 163, 16. II. zu irgend welcher
Zeit, irgend einmal, je einmal, je
160, 31 (das folgende subst. ohne
bestimmten Artikel). 161, 1 (2. Halbzeile). irgend einmal, einst 135, 1.
ni-êo niemals, durchaus nicht 136,
4. vgl. nio.

iogiwanân pron. adv. von überall her,
von allen Seiten her, undique 142,
29. Von io u. gi u. wanana.

iogiwëlih siehe êokiwëlih.

ioman 162, 22 Otfr. **iaman** 152, 7.
160, 38 Otfr. **êoman** Isid. unbestimmtes Pronominalsubst. irgend ein
Mann, jemand: dat. iomanne 162,
22. s. Gramm. §. 48.

iomêr, iamêr Otfr. adv. aus io, ia
u. mêr: immer (in Zukunft) 153, 8.
181, 12. ni-iamêr niemals 175, 1.

iowanne pron. adv. irgend einmal,
aliquando Graff IV, 1204. hin und
wieder, hie und da 151, 15.

iowanne adv. zu jeder Zeit 165, 25.

iowiht 136, 4 Musp. **iawiht** 160, 88
Otfr. **ieht** 190, 88 Notk., **êowiht**
Isid. unbestimmtes Pronominalsubst.
irgend ein Ding (wiht), etwas 136,
4 ff. ni-iowiht nichts; siehe niowiht.

ir, er præp. c. dat. aus 128; 80. 176,
25. s. ur.

irbalden schw. v. c. gen. mit Kühnheit eine Sache unternehmen, sich
einer Sache erkühnen: thaʒ es io
irbalde dass es sich je dessen er-
kühne so keinen Zins zu zahlen
156, 32.

irbarmeda st. f. Erbarmen 192, 2.

irbarmên schw. v. erbarmen, Mitleid
empfinden: unpers. c. acc. es er-
barmt mich 166, 84. c. acc. u. gen.
182, 19. Barmên aus bi und armên von arm.

ir- ar- erbëlgan st. v. zürnen; häufiger die partizipiale Umschreibung
erbolgan wësan erzürnt sein 182,
19. arbolgan wërdan erzürnt
werden 125, 7.

irbiotan st. v. darreichen, zukommen
lassen, entbieten 177, 29.

irbîtan schw. v. erwarten 155, 36 (s.
bei snellî).

irbitjan, irbittan, irbîtan st. v. mit
schw. præs. erbitten, durch Bitten
bewegen 176, 13. Vgl. Gramm. §. 21, 9.

irbunnan anom. v. missgönnen, neiden:
impf. irbonda 171, 10. Aus ir-
bi-unnan.

irburjan schw. v. erheben: sih irburjan sich erheben, sich aufmachen
(zur Reise) 157, 5. Mit burjan zu
bor, inpor s. burolang.

irdweljan, irdwellan schw. v. verzögern, versäumen 156, 28. impf.
irdwälta 160, 17. thaʒ thiu
fîra irdwalta, thiu minna iʒ
in irfulta was die Feier (der Fest-
tag) ihnen verzögert hatte, die Liebe
führte es ihnen zu Ende d. h. was
sie des Festtags wegen hatten ver-
schieben müssen, das auszuführen
eilten sie nun aus Liebe um so mehr
176, 8. Zu dweljan, twellan
zögern.

irfullan siehe arfullan.

yrfurban, irfurban s. arfurpan.

irgangan, irgân anom. st. v. herausgehen: zu gehen beginnen, kommen,
geschehen: êr iʒ zi thiû ir-
giangi ehe es dahin kam, ehe das
geschah 169, 20. zu Ende gehen,
vergehen 187, 80. S. argangan.

irgeban st. v. heraus- und wieder-
geben, von sich geben 176, 20. vollständig angeben u. mitteilen 156, 24.

irgëʒʒan st. v. vergessen 193, 30.

irgraban st. v. wörtlich: herausgraben,

bildlich: berauben, ausplündern,
173, 6.

erhâhan 148, 16. siehe h â h a n u. a r -
h a n g a n.

irhevjan, irheffen siehe a r h e v j a n.

irhôhan schw. v. erhöhen 187, 25.
188, 38.

irhugjan, irhuggan schw. v. zurück-
denken, sich erinnern, denken an
etwas c. gen. 151, 31 (i r h u g g für
i r h u g g u).

ir- erkennan schw. v. erkennen 144,
22. 181, 4 (impf. cj. e r c a n t î s).
verstehn 160, 28.

irkiosan st.* v. auswählen, erkiesen,
s. k i o s a n. part. præt. e r k o r a n
auserwählt und gerettet 182, 11.

irknâjan, irknâhan schw. v. erkennen:
præs. i r k n â h u Otfr. impf. i r -
k n â t a 176, 24 Otfr. vgl. gr. γνῶναι,
lat. g n o s c e r e.

irlesgen 161, 28 Otfr. für **irleskan**
schw. v. factit. zu **irlêskan**: erlö-
schen machen, auslöschen, vernichten
161, 28. dat. inf. i r l o s c h e n n e
186, 30.

ir- erlôsjan siehe a r l ô s j a n.

ir- ar- erlouben schw. v. erlauben.
part. præt. e r l o u b e t erlaubt 147, 4.

irmindëot st. m? n? grosses Volk,
aus d ë o t, goth. t h i u d a und i r -
m i n, welches zur Verstärkung des
Substantivbegriffs dient, also i r m i n -
d ë o t 117, 13 das grosse Volk, der
mæchtige Volksstamm, der im König-
reiche wohnt, wie i r m i n g o t der
grosse, mächtige Gott, i r m i n s û l
die grosse Weltsäule, u n i v e r s a l i s
c o l u m n a, der Riesenbaum, welcher
das Universum darstellt; nom. pr.
I r m i n d r û t wörtlich: grosser Liebling, Freund, Vertrauter.

irmingot 118, 4 als absol. Casus des
Ausrufs: grosser Gott, beim grossen
Gott. s. i r m i n d ë o t.

ireugan siehe a r a u g j a n.

erpaldên schw. v. sich erkühnen, sich
herausnehmen 123, 28. 124, 4.

errahhôn, errachôn schw. v. Wack.
mit Reden auseinandersetzen: w â r
e r r a h c h ô n ironisch: die Wahrheit
sagen, den Text lesen 183, 5. Reimnitz: er wollte irgendwo auskundschaften seine Feinde. Zn r a h h a,
r a h h ô n.

irran schw. v. i r r i machen, in Verwirrung bringen: part. præt. g i r r i t
182, 17.

irrëchan st. v. c. acc. rächen 192, 21.

irreinon schw. v. rein machen 154, 1.
Zu r e i n i.

irreken schw. v. hervorrecken, aus-
recken, ausstrecken 168, 24 (præs.
cj. dass sie den Mund darnach aus-
recken und etwas von dem Brode
schmecken könnten).

irretjan schw. v. herausreissen, entreissen, entziehen: s i h l i a n t o n
z i r r e t i n n e sich den Feinden zu
entreissen, sich von ihnen zu befreien
155, 7. für i r r e d j a n von r e d i.

irri adj. erzürnt, aufgebracht 117, 25.
ungewiss, schwankend s. i r r ô n,
i r r a n. Gr. lat. e r r o.

irrihtan schw. v. s i h i r r i h t a n sich
aufrichten, sich erheben (vom Falle)
177, 8. feindlich aufstehen gegen
jemand 188, 28.

irrîman st. m. ganz zählen, bis zu
Ende zählen 157, 32. Zu h r î m,
r î m Reihe, Zahl, Reim.

irrînan st. v. berühren, treffen 193,
21. s. h r î n a n.

irrôn schw. v. i r r i, ungewiss sein c.
gen. 160, 35.

irsagên schw. v. ganz heraussagen,
vollständig sagen 160, 15.

irscînan, yrscînan st. v. sichtbar werden, erscheinen, sich zeigen 161, 30.
170, 30. offenbar werden, zu Tage
kommen 165, 17.

irsingan st. v. zu Ende singen, aus-
singen 157, 27.

irslahan siehe a r s l a h a n.

irsmâhên schw. v. c. acc. s m â h i verächtlich oder geringfügig dünken:
s i e o u h i n t h i û g i s a g e t î n,
t h a z t h e n t h i o b u a h n i r s m â -
h ê t i n etc. sie sagten auch dabei
(g i s a g ê t î n scheint des Reimes wegen für g i s a g ê t u n zustehen), dass,
wem die Bücher nicht verächtlich
erschienen und wer wohl für sich
zu sorgen wüste, den müsse es gelüsten sie zu lesen. Oder: sie sagten auch dabei, dass dem die Bücher nicht verächtlich erschienen würden und dass der wohl für sich sorgen
würde, den es zu lesen gelüste 153, 19.

irspanan st. v. locken, verlocken 162,
28. s. s p a n a n.

irstandan siehe a r s t a n t a n. Weitere
Formen: inf. i r s t â n 188, 32. 36.
impf. i r s t u a n t 177, 20.

irstandnissi st. n. Aufrichtung, Auferstehung, Gegensatz zu f a l 159, 32.
Zu i r s t a n d a n.

irstërban s. a r s t ë r b a n.

ir- ersterben schw. v. factit. ersterben machen, tödten 189, 13.

irstrîchan st. v. intr. weggehen; trans. wegnehmen, entführen 158, 32.

ir- ersuahan schw. v. intr. mit bî c. acc. nach etwas forschen, einer Sache nachforschen 161, 20. verlangen, fordern, exigere 122, 31.

irteilan s. arteilan.

irthuesben schw. v. austilgen 161, 28.

irnullîn, irwullîn s. irwëllan.

ervirran schw. v. entfernen, wegführen 182, 17.

irwahsan, yrwahsan st. v. erwachsen, entstehen 171, 27. 197, 8.

irweljan schw. v. erwählen, wählen 151, 3. part. præt. irwelitônô 196, 12.

irwëllan st. v. herauswälzen, wegwälzen: impf. cj. irwullîn 176, 12.

irwendan schw. v. trans. irwindan machen, zurückwenden: c. acc. und gen. wovon abwendig machen, abbringen 132, 20. 21.

erwërban st. v. sich umtun um etwas; aufregen, subvertere (das Volk) 146, 36.

irwindan st. v. sich zurückwenden 193, 40.

irwinnan st. v. heiter, lustig werden, beim Gelage 166, 9. Wahrscheinlich zu wini, wunna und zu winnit = lascivitur Graff I, 875.

irwintan st. v. herauswinden, befreien 177, 5.

irzeljan, irzellan schw. v. ganz an-geben und beschreiben, erzählen 157, 28. 160, 18. 162, 22.

irzîhan st. v. ableugnen, verewigen, abschlagen 165, 22. Zu zîhan zeihen, impf. zêh, pl. zigun. impf. cj. zigi.

îsenîn adj. von Eisen, eisern 188, 2. Für îsarnîn aus îsarn, îsan st. n.

îsîn adj. von Eis: îsînêr stein Stein von Eis, Krystall 155, 2.

itiwîʒʒôn, itiwîʒʒan schw. v. vorwerfen, verspotten, verhöhnen 140, 30. Aus iti- ita unmittelbarer Fortgang oder Rückgang, Wiederholung, Verstärkung, vgl. gr ἰθύς, lat. ita, item, iter, iterum; und wîʒan.

itmâli adj. festlich, des Festes: itmâlemo tage am Tage des Festes 138, 12. 14. thuruh then itmâlon tag dass. 148, 35. Aus iti- it- Wiederholung und mâl Zeit, also vielleicht: in der Zeit, jährlich wiederkehrend.

iu, giu, goth. **ju,** zeitl. adv. noch, jetzt noch, mehr 118, 2. 178, 38. damals noch, damals 142, 28. vorher, vormals, einst, schon längst 178, 2 (iu wîla s. hwîla). êr iu 160, 13. 178, 38. schon jetzt, jam 126, 15. 145, 14. 34. 147, 29. 186, 14. immer 126, 19.

iwêr, iuwêr pron. possess. von gen. pl. pron. 2. pers. euer 126, 26. plur. n. iwê für iwarê: thiwê für thie iwê 158, 19. iwo für iwaro, iwaru 161, 4.

J.

Den Vocal i suche unter i.

jâ im Ahd. noch selten als Interj. der bejahenden Antwort auf eine Verbalfrage, gewöhnlich adverbial zur Bekräftigung einer bejahenden oder verneinenden Behauptung: auch, und auch, wahrhaftig, doch, aber, ja sogar 152, 25. 166, 11. 181, 2. für joh und 127, 4.ff. s. joh. Wackern. leitet es ab aus jah von jëhan, wie gr. φημί.

jâmar st. m. u. st. n. schmerzliches Verlangen, Sehnsucht 163, 8. Herzeleid, Jammer 175, 22 (st. n.).

jamarlîch adj. passiv. bejammernswert, kläglich 171, 17.

jâr st. n. Jahr: thiu êwînîgun gotes jâr (acc. temp.) die ewigen Jahre Gottes hindurch, in Ewigkeit 153, 7. her ward giwordan zwelif jârô Nachahmung des lat. factus est duodecim annorum 138, 18. fon jâre zi jâre von Jahr zu Jahr. adv. ubar jâr Jahre lang, Jahr aus Jahr ein 152, 16.

jëhan, gëhan st. v. sagen, sprechen 188, 18. zugestehen, zugeben, be-

kennen, confiteri 129, 4. 20. 192,
25. præs. ind. 3. pers. sg. gihit
129. 1. pers. pl. gěheměs 129.
impf. ind. jah 183. impf. cj. pl. jâ-
hîn 192.

jěner s. gěnêr.

joch st. n. Joch 187, 6. lat. jugum.

joh apoc. **jâ** 127, 4 ff. goth. **jah;** aus
ja und uh. I. Bindew. und 150, 25
Otfr. s. andi. jâ auh und anch
127, 4 ff. joh ouh 154, 27 Otfr.
ouh-joh 156, 4. 162, 8. zwischen
entgegengesetzten Begriffen 125, 20.
153,32 Otfr. joh-joh = et-et, sowohl - als auch 146, 20 Tat. 186, 4.
188, 15 Notk. II. adv. auch, selbst,
sogar 188, 26.

Jôseph n. pr. m. Joseph: dat. Jôsêbe
137, 11. 28.

juděo, judo schw. m. Jude: nom. pl.
judou 181, 2. gen. pl. juděôñô
147, 8 Tat. 177, 23 Otfr. juděno
136, 14. in juděon für in juděôñô lante im Judenland, in Judäa
138, 4.

judisk, Otfr. **judisg** adj. jüdisch. 175, 12.

jung, juno adj. jung 158, 18. comp.
jungiro Tat. jungoro Tat. Otfr.
schw. m. subst. Jünger (Christi) 123,
24. 141, 18. 149, 25. 165, 6. sup.
jungisto: bi thia jungistun
zît über diese letzte Zeit 172, 29.
adv. zi jungist zuletzt 180, 9. zi
jungisti 197, 14 ff.

jungan schw. v. jung machen, ver-
jüngen 192, 16.

jungent, jugend st. f. Jugend 197, 27.

junglîch adj. s. v. a. jung 192, 12.

K, C, CH, Q.

Anm. 1. C, K welche durch Lautverschiebung aus G hervorgegangen sind, sind meist unter G aufgeführt z. B. kâhan s. gâhan. Wörter mit der Vorsilbe ka- ki- ke- sind an der Spitze des Buchstabens G zu suchen.

Anm. 2. Das aus K, C durch Lautverschiebung hervorgegangene Ch ist ganz wie K behandelt; ebenso Q.

camara st. f.? cubiculum, Kammer
141, 12. Aus lat. camara.

chamfheit st. f. Dienstpflicht, militia
121, 29.

kapfěn, chapfěn schw. v. mit offenem
Munde schauen, gaffen 180, 7.

kâritât st. f. caritas, Liebe: plur.
163, 14.

Karl n. pr. m. Karl 132, 18. dat.
Karle 132, 21. d. h. Mann, Greis:
vgl. Kerl, gr. γέρων. lat. Carolus,
Carlus, franz. Karlus, Charles.
Dazu Karling, Kerlinc Abkom-
me von Karl.

Karleman n. pr. m. Karlmann d. h.
Mann-Mann: dat. Karlemanne
182, 5.

kastel st. n. befestigter Ort, Stadt,
Burg 169, 24. Aus lat. castellum.

cauf st. m. Handel, negotiatio 125, 3.

keisar, keisur, keisor st. m. Cæsar
148, 22. 156, 20. 184, 5.

cheisuring st. m. Kaisermünze, byzan-
tinische Goldmünze: instr. cheisuringû 118, 8 ist collectiv zu nehmen. = aus Kaisergoldstücken, da es

deren zu einem Armring mehrere
bedurfte.

kěk, kěkprunne s. quěk, quěc-
prunno.

kelich st. m. calix, Kelch 174, 17.

kempho 143, 5. **khenfo** 134, 12. schw.
m. Zweikämpfer, Kämpfer, miles.

kerta für **gerta** st. f. Gerte, Rute:
dat. kertû 122, 25. Zu gart.

ketina schw. f. Kette 183, 26. lat.
catena

ketti st. n. Grube, Grab 176, 16.

chilcha siehe kiricha.

kind, chind st. n. Kind 117, 18. 126,
21. 182, 1. dat. pl. kindon (Sohn
und Tochter) 152, 39.

chindili st. n. Kindlein 127, 19. demin.
zu kind, s. Gramm. §. 34, 4; d.

kindisk, Otfr. **kindisg** adj. nach Kin-
desart, kindisch; jungfräulich 157, 17.

chindiska, chindisga st. f. Kindesalter
197, 20.

kiosan, chiosan st. v. prüfen, schauen,
beurteilen, erwählen: impf. sg. gicôs 146, 3. pl. 2. p. gicurut 146,
3. sînâ kachoranê seine Auser-

wählten 126, 6. kicorana 181, 25 (doch ihr sagt, das Gebet werde erhört nur in Jerusalem). anom. cj. præs. als imperat. gebraucht: ni curi sq. inf. noli; ni curet = nolite: ni curet filu sprehan wollet nicht viel sprĕchen, sprechet nicht viel 141, 14. ni curet iu forhten fürchtet euch nicht 144, 32. 149, 27.

kiriha, khirihha 119, 25. **killicha, chilcha** 194, 35 schw. f. Kirche; aus lat. circus, circulus wegen der runden oder halbrunden Form der Kirchen oder Chöre, Wack.

chît s, quĕdan.

klaga st. f. Klage c. gen. über etwas 165, 19

kleiban schw. v. fact. zu klîban (st. v. fest hangen, haften) befestigen: impf. cj. gikleibtîn 153, 12.

kleini adj. fein, zierlich, hübsch, geistig: feinsinnig, klug, weise, sagax 151, 11. adv. kleino fein, zierlich 153, 17. 37. artig 179, 4.

kleinî anom. f. Zierlichkeit 153, 15. 30.

klûbôn schw. v. stückweise abbrechen, auflesen, pflücken, klauben 116, 8: statt des acc. hier mit umbi konstruirt = pflückten nach Kniestricken, Fesseln.

knĕht st. m. Knabe, puer 137, 5. 142, 32. 144, 6 Tat. 168, 27 Otfr.

knetan st. v. (knitu, knat, knetan) kneten, reiben: præs. knitet 192, 10.

kniu, knĕu, chniu st. n. Knie: dat. knewe 142, 20. gr. γόνυ, lat. genu.

chnuosal setzen wir 110, 11 nach Analogie aller k Anlaute im Hildebr. für **cnuosal, cnuosl** st. n. Geschlecht, Familie, konkreter als kuni, chunni. Vgl. gr. γιγνώσκειν, lat. gnasci, gnoscere.

coot s. guot.

korb st. m. Korb 169, 8. aus lat. corbis.

korôn, gachorôn, korên schw. v. den Geschmack versuchen, kosten c. acc. 142, 10. c. gen. geistig kosten (den Tod) 159, 9. prüfen, auf die Probe setzen, in Versuchung führen c. gen 168, 19 (impf. ind. korata für korôta). 182, 7. c. acc. 128, 36 (impf. cj. korêti). Zu kiosan.

corônôn schw. v. krönen, lat. coronare 192, 2.

kortar, chertar sagz aus quartir st

n. Heerde 123, 1. 8. gr. ἀγείρω, ἀγυρτός. lat. grex.

chorunka st. f. temptatio, Versuchung 128, 35. Zu korôn.

kôsa st.? schw.? f. Rechtshandel, lat. causa 184, 12.

kôsôn 181, 4. **côsan** 184, 2. schw. v. reden, sagen. lat. causari.

kostari st. m. Versucher, tentator 139, 4. siehe kostôn.

kostôn schw. v. versuchen, prüfen, tentare 139, 2. Zu kiosan; vgl. lat. gustare.

kostunga st. f. Versuchung, tentatio 139, 20 Tat.

kôtlîh s. guotlîh.

koufan schw. v. kaufen 144, 7.

kraft, craft, chraft st. f. Kraft 131, 13. 151, 16. 175, 29. 183, 17. 189, 11. Heeresmacht, grosse Menge 170,35.

kraftlîcho adv. kräftiglich 172, 26. 176, 19.

kreftîc adj. kräftig, stark 184, 12.

Kriach st. m. Grieche, lat. Græcus 153, 28.

krimman st. v. mit den Krallen zerreissen 164, 16.

crimmî anom. f. Grimm, Strenge 122, 5 (missverständliche Uebersetzung des adj. dirum statt grimma).

krippha st. f. Krippe 157, 16. Zu grîfan.

Krist, Christ n. pr. m. Christus 136, 11. gen. Kristes 178, 23. dat. Kriste 156, 17. druhtin Krist der Herr Christus 160, 19.

christanheit, christinheit st. f. Christlichkeit 126, 26; Christenheit, die Gesammtheit der Christen 126, 33. christliche Kirche 197, 9.

christâni, christiâni adj. aus lat. christianus: christlich 126, 24. 132, 5. 192, 30. st. m. subst. Christ 127, 1.

kristin adj. wie kristani 158, 35.

kruag st. m. Krug 165, 27 Otfr.

crûci, chrûci st. n. Kreuz, lat. crux 119, 21. chruci 136, 10.

kuanheit st. f. Kühnheit: acc. pl. kuanheiti 153, 14 Otfr.

kuani für **kuoni** adj. kampflustig, kühn 154, 35. 155, 32 Otfr.

chûd s. kund.

quĕobrunno schw. m. lebendiger Brunnen 181, 8. kĕkprunno 181, 5. s. quĕc.

quĕdan, qhuĕdan 122, 3. 128, 23 Kero. 128, 33. st. v. Formen: præs. quidit 128, 3. dafür auch quît 172,

29. chuidit 127, 5. chît 185, 17 Notk. plur. chĕdent 190, 37 Notk. impf. quad 118, 4. chad 187, 28 Notk. châden 187, 5. impf cj. châde 190, 17. part. præs. sg. quĕdanti 136, 28. sus quĕdantê == ita dicentes 136, 16. part. præt. giquĕtan 137, 16 Tat. Bedeutung: sagen, nennen 127, 5. sprechen, fragen 172, 29. daʒ chît das heisst 187, 24.

quedjan siehe quettan.

quĕkk adj. lebend, lebendig 135, 28. qhuĕkh 119, 24. quĕkes muates lebendigen, aufgeweckten Geistes 152, 24. Lat. vigeo, vegeo, vivus, goth. qvius; ahd. quihhan lebendig machen, nhd. erquicken.

quĕman, qhuĕman, kumen, chemen st. v. kommen 124, 28. Formen: præs. quimit 136, 25. cumit 146, 23. chumet 188, 22. impf. quam, quâmumês, quâmun 136, 16. 18. cham 185, 11. chom 197, 6. siehe biquĕman.

quĕna, chuuĕna schw. f. Weib, Frau 180, 22. Gattin 149, 7. Mit Tilgung des u: Notk. chĕna, gen. chĕnûn 185, 9. Gott qvinô, ags. engl. queen, gr. γυνή; zu kuni.

quettan für **quadjan, quedjan** schw. v. zu quĕdan: anreden, grüssen; impf. quatta 157, 20. zi kuninge sie nan quattun zum König riefen sie ihn aus 169, 34.

quikkan, quihhan, chichen schw. v. quĕc, lebendig machen; impf. chichta 190, 18.

quist st. f. nur bei Otfr. Untergang, Verderben, Verlust 172, 21. pl. 175, 18. Vgl. goth. fraquistjan, usquistjan, ahd. arquistjan == perdere, delere. Graff IV, 680.

cumftîg, kunftîg, chumftîc adj. was kommen wird, zukünftig 129, 2. chumftîc ist er ist künftig, wird kommen 119, 24. er ist kunftîg in worolt er wird in die Welt kommen 169, 12. chumftîgêr == venturus 130, 7.

kûmo adv. mit Mühe, beinahe nicht, kaum 180, 2.

kund, kunt, chûd 117, 13. adj. (particip. Bildung zu kunnan) bekannt, berühmt: kund tuon kund tun, bekannt machen, sagen 146, 2. chund tuon 192, 22. subst. Bekannter 188, 18.

chundida st. f. indicium, Kennzeichen 126, 25.

kundjan, chundjan, kunden schw. v. bekannt machen, verkünden, mitteilen 136, 29. 158, 29. impf. kundtun 160, 26. 162, 5. gikhundit wĕrde 136, 6. chundit für chunde == indicet, er tue kund, zeige 121, 7.

kunft st. f. zu quĕman: Kommen, Ankunft 190, 3.

kuniglîch adj. königlich 184, 7.

kuning, chuning, chuninc, cuning, khuninc st. m. König 118, 8. 125, 6. 134, 3. 136, 19. 147, 8. Von kuni, der aus edlem Geschlecht Stammende.

kuninginna st. f. Königin: gen. kuninginna 152, 40 (es werde auch — den Kindern — die Liebe derselben Königin bei Gott zu Teil; die Königin Emma war schon 857 gestorben).

kuningrîchi, chuningrîche st. n. Königreich 117, 13.

kuniowid st. m. Kniestrick? 116, 3. kuniowidi verbessert Wackern. statt cuoniouuidi der Handschr. und vermutet die Abstammung aus kuni Knie, gr. γόνυ, und wid, wit Strick aus gedrehtem Reise, goth. in kunavêdôm ἐν ἁλύσει, in catenis Ephes. 6, 20.

kunnan, chunnan anom. v. præs. kan, chan 190, 37. impf. conda 116, 9. geistig vermögen: verstehen, wissen, können, sq. inf. 156, 12. discere, lernen 126, 9.

kunni, chunni st. n. Geschlecht 117, 11 (Conjectur). dat. sg. kunnie 183, 3. gen. pl. chunnô 134, 4.

kuoni 183, 13. **kuani** 154, 31 Otfr. **chônni** 118, 1. adj. kühn, kampflustig.

kuonî, chônî anom. f. Kühnheit 118, 1 (Conjectur).

kuono adv. zu kuoni 183, 8.

kuphar st. n. Kupfer, lat. cuprum 155, 1.

curet s. kiosan.

kurtî anom. f. Kürze 158, 32. Zu adj. kurt, kurz, lat. curtus.

churtnassi nom. f. Kürze, brevitas 126, 35.

kurzan schw. v. kurz machen, abkürzen 172, 17.

chûske für **kûskî** anom. f. Schamhaftigkeit, Keuschheit 196, 15. Vom

adj. kûski, kiuschi keusch, scham-
haft, mässig.
kussan schw. v. küssen 157, 19.
kust st. f. Auserwählung, Liebe 163,
17. Zu kiosan, vgl. âkust.
chustîc adj. gut, sauber, rechtschaffen

195, 10; wörtlich: auserwählt und
auszuwählen, von kiosan.
kyrie eleyson 180, 13. **kirie eleison**
180, 16. **kyrrie leison** 183, 9. gr.
κύριε ἐλέησον Herr, erbarme dich:
Refrain geistlicher Lieder.

L.

Anm. Wörter, die im Texte mit dem Anlaute hl vorkommen, sind unter H zu suchen.

lachan st. n. Lacken, Tuch, bes. lei-
nenes 157, 15. 170, 10.
ladôn schw. v. einladen, invitare
124, 26. 161, 17 Otfr. 196, 28. Selten ladên.
lam adj. lahm, paralyticus 143, 1.
lân s. lâȝan.
land, lant st. n. Land: thâr in lante
in jenem Lande 155, 4. hiar in
lante in diesem Lande 160, 38. 162,
35. Heimatland, Heimat: in lante
in der Heimat, zu Hause 161, 3.
ebenso eigan land Heimatland
162, 14. s. eigan.
landliuti pl. st. m. von **lantliut**: Leute
des Landes, Einwohner desselben
159, 22. 170, 22.
langên schw. v. lang werden; unpers.
c. acc. lang dünken, verlangen 163, 7.
schweiz. blangen.
langmuotîg adj. langmütig 193, 3.
lango adv. lange 151, 29. 182, 4. 28.
Zu adj. lang, lat. longus.
lantchuning st. m. Landkönig 186, 33.
lantderi st. m. latro, Strassenräuber
und Meuchelmörder 149, 13. Zu
lant u. darrjan, derrjan? Land-
verwüster?
landrechtâri st. m. Landrichter, Richter des Landes 188, 10.
lantscaf st. f. Landschaft, regio 137, 9.
lantsê st. m. Landsee 168, 5.
lauc 133, 27. **louc** st. m. Flamme: abl.
lougjû 134, 24. Zu lioht, lôhan,
lôhaȝan.
lâȝan, alts. **lâtan** st. v. impf. liaȝ, wofür lietz 182, 9. alts. impf. pl.
lêtun, lætun, unrichtig geschrieben lættun 119, 4. lassen, nicht
verhindern, zulassen, sein oder geschehen lassen 133, 7. 163, 17. then
haȝ in themo muate lâȝan Hass
in seinem Gemüte aufkommen lassen,

beherbergen 152, 5. in an lâȝ it
thiu kraft die Kraft lässt es ihm
zu, es ist ihm möglich 152, 21. in
thiû se thaȝ giliaȝên wo (wo-
fern) sie das zugäben, eingeständig
seien 156, 26. lâȝ it iȝ wêsan
lässt es sein, geschehen 169, 28. ne
lâȝên unsih nicht ana christi-
anam religionem lassen wir uns
nicht ein auf die christliche Religion
187, 6. then lâȝ it ther durst
sîn den lässt der Durst sein d. h.
frei 181, 13. in muat in iȝ ni
lâȝên ouh wiht in an ni riaȝên
sie mögen es nicht sich (in) im Herzen lassen (bekümmert darüber sein),
auch mögen sie ihn nicht beweinen
177, 21. bifora lâȝu ih iȝ al sc.
stàn 154, 24. siehe bifora.
lazjan, lazjan schw. v. müde, matt
(laz) machen, das Heer im Kampfe
116, 2.
lêbên, lêpên, schw. v. leben 139, 7.
159, 5 Otfr. præs. cj. lêb' für lêbe
151, 25. Andere Form libjan 181,
18. wie hebjan für habên, segjan für sagên. Zu lîp.
leder für ledar st. n. Leder 195, 10
lêfs st. m. Lippe, Lefze 190, 27.
legjan schw. v. factit. zu ligan: legen,
hinlegen 157, 13.
leib, goth. hlaif st. m. Brot (Laib)
144, 6. 168, 3 Otfr.
leiban schw. v. factit. zu lîban: übrig
lassen, verschonen 178, 35.
leid adj. zu lîdan: leid, betrübend;
dazu adv. **leido**, und adverbialer
Comparativ **leidôr, leidhôr** mehr als
betrübend, im Uebermass betrübend,
leider 182, 18.
leid, leit st. n. (aus adj.) Leiden, Betrübnis, Leid, Kummer 133, 13.
166, 34.

leistjan schw. v. ein Gebot ausführen, das Versprochene halten, vollbringen 132, 19.

leitjan, leitan schw. v. factit. zu lîdan: gehen machen, führen, leiten, bringen 133, 13. 139, 1. 148. 4. 163, 20. 177, 10. impf. leitta 148, 24. alts. leida 184, 16. gileitta 152, 11. gileitôs 118, 5. præs. cj. ni gileitêst uns führe uns nicht 141, 25. imper. leit 161, 33.

leitlichên schw. v. horrescere, sich fürchten vor 129, 27.

lengî anom. f. zu **lang**: Länge 153, 32.

lêo für älteres **hlêo**, gen. lêwes st. m. Hügel, Grabhügel 135, 24. Lat. clivus, goth. hlaiv; zu halt.

lêra st. f. Unterweisung, Lehre 120, 14.

lêrâri st. m. Lehrer: dat. pl. lêrârin für lêrârum siehe §. 26, Anm. 3.

lêrjan, lêrran, lêran schw. v. goth. laisjan: auf die Spur (leisa, nhd. Geleis) bringen: unterweisen, lehren 120, 13. 140, 17. 141, 18 (imper. lêri). 174, 1. c. acc. dupl. 127, 21 (præs. kalêrit). 155, 15. thie gilêrton die Gelehrten, scribæ 136, 21.

lêrnên schw. v. impf. lêrnêta: lernen, erforschen und erfahren 136, 27. 155, 40 (præs. cj. gilêrnên). lirnên 127, 13. 188, 17. galirnên 127, 30. s. lêrjan.

lês 172, 13. wahrscheinlich zusammengezogen aus **lêwes**: leider, eheu.

lêsan st. v. etwas liegendes aufheben und sammeln, zusammenlesen, sammeln 155, 4. 169, 8 Otfr. lesen (Buchstaben) 154, 2. 155, 19. in buachon 155, 19.

lêwes gen. interj. leider 162, 33. vgl. lat. lævus. siehe lês.

liab s. liub.

lîb, lîp st. m. Leben 118, 2 (lîb habbên Leben haben, am Leben sein, leben). 128, 24. 133, 18. 134, 13. 135, 24? 151, 30. 156, 25. 162, 23. 183, 16. 196, 32. zi libe am Leben 153, 27. Leib? 135, 24.

lîba? lîbo? subst. vielleicht zu libjan schonen, verschonen, s. Graff IV, 1110 u. 1111 also: Schonung, Beruhigung. bi einen lîbôn 176, 32 könnte demnach bedeuten: nur um der Beruhigung willen, nur um zu beruhigen, wie Otfr. IV, 1, 33 bi einên ruachôn nur in der Absicht.

lîbjan siehe lêbên

lîch st. f. das Aeussere des Leibes, Leib, Körper (Leiche) 147, 33. Goth. leik st. n. σῶμα. Dazu mannolîh, galîh, lîhhamo.

lîchên schw. v. gefallen 164, 6. 173, 30. 174, 12.

lîchizeri für **lîchizâri** st. m. Gleissner, Heuchler, der zu gefallen sucht 167, 33. Von lîchên gefallen, zu lîch.

lîcmiso zusammengezogen aus **lîchamiso**: leiblich 128, 21.

lid, lit st. m. (st. n.) Glied 116, 13. gen. pl. lidô 136, 2. dat. pl. geliden 116, 13. lidin 164, 20. lidolîh der Glieder jedes 162, 19. Nach Wackern. vielleicht zu lîdan gehen, wie lat. membrum zu meare.

lid st. n. Obstwein, Most, Wein, Getränke überhaupt 165, 9. bildlich Trank 183, 16. Dazu lîtkauf, leykauf.

lîdan st. v. gehen, den Weg machen 182, 9. sêolîdantê Seefahrende 118, 16. vgl. dän. i leding gaae auf Kriegszug ausgehen. weggehen, vergehen: kalitan vergangen 129, 2. vgl. goth. galeithan. mhd. u. nhd. Uebles durchmachen, leiden.

lidirenkî anom. f. Gliederverrenkung 116, 11. Aus lid und renki, rank.

ligan, liggan, likkan st. v. mit schw. præs. liegen 133, 7. ligit 162, 31. haʒ ubar sie gileganan Hass auf ihnen liegend, lastend, auf sie fallend 171, 13.

lîh s. lîch.

lîhhamo, lîchamo Otfr. schw. m. leibliches Kleid der Seele: Leib 122, 20. 128, 22. 133, 7. 174, 15. mannes lîchamo menschliche Gestalt 166, 14. Aus lîh äussere Gestalt u. hamo Kleid, Ueberwurf, Hemd. Daraus entstellt lîchaname, mhd. lîhname, nhd. Leichnam.

lîhhaʒâri 141, 2. **lîhhiʒâri** 141, 8. st. m. Heuchler. Zu lîchên, lîh.

lîhtan schw. v. leicht machen, erleichtern: impf. gilîhta für gilîhtita 152, 10. Zu adj. lîhti leicht.

limbil st. m. Riemen, lat. limbulus 195, 11.

lîmjan schw. v. leimen, zusammenleimen 116, 18: part. præt. nom. pl. gelîmida für gelîmidê 116, 13.

limphan, gilimphan st. v. impf. lamph, lumphum: ziemen, gebühren: meist unpers. mir limphit, gilimphit mir ziemt, ist nötig, oportet 138, 26 Tat. 163, 34.

liñde adv. zu adj. lind: gelinde, sanft 163, 21.

linta schw. f. Linde, metonym. Schild (Geflecht von Lindenbast oder Lindenzweigen) 119, 8.

liogan, liagan Otfr. st. v. intr. lügen, 140, 30. 167, 18. impf. loug 161, 27.

lioht, lĕoht 125, 33. st. n. (vom adj.) Licht, lux 133, 18. 158, 8. 162, 23. Zu lat. lux, lucidus, gr. λευκός.

lioth, liod, lied st. n. Gesangstrophe, Lied 170, 32. 183, 8.

lîpleita st. f. Lebensunterhalt 180, 24. Aus lîb und leitan.

lirnên siehe lërnên.

list st. m. Weisheit, Kunst, pl. 160, 24. Zu laisjan, lêrjan.

listic adj. weise, schlau 136, 4. Zu list.

lîta schw. f. Bergabhang, Halde 195, 3. Aus hlîta, zu halt, gr. κλιτύς.

lithostrotus, gr. λιθόστρωτος, Steinpflaster, Terrasse, Name eines freien Platzes vor dem Prätorium in Jerusalem 148, 25. Hebr. גַּבְּתָא. Luth. Hochpflaster.

liub, liob Otfr. liab Otfr., lĕop 117, 28. adj. lieb, angenehm, freundlich 151, 22. 29. 172, 2. liabes wiht etwas von Liebem, etwas Liebes 163, 4. thaʒ suaʒa liabaʒ sîn ʒein süsses Lieb 178, 22. Superl. liupôst 126, 21.

liuban schw. v. I. Liebe tun: Freude machen, Freundlichkeit erweisen c. dat. 178, 35. II. lieb machen: sih giliuben sich zur Freude gereichen lassen 164, 29.

liubi 177, 9 entweder acc. pl. des subst. liubî anom. f. Liebe, Freundlichkeit, Freude (ich erzähle euch schöne Freundlichkeiten) oder unflektiertes adj. liubi für liubaʒ u. skôno als adv. zu nehmen (etwas angenehm Liebes).

liublîcho adv. freundlich 152, 8.

liuhtjan schw. v. factit. zu lioht: leuchten, strahlen; impf. liuhta 131, 5.

liumunt st. m. Ruf, Leumund 139, 26. goth. hliuma Ohr; zu hlût.

liut st. m. Volk, Menge 168, 15. 170, 5. 189, 13. ther liut dieses Volk d. h. die Franken 155, 24. st. n. 155, 9. 13. st. m. pl. liuti Menschen, Leute 117, 15. dat. pl. liutin 182, 21. thie gotes liuti das Volk Gottes, die Israëliten 152, 15. managerô liutô über viele Menschen oder über viele Völker 155, 33.

lob st. n. Preis, Lobpreisung 151, 3. 156, 8. 157, 27.

lobôn, lopên 129, 3. schw. v. loben, preisen 156, 9. 183, 17.

lokôn schw. v. erquicken, ergötzen, liebkosen 152, 31. locken, an sich ziehen 178, 27.

lôn st. m. Belohnung 141, 4. 196, 27. retributio 187, 17. plur. statt sg. 167, 9.

lônôn schw. v. lôn geben, belohnen 130, 12. c. dat. u. gen. 181, 27. c. dat. u. acc. 183, 2.

loplîch adj. preiswert, laudabilis 129, 15.

lôs st. n. (vom adj.) Zuchtlosigkeit 182, 16.

lôsjan, lôssan, lôsan schw. v. los machen 135, 24. frei machen, erlösen 147, 33. 191, 33.

louc s. lauc.

loufan st. v. laufen: impf. liuf 181, 6. impf. cj. liufi 181, 16.

lougen st. m. Läugnung, Läugnen 189, 22.

loup, laup, lauph 126, 11. st. n. Laub, folia.

Ludheri n. pr. m. Lothar, Luther: acc. Ludheren 132, 9. altfr. Ludher 132, 2. Von hlûd, hlût und heri. siehe Hludwîg.

luft st. m. Luft, aër 179, 18.

luggi adj. falsch, lügnerisch: lugge gota Lügengötter 190, 6.

luginâri st. m. Lügner 171, 26. 182, 15. 198, 3.

lust st. f. Wohlgefallen, Freude, Lust 153, 27. dat. pl. luston 181, 14.

lustjan schw. v. unpersönl. c. acc. u. gen. gelüsten: dih gilustit es dich gelüstet darnach 118, 32. es ergötzt dich, macht dir Freude 153, 24. impf. lusta 165, 37. impf. cj. gilusti 153, 19 s. bei irsmâhên.

lûtar für älteres hlûtar adj. hell, rein, lauter 166, 22.

lûtên schw. v. ertönen, lauten 154, 9.

lûtjan s. hlûtjan.

lûtmâri adj. laut bekannt, öffentlich besprochen: ni duaʒ zi lûtmâri mache es nicht zu etwas öffentlich Bekanntem 167, 32. duent sia lûtmara (acc. sg. fem.) machen es (das Almosen) bekannt 167, 33.

lûto adv. zu lût: laut 182, 29. Aus hlût Partizipialbildung zu griech. κλύω, κλυτός, lat. clueo, inclutus; vgl. hlûtar, Hludwîg, Ludheri.

luzîg adj. klein 136, 2.
luzil, lucil, alts. **luttil** adj. klein, gering 143, 23. luzzil mezzinti gering schätzend, parvi pendens 123, 5. bejammernswert, elend, im Elend 117, 20 (luttila st. f. acc. sg. zunächst bezüglich auf prût). klein, zerfezt, in Stücke zerhauen 119, 8 (luttilo st. f. nom. pl. bezüglich auf lintun). subst. 144, 3. Goth. leitils, engl. little.

M.

Macedonja st. f. Macedonien 155, 13.
machôn schw. v. machen, zu Stande bringen, hervorbringen 153, 23. 156, 30. 194, 2. 195, 18. sih kemahhôn sich machen, anbequemen, se aptare 122, 40.
mâg, mâk st. m. Seitenverwandter, Verwandter 134, 28. 135, 1. 138, 18.
magaczogo schw. m. Knabenerzieher 182, 2. goth. magus παῖς; vgl. magad.
magad, magid, macad st. f. Jungfrau, virgo 129, 27. magadburt siehe dieses. Nhd. Magd, Mägdlein, Mädchen, Maid. Zu goth. magus Knabe, mâg, magan.
magadburt st. f. Niederkunft einer Jungfrau 160, 31. s. magad.
magan, makan anom. v. die Conjug. siehe Gramm. §. 20, 5. præs. für mag, mak auch mach 180, 15. mahtu für maht tu 181, 21. mugun 171, 32 Otfr. impf. mohta 162, 30 Otfr. præs. cj. mekîn 128, 37. I. kräftig, wirksam sein, vermögen, ausreichen: ni gimugun in reichen ihnen nicht aus, non sufficiunt eis 144, 2. II. seq. inf. mächtig sein: im Stande sein, vermögen, können, posse 127, 12. 37. 128, 37. 132. 20. 21. 145, 16. 162, 3. 20. 163, 30 (meg für mag oder für megi). 178, 22. 180, 12. 15. Möglichkeit haben, können, mögen 162, 18. 19. Recht und Ursache haben, sollen, dürfen 133, 10. 162, 25.
magan, makan, megin st. n. zu magan: virtus, Kraft 126, 3 (instr. meginû). diu megin himilô die Kräfte der Himmel 125, 35. Dazu Meginhart, Meinhart, Meinrât.
magi, plur. von lat. magus: die Magier 136, 15.

mahal st. n. Gerichtsstätte, Gericht 134, 3, 135, 4. siehe mahaljan.
mahaljan schw. v. sprechen: impf. gimahalta 117, 7. gimâlta 118, 10. mhd. zusammensprechen, verloben, daher gemahel Verlobter, Verlobte, Gemahl.
mahalstat st. f. Gerichtsstätte 135, 19.
maht, mahd 132, 7. st. f. zu magan: Vermögen, Kraft, potestas, vis 132, 7. pl. Kräfte, Macht 174, 30. 175, 29. 179, 11. adv. ubar maht über Vermögen 173, 7.
mahtig adj. kräftig, mächtig, stark, validus 134, 3. 145, 3.
makannôtduruft st. f. höchst nötiges Bedürfnis 128, 28.
mâljan s. mahaljan.
mammunti adj. sanftmütig, sanft, angenehm 170, 6. Aus man u. munt Hand.
mammunti st. n. Sanftmut 164, 14. Güte, Milde, Sorglichkeit 169, 32. Annehmlichkeit, Ruhe 152, 38. mammunti ginuagaz grosse Bequemlichkeit zum Sitzen 168, 34.
man anom. st. m.; über die Dekl. s. §. 34, 2; gen. sg. mannes für pl. 168, 4. dat. sg. manne 147, 23. acc. sg. für man auch mannan 125, 24. 129, 26. gen. pl. mannô 171, 31. dat. pl. mannum 118, 1; nomin. mit unflektiert. adj. friuntlaos man 117, 24. gialtêt man 118, 15. listic man 136, 4. guot man 181, 1 ff. Mann 178, 21. Mensch, homo 128, 2. 129, 26. 133, 20 ff. 160, 13. Mann, Krieger, Held 151, 33. untar manne für untar mannun unter Menschen 159, 31. nêo man nie ein Mann, kein Mann 133, 19. mannô galîh s galîh; unbest. collect. man 118, 24. 132, 8. 149, 16. 156, 8. mit pl. verb. 140, 29.

manag, manak, manic adj. von man (collect.): viel, multus, pl. 122, 34. 131, 8. 144, 4. 7. 153. 21. 155, 33. 162, 37. in managên = in multis 148, 31. sg. (nom. unfl.) 131, 11. 147, 29. 159, 4 ff.

managfalt adj. zahlreich, vielfältig, mannigfaltig 151, 10. 154, 40. 168, 30. von vielfältigem Einfluss und Nutzen 174, 20.

mancunni, manchunni st. n. Menschengeschlecht 126, 16. 136, 13 (die er um dieses Menschengeschlechts — — zu ergänzen: Sünden willen erhielt.)

mandwâri adj. sanftmütig, mitis 140, 20. Entweder von man und einem Stamme dwar? vgl. ags. thväre, manthväre oder von manda aus mandjan sich freuen und wâri wahr; Graff I, 917.

mannigfaltôn sih schw. v. sich vervielfältigen 189, 36.

manigî, menigî anom. f. Menge 189, 13. Mit adj. manag manîg zu man.

mannôlîch, wofür auch **mannilîch** 161, 7 Otfr. **mannogilîh** 151, 2 Otfr. adj. subst. jedermann, männiglich 188, 19.

mâno schw. m. luna, Mond 125, 33. 131, 5. 134, 25. 156, 34. 179, 27. Schwäb. der Mon. Davon mânôd.

manôdsioh adj. mondsiech, mondsüchtig 139, 28.

manôn schw. v. erinnern, ermahnen, antreiben 138, 5. 162, 9 Otfr. c. acc. u. gen. 182, 10.

manslago schw. m. homicida, Mörder 125, 9. manslecko 198, 3. Zu slahan.

manslaht st. f. homicidium, Mord 149, 14.

marchôn schw. v. zu marka, marcha: abgränzen 135, 19.

mareoseô st. m. Meersee, Meer 131, 5. Oder ist zu lesen: mâreo sêo das berühmte, herrliche Meer?

mâri, mâre adj. wovon viel und gern gesprochen wird: bekannt 160, 34. berühmt 168, 2. 169, 11. herrlich 156, 19. 162, 2.

mâri st. n. (aus adj.) Erzählung, Kunde, Bericht 160, 26. Die Lesart 184, 8 (Anm.) dignum tibi fare dit (thid) selve mâre würde etwa bedeuten: um würdig dir zu sagen diese selbe Rede. In der 3. Aufl. stellt Wack. eine mehr der Handschrift sich anschliessende Conjectur auf: dignam tibi sine thie

selve môge sîne lass dir würdig sein diese seine Begegnung?

Maria n. pr. f. Maria: dat. Mariûn 119, 20.

mârjan schw. v. factit. zu mâri: declarare, diffamare, bekannt machen 142, 26. rührend, prahlerisch aussagen 175, 14.

marka, marca, marcha, marha st. f. Gränze, Land, Gebiet, finis, terminus 126, 8. 135, 21. 137, 21. Gränzstätte, wo man zusammen kam, um die Streitigkeiten durch Kampf (mit Hilfe seiner Verwandten) oder durch Vergleich auszumachen 135, 1.

marrjan, merrjan, merran schw. v. hindern, behindern, stören, schädigen 135, 8. 152, 29 (nach merrit sollte ein Punkt stehen).

martira st. m. Marter, passio 192, 38. gr. lat. martyrium.

martirôn schw. v. Marter antun, martern: part. præt. kimartrôt 119, 21.

martolôn schw. v. wie martirôn: martern 177, 1. zi martolônne dat. inf. zum martern für inf. passiv: zum gemartert werden 160, 11.

mâsa schw. f. Wundmal 136, 12.

Mêd, pl. **Mêdi** Volksn. Meder 155, 18.

megin s. magan.

meginchraft st. f. majestas 129, 14. 21. tautologisch zusammengesetzt aus megin, magan und chraft.

meina st. f. Meinung, Sinn, Bedeutung: bî thia meina nach der (meiner) Meinung, fürwahr, wahrhaftig, in Wahrheit 155, 2. ebenso thia meina 174, 21.

meinan, gimeinan schw. v. seine Gedanken worauf richten, im Sinne haben: mit Worten gedenken, erwähnen: impf. cj. gimeinti 153, 14. meinen, verstehen: ih meino 185, 15 Notk. sô ih meinu wie ich denke, meine, gewiss, wahrhaftig 152, 36. c. dat. u. acc. jemanden etwas zudenken, bestimmen, in Gedanken versprechen 167, 3. im Sinne haben, beschliessen, sich daran machen, unternehmen, beginnen: gimeinta wie bigan, gistuont, lat. coepit 169, 1.

meistar, meister st. m. aus lat. magister: Lehrer, Meister 122, 6. 126, 33. 171, 23. c. gen. Herr, Meister einer Sache 188, 11.

meistara, meistra schw. f. magistra: meistra rehtunga = magistra regula, oberste Regel 123, 37.

meistarduom st. n. die obrigkeitlichen Personen, magistratus, Luth. die Obersten 148, 2.

mëldan schw. v. verräterisch angeben, s. mëldâri.

mëldâri st. m. Angeber, Verräter 140, 15.

melo st. n. Mehl: gen. melwes 195, 19. Zu malan.·

mendan schw. v. sich freuen, gaudere 122, 4.

menigî anom. f. zu manag: grosse Zahl, Menge, Haufe, turba 135, 29. 158, 26. nom. pl. menigî 139, 29. dat. pl. menigin 144, 14. acc. pl. menigî 143, 30.

menniskî anom. f. Natur und Leben des Menschen, das Menschsein, die Menschheit 136, 12.

menniskin adj. menschlich 197, 19.

mennisk adj. von **man** entsprungen: gew. subst. schw. m. **mennisko, mennisgo** Otfr. Mensch 155, 11. 166, 13. 172, 24. 174, 34. 188, 34.

mêr adv. siehe mêro.

mêro, -a, -a adj. defect. compar. grösser, major: mêro sînemo herren grösser als sein Herr 146, 12. mêrun therra minna eine grössere Liebe als diese 145, 32. neutr. subst. mêra 198, 11. c. gen. thes mêra sagên mehr als das sagen 160, 19. neutr. subst. unflect. mêr 181, 9. adv. mêr mehr, magis 145, 14 (oder neutr.?). 148, 12. zeitlich: mêr fortan 181, 16. Neu gesteigert adj. mêroro, mêriro grösser; subst. der Höhere, Herr, major 120, 4. Superl. adj. meist gröst, höchst 135, 17. 164, 17 (oder adv.). adv. am meisten, maxime 179, 12.

mêrôn schw. v. grösser machen, vermehren 178, 23. 178, 40. sih mêrôn sich vermehren 168, 38.

merran siehe marrjan.

messalîh siehe missalîh.

mêtar, mêter st. n? metrum, Versmass 153, 30. 154, 15.

metemo für **mittamo** adj. und subst. (scheint nur schwach deklinirt zu werden) der mittlere 186, 20. Mit adj. miti, mitti zu mit.

metilscaft st. f. Mitte 197, 22.

mëz st. n. zu mëzan: Mass 165, 29. adv. gen. des mëzzes in dem Masse 128, 17. adv. instr. u. Fügew. thiû mëzû in dem Masse als, quemadmodum 130, 25.

mëzan st. v. messen: als Dichter die Füsse des Metrums 153, 31. 154, 13.

Mit mëz, muoza, muozan zu lat. modus, metior, meta, gr. μέτρον.

mî alts. für mir 117, 12 ff.

miata, mieta st. f. (schwach 135, 13) Belohnung, Lohn 140, 32. dem Richter, Bestechung 135, 13. mit dên miatôn durch Annahme von Bestechungen 135, 8. Goth. mizdô, gr. μισϑός.

michil, mihhil, mihil adj. gross, bedeutend 126, 30. 134, 12, 137, 4. 25 Tat. 169, 33 Otfr. Griech μέγαλ-, lat. magnus.

mîdan st. v. ausweichen: ni meid sih sie verbarg sich nicht 157, 18.

miltherzi adj. mildherzig, barmherzig 140, 23.

milti adj. freundlich, lieblich, liebreich, humanus 131, 8. 166, 21.

miltî anom. f. Freundlichkeit, Barmherzigkeit, pietas: gen. pl. miltô 183, 28.

miltida schw. f. Barmherzigkeit, misericordia 140, 24.

mîn defect. comp. adv. weniger, minder 120, 25. ni mîn nicht weniger, ebenso 177, 19 (ebenso tue das auch Petrus, auch Petrus unterlasse nicht, sich dahin zu ihnen zu begeben). 177, 27. Als Conjunct. damit nicht, ne (Graff II, 799): mîn odowan = ne forte, alioquin 140, 36. mîn hwenne damit nicht einmal 120, 9. durchaus nicht 123, 4. niawihtes mîn um nichts weniger, nicht minder, ebenso 179, 32.

minna st. f. Andenken, Liebe, caritas, dilectio, affectus 121, 36. 122, 7. 133, 5. 145, 27 Tat. 152, 40 Otfr. pl. 128, 25. 152, 39.

minniro adj. comp. zu mîn: kleiner, unbedeutender, minor 124, 15. c. gen. min minnero kleiner als ich 187, 34. Superl. minnist kleinst 136, 24. Lat. minor, minister.

minnôn schw. v. lieben 121, 20. 145, 26 Tat. 190, 6.

miskan, miskên schw. v. mischen, vermischen 122, 4.

missalîh, mëssalîh adj. verschiedenartig, mannigfach, diversus 139, 27.

misseleben schw. v. übel leben 182, 12.

missidât st. f. Missetat, delictum 128, 31.

missigangan anom. st. v. schlimm gehen: siê missigiangun es gieng ihnen übel 173, 14.

mitewâre anom. f. Sanftmut 196, 15.

mithont für **mittunt** adv. so eben, eben jetzt, jetzt 165, 12. Scheint

eine Ableitung von mit, goth. mith,
Graff II, 666.

miti, mit præp. c. dat. abl., auch c.
acc. mit; Nähe: mit, bei, apud 131,
1. 188, 31. 121, 30 (acc.); beglei-
tende Umstände: mit, unter, in 163,
3. 21. 181, 14. Gesellschaft und Ein-
schliessung 117, 19. 182, 5. 131, 9
(acc.). unter 174, 25. mit sînên
magôn mit dem Beistand, mit Hilfe
seiner Verwandten 135, 1. Hilfsmittel,
Werkzeug: mit, vermittelst, durch
118, 13. 27. Gegensatz, Feindschaft,
Streit: mit, gegen 118, 6 (acc.). Ausgangspunkt eines pass. Zustandes:
von 144, 26. mit thiû siehe mitthiû.

miti, mite adv. mit: mite varan st.
v. c. dat. mit jemand verfahren, ihn
behandeln 193, 7.

mitiwâri adj. mansuetus, mitis,
sanft 122, 10. Aus miti u. wêsan.

mittemo schw. m. Mitte: in mitte-
men in der Mitte, mhd. enmitten
149, 26.

mitthiû, mittiû Fügew. der Zeit: als,
da, wenn, während, nachdem 136,
14. 139, 2. 140, 28. 142, 31. 150,
16 Tat. mit thiû thô als 148, 12.
s. thiû.

mitti adj. mittel, in der Mitte befindlich, lat. medius, gr. μέσος: untar mittên thên lêrarin mitten
unter den Lehrern 138, 21. in mittemo sêwe = in medio mari
144, 26. untar mittên sc. in =
in mediis iis, mitten unter ihnen
(den Jüngern) 177, 26. ze mittemo
taga in der Mitte des Tags, um
Mittag 196, 8.

mittilagart, mittilgart, mittelgart
st. m. die mitten im Ocean liegende
und von ihm eingeschlossene Erde,
die Welt 134, 25. 144, 22. 147, 13.

mittimorgen st. m. Mitte des Morgens
197, 21.

mittetag st. m. Mittag 197, 21.

molta st. f. Staub, Boden, humus
135, 23. Zu malan, melo.

mord, mort st. m. Mord 136, 3.

morgan, morgen st. m. Morgen: adv.
des morgenis morgens 195, 2.

mornên schw. v. sorgen, sich kümmern 162, 35.

môtti 119, 1? siehe muot, môt.

môʒe 184, 8? vielleicht für **môti** Begegnung oder Begegnungen, siehe
bei mâri st. n.

muas, muat siehe muos, muot.

muatwillo schw. m. Wille des muates, cor, Gelüste des Herzens
162, 28.

mund, munt st. m. Mund 121, 13. 139,
8. 168, 36.

munistri st. n. monasterium, Klos-
ter 120, 2.

munt st. f. eigtl. Hand, lat. manus:
Schutz, Bevogtung 151, 26. himi-
lisga munt (acc.) himmlische Feste,
Himmelsgewölbe, firmamentum
coeleste 175, 6. Dazu munt st.
m. protector, vgl. Vormund, mündig, Sigmund; mittellat. mundium.

muer st. n? Meer 134, 14. Dafür sonst
mari, meri und sêo.

muos, muas st. n. Speise 168, 4. Mahl
174, 7. Zu maʒ Speise; vgl. mästen.

muot, muat Otfr. st. n. alts. **môd, môt**
st. m. I. bezeichnet vielleicht ursprünglich eine Bewegung, Begegnung, goth. môtjan, ags. mêtan,
engl. to meet begegnen: Begegnung,
Angriff, Kampf: ænon muotin zu
einzelnen Begegnungen, zum Einzelkampf, Zweikampf 117, 2. dê môtti
entwed. nom. pl. für diê môti,
muoti die Begegnungen, der Kampf
(dann muss für niusê gesetzt werden niusên) oder es ist ein sg.
nom. môti anzunehmen 119, 1. II.
die geistige Bewegung im Menschen,
Kraft des Denkens, Empfindens,
Wollens, Sinn, Seele, Geist, Gemüt,
animus, mens 133, 23. 150, 25.
152, 2. 153, 7. ob uns in muat
gigange wenn uns in den Sinn
kommen sollte 163, 7. muatu 122,
15 entw. instr. muatû die Verstän-
digen am Geist oder muatu acc.
pl. neutr. für muat. Geist im Gegensatz zum Körper 191, 3. Gemüts-
zustand, Stimmung 163, 5. Begehren,
Verlangen, Gelüste, natürlicher Sinn
im Gegensatz zu christlichem Sinn
163, 15.

muoter Tat., **muater** Otfr. anom. f.
Mutter 137, 12. dat. sg. muater
161, 36. Gr. μήτηρ, lat. mater,
goth. môthar.

muoʒan, alts. **muottan, muotan** anom.
v. die Conjug. siehe §. 20, 9. præs.
cj. muoʒi, muaʒi 151, 26. alts.
muotti (besser geschrieben muoti)
119, 2. sq. inf. göttlich bestimmt
sein, sollen 119. mögen, müssen,
dürfen 128, 10. 18. 135, 25. 151, 26.
Möglichkeit haben, können 171, 14.
Mit muoʒa zu mêʒan.

muoʒíg adj. müssig, untätig 197, 34.

murgfaro, murgfare für murgfarawi
adj. welkfarbig, welk 193, 36. Aus
murg adj. marcidus, mutahilis.

murmilôn schw. v. murren, murmeln
198, 18.

muruwi adj. tener, nhd. mürbe 126,
10. lat. marcidus. Graff II, 831.

muspilli st. n. Feuer des jüngsten
Gerichts, Weltbrand 134, 28. Im
Heliand lautet das Wort mudspelli,
mutspelli 220, 8. vielleicht von
mud, mut Holz und alts. spillau,
ahd. spildan verzehren, also: Holz-
verzehrer, Feuer? In der Edda bezeichnet Muspell, Muspells-
heimr die südliche Flammenwelt;
Hüter derselben ist Surtr, der Trä-
ger des flammenden Schwertes; er
wird einst mit den Muspelssöhnen
hervorbrechen und mit seinem Feuer
Himmel und Erde verbrennen ïn der
Götterdämmerung; Edda Sæm. S. 8.
Snorra Edda S. 5. 6. 9. 14. 41. 71.
72. 73.

myrra schw. f. Myrrhe, myrrha: acc.
sg. myrrûn 137, 7. 162, 1.

N.

n' siehe ni.

nagaljan schw. v. nageln 174, 27. Zu
nagal.

nâh adj. c. dat. nach 126, 12. superl.
nâhist. Unfl. n. adv. nahe, prope,
beinahe 185, 16. superl. adv. nâhist nächst, zu allernächst 180, 10.
Als præp. c. dat. räumlich: nach;
modal: nach, gemäss, im Verhältnis
zu 193, 8. 12.

nâhan schw. v. nâh machen: refl.
sich nahen 162, 11. 167, 5.

naht st. f. Nacht: gen. naht 144, 27.
gen. adv. nahtes bei Nacht, nocte
137, 15. 171, 8. ubar naht über
Nacht 174, 4. dat. pl. zen nahton
zur Nachtzeit 174, 3. Gr. νύξ, lat.
nox.

nales, nalles aus ni alles gen. adv.
durchaus nicht, nicht, keineswegs
120, 7. 128, 24. 155, 15. 158, 12.
nalles einin = non solum,
nicht allein 122, 41. nals 186, 35.

namo schw. m. Name 128, 5. acc. sg.
nemin 120, 4. namun 126, 24.
solîches namen auf solche Art?
188, 15. Zu nëman wie gr. ὄνομα
zu νέμειν.

nasa schw. f. Nase 187, 10.

nasesnûden schw. v. subsannare,
durch spöttische Gebärden verhöhnen
187, 9. Zu nasa.

naʒʒên schw. v. naʒ werden 105, 20.

nëman st. v. ind. præs. nimit 145,
13. imper. nim 137, 11. impf. nam
165, 16. gegeben erhalten, empfangen: theih ouge weih fon thir
nam dass ich zeige, was ich von
dir bekommen habe (göttliche Kraft)
165, 16. sich geben lassen 182, 25.
sich aneignen, fassen, nehmen, in
Besitz nehmen 158, 2. sigi nëman
Sieg gewinnen 177, 7. auf sich nehmen, als Last 182, 14. aufnehmen
in briaf (schriftlich) 156, 24. aufnehmen, in sich fassen 165, 30. ge-
nemen abbringen, abwendig machen 188, 3. Gr. νέμειν.

nemnjan, nennjan, nennen schw. v.
factit. zu namo: nennen, pass. wirdit ginemnit 138, 9. impf. namta
140, 7. inf. ginennen 153, 22. gi-
nant zi edilingô henti als zu-
geschriebenes Eigentum angehörend
den Edelingen 157, 4 (s. ediling).
rühmen 154, 11.

nêo s. nio.

nerjan, ginerjan schw. v. factit. zu
ginêsan: gesund machen, heilen
192, 35. vom Verderben befreien,
retten 180, 12. 15. imper. kaneri
129, 1. cj. præs. ginerje 178, 8.
cj. impf. gineriti 182, 38. nähren,
ernähren 157, 37. 191, 12.

nezzan schw. v. naʒ machen, netzen
185, 28.

ni, ne, apoc. n' adv. der Verneinung:
nicht. I. Negation des Zeitworts und
des ganzen Satzes: nicht 118, 2. 124,
27. 137, 26 ff. ni — noh s. noh.

untübersetzbar eine Frage einleitend, auf die man eine verneinende Antwort erwartet 181, 9. II. ni für ni ein niemand, keiner: nist untar in thaʒ thulte keiner, niemand ist unter ihnen, der das dulde 155, 25. mit subst. ni — sillaba keine Silbe 153, 38. ni — liut kein Volk 155, 9. 18. ni — thiot kein Volk 155, 17. ni — man niemand 160, 30. III. ni mit pron. u. adv. ni — ænig nicht ein, kein 118, 25. ni – io nie 172, 16. ni — iamêr nie mehr, nie 172, 16. ni — wiht nicht etwas, nichts 155, 38. 163, 4. wiht — ni 135, 32. 154, 80. wihtes — ni 177, 4. ni — mîn nicht weniger, ebenso 177, 19. (s. mîn). vergl. nihein, nio, nioman, nio mêr, niwiht, niowiht und andere mit ni zusammengesetzte, bei denen meist noch einmal ni steht. IV. ni sî es sei denn, ausser 148, 80. ni sî thiê sie zugun heime ausser welche sie bei sich (in ihrem Lande) gezogen hätten, d. h. ausser einheimische Könige 155, 26. ni sî thaʒ, iʒ ne sî thaʒ es sei denn dass 144, 7. Auch ni allein hat die fügewörtliche Bedeutung: es sei denn dass, wenn nicht sq. cj.: joh mennisgon allê, ther sê iʒ ni untarfalle — ih weiʒ iʒ got worahta — al eigun se irô forahta und alle Menschen, wenn nicht das Meer es unterbricht (d. h. wenn nicht das Meer zwischen ihnen und den Franken liegt) — ich weiss, Gott bewirkte das — alle haben sie vor ihnen (den Franken) Furcht 155, 11. V. Fügew. mit cj. dass nicht, dass etwa nicht (nach verneinendem regierendem Satze) 121, 8. 134, 6. 136, 6. 153, 84 (c. ind.). 155, 10 (dass sie — das benachbarte fremde Volk — ihnen nicht wegen ihrer Tüchtigkeit dienen müssen). 156, 8. 28. 175, 20. 177, 19 (2. Halbz.) einen verneinenden Wunsch einleitend mit cj. dass nicht, möchte nicht 167, 29. Lat. ne, gr. μή.

nî Bindew. noch 131, 6 (sollte nî gedruckt sein). Aus nih: vgl. noh.

niamêr Otfr. **niomêr** negativ. Zeitadv. nimmer: neben ni 163, 22. Aus nio, nêo und mêr.

nibu, nihi, nubi. noba, nube d. h. ni ibu wenn nicht, ausser, nisi 145, 17 (nibiʒ für nibi iʒ). 148, 18.

nubin für nubi in 155, 18 (wenn es ihnen — dem fremden Volke — nicht um so schlimmer bekommen solle, ausser es bekomme ihnen um so schlimmer). noba aber, sondern, sed 144, 6. nube 185, 21 Notk. Vgl. ibu.

nîd st. m. Hass 117, 18. 160, 14.

nidana Raumadv. von unten her, unten 175, 8.

nidarfallan st. v. niederfallen 137, 5.

nidarstîgan st. v. herabsteigen, abwärts gehen von einem höher gelegenen Orte zu einem nieder gelegenen, descendere 138, 27.

nider adj. unter 192, 9. Mit lat. infer zu undar.

niderslahan st. v. niederschlagen, sternere: part. præs. niderslahinde 185, 17.

nidiri für **nidari**, flect. **nidarêr** meist schwach **nidaro** adj. nieder, niedrig, gering 176, 14.

nidirî anom. f. Niedrigkeit: unsu smâhu nidirî = nostra parva humilitas d. h. ich in meiner geringen Niedrigkeit 151, 20.

nicht s. niowiht.

nihein, nichein, nehein adject. Zahlfürw. kein 155, 26 Otfr. 183, 12. meist mit ni 155, 26. 158, 12. 160, 15. 167, 7. Otfr. 195, 8. daraus mit Weglassung des ne unser **kein**. Aus goth. ni = neque und ein; vgl. nohein.

niheinîg, niheining s. v. a. nihein kein 147, 22. 148, 5. 10 Tat.

nio, nêo negat. Zeitadv. nie: neben ni 118, 5. nio in altere nie in der Welt, nie in der Zeit, keineswegs 136, 24. Aus ni — êo 136, 4. goth. ni aiv nicht eine Zeit.

nioman Tat., **nêoman** 133, 19. subst. Zahlfürw. niemand: neben ni 133, 19. 135, 18 (nioman). 142, 25 (dat. niomanne). Aus nio man oder ni ioman, wie lat. nemo aus ne homo.

niomêr s. niamêr.

niowiht Tat., **nêoweht** 120, 12., **niawiht** Otfr., **nieht** Notk. unbest. subst. Zahlfürw. aus ni iowiht, ni êowiht nicht irgend etwas, nichts: vgl. niwiht. I. subst. mit ni 145, 20. 148, 31. Tat. c. gen. bitteres niawiht 164, 15. nieht des lônis keinen Lohn 197, 12. ohne ni 148, 6. gen. niawihtes 179, 32 (s. mîn). II. adverbial nicht: neben ne 187, 6. 193, 7. nieht ein — nube nicht nur — sondern 192, 29.

nioȝan, niaȝan, nieȝan st. v. I. c. acc. sich zu Nutze machen und innehaben 151, 23. 153, 6. 7. 161, 8. 162, 32. als Nahrung gebrauchen, geniessen 181, 2. 11. II. c. gen. Nutzen wovon haben, geniessen 156, 26. 163, 21.

niusên schw. v. versuchen 119, 1. Schmell. nimmt an: niusjan versuchen, kosten, probieren: niuse = tentet; s. muot, môt.

niuwi adj. neu, frisch 158, 17. 174, 12.

niuwôn schw. v. niuwi machen, erneuern 192, 7.

niwiht subst. Zahlfürw. nicht etwas, nichts: neben ni 131, 6. ohne ni 168, 29. vgl. ni — wiht 155, 38. 163, 4. wiht — ni 135, 32. 154, 30 unter ni.

noba s. nibu.

noh, noch d. h. ni uh wie lat. neque, nec: negat. Bindew. und nicht, auch nicht, noch: Teilung eines mit ni oder nieht negierten Satzes 131, 2 ff. 148. 5. 179, 7. noh — noh weder — noch 132, 20. Verbindung zweier beigeordneten negat. Sätze 193, 8. 195, 19. Anknüpfung eines negat. Satzes an einen positiven: und nicht, und auch nicht 127, 36. 146, 3. 181, 7. nicht einmal 127, 17.

noh, noch d. h. nu uh Zeitadv. noch: Fortdauer von einem Zeitpunkte an 178, 26. 190, 4. noh thanne 162, 22. noh thô 178, 19. während einer Zeit: thanna noh 180, 23. bis jetzt noch, noch 118, 21. Wiederholung, Hinzufügung (noch einmal) 155, 16. Lat. nunc.

nohhein d. h. noh ein adj. Zahlfürw. kein, wie nihein: neben ni 132, 9. 21. unfl. subst. c. gen. parnô nohhein 134, 5. mannô nohhein 135, 13. 32.

nohheinîg, noheining s. v. a. niheinîg u. nihein kein 131, 4.

nôna st. f. mittellat. nona, neunte Stunde (nach 6 Uhr morgens). Aber 196, 8 und 197, 4 scheint es einen Zeitpunkt zwischen Mittag u. Abend zu bezeichnen, Vesperzeit.

Northman Volksn. Normann d. i. die Völker nördlich der Elbe u. d. Eider 182, 22.

nôt st. f. (st. m. 177, 29) heftig dringendes Verlangen, eifriges Streben und Eilen: bi nôti, in nôti, si nôti, nôti mit Eifer, genau, pünktlich, sorgfältig, eilig (oft auch bloses Flickwort) 152, 22. 153. 35. 154, 9. 21. 157, 2. 160, 8. 162, 27. 170, 8. 171, 6. 173, 5. verstärkt io zi nôti 160, 8. 28 ff. dringendes Bedürfnis: in sînan nôt zu seiner Notdurft, für sein Bedürfnis 168, 28. Drangsal, Mühe, Not 151, 17. 32. 155, 38. 158, 4. 175. 23, 176, 31. 177, 29. bi nôti, in nôti unter Drangsal, Mühe, in Not 152, 25. 167, 11. Nötigung wozu, Notwendigkeit, dringende Veranlassung, Zwang 151, 15. bi nôti, zi nôti, nôti, thuruh nôt aus Zwang, Not, genötigt, gezwungen, notgedrungen 155, 10? 156, 37? 157, 16. 162, 34. 164, 2? 176, 29. âne nôt ohne Zwang, freiwillig 189, 6.

nôtbendig adj. gefesselt, vinctus 148, 36. Zu bindan, bant.

nôtdurft st. f. Not, necessitas: nôtdurft was es war notwendig 150, 6.

nôthaft adj. der Not hat, bedrängt, gefangen, vinctus 148, 37.

nôtjan schw. v. nötigen, zwingen 127, 38.

nôtlich adj. mühselig, mühevoll 151, 19.

nôtstallo für **nôtgistallo** schw. m. Notgefährte 182, 30. gistallo Stallgenosse, von stal, wie giseljo von sal.

nû, nu Zeitadv. I. nun, jetzt 118, 9 Hildebr. unz in nu bis jetzt 166, 11. temporal-causaler Fortschritt der Rede 128, 21. nach einem Ausruf: welaga nu 118, 22. II. temporal-causales Fügew. nun, da 118, 32. 154, 3. Mit gr. νῦν, lat. num, nunc zu niuwi.

nubi s. nibu.

nuz st. m. zu nioȝan: Ertrag, Nutzen 155, 1.

nuzzî anom. f. zu nioȝan: Ertrag, Nutzen 154, 27. 155, 6. 29. 178, 40.

O.

oba Fügew. s. ibu.

oba præp. c. dat. über, auf, ob 144, 29 ff. 180, 8.

oba Raumadv. oben. Davon **obana** Raumadv. von oben her, oben, nach oben 175, 8. ob·ana ab hëvane oben im Himmel 118, 4.

obanentîg adj. am obern Ende befindlich: ubar obanentîga thekkî auf das höchste Dach, den obersten Teil des Daches, supra pinnaculum 189, 9. unz in obanentîg bis zum höchsten Rande 165, 31. neutr. als subst. wolkonô obanentîg der höchste Teil der Wolken, die höchsten Wolken 180, 10. vgl. oba, obar, obana, oboro, oberôst.

obar præp. c. acc. über: Bewegung über etwas hin 182, 9.

obaro, oboro, obero adj. comp. zu oba: der obere 151, 16 (er war immer in solcher Sache mit Gottes Kräften der obere, der Sieger). 192, 9. Superl. oberôst höchst, oberst 158, 4.

ôdar s. andar.

odo, oda s. ëdo, ëddo.

odowan (oder **odowân**?) adv. etwa, vielleicht, forte 140, 36. Aus ëdo, odo und wan.

ofan adj. aufgetan. offen 164, 3. ofan duon offen machen, enthüllen 160, 5. 178, 38. Participialbildung zu ûf.

offonôn, assim. für **offanôn, ofanôn** schw. v. öffnen, offenbar machen 137, 6 Tat.

ofono assim. für **ofano** adv. offen 174, 1.

ofto adv. oft. Mit lat. sæpe zu iba, ibu.

oh, ouh 142, 28. Bindew. sondern, aber 125, 12. 146, 10. 149, 19 Tat. Goth. ak, gr. γε.

olei gen. olees 191, 10. st. n. Oel, lat. oleum.

oliberg st. m. Oelberg 171, 8.

opfer st. n. Opfer 190, 33. Zu lat. opus, operis.

opferôn schw. v. opfern 187, 39.

ort st. n. äusserster Punkt, Ende, Spitze 118, 12.

ôstana adv. v. Osten her 136, 15 Tat. 160, 28 Otfr.

ostar adv. nach Osten hin, im Osten 117, 18. 160, 37. gr. εὖρος αὔριος, lat. uro, auster, aurora, aurum.

ôstara schw. f., meist im pl. gebraucht: nom. ôstrun, Otfr.· ôstoron Osterfest, Ostern: gen. ôstrônô tag 138, 12. ôstorônô fîra 176, 3. dat. ôstrôn 148, 26. fora einên ostorôn vor einem Osterfeste, vor Ostern 168, 13. Ostara scheint ursprünglich Name einer deutsch-heidnischen Göttin zu sein, einer Gottheit des strahlenden Morgens, des aufsteigenden Lichtes, deren Begriff auf das Auferstehungsfest des christlichen Gottes verwandt werden konnte, deren Name daher in Deutschland die sonst allgemeine Benennung Pascha verdrängte. Grimm, **Myth.** S. 167 f.

ôstarlant st. n. Ostland, Morgenland 136, 18.

ôstarliuti st. m. pl. ostwärts wohnende Männer, Ostmänner, (Ostgothen?) 118, 31.

ôstarrichi st. n. Ostreich d. h. der östliche, deutsche Teil des Frankenreichs, Francia orientalis 150, 21.

osten st. n. der Osten 193, 18.

ostirtag st. m. Ostertag, Tag der Auferstehnng, paschale festum 188, 39. s. ôstara.

Otacher n. pr. m. Odoacer, Ottokar: gen. Otachres 117, 18. dat. Otachre 117, 25.

ôtmuati st. f. leichter, williger Mut: Demut pl. 163, 13.

ouga, auga schw. n. Auge: dat. sg. augin 121, 16.

ougazorhto adv. manifeste, offenbar, öffentlich 142, 28.

ougjan, ougan, augan, aukan schw. v. vor Augen bringen, zeigen, ostendere 136, 12. 153, 15. 157, 18 (fehlt d. folg. daȝ). 186, 35. præs. cj. keaucke 122, 7. imper. giougi 142, 25. part. præt. keouget 190,

40. ougan sih sich zeigen 160, 14.
s. araugjan.

ouh, auh adv. auch 156, 4. 163, 9.
hinter d. bezügl. Worte 154, 26. 178,
14. vor d. bezügl. Worte 163, 8.
joh ouh 154, 27. 160, 26. inti

ouh 160, 82. vero (vgl. ob) 125,
4. Goth. auk; zu goth. aukan,
lat. augere.

ouhunga, auhhunga st. f. Vermehrung,
augmentatio 123, 3. Zu auhôn.

P.

Anm. P bei oberdeutschen Schriftstellern, welches durch Lautverschiebung aus B entstand, ist meist unter B zu suchen, z. B. pâgan, përg, pët s. bâgan, bërg, bët. Ph, pf meist unter f z. B. **phanding**.

pad st. m. Fussweg, Pfad, Weg 163,
19. 169, 29. mhd. phat, pfat; gr.
βαίνω, βατός.

palwîc adj. Verderben bringend 133,
30. Zu gr. φηλός, φαῦλος, lat. fal-
lere.

paradîs, paradys Otfr., **pardîs** st. n.
Paradies, gr. lat. paradisus 133,
20. 162, 17.

peh st. n. Pech, Marter der Hölle,
Hölle: gen. pehhes 133, 26. dat.
pehhe 133, 9.

Përs st. m. Perser, lat. Persa 155, 18.

Phol 116, 5. n. pr. eines deutsch-heidnischen Gottes, der sonst nicht unter
diesem Namen vorkommt. Dem Zusammenhang nach muss Phol den-
selben Gott bezeichnen, der gleich
nachher 116, 6 Balder genannt
wird, s. Balder. Zu Phol vergl.
Feussner a) die niederdeutschen Orts-
namen Palidi, Polidi, Pölte; die
oberdeutschen Pfullingen, Pfullen-
dorf. b) in d. überrhein. Pfalz wird
der 2. Mai Pfultag, Pulletag genannt.

c) den Teufelsnamen Vâlant, Vo-
lant im Mhd.

phruonta st. f. Unterhalt, esca 143,
31. Aus lat. prandium.

pivallan st. v. intr. s. v. a. fallan:
hinfallen, darniederfallen 134, 18.

pina st. f. Qual, Pein, lat. poena
133, 26. 152, 32. dat. pl. in bînôn
189, 35 Notk.

pînôn schw. v. quälen, peinigen 173,
25.

polôn st. m. Polarstern, lat. polaris
sc. stella: acc. polônan 180, 1.
vgl. Gramm. §. 33. Er wird vom
Dichter stätig genannt, weil er immer an demselben Platz steht.

porta schw. f. Pforte, lat. porta 180,
14.

prediga st. f. Predigt 197, 7. brediga 154, 14. Von lat. praedicare.

predigâri st. m. Prediger 196, 11.

predigôn, bredigôn schw. v. predigen
139, 24. 171, 7. Lat. praedicare.

prôsa schw. f. Prosa 153, 29.

Q. s. K.

R.

rafsunga st. f. Züchtigung, Bestrafung
122, 20. Zu refsjan.

rahha, racha st. f. Sache überhaupt,
res 120, 19. 154, 28. 165, 28. 170,
10. 171, 9. causa 121, 25. 171, 13.

Streitsache 135, 5. Rede, Rechenschaft 134, 7. Art und Weise: mit
gotkundlîchên rahhôn auf göttliche Art und Weise, mit göttlichen
Kräften 165, 20.

rahhôn, rachôn schw. v. inf. kirahhôn 135, 25. sagen 134, 9. 166, 12
Otfr. auseinandersetzen 135. vgl. errahchôn.

râmên schw. v. sich richten, sich fügen
116, 11 (Conjectur in der Note 5
unter dem Texte).

rât st. m. was ratsam, weise gehan-
delt ist, rätlich 182, 32. Anschlag u.
Unternehmung 185, 8. 192, 28.

râtan st. v. mit sich und andern bedenken und besprechen, beratschla-
gen 164, 26. c. acc. seinen Rat dazu
geben, zu etwas raten 185, 2. 3
(impf. giried). beratschlagend für
gut finden und beschliessen 178, 8.
ratend beistehen und helfen 151, 17.
21. 37 Otfr. thes thir Heinrîch
ni girâde woran Heinrich keinen
Anteil haben sollte? 184, 21.

raub? rauba st. f.? Beute, erbeutete
Rüstung, Rüstungraub 118, 30.

râwa st. f. requies, Ruhe 191, 17.
Zu ruowa.

rebekunni st. n. Erzeugnis der Rebe,
Wein 174, 9. Siehe kunni.

râwôn schw. v. ruhen: slâf râwôta
mir dâr ana Schlaf ruhte mir
darin? d. h. ich war wirklich in
Ruhe, was bei den Sündigen nicht
der Fall ist? 189, 6. Siehe Graff II,
555. vgl. râwa.

rêchêo für rêkeo schw. m. verfolgter
Verbannter 118, 21. Held, Recke
118, 3 (Conjectur).

rêchan st. v. ein Unrecht bestrafen
178, 18 (part. præt. girochan).
refl. sich rächen 190, 22. sih rêchan in c. dat. sich an jemand
rächen 177, 2.

redi adj. leicht und schnell bereit,
rasch 155, 7.

redihaft adj. rationabilis, vernünf-
tig, weise, verständig 191, 25. 170,
20. der Rede wert, ansehnlich? 170,16.

redina st. f. Rede, Erzählung, Bericht
155, 23. 156, 3. 172, 8. 178, 12. 179,
18. Rede, Urteil 151, 8. Streithan-
del, causa, Angelegenheit, Sache
151, 16. in redinu nach dem Urteil, nach der Schätzung 165, 30.
in reht redina auf richtig berech-
nete Weise, auf die rechte Weise
167, 31.

redinôn schw. v. reden, sagen 153, 17.
174, 5.

redja, reda st. f. u. schw. f. Rede,
sermo 153, 3. 192, 16. Rechenschaft,
Verantwortung, ratio: redja ur-

gêban Rechenschaft geben 127, 26.
33. redjûn ergêban 123,11.124,14.

rêf für hrêf st. n. uterus, Leib 129,
27. lat. corpus.

refsan schw. v. mit Worten strafen,
tadeln, increpare 122, 4.

regenôn schw. v. regnen 195, 19.

regula st. f. Regel, lat. regula 154,
7. 14.

rêht adj. in gerader (senkrechter) Linie, lat. rectus: rehtag — slêh-
tag recht — schlecht 153, 35; moral.
gut, gerecht 149, 7. substant. der
rehto der Gerechte 186, 16. 22.
dag rêhta schw. n. das Recht 135, 8.

rêht st. n. (vom adj.) was recht und
ziemlich ist, das Rechte, Gute 161,
40. 173, 32. Gesammtheit der rechtlichen Verhältnisse jemandes, Recht
und Pflicht 118, 30 (wenn du dasu
einiges Recht erhältst d. h. durch
den Ausgang des Kampfes, wenn der
Kampf für dich entscheidet). sîn
reht allag sein ganzes Recht, alles
was er für sich geltend machen kann
135, 25. mit rêhtû mit Recht, billig 132, 8. Gerechtigkeit, justitia
194, 12. Gesammtheit der gesetzli-
chen Bestimmungen, Recht 120, 15.
121, 11. 196, 13.

rehtemo schw. m. Recht: bi rehtemen 154, 24. siehe bî.

rêhtkêrn adj. rechtbegehrend, recht-
liebend 134, 14. Zu gêrôn.

rêhtlîh adj. gesetzmässig, regelmässig,
regularis 124, 8.

rêhto adv. gerades Wegs, zutreffend,
gerade, eben: moralisch-juristisch
dem Recht und der Wahrheit gemäss 159, 5. rehte für rehto? 164,
32. verstärkend vor adj. u. adv. 133,
14. 30. 174, 9.

rêhtunga st. f. regula, Ordensregel
123, 38. 124, 10.

reini aus hreini adj. rein, mundus
145, 14. 163, 11. geistig rein, unschuldig 175, 21. vollkommen, gut,
schön 153, 30.

reinî anom. f. Schönheit 153, 16.

reinida st. f. Reinheit, Reinigung: pl.
mit reinidôn ginuagên mit ge-
nugsamen Reinigungen 167, 6.

reinjan, reinôn 164, 21. schw. v. rein
machen, reinigen: præs. reinit für
fut. == purgabit 145, 14.

reino, reine adv. vollkommen u. schön
155, 34. 173, 16.

reisa st. f. zu rîsan: Aufbruch, Zug,
Reise 170, 17.

renkî anom. f. Verrenkung, Verdrehung 116, 10: s. die Zusammensetzungen benrenkî, bluotrenki. Schwäb. Rank, Umrang.

restî anom. f. Ruhe, Rast, gern pl. 176, 25. 178, 30.

restjan, girestan schw. v. rasten, ausruhen 168, 32. cj. præs. gîrestês 154, 22.

rettan schw. v. entreissen, entziehen: dôt ni rette mir iz es sei denn, dass der Tod es mir entreisse, mich daran verhindere 182, 24.

rîchi adj. mächtig, gewaltig, hochgestellt und glücklich 167, 18 Otfr.

rîchi, rîhhi, rîche st. n. Herrschaft, Reich 128, 11. 134, 14. 140, 20. 194, 19. persönl. Herrschaft, Herrscher, König 134, 7. Goth. reiki, lat. regnum. Vgl. Albrîh, Dĕotrîh u. s. w.

rîchiduam Otfr., **rîchituom, rîhtuom** st. m. Macht, Herrschaft verbunden Güterfülle und grossem Besitz, Reichtum 152, 39. 154, 35. 196, 26.

rîchisôn, auch **rîchisôjan** 128, 13. schw. v. das rîchi, die Herrschaft inne haben, herrschen 138, 4. 185, 15. præs. cj. rîchisôja für rîchisôje 128, 13.

rîdan, rîdôn schw. v. zittern: rîdôndo part. præs. zitternd, cum tremore 188, 14.

rihti anom. f. zu rĕht: Richtigkeit, Geradheit 153, 29. 154, 8. in rihtî gerade aus, gerade gegenüber 178, 35.

rihtida st. f. regula, Regel, Norm, Formel 126, 22.

rihtjan, rihtan schw. v. factit. zu rĕht: die Richtung geben, richten, aufrichten 196, 13. 14. lenken, regere, dirigere 130, 1 (devicto verstanden directo). 164, 32. zurecht machen 117, 4 (impf. rihtun für rihtitun). corrigere, bessern 122, 23. Anstellen 197, 35. regieren (als König) 122, 33. 130, 15. 150, 21. 152, 15 Otfr. Urteil sprechen, Recht sprechen, richten 136, 25. c. dat. Recht schaffen 192, 19.

rihtunga st. f. Gericht, Urteil 135, 31.

rînan siehe hrînan.

ring siehe hring.

ringan st. v. zu hring: kämpfen 155, 13.

rinnan st. v. rinnen, fliessen 185, 25.

riozan, riazan Otfr. st. v. weinen 160,

12. c. acc. jemand beweinen 177, 6. 21 (siehe lazan).

rîsan st. v. fallen 186, 1.

rîtan st. v. reiten 182, 20. impf. sg. reit 170, 17. 183, 4. pl. ritun 117, 6.

riuwa st. f. Betrübnis über Getanes, Reue, Busse, poenitentia 150, 11. 197, 5.

riuwag, riuuag adj. reuig, bekümmert, betrübt 165, 18. Zu riuwan, riuwôn.

riuwôn schw. v. c. acc. bereuen 190, 20.

rôhhjan s. ruohjan.

Rôma, Rûma Ortsn. Rom 156, 20.

rôstjan schw. v. rösten, braten: part. præt. girôstit gebraten, assus 150, 8. Mit rôst zu rôt.

roubâri st. m. Räuber 198, 2.

rôzag adj. voll Weinens, traurig bekümmert 166, 25. 28. 175, 19. Zu riozan.

ruacha st. u. schw. f. Sorge, Beachtung, Berücksichtigung: ni duet iz zi ruachôn kümmert euch nicht darum 167, 15. siehe ruah.

ruah st. m. Sorge, Beachtung, Berücksichtigung: oba êr habêt irô ruah wenn er sich darum kümmern mag 153, 1 (irô bezieht sich auf thiz buah wie wenn diess plur. wäre). Sonst gew. ruaha, ruoha siehe ruacha.

ruaman schw. v. rühmen 165, 4. Ueber hruomen 119, 2 siehe dieses.

ruaran s. hruorjan.

ruf st. m.? rumex, lepra, Aussatz, Krankheit 142, 24. vgl. schwäb. Rufe.

rûman für **hrûman** schw. v. räumen 176, 23. Auch in 119, 2 ist wohl die richtigere Lesart hrûmen = räumen, entledigen, siehe hruomen.

rûmo adv. zu adj. rûmi: fern 180, 9.

ruofan st. v. rufen: impf. riof 147, 33. 148, 7. riob 142, 20.

ruogan schw. v. anklagen 148, 5.

ruogstab st. m. Anklage 146, 33. Von rôgan, ruogan u. stab.

ruohhjan, ruachan, ältere Form **rôhhjan** 125, 1. schw. v. Rücksicht nehmen, achtsam, bedacht, besorgt sein, etwas beachten, c. gen. 125, 1. etwas besorgen, tun 153, 34 (sie tun es nicht anders, dass sie nicht so die Füsse suchen). vgl. biruahan, für welches auch die Stelle 162, 16 anzuführen gewesen wäre.

ruom, ruam Otfr. für **hruom** st. m. Lob, Ruhm 167, 24. 178, 7.

ruova, ruava st. f. Zahl, numerus 129, 16. Anrechnung: hapêt in ruovu bringt in Anrechnung 135, 10.

rustjan, rustan schw. v. zurecht, bereit machen 153, 24 (sie machen es alles wohl zurecht). 154, 22.

S.

sacha, sahha st. f. Ding, Sache, causa, Grund der Anklage, Schuld 147, 22 Tat.

sagên, segjan 181, 19. alts. **seggen** 117, 1. schw. v. in Worten ausdrücken, erzählen, sagen 117, 12. 15. 118, 16. 124, 29. 136, 1. 143, 9 Tat. (der meist quĕd an gebraucht). 151, 38 Otfr. impf. cj. sageti 147, 18. gisagêtîn 153, 19 (wohl nur des Reimes wegen für gisagêtun). sagant für saget 181, 25.

Sahsnôt n. pr. eines Gottes der alten Sachsen 119, 16. Vielleicht der altd. Frô, altn. Freyr.

sâlida st. f. Glück, Heil, fortuna, felicitas 150, 24. 170, 28. ewige Seligkeit 157, 8. 164, 22. 167, 2. pl. 159, 8. Goth. sêls χρηστός, unsêls πονηρός; zu lat. salus und haltan.

sâlig adj. glückbringend 160, 20? beglückt, selig, felix, beatus, gesegnet 140, 19 Tat. 157, 23. 159, 11. 166, 17 Otfr. 185, 8. 21.

salmo aus **psalmo** schw. m. gr. lat. psalmus: dat. pl. selmin für selmôn 150, 8.

sama, samo adv. demonstr. so, ebenso (neben relat. sô) 128, 16. 31. 154, 34. 177, 27. 179, 21. gehäuft sô sama 132, 9. 154, 31. sama sô ebenso wie 128, 15. 27. 33. 145, 21. samo sô 187, 2. sama sô gleich als, als, velut. 148, 3. sama sô so wie, ungefähr, etwa 148, 26. Die relat. Bedeutung wie scheint erst im Mhd. vorzukommen. Dazu saman, sum, simblum, lat. simul, semel, simplex, semper, gr. ἐν, ἅμα, ὁμός, σύν.

samalîch adj. ebenso beschaffen, eben solch, dergleichen: verstärkt sô samalîch 154, 33. mit sô samalîche auf dieselbe Weise 152, 18 (samalîche scheint dat. neutr. substantivisch geformt statt samalî-

chemu). adv. in gleicher Weise, ebenso 152, 3?

saman, samin adj. zu sama: gesammt, zusammen: unfl. adv. zusammen 160, 15. 177, 28. 183, 9. zi samane zusammen 153, 18. alts. tô samane 119, 6.

samanôn, samenôn, samnôn schw. v. vereinigen, sammeln, versammeln 136, 20. refl. sich versammeln 186, 36. impf. gisamanôta 161, 9. kasamnôtun 125, 18.

samantfart st. f. der Reisezug, die Mitreisenden, comitatus 138, 17.

samanunga st. f. Gesammtheit, Versammlung, synagoga 139, 24. 141, 4. congregatio 123, 18. christliche Kirche, ecclesia 129, 20.

Samarja Ortsn. Samaria: dat. Samarjô 180, 22.

sambaztag st. m. Sabbathstag, Samstag 149, 24.

samit præp. c. dat. zusammen mit, sammt 198, 8.

sang st. n. Gesang 158, 33. 170, 19 Otfr. 183, 10.

sant st. m. Sand, besonders Ufersand 155, 4.

sâr, saar Zeitadv. gleich darauf, alsbald, mox, statim 144, 18. 151, 13. verstärkt sârio d. h. sâr io 180, 22. einen Fortschritt der Rede bezeichnend: also, zum Beispiel 153, 23. sâr sô sogleich wenn, sobald als 133, 6. 160, 1. sâr sô êrist sobald nur erst 176, 22. aber auch sâr allein wird relat. gebraucht: sobald 161, 31. Zu goth. sa wie dâr zu der, wâr zu wër.

sârio s. sâr.

saro st. n. Kriegsrüstung 117, 4. Goth. pl. sarva.

sât st. f. zu **sâjan**: Saat: zi sâte hin und her gestreut, zerstreut 171, 20.

satanas 134, 17. **satanaz** 133, 26. **satanazs** 133, 12. st. m. Satanas.

satôn schw. v. sättigen 144, 15.

Saturnus n. pr. des Planeten Saturnus 180, 1; er wird vom Dichter träge genannt wegen seiner langsamen Bewegung um die Sonne.

scâchâri st. m. Räuber, Raubmörder 174, 23. 182, 15. Von scâhan, scâchan auf Raub ausgehen; scâh st. m. Raub. Nibl. schâchære, Luth. Schächer, welches Wort also durchaus nicht verwandt ist dem Wort Schacher, schachern = Handelschaft treiben, das vom hebr. סחֵר herkommt.

scado, scadho 132, 10. schw. m. Schaden, Verlust 163, 22.

scâf st. n. Schaf, pecus 120, 24.

scafan st. v. erschaffen, machen, creare 196, 5. schaffen, schöpfen, geben: Namen 140, 10 (imposuit nomina). schöpfen: das Wasser 142, 12.

scalk, scalch 124, 26. **schalch** 130, 9. st. m. Knecht, servus, famulus 121, 26. 143, 7 Tat. 173, 20 Otfr. Diener Gottes 159, 16. 18. Goth. skalks; vgl. nhd. Schalk, Marschall (für Marschalk).

scanda, scanta schw. f. Schande, turpitudo, confusio: liut scandun = populus babyloniæ (confusionis) 191, 20.

scarp alts. für ahd. **scarf** adj. schneidend, scharf 119, 5.

scaʒ st. m. Geld, Geldvorrat 168, 22.

schêdunga für **scheidunga** st. f. Scheidung, Trennung, disjunctio 190, 10.

skëhan, giskëhan st. v. durch höhere Schickung sich ereignen, geschehen 118, 22.

sceidan, skeidan st. v. transit. absondern, trennen: gisceidinêr wurti abgesondert wurde, ausgieng 155, 24. unterscheiden, Unterschied machen, discernere (in Ansehung der Person) 121, 19.

scheinâre st. m. der zeigt, kund tut, erweist, Erweiser 198, 2. Zu scheinan.

scheinen schw. v. factit. zu skînan: zeigen, ostendere 192, 18. 193, 28.

skenkjan schw. v. einschenken c. dat. u. gen. part. Impf. skancta 183, 15.

scentjan schw. v. zu Schanden machen, confundere 130, 27.

scêotan s. scioʒan.

scephan schw. v. schöpfen (Wasser,

Wein) 142, 9. 180, 22. c. gen. part. kiscephês 181, 7.

scerjan, skerjan schw. v. schaaren, ordnen, einteilen, zuteilen: wohin einteilen, stellen 118, 24. 180, 15. zuteilen, bescheeren 182, 35. Zu **skeran** st. v. (skar, skoran) scheeren, schneiden, schaben, krazen; zu welchem auch skâr, skêra Zange, Scheere; skaro, skar Pflugschaar; skart adj. verletzt, schartig; skartî Scharte; skara zugeteilte Arbeit, Schaarwerk (s. haranskara), Abteilung, Schaar.

scif, scêf st. n. Schiff 143, 18.

skild, scilt st. m. Schild 119, 5. 183, 4. Goth. skildus, gr. σκύλον: von Bast und Fellen.

sciltriemo schw. m. Riemen, Band zum Umhängen des Schildes 195, 2.

scîn adj. stralend 160, 32. augenscheinlich, sichtbar, offenbar: scîn wërdan 151, 33.

scîn st. m. Glanz, Sichtbarkeit 162, 29 (siehe wëgan). 181, 22.

scînan, schînan st. v. stralen, glänzen, leuchten 158, 7. 159, 21. 162, 1. sichtbar werden, erscheinen, sich erweisen 125, 36. 131, 4 (Conjectur). 160, 37. 189, 27. 193, 11. 194, 12. sich zeigen, gesehen werden 192, 35.

scînhaft adj. offenbar: ist scînhaft es ist offenbar, es zeigt sich 152, 21.

scioro adv. in kurzer Zeit, gleich, bald 167, 1 Otfr.

scioʒan, alts. **scêotan** st. v. trans. werfen (Lanzen), schiessen: in folk scêotanter ô in das Volk d. Schiessenden, wo grössere Wahrscheinlichkeit des Todes, als beim Schwertkampf und Einzelkampf 118, 24.

scirm st. m. Schirm, Schutz, eigentl. Schild 151, 14.

scirman schw. v. schützen, verteidigen, c. dat. 152, 8.

scofficen schw. v. die Achsel zucken 195, 14.

scolo schw. m. Schuldner, debitor 128, 28. 195, 14. Zu sculan.

scôni, scône adj. schön, pulcher, lucidus, candidus 154, 2. 20. 158, 7.

scônî anom. f. Schönheit 164, 17.

scônnôn für **scônjôn** schw. v. schön (scôni) machen: kascônnôt = candidatus, glänzend weiss, von Verklärungsglanz umflossen 129, 17.

scôno adv. schön, herrlich 152, 15. 154, 9.

scowôn schw. v. sehen, schauen 144, 13. 157, 38. 162, 21.

skrankolôn schw. v. straucheln, stolpern, sich verschränken 169, 35. Nach Graff VI, 585 mit skrankal, skrankelîg adj. = incertus, zu screncan, scranc. Eine Handschrift hat krankolôn.

scrîb st. n. Schrift 153, 12.

scrîban st. v. schreiben, lat. scribere: impf. screib 175, 16. part. præt. giscriban 136, 23. acc. fem. giscribana 175, 9. præs. cj. scrîbe 151, 4. thiê dâti man giscrîbe die Taten schreibe, beschreibe man 153, 27.

scrift-kebot st. n. Schriftgebot, testamentum 194, 14.

scrîtan st. v. schreiten 119, 4? Wack. deutet dies auf die Rosse, so dass zu übersetzen wäre: „da liessen sie die Rosse mit Eschenlanzen ausschreiten." Nach Schmeller u. Grimm ist scritan hier = goth. skreitan, die ahd. Form wäre scrîzan, der Bedeutung und der Wurzel nach zusammen fallend mit slîzan = schleissen, reissen, vergl. Schlitz. Der verschwiegene Accus. wäre dann nicht: Rosse, sondern etwa: Arme, Hände, oder ein unbestimmtes es, und es wäre zu übersetzen: „sie liessen es zuerst mit den Lanzen drein schmettern, in scharfen Sturmesschauern, dass es in den Schilden feststund." Für diese Auffassung spricht auch, dass 119, 4 u. 5 offenbar nur von der ersten Kampfweise die Rede ist, vom Lanzenwurf aus der Ferne; das Ansprengen der Pferde zum Stich mit dem Speere wird erst bezeichnet durch dô stôptuu tô samane; dies ist die zweite Kampfweise, und die dritte ist der Schwertkampf: heuwun harmlîcco etc.

sculan, scolan, solen, soln anom. v. (præteritopræsens s. Gramm. § 20, 4). præs. ind. sg. 1. u. 3. p. scal 118, 11. sal 148, 11. 195, 15. 2. p. thu scalt 163, 13. pl. 1. u. 3. p. sculun 158, 33. 2. p. sculut 158, 21. præs. conj. sculi 134, 10. impf. scolta 135, 13. bestimmt, genötigt, verpflichtet sein, c. inf. müssen, sollen 118, 11. 26. 120, 3. 133, 5. 134, 4 (oder werden?) Musp. 148, 11 Tat. 150, 21. 158, 33. 162, 10. 163, 13 Otfr. 195, 15. Ellipse des inf. quëman 134, 6. wollen, werden als Hilfszeitw. des fut. (wie noch engl. shall) 134, 10. 15. 17. 18. 135, 23. 24. 158, 21. 159, 30. 180, 16. Vgl. scolo.

sculd st. f. zu scolan: Vergehen, Verschuldung 128, 27.

sculdîg, scultik adj. subst. verpflichtet, der verpflichtet ist: c. gen. 127, 23. der sich verfehlt hat 141, 24.

scûr st. m. Donnerwetter, tempestas, Sturmesschauer 119, 5. s. bei scrîtan.

scutjan schw. v. schütten, schütteln, refl. sich schütteln, erbeben 176, 19.

scuzzeling st. m. Schössling einer Pflanze 196, 14. Von sciogan.

sê für sêo 155, 11. s. sêo.

sê für siê 117, 5. zu ër pronom.

sê, see interj. siehe, ecce 124, 30. sênu siehe nun, ecce 148, 3. sênu thô siehe da 136, 15 Tat. Goth. sai ἰδού aus saihvan, vgl. sëhan.

sëganôn 174, 13. **sëgonôn** 168, 35. schw. v. segnen: gisegonôtaʒ nachdem er es gesegnet hatte 168, 35.

sëgen st. m. Segnung, lat. signum (Kreuzeszeichen) 189, 29.

seggen s. sagên.

sëhan st. v. præs. gisihu 118, 19. impf. gisâhumês 136, 17. I. transit. sehen, erblicken 136, 17. 161, 31. II. intrans. sehen, schauen 118, 19. c. gen. nach einer Sache sehen, auf dieselbe Acht haben, sie besorgen 165, 23. dara zuo siehet darauf hat Bezug 192, 16. Lat. ecce, oculus, gr. ὄκος.

sëhs Grundz. sechs 165, 27. thësô sëhs zîti 154, 21 siehe bei zît; flekt. neutr. sehsu 142, 5. Ordnungszahl sehsto, sehste 197, 6. Gr. ἑξ, ἑκτός, lat. sex, sextus.

sëhstig alts. für ahd. sehszug Grundzahl. sechzig 118, 23. Aus sehs und goth. tigus, griech. δεκάς. Vgl. Gramm. § 40.

sêla st. f. Seele, anima 133, 6. 152, 32. Otfr. Leben 188, 2. Goth. saivala ψυχή, zu sêo, goth. saivs.

sëlb, sëlp numerales Adjectivpron., im nom. schwach selpo 127, 11. selbo 151, 32. 182, 31. 197, 6. in den andern cass. gewöhnlich stark: gen. selpes 126, 28. selbes 151, 31. dat. selbemo 147, 9., aber nach pr. u. art. der, desêr stets schwach: acc. the selpun galaupa 127, 21. acc. unfl. selb thaʒ rîchi 152, 20?

oder ist selb hier unfl. adv.? I.
ipse, selbst 182, 31. gew. mit subst.
oder pron. pers. insbes. mit dem
pron. refl. verbunden: nachstehend
sîn selpes 126. sînes selbes für
sîn selbes 177, 11. thînes selbes für thîn selbes 179, 5. fon
thir selbemo 147, 9. ther truhtin selbo 127. dâvîdes selbes
151. gotes selbes 154, 14. vor-
stehend: selbo thu 162, 21. aʒ
selbêm turin 126, 15. selbo
druhtin 151, 37. selbun buah
154, 1. dem pron. possess. beigefügt
selbes boton sînê seine eigenen
Boten 156, 21. II. idem, derselbe:
den pron. ër, der, dësêr u. dem
pron. possess. beigefügt: ër selbo
derselbe 151, 32. thesses selben
152, 2. selbaʒ rîchi sînaʒ al
dieses sein ganzes Reich 152, 23.
therô selberô wortô 161, 6. sel-
bên thesên worton 161, 11. thes
selben pades 163, 11. thes selben dages thritten 177, 26. then
selbon heilegon geist 178, 1 f.
thiê selbun Kristes drûta
178, 23. 26. III. unflect. adv. selb,
selp eben, gerade: selb sô gerade
wie 153, 26. 38. 154, 31. 155, 34.
selbsauna für **selbsuana** st. f. arbi-
trium, eigenes Urteil 123, 21.
selida st. f. zu sal: Wohnsitz, Haus
133, 19. 171, 10.
seljan, sellan schw. v. zu eigen übergeben, tradere: impf. salta 148,
19. saltun 147, 11. impf. cj. sal-
tin 146, 35. part. præt. giselit
147, 14.
seltsâni adj. seltsam, wundersam, wunderbar 156, 19. 160, 29. 180, 4.
ausserordentlich, merkwürdig 168,
2. subst. thaʒ seltsani st. n. das
Ausserordentliche, Wunderbare, Wunder 158, 22. 168, 7.
sendjan, sentan schw. v. factit. zu
sindan: gehen machen, senden,
schicken, mittere 136, 28. senti
thih hera nidar lass dich hier
herab 139, 10. impf. sentita 124,
25. santa 136, 28. 156, 21. 182,
31. dat. inf. zi sentenna für sen-
tenne 196, 11.
sêo, sê gen. sêwes, dat. sêwe 143,
19. st. m. der See 143. die See, das
Meer 155, 11 (s. bei ni IV.) 182, 9.
sêolîdantê st. m. n. pl. des part. præs.
Seefahrende 118, 16. Vgl. sêo und
lîdan.

sêr für sô ër 183, 20. siehe sô.
sêr adj. schmerzlich, schmerzend, do-
lorosus 172, 15.
sêr st. m. Schmerz, dolor, Leiden
162, 35. st. n. 166, 26. 169, 19.
175, 20.
sêrag adj. Schmerzen leidend 163, 6.
sêrên schw. v. Schmerz empfinden,
sich kümmern: sêrêntê = dolen-
tes 138, 24.
setî anom. f. zu **sat**: Sättigung 166,
31 (sie werden einst mit Sättigung
davon ganz voll d. h. sie werden
noch davon ganz gesättigt werden).
168, 38. setî sibun brôtô Sättigung durch sieben Brote 169, 14.
sextâri st. n. lat. sextarius, Mass
für Getränke 165, 29.
sêʒ st. n. zu sizan: Sitz: therô
thrio seʒʒô der Tafel, Mahlzeit
165, 36 (Nachbildung des lat. triclinium = Speisebank, worauf die
Römer am Tische lagen).
seʒjan schw. v. zu sizan: sitzen machen, setzen, stellen, aufstellen 139,
9. 142, 5. einsetzen in ein Amt, aufstellen zu einem Geschäft 146, 3.
instituere, constituere, einsetzen, aufstellen 126, 28. 127, 11.
Formen: impf. sazta 157, 21. 190,
13. gisazta 139, 9. 173, 29. gasazta 127. part. præt. kasezzit
126. nom. pl. neutr. gisezitu 142.
si für siu 171, 18.
sibba, sippa st. f. Verwandschaft,
affinitas 155, 20. Friede, Freundschaft 149, 26 Tat.
sibbisam adj. zu sibba: friedlich,
pacificus 140, 26.
sibun, sibin, siben Grundzahlw. sieben
169, 14. 16. Ordnungsz. sibunto,
-a, -a: in theru sibuntun sc.
zîti 154, 22 siehe bei zît.
sibunstirri st. n. Siebengestirn, Orion
179, 31.
sichur adj. sicher 152, 30. c. gen. 181,
21. Aus lat. securus.
sîd, sît, sîdh I. Zeitadv. seitdem,
darauf, nachher, späterhin 117, 23.
151, 33. 164, 22. 178, 18. 182, 14.
causal: deshalb 135, 13. II. Präp.
c. dat. 171, 21. 197, 13. III. Fügew.
temp. u. caus. 164, 20. 21. 177, 10.
Dazu sint, nhd. sintemal.
sidaljan schw. v. Sitz nehmen: refl.
sich niederlassen 164, 12.
siecheit st. f. Krankheit 191, 32.
sieh für siuh adj. siech, krank: subst.
192, 34.

sigalôs adj. des Siegs verlustig 134, 19.

sîgan, gisîgan st. v. sich senken, sinken, herabfallen 156, 30 (soweit der Himmel in das Meer sich senkt).

sigihaft adj. den Sieg habend 183, 17.

sigikampf st. m. siegreicher Kampf 183. 18.

sigu 179, 17. **sigi** 177, 7. st. m. Sieg: factit. zu sîgan; dazu Sigelint, Sigemunt, Sigfrit.

sihhura st. f. Entschuldigung, excusatio 146, 17. Zu sichur.

sihwëlîh, sihhwëlîh unbestimmt. pron. adj. irgend ein, aliquis 139, 21. Die frag. Fürw. hwër, hwëlîh und das Pronominaladv. hwanna werden durch das Präfix sih- zu unbestimmten Fürwörten u. Adverb., also sihhwër = aliquis, sihhwaʒ = aliquid, sihhwëlîh = aliquis, sihhwanna = aliquando, vgl. Grimm III, 41.

silabar st. n. Silber 155, 3. Vgl. lat. sulfur.

sillaba st. f.? schw. f.? gr. lat. syllaba 153, 33.

simblîg adj. sempiternus 129, 25. vgl. simblum.

simblum, simplum, simbolon Otfr. adv. immer, für immer, auf immer, semper 120, 2. 127, 2. 152, 29. Adv. dat. pl. zu ags. simbel gastliche Zusammenkunft; vgl. sam, saman; lat. semper, simul, semmel, gr. σύν.

sîn, wësan anom. Hilfsverb. sein: über die Conjug. s. Gramm. § 19. Belege dazu und Nebenformen: Ind. præs. sg. 1. p. bim 144, 32. 2. p. bis 147, 8. 3. p. neben ist auch is 181, 22. deist für daʒ ist s. ther. pl. 1 p. birumês 143, 32. pirumês 121, 27. 32. 35. birun 161, 2 Otfr. piren 197, 6. 2. p. birut 166, 17 Otfr. birnt 188, 13. 3. p. für sint auch sintun 124, 31. Die Form biruwun kommt nur einmal vor bei O. 170, 37. und scheint 3. p. pl. impf. = wârun, analog der Form des præs. birun; ebenso scheint biruwis O. II, 7, 18 impf. sg. 2. p. = wâri. Conj. præs. neben sî 118, 31. 141, 22 ff. auch wëse, wësa 128, 15. Imper. sg. wis 137, 12 (bleibe). 163, 16 Otfr. plur. für sît auch sind 188, 14. Inf. sîn u. wësan s. §. 19. — Bedeutung und Gebrauch: sein (existieren, leben) 137, 26. was themo thes gibrusti,

war einer dem es daran gebrach, gebrach es einem daran 170, 11. thaʒ sî gomman joh wîp es sei Mann oder Weib? oder ist sî mit gizaltêr zusammen zu stellen: auf dass Mann und Weib — dahin gerechnet werde? 156, 25. mit fridu sîn in Frieden dahin gehen 159, 17. sulîh sôs iʒ wësan mag solchen (Wein) wie es sein kann, wie man ihn gerade hat 166, 10. geschehen, fieri: wesa thîn willo 128, 15. sî thîn willo 141, 22. 147, 31. 176, 11. betreffen: waʒ ist thih thes inti mih was betrifft dies dich u. mich 142, 2. Mit adj. (gew. flectiertem) oder subst. das prædicat bildend: du bist spâhêr 118, 12. 162, 4. 163, 22. 178, 25. der sî doh nu argosto der müsste doch nun der Feigste sein 118, 31. Mit part. præs. wârun fragênti waren fragend, fragten 160, 27. was fragênti 161, 10. was zeigônti 161, 34. wir birun mornêntê 162, 35. Mit part. præt. transitiver Zeitwörter Umschreibung des pass. præs. (vgl. wërdan): wir pirumês kisceidan wir werden unterschieden, discernimur 121, 32. wir pirumês funtan wir werden erfunden 121, 35. sî kekëban = præbeatur 121, 37. kawîhit sî geheiligt werde 128, 5. Mit part. præt. trans. Zeitwörter ein pass. præt. bildend: sîntun arslagan = occisa sunt 124, 31. giwuntôtêr was 178, 15. Bei Uebergangsverben das præt. bildend 161, 2. c. dat. possess. nist uns nicht ist uns, wir haben nicht 128, 5. 195, 5. 6. Mit adv. 156, 7. hina wësan euphem. sterben 117, 16. Mit gen. subst. Zuteilung: eines Geschlechts sein 117, 11. 155, 20. mit præp. und subst.: waʒ liuto filu in flîʒe 153, 11 siehe filu. Mit za und inf. Umschreibung des pass.: za kelaupanne pist = crederis 130, 7. za galaupjan ist = credendum est, geglaubt werden muss. Ueber wësan = bleiben, manere s. wësan. Dazu w ist.

sîn gen. sg. d. pers. reflex. pron., auch unreflexiv für ejus 126, 28. 160, 34. siehe ër.

sîn pron. possess. aus gen. pron. 3. pers. sein 175, 7 (oder gen. pron. pers.?). vor subst. 116, 6. 117, 9. 19. mit d. bestimmten Artikel: der

sîn namo 128, 6. thiu sîn giwalt ellu 151, 23. hinter subst.
151, 25 (um Gnade für ihn). 178,
14. das masc. und neutr. substantivisch gebraucht: thaʒ sînaʒ das
Seinige, sein Eigentum 177, 14. das
Seinige d. h. sein Volk und Vater-
land 154, 4. sînê die Seinigen d.
h. seine Kinder? oder: seine Volks-
genossen, die Franken? 155, 34.

sind st. m. Weg 133, 6. 134, 19. 160,
25. Dazu sindan, sendjan, ga-
sindi, Sinthgunt, viell. auch
sunna.

singan st. v. præt. sang 156, 17. gi-
sang 154, 25. 156, 14. præs. cj.
gisinge 156, 1. singen, recitieren
154, 6. 11 (Subject. man). 156, 8.
161, 4. 183, 8. c. dat. 156, 17. sang
singan 183, 10. nist si sô gisungan zwar ist sie (die deutsche
Sprache) nicht so zum Singen verwandt und tauglich gemacht 154, 7.
singen d. h. sagen, bedeuten 158, 30.

sinnan für **sindan** st. v. reisen, ziehen,
gehen 169, 17. Zu sind u. s. w.

Sinthgunt 116, 7. nom. pr. einer deutschen Göttin, welche sonst unbekannt
ist. Sie ist Schwester der Sunna, u.
muss ihrem Namen nach Göttin eines
wandelnden Gestirns sein, also vielleicht Mondgöttin. Aus sind, wozu
sindan, sinnan, und gund vgl.
gundja.

sippi adj. verwandt 118, 6.

sîta st. f. Seite 178, 13. schw. f. 195, 3.

sitôn, gisitôn schw. v. eine Sitte be-
obachten, in Sitte haben 174, 27.
Zu situ, sito.

sitten 117, 20 alts. für ahd. sizan.

situ, sito st. m. Gebrauch, Eigenschaft,
Beschaffenheit, Sitte 163, 12. 165,
25. dat. pl. sitim = moribus
122, 34.

siuh, sioh, sieh adj. krank 133, 19.
143, 16.

sizan, sizzan st. v. mit schw. præs.
impf. saʒ 116, 1. kisaʒ 180, 21.
impf. cj. gisâʒi 168, 18. sitzen,
sich niedersetzen, sich niedergelassen
haben 119, 23. 130, 5.

sk siehe sc.

slâf st. m. Schlaf 189, 6.

slâfan st. v. schlafen 143, 21. 189, 5.

slaga st. f. für **slag** st. m. Schlag,
ictus 188, 22. Zu slahan.

slahan st. v. schlagen 122, 24. erschla-
gen, tödten, interficere 147, 4.

impf. skluog für sluog 183, 14.
imper. slah 122.

slahta st. f. zu slahan. I. occisio,
nex. II. Geschlecht 152, 12. 155, 20.

slêht adj. in gerader (wagerechter)
Fläche oder Linie, eben, gerad, glatt,
schlicht, einfach, gut, hübsch: rêh-
taʒ — slêhtaʒ 153, 25. vgl. nhd.
recht u. schlecht. blandus, freundlich: miskenti ekisôm slehtiu
mit Schrecken Freundliches (Freundlichkeit) mischend 122, 5.

slehtida st. f. Freundlichkeit, blan-
dimentum 122, 35.

slîfan, geslîfan st. v. gleitend sinken
188, 18.

slihtan schw. v. slêht, gerade, eben
machen, ebnen 170, 12. Nhd. schlich-
ten.

slihtî anom. f. zu slêht: Einfachheit,
Einfalt 153, 29. 154, 8.

sliumo, sliemo adv. alsbald, sogleich
142, 23. 161, 24 Otfr. 195, 2. sô
sliumo sogleich nachdem, sobald
als 164, 12.

smâhi adj. gering, niedrig 151, 20.
163, 27. 193, 31. 198, 19.

smalenôʒ st. n. Schaf 181, 11. Aus
smal und nioʒan. Auch smaleʒ
fêho bedeutet Schafe, nhd. Schmal-
vieh.

smêrza st. m. Schmerz: mihila
smêrza 160, 12 und managfalta
smêrza 163, 6 scheint beidemal acc.
sg. zu sein.

smerzan st. v. impf. smarz, part.
præt. gasmorzan: schmerzen, c. acc.
der Person: mih smerzit: thiê
(acc.) armu wihti smêrze (scheint
für smêrzên præs. cj. zu stehen)
die welche (acc.) arme Geschöpfe
schmerzen d. h. welche Mitleiden
haben mit armen Geschöpfen 166, 33.

snabul, snabel st. m. Schnabel 164,
16. 192, 9. Zu snaban, schnabben.

snêl adj. streithaft, tapfer, robustus
150, 20. 183, 13. 195, 1. bereit und
begehrend: zi wâfane snêllê 154,
36.

snêllî anom. f. zu snêl: Streithaftig-
keit, Mannheit, Kraft 155, 29. thiê
snellî sîne irbîten (sîne für
sîna?) welche (Franken) seine Tapferkeit (den tapfern König) erwarten,
dass sie ihn umritten (reitend schütz-
ten)? 155, 36.

snêo st. m. Schnee, lat. nix 176, 28.

sô (vgl. als ô) adv. goth. sva, gr.
ὡς, lat. sic: zu sa goth. der. I. de-

monstr. so: messend (in solchem Grade) 117, 24. 181, 6. sq. sôsô 128, 16. 35. sq. sô 132, 6. 182, 35. sq. sô = dass 135, 31. sq. daʒ = dass 135, 18. sq. pron. relat. der = dass er 136, 4. mit ausgelassenem folgendem daʒ 154, 22. Ellipse des Nebensatzes 134, 12. 135, 4. 162, 28. vergleichend (in solcher Weise) 136, 23. sq. sôsô wie 132, 7. die Anfangsworte eines Satzes zusammenfassend und wiederholend 151, 11. 12. 153, 35. 154, 34. 36. 160, 37. 180, 23. causal zurückdeutend: deshalb, darum, dann 133, 27. im Ausruf sô wê 183, 16. den Nachsatz einleitend nach konditionalem Vordersatz 133, 8. 134, 22. 154, 13. 18. 163, 18. 22. II. relat. messend: als: sôsô 118, 15 (s. alsô). 128, 36. sô lango sô so lange als 182, 35. sô fram sô soweit als, so sehr als 171, 32 s. fram. vergleichend, wie: sôsô 128, 16. 132, 8. 141, 19. 183, 12. sô ser, sôs'er für sôsô er 169, 29. 183, 20. sô 116, 9. 118, 6. (Conjectur). 118, 8. 123, 33. 145, 16. 149, 31 Tat. 150, 15. 154, 24. 158, 23. 162, 5. 163, 9 Otfr. sôse für sôsô als wenn, als ob, wie wenn 116, 13. sôse — sôse — sôse so — wie, sowohl — als auch 116, 10 f. sama sô ebenso wie s. sama. selb sô gerade wie s. selb. so dass 135, 32. entgegensetzend: während doch 118, 25. zeitlich, als: sôsô 144, 22. sô 125, 6. 147, 26 Tat. 158, 9. 161, 5. 15. 19 Otfr. 182, 7. sâr sô sobald als s. sâr. sô sliumo sogleich nachdem, sobald als 164, 12 s. sliumo. sô êr ist sobald als s. êr. condit. (zeitlich) wenn 134, 3. 135, 14. 163, 21. sôse wenn 195, 1. III. condit. sô wird oft vor (und hinter) die fragenden Fürw. wer, welîh und vor (u. hinter) die Pronominaladv. wâr, wanna, wiu gesetzt und damit condit. Substantiv- Adjectiv- n. Adverbsätze eingeleitet: sô wër sô, so waʒ sô sq. cj. wenn irgend wer, wer nur immer, jeder der, wer; was nur immer, was 142, 2. 156, 16. 164, 23. sô wer sq. ind. sô wemo iʒ ni giloubit jedem der es nicht glaubt (ohne es gesehen zu haben) 159, 34. sô hwelîh hêr sô welcher nur immer, jeder der 125, 19. swelîh für sô welîh 196, 9. sô war (wâr?) sô wenn irgend wohin (wo),

wohin irgend, wohin nur immer, mhd. swar. sô wanna, zusammengezogen swanne, swenne wann irgend einmal, sobald, wenn 197, 16. sô wiû, zusammengezogen swiû, swie wenn irgend wie, wie irgend, wie, wie auch, wiewohl, obgleich 197, 14. swie wole wie sehr auch, wiewohl 197, 11. sô vor und hinter aa. Adv. conditionale und modale Sätze einleitend: sô ofto sô so oft immer, jedesmal wenn 123, 15. vor superl. adv. sô fastôs (für fastôst) so fest nur immer 175, 4. IV. sô Uebersetzung des lat. tantum, nur 124, 17.

solîh, sulîh, sulîch Otfr. aus sô und lîh demonstr. Pronominaladj. (nom. gew. unflectiert) so gestaltet (siehe lîh), so beschaffen, solch 153, 36. 157, 24 Otfr. gestô sulîchero guatî Gäste von solcher Güte 165, 4. mit sulichû auf solche Weise? 167, 5. neutr. subst. 178, 23. Goth. svaleiks, gr. τηλίκος, lat. talis. vgl. suslîh.

sônen s. suonan.

sorga schw. f. schwerer fürchtender Gedanke, Sorge 133, 19. tue soragûn = gerat sollicitudinem, er trage Sorge 123, 7.

sorgên, suorgên 156, 38. schw. v. aus Furcht und Ungewissheit schweren Mutes sein, sorgen, in Sorge sein, ängstlich beflissen sein 133, 10. 28. 135, 6. 156, 38. 172, 5.

sôse s. sô.

sougjan schw. v. factit. zu sûgan: säugen 157, 18.

spâhi, mit Flexion **spâhêr** adj. klug, schlau, weise 118, 13.

spâhida st. f. Weisheit, Klugheit 131, 13. dat. spâhidu 138, 10.

spanan st. v. locken, verlocken: præs. 2. p. spenis 118, 13. præs. cj. kispane 133, 23. impf. spuon 149, 9. irspuan 162, 28. Vgl. irspanan, kaspanst, nhd. Gespan, eigentlich Milchbruder, abspannen, abspenstig, widerspenstig.

sparôn, sparan schw. v. sparen, aufsparen: impf. gisparatôs für gisparôtôs 166, 6. impf. cj. sparôti 182, 33. præs. cj. then spar er nu zi lîbe den erhalte er nun am Leben 151, 22. præs. ind. sparent 192, 19.

spâti adj. spät 176, 7.
spâto adv. spät 149, 23.

spendôn schw. v. als Geschenk austeilen, schenken 193, 15. Aus mittellat. spendere d. h. dispen-
dere.

spêr st. n. Speer 155, 16. 177, 2. 183,
4. 195, 3. zum Werfen 118, 4.

spilôn schw. v. scherzen, sich vergnü-
gen: im Kampfe? 183, 11.

Spîri Ortsname Speier, lat. Spira
132, 23.

spottôn schw. v. spotten c. gen. 187, 9.

sprâcha, språkha st. f. Sprache, Land
wo man eine Sprache spricht, Volk
185, 1. schw. f. 189, 25.

sprêhhen st. v. intrans. sprechen, reden 136, 1. c. dat. sprechen zu jemand, ihm antworten 148, 15. c. gen
über etwas sprechen 171, 12.

sprengan schw. v. factit. zu sprin-
gan: springen machen, aussprengen,
ausstreuen, conspergere 120, 15.

spuên, -ên anom. schw. v. unpersönl.
c. dat. u. gen. von Statten gehn, gelingen 186, 31. gr. σπάω, lat. spes,
prosperus; dazu nhd. sputen.

spuet st. f. Gelingen, Schnelligkeit:
in spuote in kurzem, schnell 188,
21.

staimbort chludun 119, 6 (siehe die
Anm. 2.) wofür Feussner vorschlägt:
staimbort chlûbôdun, chlûbôtun spalteten, zerbrachen den
Steinbesatz (der Schilde). staimbort
= steinbort aus stein und bort
st. m. Rand, Einfassung, Besatz, also:
Einfassung aus Steinen (Edelsteinen),
Steinbesatz des Schildes, wahrscheinlich die mit Edelsteinen besetzten
Schildspangen auf der Oberfläche
des Schildes, durch welche der Schild
auf seiner äussern Fläche zusammen-
gehalten wird. Die Stärke des
Stosses oder Schlages, den der Schild
empfängt, wird auch in dem Nibel.
Liede dadurch bezeichnet, dass die
eingelegten Edelsteine durch ihn aus
ihrer Fassung herausgesprengt werden und wirbelnd umherfliegen. Für
chludun wird dann gesetzt chlûbôdun v. clûbôn schw. v. ablö-
lösen, abreissen, ab- u. ausbrechen.
Also: brachen aus, zerbrachen, spalteten den Steinbesatz des Schildes.
Bei dieser Auffassung wäre das verb.
chlûbôdun beigeordnet den aa.
verben: stôptun, heuwun und
das Subject immer dasselbe: die beiden Recken.

stal st. m. Ort zum Stellen, Stelle,
Stellvertretung 188, 25.

standan, stantan, stân, stên anom.
st. v. (siehe Gramm. § 21, 3) inf.
stantan 134, 7. præs. stentit 135,
9. stêt 135, 2. steit 175, 16. impf.
stuont 137, 3. gistuont 117, 8.
23. gistuant 161, 18. alts. stônt
119, 5. imper. stant 189, 15. stehen
137, 3 ff. mit adj. od. part. Præd.
stêt pidwungan 135, 2. kitarnit stentit 135, 9. sich stellen,
treten 134, 7. ûf stantan aufstehen
189, 15. stantan auferstehen 178,
30 vgl. arstandan. beginnen c.
dat. 117, 23. 27. sq. inf. epische
Formel (wie lat. coepit) fragên
gistuont begann zu fragen, fragte
117, 8. gistuant thingôn begann
zu reden, redete 161, 16. Gr. ἵστημι,
lat. sto.

starch adj. stark: verstärkter superl.
allerstarchist am allerstärksten
197, 22.

stat st. f. Ort, Stelle, Stätte, locus,
Gegend 143, 3. 194, 32. Ortschaft,
Stadt 141, 29. 157, 6.

stëchan st. v. stechen 178, 18. vgl.
thuruh stëchan.

stein für stain st. m. Stein, lapis
139, 5. îsînê steinâ Steine v. Eis,
Krystalle 155, 2. Fels, petra, saxum
134, 26. vgl. Ortsn. wie Isenstein
Nib. str. 371. Zu stân.

steinîn adj. von stein, steinern 142,
5. 165, 32.

stellen für staljan, steljan schw. v.
stellen, bestellen, festsetzen: impf.
gistilte für gistalte 196, 10.

stërban st. v. sterben 147, 6. Eigtl.
starr werden, griech. στέρφος. Vgl.
tôwjan.

stërbo schw. m. das Sterben, der Tod,
pestis, pestilentia 185, 19.

stërn st. m. Stern 125, 34.

stërro schw. m. Stern 136, 17 Tat.
160, 24 Otfr. Griech. ἀστήρ, lat.
stella.

stîgan st. v. steigen, hinaufsteigen
140, 5. 144, 18. ûf stîgan, nidar
stîgan 145, 1. impf. stehic für
steic 119, 22.

stillo adv. im Stillen, still 162, 28.

stilnissî, stilnessî anom. f. Stille,
Ruhe 143, 25. 172, 33.

stimna, stimma, stêmma goth. stibna st. f. Stimme, vox, sonus 126,
5. 129, 10. 137, 24 (sollte stehen
stëmma). 147, 19.

stiuran schw. v. steuern, regieren, beherrschen 185, 16.

stôpjan alts. schw. v. factit. zu stapan gehen: gehen machen, schreiten lassen, sprengen (die Pferde) 119, 6 „dann sprengten, ritten sie zusammen“, dies wäre der zweite Teil des Kampfes, das Gegeneinanderrennen mit eingelegter Lanze zum Stich (hurt, buhurt); über den ersten und dritten Teil siehe bei scrîtan. Zu stapan, stôpjan vgl. Stufe, Staffel, Stapfe, stupf = Stich, stouf = Felsspitze, wovon dat. pl. Stoufen Hohenstaufen; gr. στίβος.

stôzan st. v. stossen 196, 20. Lat. tundere.

strangên st. v. gross, stark werden, confortari 138, 30. Zu strangi adj. tenax, fest, stark, strenge.

strâza st. f. Strasse, platea 141, 4 Tat. 162,13 Otfr. Aus lat. strata sc. via.

Strâzburg Ortsn. Strassburg 131, 16.

strengi adj. hart, unerbittlich, unfreundlich 171, 32.

strewjan, gistrewan für **strawjan** schw. v. niederwerfen 155, 21. streuen, bestreuen 170, 9. 14. strewita, gistrewita.

stridunga, stredunga st. f. Sausen, Klappern, Knirschen (der Zähne), stridor (dentium) 143, 13. Zu stridan, stredan sausen, sieden, glühen, fervere.

strîtan st. v. streiten 134, 13.

stuatago schw. m. Tag des Büssens, Gerichtstag 134, 26. vgl. stuen schw. v. wofür gestraft werden, büssen und goth. stau Entscheidung, Gericht, κρίσις.

stulla st. f. Stelle, Punkt im Raum und in der Zeit, Augenblick: zi theru stullu auf der Stelle, in diesem Augenblick, in kurzem 171, 16. Zu stellan, stilli.

stunda, stunta st. f. zu standan, stân: Zeitpunkt, Zeit 151, 2. 151, 4. 159, 24. mal: hinter Grundzahlen thrîzug stundôn (dat. pl.) zehinu sc. sextâri = dreissig mal zehn Sextare, 300 S. 165, 30.

stungan schw. v. stechen, pungere, reizen 190,30. Zu stingan, stanga.

stuppi, stuppo st. n. Staub, pulvis 186, 10. 193, 31. Zu stioban, stoub.

stuol, stual, altertüml. **stool** st. m. Herrscherstuhl, thronus 182, 4. 194, 18. Zu stal, stellan.

stûren s. stiuran.

sturzen schw. v. umsinken, stürzen 195, 13.

suanâri st. m. judex 130, 7.

suazan schw. v. süss, angenehm machen, versüssen 151, 30.

suazi, suozi adj. lieblich, angenehm, dulcis 153, 31. 154, 13. Goth. sutis, gr. ἡδύς, lat. suadeo, suavis.

suazî anom. f. Lieblichkeit, Annehmlichkeit, suavitas 154, 19. 27. 178, 36.

suaznissî anom. f. Süssigkeit 164, 18.

sûbernessi anom. f. Reinigung, Reinigkeit 142, 5.

sûberi, sûber adj. rein, sauber, mundus, gesund 140, 25. 142, 23.

suht st. f. Krankheit, Sucht 139, 25. 171, 28. krankhafte Leidenschaft 185, 16. Zu siuh.

suhtstuol st. m. cathedra pestilentiæ, Peststuhl, Krankheitsstuhl 185, 14.

sum numerales Pronominaladj. (sg. nom. u. neutr. acc. meist unflect.) einer als Teil des Ganzen: sum — sum der eine — der andere 116, 2. 3. 125, 2. 182, 11. 15. 183, 14. sumaz ein Teil, einiges 160, 18. Zu sam.

sumar st. m. Sommer, æstas 118, 23. gr. ἥμερος, ἡμέρα.

sumilîh, sumelîch numerales Pronominaladj. (sg. nom. unfl.) dieser u. jener von allen, mancher Otfr. sumelîche — sumeliche die einen — die andern, einige — einige 196, 7.

sundar, suntar adj. abgesondert; unflect. adv. abgesondert 171, 22. besonders, einzeln 153, 22. 170, 9. als Bindew. sondern 157, 18. 198, 5. Præp. c. acc. ausser, ohne 163, 5.

sunderchlîcho für **sunderlîcho** adv. einzeln, besonders, singulariter 191, 19.

sundja, sunda, sunta st. f. delictum, peccatum, Sünde 146, 1. 162, 36. 174, 19. gen. pl. sundiônô 182, 10.

sundôn, suntôn schw. v. sündigen 120, 10.

sunna schw. f. Sonne 153, 10 (bildl. die ewige Sonne d. h. Gott). 156, 35. Sunna n. pr. einer deutschen Göttin, Sonnengöttin, Schwester der Sinthgunth 116, 7. Auch sunna stammt wie Sinth- von sindan, sinnan = gehen, also: die unauf-

hörlich am Himmel Auf- und Ab-
gehende.

sunnesedil, -sedal st. m. Sonnenunter-
gang, Osten 193, 20. Aus sedil,
sedal st. m. Sitz, lat. sedile.

sunnun aband st. m. Sonnabend, Samstag 176, 5.

suntîg suntîc adj. sündig, mit Sünden
belastet 119, 26. 133, 28. 136, 9. Subst.
der Sünder 174, 25. 186, 15.

suntja, sunta st. f. Sünde 141, 26. 27.
gen. pl. suntjônô 127, 28. acc. pl.
suntâ oder acc. sg.? 141.

sunu, suno, sune, sun st. m. Sohn
117, 14. 118, 18. 128, 4. 170, 21
(sun) Otfr. dat. sune 124, 25. acc.
sunu 126, 1. sun 119, 19. 137, 18.
157, 11.

sunufatarungôs alts. st. m. pl. tant.
Sohn und Vater zusammen 117, 4.

suohhan, suachan Otfr. schw. v. suchen
quærere 153, 34. suchen, streben
137, 13. 148, 20. bittend suchen 181,
24. fordern 163, 11. erforschen, ex-
quirere 137, 22. Zu sahha wie
ruohan zu rahha.

suona, suana st. f. judicium, gerichtliche Entscheidung, Gericht 120,
20. 133, 10. 135, 6.

suonâri, suanâri st. m. Richter 124, 13.

suonnan, suanan, sônen schw. v. zu
suona: richten, Urteil sprechen 119,
24. 135, 15. urteilen, dafür halten
123, 21.

suonutag st. m. 127, 32. und **suonu-
tago** schw. m. 127, 26. 128, 9. Tag
des (jüngsten) Gerichts. vgl. antdago, stuatago: vgl. Grimm II,
489 über das Schwanken von tag
in das schwache tago in Zusammensetzungen.-

suorgên s. sorgên.

suorglîch für **sorglîch** adj. sorgsam,
sorglich 173, 20. Zu sorga, bei

Otfr. und Tat. auch suorga; siehe
Graff VI, 274.

sus, verstärkt **alsus** adv. dem. so:
in solchem Grade, so sehr 118, 6.
29. 136, 28. in solcher Weise 158,
26. 162, 4. lediglich so, sonst 181,
18. Aus sus entsteht mhd. sust,
sunst, nhd. sonst. Mit sô zu goth.
sa der, Grimm III, 68.

suslîh adj. so beschaffen, talis 126,
35. Zu sus wie solîh, sulîh zu sô.

swanne, swenne condit. zeitl. Fügew.
wann irgend, sobald, wenn 197, 16.
Aus sô hwanna wenn irgend einmal, siehe sô nro. III.

swâri, swâr adj. wehtuend, schmerzlich, schmerzhaft, drückend, schwer
151, 17. 152, 9. 163, 2. 167, 22.
gravis 190, 2.

suâs adj. eigen: suâsat alts. für
suâsaʒ 118, 26. goth. svês ἴδιος.

sweigen schw. v. swîgan machen,
zum Schweigen bringen 189, 20. vgl.
schwäb. schwaigen.

swëlîh condit. adject. Fügew. wenn
irgend welch: welcher irgend, welcher immer 196, 9. Aus sô hwëlîh siehe sô nro. III.

swerjan st. v. mit schw. præs. schwö-
ren: impf. gesuor 132, 19.

swërt, suërt st. n. Schwert 117, 5.
155, 15. instr. swërtû mit dem
Schwerte 118, 26.

swie condit. modales Fügew. wenn
irgend wie, wie auch, obgleich 197,
14. swie wole wie sehr auch, wiewohl 197, 11. Aus sô wiu siehe sô
nro. III. und hwër.

swîgan, suîgan st. v. schweigen 143, 25.

suilizên schw. v. langsam und ohne
Feuer verbrennen 134, 24. mundartl.
schwelen. Dazu schwül.

swistar, swëstar, suister anom. f.
Schwester 116, 7 f. Zu lat. soror
wie gestern zu heri, hesternus.

T, TH s. D.

U.

Anm.　U als Consonant siehe V oder W; UA siehe meist UO.

uahald Otfr., **uohald** adj. abschüssig,
steil, jäh, proclivis 179, 30. vgl.
Graff IV, 892.

ubar, upar, ubir, uper gr. ὑπέρ, lat.
super; vgl. oba, obana, obar
Præp. c. acc. I. über eine Fläche

hin, z. B. über das Meer 118, 17,
135, 21. II. Bewegung nah an etwas unten liegendes 117, 6. auf 139,
9. III. abstr. Herrschaft, Amt, Beruf
über jemand 163, 20. IV. über eine
Linie hinaus: fon u bar Jordanen
von (dem Land) über dem Jordan
drüben (wie: vom Ueberrhein) 140, 2.

ubaral adv. durchaus 159, 5. s. al.

ubarfaran st. v. c. acc. überfahren,
darüber hinausfahren 179, 27.

ubarlût, uparlût adv. überlaut, sehr
laut 168, 31. 180, 17.

ubarmuati adj. übermütig, stolz 122,
18. Dazu

ubarmuati anom. f. zu hochfahrender
Sinn, Uebermut 162, 27.

ubarwêhan schw. v. überwinden 128,
37. Zu wîhan.

ubarwindan st. v. überwinden, besie-
gen 151, 36. 177, 10. Entstellt aus
ubarwinnan.

ubarwinnan st. v. überwinden, besie-
gen 152, 6. perf. eigun ubarwunnan 155, 8 (siehe bei durran). part.
præt. ubarwunnomo für ubarwunnanemo = devicto 130, 1.

ubergrif st. m. Uebergriff, Ueber-
schreitung 192, 27.

uberteilida st. f. judicium, Verur-
teilung 187, 16. Zu uberteilan
verurteilen, uber wider.

uberwahsen st. v. worüber hinaus wachsen 192, 9.

ubil adj. böse, malus 125, 20. 140, 31.

ubilo, ubelo adv. übel 186, 31.

ubilwurhto schw. m. Uebeltäter 146,
35. Von worahjan.

ûf, ûph räuml. adv. auf, hinauf 133,
17. in die Höhe 174, 29. ûph gangan aufgehen 126, 11.

ûfan præp. auf: c. dat. 144, 11. c. acc.
140, 5.

ûfana adv. von oben her: fon ûfana
von oben 148, 18.

ûfarhevjan anom. st. v. auferheben, in
die Höhe heben: part. præt. ufar-
haban 140, 16.

ûfhevjan anom. st. v. aufheben: impf.
huob ûf 182, 25.

ûfhimil st. m. Himmel oben 131, 2.

ûftuon st. v. auftun 192, 9.

ûfrihtan schw. v. auf und in die
Höhe richten 175, 4.

ûfruns für **ûfrunst** st. f. Aufgang (der
Sonne), ortus 193, 20. Zu rinnan.

ûfstandan anom. st. v. aufstehen:
imper. stant ûf stehe auf 189, 15.

ûfstîgan st. v. aufsteigen, hinaufsteigen,
ascendere 138, 13.

umbi d. h. un-bi, gr. ἀμφί, præp. c.
acc. räumlich: um (herum) 174, 6.
Gegenstand und Ursache der Tätigkeit: nach 116, 8. Grund und Motiv: um, für 197, 36. umbe waʒ
warum 197, 34.

umbi, umpi räuml. adv. um, herum;
bei demonstr. adv. dâr umpi 135,
29. 143, 31. Motiv der Tätigkeit:
dâr-umpi darum (um die Seele)
133, 9.

umbigangan anom. st. v. umhergehen,
herumgehen c. acc. Galileam durch
Galilea 139, 23.

umbikirg adv. ringsum 175, 7. Von
umbi u. lat. circa.

umbiring adv. im Umkreise, ringsum
152, 20. Aus umbi adv. u. ring
acc. adv.

umbirîtan schw. v. reitend umgeben,
reitend schützen? 155, 36 (s. bei
snelli).

umbestân anom. v. umstehen c. acc.
189, 13.

umbitherbi für **unbitherbi** adj. unbe-
nützt, unnütz 162, 31. Vgl. bitherbi.
(Ueber die Betonung von umbi s.
Seite 34, 2).

umbiwurft st. f. orbis, Umkreis 129,
19. Zu wërfan?

ummaht für **unmaht** st. f. Kraftlosig-
keit. Schwäche 139, 25.

ummêt, ummêtt für **unmêt** alts. st.
n. für ahd. **unmêʒ** st. n. Masslosig-
keit: acc. adv. unmâssig 117, 25.
118, 13.

unbilibanlih adj. incessabilis 129,
10. s. unpilipono.

unci für unzi.

unda, unde st. f. fluctus, Welle,
Woge 143, 20. 164, 22. Lat. unda.

undanch st. m. Undank: kommt im
nom. und acc. nicht vor; gen. adv.
undanches: irô undanches
gegen ihren Willen, unfreiwillig
187, 20.

undar, untar præp. c. dat. (u. acc.) I.
unter: Raum 155, 22. 179, 32. 180,
6. II. Rangordnung und Machtstel-
lung 143, 5. III. in der Mitte zweier,
zwischen, inter 117, 8. in der Mitte
einer grösseren Zahl, eines grössern
Ganzen 136, 8.

undrât adj. unsicher? vgl. Graff V,
260, wo aber keine Bedeutung an-
gegeben ist. Vielleicht ist undrât
das Gegenteil von gidrât gedreht,

abgerundet, also: ungedreht, unab-
gerundet, unzusammenhängend, zer-
brochen? Zu drájan.

unekihaft adj. indisciplinatus,
ungezogen, zuchtlos 122, 8.

únerdróȝȝeno adv. unverdrossen 193, 15.

unergeȝȝen adj. aus part. præt.: un-
vergessen c. gen. 191, 27.

unfìrholan adj. aus part. præt. von
hĕlan: unverborgen, offen 160, 7.

unfìrslagan adj. aus part. præt. 168,
9: unfirslagan heri erklärt Reimnitz: ein grosses Heer, aus welchem
noch keiner getödtet ist, ein voll-
zähliges.

unfroma st. f. Schaden, Nachteil, detrimentum 122, 41. Zu fram,
frum, fruma.

unfruati adj. unklug, töricht 122, 23.
siehe frôt, fruot.

ungawerit siehe werjan.

ungĕrno adv. ungern 161, 8.

ungidân adj. part. præt. ungetan 177, 4.

ungifergôt adv. part. præt. zu **fergôn**
= bitten, fordern: unverlangt, freiwillig, gratis 146, 22.

ungilîh adj. ungleich, dissonus, ver-
schieden, unähnlich 172, 14.

ungimah adj. nicht wozu gemacht, un-
geschickt 154, 29.

ungimacha st. f. Ungemach, Unbe-
quemlichkeit 171, 9.

ungimĕȝan adj. part. præt. zu mĕȝan:
immensus, unermesslich 129, 21.

ungirâti st. n. was nicht gerät, unge-
schickte und verderbliche Handlung,
Unschick, Untat 176, 1.

ungireh st. n. Lärmen, Ungestüm, Unruhe, tumultus 149, 19.

ungiwar adj. unaufmerksam, unacht-
sam, das Gegenteil von wachar =
wachsam 173, 13. Zu giwar = gewahr.

ungizâmi adj. nicht gefallend, neutr.
subst. das Ungefäll, Unglück 173, 4.

unhold st. m. Unhold, Teufel 119, 16.

unhôrsam adj. ungehorsam 122, 19.

unkiwâri adj. improbus, die Wahrheit nicht liebend 122, 17. Gegenteil
zu wâri.

unkust st. f. was nicht zu erwählen
ist, Böses, pl. 161, 16. Zu kiosan.

unmanic adj. nicht viel, wenig, pl.
198, 20.

unnan anom. v. gönnen c. dat. u. gen.
171, 10 (impf. onda) 181, 5.

unpilipono adv. unablässig 128, 16.
Zu bilîban.

unrâwa st. f. Unruhe: dat. pl. unrâ-
wôn 189, 8.

unreht st. n. aus adj. Unrecht, iniqui-
tas, Sünde 192, 19. pl. 191, 31. 193, 9.
be unrehte mit Unrecht, ohne
Grund 189, 21.

unsagelich adj. unsäglich 189, 4.

unsar, unser gen. pl. d. pron. pers.
1. p.: von uns, unser 141, 21.
128, 1?

unsar pron. poss. aus gen. pl. d. pron.
pers. 1. p. unser 127, 37 (gen. pl.
unserô). 162, 36 (dat. pl. unse-
rên). acc. unsan für unseran 174,
30. alts. ûser: ûserê liuti unsere
Leute, Leute bei uns daheim 117,
16. Die Conjectur Feussners: „sus
êr liuti = so vor Zeiten Leute"
scheint vorzuziehen, weil sie Alliteration (sagetun — sus) herstellt
und weil sie dem Zusammenhang
(Berufung auf die Nachrichten alter,
schon verstorbener Menschen) besser
entspricht.

unscadelî anom. f. Unschädlichkeit,
Unschuld, innocentia 192, 14.

unscanti adj. ohne Schande 154, 38.

unsemfti adj. schwer, difficilis 122,
32. Von samft.

unstill adj. inquietus, unruhig 122, 8.

untar s. undar.

untarfallan st. v. wozwischen fallen:
ther sê iȝ ni untarfalle wenn
nicht das Meer dazwischen liegt 155,
11 (siehe bei ni nro. IV.).

untarn st. m. Mittag 180, 21. Zu untar in der Mitte.

untarônti adj. part. præs. zu tarôn
= schaden: unschuldig 149, 20.

untarworfanî anom. f. Unterwerfung,
subjectio 123, 28.

untaȝ für unti aȝ s. unzi.

unte s. andi; über die Bedeutung ist
nachzutragen: zu einer Folge über-
führend 131, 10. überflüssig nach
einem Adverbsatz der Zeit den Nachsatz beginnend 131, 7.

untertân adj. u. subst. part. præt. von
untertuon: untertan, unterworfen
196, 5.

unti s. unzi.

unwahsan zusammengesetzt. part. præt.
unerwachsen 117, 21.

unwân st. m. Nichterwartung: in mi-
chilan unwân zu grosser Nichterwartung, Ueberraschung, ganz gegen die Erwartung 176, 16.

unwendig adj. nicht rückgängig zu
machen 188, 2. Zu wendan.

unwunna st. f. Unlust, Schrecken 172, 19.

unzi, unz, alts. **unti,** aus unt und ti, zi; **untaʒ** aus unt u. aʒ; **unzaʒ** aus unzi u. aʒ; **unzan** aus unzi ana? I. Præp. c. acc. bis, bis zu: untaʒ 126, 8. unzi in 130, 16. 136, 2. unzan 137, 15. 142, 8. unzan nu = usque adhuc 142, 16. unzan hera bis hieher 147, 24. II. Fügew. unti, unzi, unz, unzan, unzaʒ, unzi thaʒ bis dass, bis: unti 117, 26. 119, 8. unzi 133, 10. uncih für unzi ih 182, 33. unz 137, 2. 152, 11. unzan 137, 13. unzaʒ 144, 19. unzi thaʒ 127, 20. so lange: unz 151, 35. 152, 35. 155, 30. 168, 32. 178, 38. während: unz 157, 9. 158, 25.

uoban, uaban, uoben schw. v. gebrauchen, bearbeiten 196, 18. öfters wiederholen, üben 158, 33. in's Werk setzen, abhalten (eine Hochzeit) 165, 1.

uoberi für **uobâri** st. m. der Gebrauch macht von etwas, Nutzniesser, Bearbeiter 196, 18.

uozzirnjan für **uozurnjan** schw. v. verachten, verhöhnen, spernere: nozzirnita 147, 34. Zu zorn, zurnjan.

uppi, uppa scheint subst., daraus bei Notk. in uppe, in uppun adverbial = leer, eitel, unnütz, zum Ueberfluss, und substantivisch: Leeres, Eitles: tenchende in uppe = cogitantes inania 187, 13. Dazu uppeheit, uppig, uppigî, nhd. üppig. Vgl. Graff I, 88.

ur, ar, ir, ër præp. c. dat. aus, ex, de 127, 22. 32. ur lante aus dem Lande und ausserhalb desselben, in der Fremde 118, 23. ar 135, 24. ir 176, 25. ër 128, 30. von — weg: ar 118, 7. siehe ar u. ir. Ir- er- ar- häufig als unbetonte Vorsilben bei Verben: irgëban, irgëhan, irhevjan, irlouban, irspringan, irteilan, urhêtan, arstandan, forlâʒan; vor Subst. aber gewöhnlich ur und dieses mit dem Hauptton: úrgift, úrgiht, úrhab, úrloub, úrspring, úrteil. úrheiʒ, úrstende, úrlaʒ.

uroundo, urchundo schw. m. Zeuge, testis 150, 13. 179, 13. martyr 129, 17.

urhêtan, urheitan alts. st. v. ahd. **urheiʒan** herausfordern, zum Einzel-

kampf (Zweikampf): impf. urhêt, urhiet, pl. urhêtun, wofür 117, 1 unrichtig geschrieben: urhêttun; für ahd. impf. pl. urhiaʒun.

úrlaʒ st. m. Erlass, Vergebung, indulgentia 119, 26.

úrlub, gew. **úrloub** st. n. Erlaubnis, Erlaubnis zu gehen, Urlaub 182, 25.

urmâri adj. berühmt, herrlich 162, 7. berüchtigt 174, 23.

úrstende st. f. Auferstehung 192, 15. siehe ur-.

urstendida st. f. Auferstehung 189, 22.

urstôdali für **urstôdanî, urstandanî** anom. f. Auferstehung 119, 26. Zu arstandan.

úrteil st. m. was erteilt wird, Urteil 135, 7. Zu irteilan, siehe ur.

urteilda st. f. judicium, letztes Gericht 186, 18.

ûser s. unser.

ûʒ räuml. adv. aus, hinaus, heraus, fort 125, 14. 146, 27 Tat. 171, 5 Otfr. gew. bei Zeitwörtern, siehe ûʒgangan, ûʒquëman, ûʒsentjan, ûʒtrîban u. s. w. ûʒ Bindew. sondern 146, 3 s. ûʒoh.

ûʒana, ûʒʒân, ûʒân räuml. adv. aussen, ausserhalb, foras: ûʒana singan singend äussern, auswendig singen 156, 1. als præp. c acc. ausgenommen, ausser 144, 17. c. acc. ohne, sine 145, 19. c. dat. ausser 120, 11. c. gen. ausserhalb: ûʒʒan munistres ausserhalb des Klosters, foras monasterii 124, 6. Fügew. nisi, ausser wenn, es sei denn dass sq. conj. 121, 21. 24. 136, 7. Bindew. sondern, sed, aber 120, 14. 123, 9. 33. 126, 30. 128, 7. 12. vgl. uʒoh.

ûʒar, ûʒer, uʒʒer præp. c. dat. räumlich: aus: ûʒar ther burg 171, 2 für ûʒar theru burgi, welche Lesart zu viel Hebungen ergäbe, daher vielleicht zu lesen ist: ûʒar burgi. 172, 9. 193, 29.

ûʒar adj. ausser, exterior 143, 12. Comparativbildung zu ûʒ.

ûʒe räuml. adv. aussen, draussen 142, 29.

ûʒgangan st. v. ausgehen, hinausgehen, egredi 142, 27.

ûʒoh, ûʒouh Bindew. sondern 139, 7 Tat. Aus ûʒ u. oh; vgl. Gramm. § 57, 4.

ûȝ quĕman st. v. hinaus kommen, davonkommen (lebend aus dem Kampfe) 183, 2.

ûȝsentjan schw. v. hinaussenden, hinauswerfen, wegwerfen 145, 21.

ûȝtrîban st. v. austreiben 173, 6.

V conson. s. F. V vocal s. U.

W, UU, VV.

wâba st. f. 150, 3 (acc. sg. wâba), sonst schw. f. Honigscheibe, favus. Mit lat. apis u. wafsa zu weban.

wachar adj. wachsam 173, 1. 10. vgl. nhd. wacker.

wachên schw. v. erweckt sein, wachen 173, 5. lebendig sein 164, 22. Lat. vigere, gr. ἐγείρειν.

wacherôn für **wacharôn** schw. v. wach machen, excitare; refl. sich wachsam machen, zeigen 158, 35.

wâfan, alts. **wâpan, wâban** st. n. Schwert 119, 9 (der Kampf mit dem Schwerte ist die dritte Kampfweise, siehe scrîtan. Als vierte Kampfweise würde vielleicht der Kampf mit der Streitaxt — bretôn mit sînû billjû — folgen, wenn das Gedicht vollständig wäre). 154, 36. 155, 14. Nhd. Waffe, schw. f. aus altem plur.; Wappen.

wâga st. f. zu wĕgan: Wage 153, 36. Dazu wâgen schw. v. in die Wage legen, auf Geradewohl dran setzen oder tun, wagen.

wagan st. m. Wagen 179, 31. Zu wĕgan st. v. in Bewegung setzen.

wagôn schw. v. sich bewegen, sich wiegen 195, 21. Mit waga st. f. Bewegung zu wĕgan in Bewegung setzen, tragen, wägen.

wâhi adj. schön, zierlich 160, 29.

wahsan st. v. wachsen 138, 10. impf. wuahs 169, 2.

wahsmo schw. m. Wachstum, Frucht 145, 19. 174, 10. Zu wahsan.

wahta st. f. vigilia, excubiæ, Nachtwache 144, 27.

wahtên schw. v. wachen, bewachen 173, 7. Mit wahta, wckjan zu wachên.

wâjan, wâhan schw. v. wehen; iȝ wât es weht 195, 20.

waldan, waltan st. v. Gewalt haben, herrschen 118, 22 (waltant got waltender Gott, Ausruf wie irmingot). 128, 14. c. gen. herrschen über jemand, jemand beherrschen 134, 15 (præs. kiwaltit). 155, 25. 33. 170, 21. 178, 8. 9. 194, 20. sie wialtun thes herzen sie beherrschten ihr Herz 173, 16. besitzen, haben, sich bemächtigen c. gen. 119, 3. wofür sorgen, sich annehmen, tun: guatalîches waltent thie Gutes tun die welche — 166, 29. Lat. valeo; dazu Walthari, Oswald.

wallôn schw. v. sich umtreiben, wandern, wallen 118, 23. sich verbreiten 185, 19.

wân st. m. unbegründete Meinung, Wahn 159, 25. 188, 36. âna wân ohne Täuschung, sicherlich, wahrhaftig 174, 15. 178, 4. Einbildung, Sinn 165, 38.

wanana, wannân, wanân räuml. Frageadv. woher, unde 142, 11. causal: weshalb, warum 154, 5.

wandâ, wanda siehe hwanda.

wanga schw. n. facies, Angesicht, Wange 183, 11.

wânjan schw. v. zu wân: wähnen, glauben 194, 7. hoffen c. gen. 195, 22. parenthetisah wânu, wân ih, wânich denk' ich, glaub' ich, wahrhaftig, in der Tat 162, 17. 176, 7. ni wâni die halte nicht die dafür, welche nicht vollkommen vollbringen das ganze Gesetz Gottes (?) 198, 1 (nach muoȝig sollte ein Fragezeichen stehen).

wânjan, wânen schw. v. zu wân: meinen, glauben 118, 2. 134, 20. 157, 14. denken, wähnen 138, 16. (fälschlich) wähnen 141, 15. hoffen 130, 25. 26. 147, 30. sih piwân-

jan c. gen. hoffen 183, 32. siehe biwânjan.

wankôn schw. v. wanken, schwanken
152, 25. der Wahrheit ausweichen?
161, 27.

wanne zeitl. Frageadv. wann 172, 2.
für iowanne irgendwann, irgend
einmal: ni — wanne niemals 171,
14.

want st. f. Wand, nom. pl. wenti
157, 4. Zu windan.

wâr mhd. wâ, wô, räuml. Frageadv.
wo 135, 1. 136, 16. 21. 157, 13.
168, 17. ih weiz wâr ich weiss
wo 155, 19. irgendwo? 183, 5 (siehe
errahchôn). zeitlich: wann 179,
10. sô wâr sô, sô wâr wo nur
immer sq. conj. 156, 34. 172, 27.
sô wâr sô s' sq. ind. 183, 20 (oder
ist zu lesen: sô war sô s' wohin
nur immer, abhängig von fuar?).

wâr adj. wahr, wirklich 129, 22. 145,
11. gut? 160, 6. subst. st. n. thaz
wâr die Wahrheit, veritas 146,
24. 147, 18. 19. wâr segjan 181,
19. wâr sagên ih iu=amen dico
vobis 141, 3. adverbial: in wâr
in Wahrheit, wahrhaftig, wahrlich
151, 13. 177, 28. verstärkt in alawâr 151, 38. 161, 13. 163, 2. in
alawâri 168, 33. alla wâre 197,
17 (siehe al nro. VI. u. alawâri).
in wâr mîn 164, 33. 177, 22. zi,
ze wâre 152, 18. 178, 33 (daraus
mhd. zwâre, nhd. zwar). zi wâru
156, 20 gehört wohl zu wâra st. f.
Zu wâr vgl. lat. verus.

wâra st. f. Wahrheit 162, 3. Treue,
Huld, Gunst 162, 2. adverbial: in
wâra in Wahrheit, wahrhaftig 174,
9. in wâru 151, 34. zi wâru
156, 20.

warba st. u. schw. f. zu wërban:
Bewegung, Veränderung, Veranlassung: der acc. sg. thia warba 168,
19. thia warbûn 176, 9. ebenso
der acc. pl. thiô warba und der
dat. pl. thên warbôn, thesên
warbôn werden von Otfr. adverbial
gebraucht: bei dieser Gelegenheit,
Veranlassung, dieses Mal, dabei.

wareh st. m. Wolf, Untier: (land-
flüchtiger) Verbrecher, der Böse (vom
Antichrist) 134, 11.

wârlîhho adv. zu wâr: in Wahrheit,
vere, wahrlich 138, 10. 144, 21. für
ergo 141, 16.

Warmatia 132, 24 lat., altd. Wormiz,
Wormez, nhd. Worms.

warnên schw. v. c. dat. u. gen. wei-
gern 118, 32. Zu wara u. werjan.

warnôn, warnên schw. v. hüten, beschützen, sichern, ausrüsten c. gen.
wîserô wortô mit weisen Worten
172, 7. 10. refl. sih warnên sich
vorsehen, schützen 173, 17. .

warta st. f. Ort zum Umsehen, Warte
187, 24. Zu wartên.

wartên schw. v. schauen, Acht haben,
speculari, attendere c. gen. 161,
32. c. dat. then buachon maht
thâr wartên auf die h. Schrift
kannst du da achten, habe Acht auf
die h. Schrift, höre was sie sagt
177, 25. refl. sich hüten 140, 35.

was für hwas adj. scharf 160, 9. Aus
hwatth, altn. hvattr; vgl. wetzen,
Hesse.

was impf. von wësan.

Wasagus lat. Wasgau 132, 24.

wasal st. n. Regen, Feuerregen? 134,
29: „wenn der breite Feuerregen
alles verbrennt (nach der Lesart
varprennit) und Feuer und Luft
es Alles wegfegt". Gegen diese Auffassung ist einzuwenden 1) die Handschrift hat varprinnit intr. 2)
allaz in 134, 30 müsste ganz allgemein und unbestimmt genommen
werden: Alles was da ist. 3) iz hätte
gar keinen Sinn. Darum ist vielleicht richtiger, was al von waso
schw. m. Wasen, Rasen abzuleiten
und es mit Erdflur, Erdoberfläche,
Erde zu übersetzen, die Lesart varprinnit herzustellen, so dass der
Sinn wäre: „wenn die breite Erdflur ganz verbrennt und wenn Feuer
und Luft sie ganz (iz allaz) auf-
frisst".

waskan, wasgan Otfr. waschen 165,
26. impf. wuosc 149, 19.

wasso adv. zu hwas: scharf 155, 16.
siehe was.

wât st. f. Kleidung 169, 31. Zu wë-
tan binden, witu st. n. Holz,
Hölzer.

wâtjan schw. v. kleiden, bekleiden
147, 35. impf. wâtta 157, 23. Zu
wât.

waz siehe wer.

wazzar st. n. Wasser 185, 25. Goth.
vato, gr. ὕδωρ, lat. udor.

wazzarfaz st. n. Wassergefäss 142, 5.
165, 25.

wê adv. weh; wê wesen unpersönl.
c. dat.: mir ist wê 195, 17. ellipt.
Ausruf des Schmerzes, des Beklagens,

der Verwünschung c. dat. 183, 29. c. dat. u. gen. wê hin hio thes lîbes weh ihnen immer des Lebens 183, 16.

wechan s. wekjan.

wëdar s. hwëdar.

welch adj. zu wîchan: bildl. nachgiebig, schwankend, unsicher 168, 19.

wëg, wëc, wëch st. m. zu wëgan: Weg, vîa 137, 8. 162, 10. 185, 11. 197, 4.

wëgan st. v. I. transit. in Bewegung setzen: mit sich tragen 162, 29 (sehr tragen wir dessen sichtbare Folgen). wägen. II. intr. vorhanden sein: wigit scîn ist sichtbar 181, 22. Gewicht oder Wert haben. Dazu wëg, wegjan, wegî, waga (st. f. Bewegung), wagôn, wagan, wâg, wâga, wâgi, lat. vehere, gr. ἔχειν.

wegî anom. f. Bewegung 192, 37. Mit wegjan schw. v. bewegen zu wëgan.

wëhsal st. m. Wechsel, Veränderung 190, 8. Stellvertretung, Stelle 175, 26. Christes tuan wëhsal = Christi vices agere, Christi Stelle vertreten 120, 5.

wehselîch adj. wechselnd 191, 15.

weinôn schw. v. intr. weinen: inf. subst. ululatus 137, 25. sih weinôn weinen 172, 21.

weiso schw. m. Weise 162, 38. Negativer Ablaut zu wîsan.

weizjan, giweizjan schw. v. factit. zu wizan: zeigen, auszeichnen 154, 39.

wekjan, wechan schw. v. factit. zu wach: wach machen, wecken 135, 22. impf. wahta.

wëla, wël, wola Otfr. adv. zu guot (comp. baz): gut, wohl 116, 9. 118, 19. 152, 24. 169, 5. 195, 17. wola quëdhan = benedicere 130, 17. wola wëllan c. dat. Gutes wünschen, wohlwollen 156, 15. wola duan' c. dat. jemanden woltun, Heil bringen 174, 18. wola ward c. acc. wol ihm, wol ihnen, ein Ausruf freudiger Bewunderung 157, 19. auch elliptisch wola allein 157, 21. c. acc. 175, 8. Zu wëllan.

wëlaga 118, 22. **wolaga** 163, 1. Interj. wohlan, iron. wehe. Zu wëla, wola.

wëlîh siehe hwëlîh.

welîhho adv. procaciter, frech 123, 29. Wahrscheinlich für wellîcho zu

adj. hwell = procax. Vgl. Graff IV, 1224 u. I, 633.

wëllan anom. v. wollen; sq. inf. 178, 31. wola wëllan s. wëla. Ueber die Formen der Conjug. siehe Gramm. § 21 und Graff I, 817. Dazu einige Belege: Ind. præs. sg. 1. p. ᴡillu 161, 25 Otfr. willa 142, 23 Tat. 2. p. wilis, wili 118, 14. 142, 21 Tat. wili, wil 154, 15 O. 3. p. wili 127, 13. 182, 36. wilit 157, 38 O. pl. 1. p. wollêmês T. wollên 162, 38 O. 2. p. wollêt T. O. 3. p. wollên T. O. Impf. wëlta 124, 27. wolta 137, 26 T. 161, 28 O. Conj. præs. sg. 1. p. wille 164, 8 (oder ind.? sonst O. wolle). 2. p. wolles 154, 15 O. T. 3. p. wëlie 127, 28. wolle 156, 15 O. T. pl. 3. p. wollên 156, 25 O. Vgl. goth. wiljan, gr. βούλομαι, lat. velle.

welzan schw. v. wälzen; impf. walzta 176, 22. Zu wël adj. rund. Dazu lat. volvere.

wënag, wëneg für **weinag** adj. zu beweinen, erbarmenswert, miser, elend 133, 32. 135, 7. 161, 27. Zu weinôn.

wendan, wentan schw. v. factit. zu windan: zurückführen 163, 10. sih wentan sich hinwenden 143, 31. intr. für refl. sich wenden, zurückkehren 157, 1 (wantîn für wantun). in forahtun ni wentet wendet (euch) nicht zur Furcht, fürchtet nicht, was ihr ihnen antworten sollt 172, 6.

wendig adj. rückgängig 186, 2.

wenicheit für **wënagheit** st. f. Elend, miseria 196, 20. nhd. Wenigkeit. siehe wënag.

wenkan schw. v. einen wanc tun: weichen, wanken 153, 33. abweichen, vermeiden, umgehen 156, 31 (thes wenke für thiu thes wenke die das umgehe, unterlasse).

wenti st. n. Gränze 131, 6. Zu windan.

wentilsæo st. m. das um die Erde sich windende Meer 118, 17. Zu windan; vgl. Wendeltreppe, Wendelbaum.

wëo, hwëo siehe hwëo.

wër, waz s. hwër, hwaz.

wëralt, wërolt 134, 8., **worolt** Otfr., **wërelt, wërlt** Notk. st. f. Menschenalter, generatio, sæculum, Zeitalter, Zeit, Weltperiode 130, 19. 157,

12. 196, 29. in worolti niheine, in keiner Zeit, niemals 155, 26. sæculum, mundus: Menschheit, die Leute, Menge, Volk 168, 10. 171, 16. Weltgebäude, Wohnsitz der Menschheit, Erde 157, 10. christl. das Menschengeschlecht im Abfall von Gott 146, 8. ff. Aus wĕr der Mann und altî = ætas, ævum, goth. alds st. f.

wĕrban st. v. intr. eine Kreislinie beschreiben: zurückkehren, redire 137, 8. 138, 15 Tat. sich umtun, tätig sein, handeln, zu tun haben 163, 3. sq. bi c. acc. sich um etwas umtun, bemühen (bewerben) 180, 24.

wĕrc, wĕrch st. n. opus, Werk, Handlung, Unternehmung: nom. pl. wĕrch 186, 26. acc. pl. wĕrc = opera 146, 18. dat. pl. wĕrcum 119, 14. wĕrkon 151, 19. sînes sĕlbes wĕrkon durch seine Taten 151, 24. 154, 26 (siehe ziarjan).

wĕrthan 182, 1. **wĕrdan, wĕrdhan** st. v. impf. wart 116, 6. 2. p. wurti 118, 21. c. dat. zufallen, zu Teil werden 182, 1. c. dat. und zi (persönl. Subj.) sein oder handeln dass etwas für jemand der Erfolg ist: ti bauin wĕrdan 118, 27 s. bano. imo ze follusti ne wirdhu ich werde ihm nicht zur Unterstützung sein, ihn nicht unterstützen 132, 22. c. dat. und zi (dingl. Subj.) ausschlagen oder gereichen zu: ze scadhen wĕrdhan zum Schaden gereichen 132, 10. zu sein beginnen, werden: mit part. perf. zur Bildung des pass. gebraucht: wirdit ginemnit wird genannt 138, 9. Das part. perf. flectiert: gisceidinêr wurti 155, 24. vor sich gehen, geschehen, eintreffen 126, 18. 135, 20. 138, 19. ni mohti wĕrdan dass es nicht geschehen könne 168, 21.

wĕrdôn, giwĕrdôn, gewĕrden schw. v. sq. inf. dignari, wert halten, würdigen, geruhen: ind. præs. 2. p. wĕrdis für werdôs 198, 17. cj. præs. kiwerdô für kiwerdôe 180, 18. imper. kiwerdô 130, 20. sq. inf. 130. 180. 186, 22. Zu wĕrt.

wĕrên schw. v. bestehn, dauern, währen 165, 32. Zu wĕsan.

wĕrfan, alts. **wĕrpan** st. v. werfen 118, 14. 145, 22. werfên aba uns werfen wir von uns 187, 5.

wergin für **hwergin** pronominaladv. irgend wo, irgend wohin 151, 18. Zu hwara? vgl. mhd. iergen nhd. irgend aus io hwergin und mhd. niergen, nhd. nirgends aus nio hwergin.

wĕrhliuti pl. zu **wĕrhman, wĕrahman**: Werkleute, Arbeiter 196, 6.

werjan schw. v. bekleiden 157, 25? siehe d. folg. werjan; zusammengesetzt. part. præt. ungawerit = non vestitus 125, 24. Goth. vasjan, lat. vestis, gr. ἰσϑος, nhd. Weste. Graff I, 928.

werjan schw. v. verteidigen, schützen 155, 35 (impf. werita 157, 25 kann abgeleitet werden von werjan bekleiden oder von werjan verteidigen, schützen). wehren, jemand hindern, abhalten: acc. part. præs. werentan 146, 36. Mit weri st. n. Wehre, Verteidigung, Waffe zu wĕr Mann oder zu wara st. f. Acht, Aufmerksamkeit.

wĕrkôn, wĕrchôn schw. v. intr. handeln, wirken 133, 2 (Conjectur). 134, 2. trans. tun 134, 8.

wĕrltlich adj. weltlich 196, 26.

wĕrltlust, woroltlust Otfr. st. f. Freude der Welt, Gelüste der Welt 163, 17. pl. terrenæ concupiscentiæ 188, 5.

wĕroltrĕhtwîs adj. der das Recht, das Geschick der Menschheit, der Welt kennt, durchschaut, Kenner des Weltgeschickes, Weltweiser? 134, 9.

wĕsan st. v. I. bleiben: imper. wis 137, 12. II. Hilfszeitwort: sein siehe sîn.

wĕstana adv. vom Westen her 143, 10.

wĕstar adv. nach Westen, westwärts 118, 17.

wĕsten st. n. der Westen: dat. wĕstene 193, 18.

wĕsttu 118, 4 s. wizan.

wĕt 117, 12. s. wizan.

wĕwo schw. m., auch **wêwa** st. f. Weh, dolor, malum 172, 15. Zu wê interj.

wêwurt st. f. Weheschicksal 118, 22. wurt, altn. Urdhr n. pr. einer Norne; alts. Wurdh, ags. Vyrd. Zu wĕrdan. Grimm Myth. S. 377.

wîb, wîp st. n. Weib, im Gegensatz zum Mann 168, 10. Später auch im Gegensatz zu frouwa Herrin, und zu Jungfrau.

wicstat st. f. Kampfplatz 134, 18.

widar, widhar, wider præp. c. dat. u. acc. gegen (eigentl. u. bildl.) c. dat. 118, 12. 132, 21. 148, 33. 152, 7.

155, 13. 186, 36. 188, 29. c. acc.
146, 34. 158, 6. gegenüber c. acc.
127, 24. Comparativbildung zu ags.
vidh, wie lat. contra zu con,
cum.

widar, widere räuml. adv. gegen, entgegen, zuwider 189, 21. zurück 147, 27.

widarmuat st. m. und **widarmuatî** anom. f. Ungerechtigkeit 167, 12.

widarôn, assim. **widorôn** schw. v. intr, c. dat. u. gen. einem worin entgegen treten, den Rang ablaufen, einen übertreffen? 154, 32 (præs. cj. giwidarôn). zurückweisen, ablehnen 163, 26.

widarpirkîg adj. schwierig, arduus 122, 32. Zu bërg, bërgan.

widarquëdan st. v. sih widarq. widersagen, contradicere 148, 23.

widarsahcho schw. m. Gegner in einer Sache, Widersacher 183, 5.

widarsentan schw. v. zurücksenden: widarsantanan für widarsanta in an 147, 35.

widarstantan anom. st. v. c. dat. widerstehn 131, 13.

widarwart, widarwert adj. contrarius, adversus, feindlich 121, 6. 144, 27. 158, 3. subst. Feind 152, 29 (thaᴣ uns widarwert ni merrit dass uns der Feind nicht schädigt, parallel dem vorhergehenden: thaᴣ fîant uns ni gaginit). Zu wërdan.

widarwentan schw. v. abwendig machen, avertere 148, 3.

widorort adv. für **widarwart**: rückwärts, zurück 157, 1. siehe widarwart adj.

wîg, wîc st. m. Kampf, Schlacht, Krieg 118, 17. 32. 134, 11. 183, 10. Streit, Streitlust 167, 7. Dazu wîgant st. m. Krieger, vgl. Hludwîg.

wîgsâlîg oder **wîgosâlîg** (die Handschr. hat zwischen w und s eine Lücke) adj. glücklich im Streit, kampfsiegbeglückt 183, 19.

wîh adj. heilig, sanctus 119, 20. 25 ff. thiu wîha zît die heilige Zeit, Festzeit 168, 14. wîhêrô kemeinitha Gemeinschaft der Heiligen 119, 25.

wîhî anom. f. sanctitas, benedictio, Weihe, Heiligung, Segen 164, 20. 170, 27. thiu wîhî gotes geistes die Heiligkeit des Geistes Gottes d. h. der heilige Geist G. 159, 10.

wihjan schw. v. heiligen, sanctificare: kawîhit sî geheiligt werde 128, 6. weihen, segnen, benedicere 144, 18. 159, 27. 164, 19. 170, 25. part. præt. als subst. der gewiehto für der gewîhto der Geweihte, Gesalbte, χριστός.

wîhnassî anom. f. Heiligung 128, 8.

wîhrouh 187, 7. **wîrouh** 162, 1. st. m. Weihrauch.

wiht st. m. I. ein Ding, etwas: gen. wihtes 168, 27 (nicht weiss ich sonst von etwas hier d. h. sonst weiss ich hier von nichts). c. gen. 163, 4. wiht es etwas davon 155, 38. wiht ni, ni wiht kein Ding, nichts 135, 32. 171, 13 (1. Halbz.). c. gen. 164, 15. ni wiht es, wiht ni es nichts davon 156, 23. 165, 37. 38. wihtes ni nichts 177, 4. adv. wiht ni durchaus nicht 171, 13 (2. Halbzeile). 176, 38. vgl. niwiht, niowiht. II. pers. Wesen, Geschöpf, Creatur, Wicht: acc. pl. armu wihti arme Wichte 166, 34 (siehe smerzan). dat. pl. armên wihtin 167, 23. Zu wësan?

wîla siehe hwîla.

willicumo zusammengesetzt. part. nach Willen, nach Wunsch gekommen 184, 14.

willjo 188, 1. **willëo, willo** schw. m. Wille: gen. willen 158, 31. dat. willin 124, 4. acc. willun 128, 17. 133, 24. adv. mit willen gerne 160, 18. adv. acc. mînan willon mit meinem Wissen und Willen 132, 10.

wînblat st. n. Weinblatt 145, 18.

wind, wint st. m. Wind, ventus 126, 7. 143, 27.

windan wintan st. v. kreis- oder spiralförmig bewegen oder gestalten, winden, volvere: part. præt. wuntan gewunden 118, 7. sih windan sich winden 179, 32.

winistar adj. link: fem. winistara, winistra sc. hand die linke Hand 141, 5. Lat. sinister.

wînkarto für **wîngarto** schw. m. Weingarten, vinea 196, 2.

wînloub st. m. Weinlaub, Rebschoss, palmes 145, 12.

winnan st. v. laborare, in Bedrängnis sein 144, 28. sich anstrengen, streiten 147, 14. 152, 7 (impf. wan). 164, 16. Daraus gawinnan, ubarwindan. .

wînreba schw. f. (auch st. f.) Wein-
rebe, vitis 145, 11. 196, 14.

wintar st. m. Winter, hiems: gen.
pl. wintrô für wintarô 118, 23.
Zu wind.

wio, wêo siehe hwêo.

wirdan schw. v. hochschätzen, vene-
rari 129, 6. Zu wêrt.

wirdig, wirdîk adj. wirdig, dignus
120, 1. 143, 3. 148, 6. c. gen. 125,
13. 158, 36. sq. daʒ 173, 35. 179,
23. Zu wêrt.

wirken schw. v. ins Werk setzen,
tun 155, 37. wirken duam ein
Werk scbaffen, etwas tun 154, 16.
gibot wirken das Gebot erfüllen
175, 28. s. worahjan.

wirs defect. compar. adv. übler,
schlimmer: thi wirs für thiu wirs
desto schlimmer 155, 18. adj. wir-
siro, -a, -a schlimmer 142, 15.
Superl. wirsist 186, 18. Zu wêr-
ren.

wirt st. m. Eheherr, Mann, Bräutigam,
Hausherr 165, 2. 181, 17. Zu wêr.

wîs adj. erfahren, verständig, weise
151, 7. 155, 32. wîs wêsan c. gen.
verstehen 162, 17.

wîsa, wîse schw. f. Art u. Weise:
adv. abgekürzt wîs: in unsera
wîs in unserer Weise, Sprache 187,
24. Zu wîs.

wîsan st. v. ausweichen, c. acc. 133,
25. Lat. vitare.

Wîsduam Otfr., **wîstuom, wêstôm**
st. m. Verständigkeit, Weisheit 131,
12. 150, 20 Otfr.

wîsôn schw. v. trans. aufsuchen 162,
38. intr. c. gen. besuchen, heim-
suchen 134, 27. Zu wîs.

wîssan schw. v. wîs machen: an-
weisen, leiten, führen, lenken 135,
22. convocare, berufen 123, 17. 23.

wist st. f. zu wêsan: Nahrung 181,
2. Vgl. hierwist, heimwist.

wîtmâri adj. weitberühmt, ausgezeichnet, insignis 148, 37.

wîto adv. zu **wît** 185, 19.

wiû siehe hwêr.

wîʒ siehe hwîʒ.

wîʒago, wîʒʒago schw. m. Prophet,
Seher, Weissager 129, 16. 136, 23
ff. wîʒogo 150, 8. Zu wîʒan.
Schon frühe mhd. umgedeutet in
wîssage, weissage.

wîʒan, wîʒʒan anom. v. vgl. Gramm.
§. 20, 6. præs. weiʒ 133, 28 ff.
(præt. v. wîʒan). alts. wêt 117,
12. 2. p. wêsttu 118, 4 (nach
Feussners Conjectur) aus wêst und
du weist du! als Ersatz für den fehlenden imper., zu beziehen auf Hadubrand, siehe irmingot. impf.
ind. westa 142, 11. 149, 4 Tat.
165, 12 Otfr. wisser für wissa er
182, 19. pl. westun 146, 30. wes-
tut 138, 26. impf. cj. westi 157, 2
(scheint für westa zu stehen). 173,
3 Otfr. wessi 157, 14. wissîs 181,
3. wissen, zu wissen bekommen, erfahren 165, 12. 179, 7 (weder euch
noch sonst jemand ist zu erfahren,
weder ihr noch sonst jemand darf
wissen). wiʒʒe Christ wisse es
Christ 181, 8. kennen 146, 30. c. acc.
und dat. refl. 117, 12. 127, 18. der
sih suntîgan weiʒ 133, 28. mit
folgendem Nebensatz, bei dem thaʒ
fehlt: ih weiʒ (thaʒ) iʒ got worahta 155, 12. ih weiʒ (thaʒ)
her imos lônôt 181, 27.

wîʒan st. v. sehend wahrnehmen, beachten, bestrafen, verweisen, anim-
advertere: c. acc. u. dat. etwas
an jemand, jemand wofür bestrafen
178, 5. vgl. mhd. verwîʒen, nhd.
verweisen. Dazu wîʒi, wîʒago.
Lat. videre, gr. *ἰδεῖν*.

wîʒi, wîʒʒi st. n. Strafe, Qual, Plage
128, 24. 135, 3. 174, 8. Ort der
Qual, Hölle 119, 22. instr. mit wîʒ-
ʒiû == tormentis, mit Plagen
139, 27.

wîʒinôn schw. v. bestrafen, quälen,
torquere 143, 1. Zu wîʒi, wî-
ʒan.

wîʒod st. n. oder st. m. Gesetz 154,
10.

wizzî anom. f. Verstand, Weisheit 154,
27. 155, 29. pl. 178, 40.

Wîʒʒûnburg Ortsn. (dat.) Weissenburg
132, 24.

Wôdhan 116, 5. **uuôden** 119, 16. n.
pr. des obersten und allgemeinsten
Gottes der Germanen; er ist Gott
des Naturlebens, als welcher er das
Pferd Balders (das Sonnenross) zu
heilen versteht, aber auch Gott des
menschlichen, besonders des Krieger-
lebens; altn. ist w weggefallen:
Odhin, wie wurm — orm.

wola, wolaga siehe wêla, welaga.

wolcan, wolkan st. n. Wolke (fem.
aus altem pl.): dat. pl. wolcnum
126, 2. wolkon für wolkanon,
wolkonon 160, 2. Zu wêl?

wolunga, uolunga st. f. religio?
187, 7.

wonên schw. v. bleiben, bleibend sein, manere 145, 15 ff. wohnen, leben 138, 15.

worahjan, wurchan, wurchen anom. schw. v. bewirken, machen, schaffen, tun, ausführen 131, 14. 173, 21. 196, 15. ein Gebot, Gesetz vollbringen 198, 1. 6. impf. gaworahta 131, 10. worahta 155, 12 (siehe bei ni). inf. gawurchan 131, 14. Mit wirkan zu wërk.

woroltendi, -enti st. n. Weltende, Weltgränze, Weltgegend 156, 33. 175, 5. 179, 14.

woroltfirwurt st. f. Untergang, Verderben der Welt 158, 1. Aus worolt und firwërdan.

woroltfrist siehe frist.

woroltkunni st. n. Menschengeschlecht 172, 22.

woroltman st. m. Mensch 172, 31.

woroltmenigî anom. f. Menschenmenge 168, 8.

woroltrîchi st. n. Weltreich 174, 33.

worolt - ring st. m. Weltring, Erdkreis, Erde 171, 27. 174, 20. 179, 78.

worphozan für **worphazjan** schw. v. intens. zu wërfan: jactare, umherwerfen 144, 26.

wort st. n. Wort 117, 9. 128, 19. 158, 10. pl. gotes wort 155, 39. Mit lat. verbum zu gr. ἐρῶ ἐρωτάω.

wundar, wuntar st. n. Verwunderung, Neugierde: mih ist es wundar ich bin begierig etwas zu erfahren, es wundert mich 171, 22. 180, 7. Gegenstand der Verwunderung, Wunder, wunderb. Sache, wunderb. Nachricht 156, 19. 158, 11. 168, 7.

wundarôn, wuntarôn, assim. **wuntorôn** Otfr. Tat. **wuntrôn** Tat. schw. v. refl. sich verwundern 138, 23. 143, 26. 150, 1 Tat. sih wuntorôu c. gen. sich über etwas wundern 159, 23. 179, 26 Otfr. wuntorôta sih sîn er wunderte sich über ihn (den Hausherrn) 166, 4.

wunni anom. f. zu winnan: bearbeitetes, zum Heuen bestelltes Wiesenland,: Bodenbesitz, Besitztum, Gut 182, 6. vgl. wunn u. weyd Wiese und Weide; bildl. Augen- und Seelenweide, Freude, Lust 162, 24. wunna 153, 10 (wunna scheint hier acc. regiert von inliuhte: es leuchte ihm da Wonne die ewige Sonne). wunna 166, 20. 170, 32.

wunsk st. m. Wunsch, Verlangen: ze wunske kindâ Lieblingskinder, vorgezogene Kinder, filii adoptionis 120, 9. vgl. altn.: Oskasynir Odhins Snorra Edda S. 24.

wunskan, Otfr. **wunsgan** schw. v. wünschen: c. gen. man was sîn wunsgenti man wünschte ihn herbei, sehnte sich nach ihm 157, 12.

wunt adj. verwundet 134, 18.

wunta st. f. Wunde, vulnus 174, 19. Plage 162, 36.

wuntarlîh adj. zum Verwundern, wunderbar 160, 8 Otfr. cot christum wunderlîchen getân habet Gott hat Christum wunderbar gemacht, hat ein Wunder an ihm getan, mirificavit 190, 12.

wuntôn schw. v. verwunden 178, 15. præs. für fut. wuntôt wird verwunden 160, 9.

wuochar, wuocher, wuachar st. m. Ertrag an Früchten; bildl. Gewinn, Wucher 173, 22. 185, 27.

wuofan, wuafan, wuofen st. v.? jammern, heulen 140, 21. c. acc. bejammern, beweinen, plorare: impf. wiof 137, 25. Dazu wuofjan schw. v. u. wuoft st. m.

wuoft, wuaft st. m. zu wuofan: Jammern, Schreien, Heulen, ululatus, fletus 137, 15.

wuolîh siehe hwëlîh.

wuosti adj. unbewohnt, öde, desertus 142, 29. 143, 32. Zu wasti, wastjan, lat. vastus.

wuostinna st. f. Wüste 138, 1. Sonst wuostî.

wurchî anom. f. Wirkung, Kraft: acc. pl. zeichin — wurchîn Wunderkräfte, virtutes 194, 28.

Y siehe I.

Z, C, CZ.

za, zi, ze, zuo, tô præp. c. dat. (abl.)
acc. Formen: za 124, 33 ff. 127, 1.
11 ff. 131, 13 ff. 133, 11 Musp. zi
Tat. Otfr. ze Musp. Notk. zir für
zi theru 164, 28. zwiû, ziû für
zi wiû s. hwër. ti für zi 117, 28.
Vor pronomen und pronominalen
Wörtern auch zuo, zu, alts. tô
(sonst adv.) 117, 6. 119, 6. Bedeutung: zu, an, bei, auf, nach, in. I.
räuml.: Ziel der Bewegung 116, 5.
124. 133. 135, 3. 4. 6. 136, 16. 137,
9. 142, 29. 145, 8. 157, 10. 162, 20.
vor Ortsn. 136, 16. 144, 19. c. acc.
180, 21 (2. Halbz.). Ortsbestimmung
überhaupt, Punkt des Verweilens: in,
an 145, 8. 164. 170, 23. Ziel un-
räuml. und unsinnl. Tätigkeiten 136,
31. 137, 12. 162, 26. 178, 18. 180,
12. 181, 15. minna zi gote Liebe
zu Gott? (oder: Liebe bei, von
Gott?) 152, 40. vor adj. u. adv. das
Uebermass bezeichnend (was zum
rechten Masse zugefügt wird) allzu
117, 28. II. zeitlich: Zeitraum, Zeitpunkt: an, in, bei: ze demu suo-
nutakin 127, 26. 32. 128, 9. 139,
21. zi lîbe im Leben 153, 27. 158,
4. zi theru giburti bei der Geburt 160, 16. 177, 27. 180, 21. bis
zu 152, 33. III. abstractere Verhältnisse: Erfolg der Tätigkeit 128, 23
ff. 155, 1. 178, 7. Zweck, Absicht:
zi thiû thaჳ sq. cj. damit, auf
dass 138, 7. za diû 127, 1. siehe
thiû. Betreff, Rücksicht: zi thiû
dazu, in Betreff dessen, in dieser
Rücksicht 153, 21. 154, 29. ziû d.
h. zi wiû wozu, warum 138, 24.
154, 29. Vor infin. im dat. nach
Zeitw. gêban zi êჳჳanne 178, 25.
zi bëtonne um anzubeten 136, 18.
nach subst. 128, 29. 131, 13 ff. vor
undekliniertem inf. nach adj. 128, 4.
Zu Bildung von adv. der Art und
Weise: zi wâre in Wahrheit, nhd.
zwar 145, 9. zi guate in Gutem

166, 25 (das Comma vor zi g. ist
zu streichen). vgl. zuo.

zafaran st. v. præterire, transire,
vergehen 126, 17. 19.

zefaran st. v. auseinander fahren, zerstreut werden, zerfahren, vergehen
186, 10.

zagaheit st. f. Feigheit 173, 24. Zu
adj. zag.

zala, czala 182, 5. st. f. Zahl 144, 16.
156, 24. ganze Menge 182, 5.

zâla st. f. Gefährdung, Gefahr, Nachstellung 151, 18. 34. 173, 33. bimîde io zâla, derô fîantô fâra
er vermeide immer Verderben, Gefährdung durch die Feinde 151, 28
(oder ist io zala zu lesen und dieses als adv. zu nehmen = immer?)
bimîde zâlônô fal er vermeide
der Gefahren Fall, er komme nicht
in Gefahren zu Falle 152, 34.

zand, zant, zan st. m. Zahn: nom. u.
acc. pl. zene 189, 24. 195, 7. gen.
pl. zenô 143, 13 Tat. Zu lat. dens,
gr. ὀδούς, goth. tunthus.

Zehedeoen schw. gen. von Zebedæus
140, 9.

zefarantlîh adj. vorübergehend, tran-
sitorius 123, 7. Zu varan.

zêhan, zêhen Grundz. zehn 173, 11.
Gr. δέκα, lat. decem, goth. taí-
hun.

zêhenzug Grundz. hundert, centeni
144, 11. zwîro zêhanzug zweimal
hundert d. h. zweihundert 165, 31.

zeichan, zeihhan st. n. Zeichen, signum 125, 36. 158, 22. 160, 32.
Zeichen des Tierkreises 179, 29.
Wunder 142, 17. 160, 29. 197, 8.
zeichin wurchin 194, 28 siehe
wurchî.

zeigôn schw. v. anzeigen, zeigen 153,
5. 160, 28. 161, 34. Zu zîhan st.
v. sagen, nhd. zeihen.

zeinjan, zeinan schw. v. mit einem
Stabe (zein) worauf hinweisen: zeigen, bezeichnen 155, 14. anzeigen

174, 26. c. acc. nach etwas zeigen, weisen 175, 5. Sonst auch zei nôn.

zeiz adj. zart, lieblich, tener, lieb u. teuer 165, 12. altn. teitr.

zeljan, zellan, zellen schw. v. inf. gizellen 153, 22. impf. zalta 161, 14. zelitun 162, 10. gizalta 160, 17. zählen, rechnen 153, 35. 156, 23. 27. 157, 35. 159, 3. zeljan mit c. dat. zu jemand rechnen 174, 25. aufzählen 153, 22. erzählen, mitteilen, verkünden (mündlich) 151, 3. 155, 40. 160, 17. 161, 14. 162, 10. 171, 29. sô ih thir zellu wie ich dir sage 150, 23 und oft bei O. zur Bekräftigung des Gesagten oder pleonastisch.

zëman, gizëman st. v. ziemen, wohl anstehen, sich gehören, passen 151, 36. 158, 2. c. dat. 178, 9. vgl. gizâmi. Mit zam zu gr. δέμω, δαμάω, lat. domo, goth. tamjan.

zerisan st. v. zerrinnen: part. præs. zerrinnend, vergänglich, caducus 123, 9. Zu rîsan fallen.

zëso, flectiert **zëswër** adj. recht, dexter; schw. f. zësawa, zëswa sc. hant rechte Hand, Rechte 141, 5. az zeswûn kotes zur Rechten Gottes 119, 25. za zeswûn cotes 130, 9. ze sînero zeswûn 190, 13. ze zesewun 194, 19.

zi siehe za.

ziarî anom. f. Pracht, Herrlichkeit 170, 2. Sonst auch **zierda** st. f.

ziarjan schw. v. ziari machen, schön machen: in werkon ouh giziartun zierten es auch mit Werken, schmückten es aus durch Taten 154, 26.

zifallan st. v. zerfallen 172, 32.

zigangan, zigân anom. st. v. zergehen, ausgehen, vergehen 141, 32. 171, 24.

zilôn schw. v. zu zil: mit refl. gen. zilôn sîn sich beeilen, satagere 169, 22. 173, 23.

zilunga st. f. Beeilung, Beeiferung, festinatio 127, 30.

zins st. m. Zins, Auflage, Abgabe 156, 28. Aus lat. census.

ziohan, ziahan Otfr. st. v. I. trans. ziehen, führen; gross ziehen, erziehen 155, 26 (impf. pl. zugun). 155, 34. II. intr. einen Weg einschlagen, sich begeben, ziehen = faran 160, 11. Lat. ducere, gr. δοκεῖν, goth. tiuhan.

ziero adv. zu ziori: schön, hübsch, gewandt, geschickt 151, 14. 170, 7.

ziskeidan st. v. trennen, scheiden 140, 30.

zît, cît 196, 9. st. f. Zeit, tempus 136, 27. Stunde, hora 143, 15. pl. zîti Zeiten, Zeitläufe 151, 23. 157, 9. pl. zîti Tageszeit, Tagesstunde 176, 7. acc. allo zîti allezeit 154, 17. zît Tag, Wochentag? theso sëhs zîti diese sechs Tage der Woche hindurch? oder bildlich: diese Lebenszeit hindurch? 154, 21 (dichte immer so mit Eifer diese sechs Lebenstage hindurch, damit du dich so gerüstet machest und an dem siebenten — in der Ewigkeit — rastest). zît die nötige und passende Zeit u. Gelegenheit: ni lâz thir zît thes ingân lass dir nicht die Zeit dazu entgehen 154, 20. metr. musikalisches Zeitmass 153, 35. 154, 14.

ziteiljan schw. v. verteilen, distribuere 144, 13.

zîtigo adv. zu **zîtig**: zur rechten Zeit 185, 26.

ziweiban schw. v. niederreissen, zerstören, zu Grunde richten 196, 23. Von weibjan Graff I, 650.

ziwërfan st. v. niederwerfen, vernichten, zerstören 171, 6.

zorn st. m. Zorn 187, 15.

zuamanunga st. f. admonitio, Ermahnung 122, 16.

zuanëman st. v. dazu nehmen, an sich nehmen, adsumere 120, 12.

zuasëhan st. v. zusehen 168, 37.

zuht st. f. zu ziohan: Wohlgezogenheit, Anständigkeit 188, 17.

zunga schw. f. lingua, Sprache 154, 3. Altlat. dingua, goth. tuggo.

zuo, zua Otfr. **zû** Notk. räuml. adv. zu, hinzu, herzu 187, 15. bei demonstr. adv. thara zua dazu 158, 29 Otfr. unsinnl. thar zua githingên darauf denken 161, 26. bei Zeitw. s. zuogangan, zuoquëman, zuowart. als præp. siehe za, zi.

zuogangan, zuogân st. v. hinzugehen, accedere 143, 29.

zuoquëman st. v. impf. zuochômen zukommen, begegnen c. dat. 196, 9.

zuowart adj. futurus, zukünftig, was geschehen wird 187, 13. zuowërt = venturus 144, 21.

zurnen schw. v. zorn haben, zürnen 193, 5.

zwêhôn schw. v. dubitare, zweifeln 144, 6.

zwelif, zwelef Grundzahlw. zwölf 138, 13. 169, 8. flect. zwelivi 140, 7 Tat. Mit einlif eilf zu lîp: zehn und noch zwei.

zwelifelnig adj. zwölf Ellen lang 195, 7.

zwêne nom. u. acc. masc. 144, 6. 168, 8. 173, 23. fem. zwô; neutr. zwei 144, 2. dat. zwein 144, 12. acc. zewêna 195, 18. alts. twê, dat. twêm 117, 3. Grundz. zwei. Gr. δύο, lat. duo, goth. tvai. Zu zi.

zwîfald, zwîfalt adj. zwiefältig, doppelt, duplex 120, 8.

zwîjârig adj. zweijährig 137, 21.

zwîro Zahladv. zweimal 165, 31.

zwisk adj. zweifach: untar zwisgên in der Mitte zweier, unter einander 143, 26. So auch mhd. in zwiskên (dat.) in zwischen, mhd. und nhd. zwischen.

zwîval adj. zwiefältig, zweifelnd 178,11.

zwîval st. m. (vom adj.) Ungewissheit, Zweifel: âna zwîval ohne Zweifel, sicherlich 178, 6 Otfr.

zwivilîn adj. zweifelnd 178, 26.

zwîvolôn assim. aus **zwîvalôn** schw. v. in Ungewissheit sein, zweifeln 178, 14. 19. herzôn zwîvolôntôn mit zweifelnden Herzen, scheint Nachahmung des lat. part. absol. zu sein 178, 14.

Druckfehler und Berichtigungen.

Anm. In dem folgenden Verzeichnis gebrauche ich den Ausdruck Linie für die Ab-
theilung I. II. und III., welche beide nicht mit Zahlen am Rande versehen sind;
dagegen die Ausdrücke Zeile und Vers für den Text der Denkmale mit Beziehung
auf die Zahlen am Rande.

Seite 25, Linie 7 von oben: statt rotgedruckten lies kleingedruckten.

Zu Seite 41—45 ist anzumerken, dass das Gedicht von Walther und Hildgund seit dem Drucke jenes Bogens von neuem nachgedichtet worden
ist durch Scheffel, in dem vortrefflichen Roman Ekkehard.

Seite 46, Linie 18 von oben: nach dem Worte aufgenommen ist einzu-
fügen: unter dem Titel De Heinrico.

S. 71, L. 14 von unten: statt Anslaut lies Auslaut.

S. 81, L. 12 von oben: statt c) ou lies c) uo.

S. 84, L. 17 von oben: nach solchen setze Verben.

S. 87, L. 13 von oben: nach 2. p. setze bis.

S. 88, L. 6 von oben: nach anomales streiche die Worte: Verbum:
præs. bigan.

S. 90, L. 16 von oben: statt Impf. lies Imperativ.

S. 106, L. 17 von oben: statt dĕsjn lies dĕsju.

S. 119, Vers 3: nach waltan streiche 2).

S. 123, Zeile 13 von oben: adlibendis ist Fehler der Handschrift für
adhibendis.

S. 134, Vers 14 sollte in der ersten Hälfte lauten: uuili dên rehtkernôn.

S. 134, Vers 21 ist nach kitríufit ein Komma zu setzen.

S. 135, Vers 14: statt hihlûtit lies kihlûtit.

S. 136, Vers 4: statt ionuiht lies iouuiht.

S. 139, Zeile 3: statt fastêta lies fastêta

S. 139, Zeile 19: statt imi lies imo.

S. 144, Zeile 30: statt gitroubtê lies gitruobtê.

S. 148, Zeile 9: statt habêt lies hâhet.

S. 154, Vers 8: statt thô lies thoh.

S. 160, Vers 7: tatt thia lies thie.

S. 176, Vers 8: statt thia lies thiu.

S. 177, Vers 26: statt nntar lies untar.

S. 178, Vers 20: statt uuuntarôtum lies uuuntarôtun.

S. 181, Vers 7: statt kiscepbês lies kiscephês.

S. 195, Vers 1: statt pepagenet lies pegagenet.

S. 268, 2. Hälfte, Linie 20 von oben: statt irbiotau lies irbiotan.

S. 276, 1. Hälfte, Linie 25 von oben: statt נִבְחָה lies נְבְחָה.

Das Zeichen der Länge über Vokalen fehlt an einigen Stellen (abgesehen
von zweifelhaften Fällen); so lies 118, 20 gôtan; 142, 27 mâren;
148, 34 grâuo; 187, 5 châden. An einigen andern Stellen ist es zu
streichen; so lies 117, 26 Deotrîhhe; 118, 29 hrusti; 137, 13
quĕde; 145, 7 bilan; 146, 36 werentan; 186, 31 ubelo; 187, 1
slahen; 189, 21 in; 191, 5 frewî; 191, 21 freuuet; 192, 10 knitet; 192, 35 skinîn; 195, 2 sliemo.

Druck von O. W. Leske in Darmstadt.

www.ingramcontent.com/pod-product-compliance
Lightning Source LLC
LaVergne TN
LVHW021216190726
843642LV00006B/1979